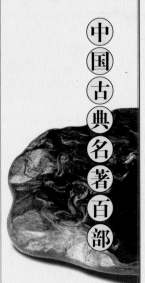

中国古典名著百部

花月痕 蝴蝶缘 绣球缘

主编 柴剑虹 李肇翔

九州出版社

图书在版编目（CIP）数据

中国古典名著百部. 史书类/柴剑虹，李肇翔主编. －北京：
九州出版社，2001.2
ISBN 7－80114－588－7

Ⅰ. 中…　Ⅱ. ①柴… ②李…　Ⅲ. ①古籍－汇编－中国
②中国－古代史－史籍－汇编　Ⅳ. Z121. 7

中国版本图书馆 CIP 数据核字（2001）第 04396 号

中国古典名著百部

总 顾 问：季羡林　启　功

主　　编：柴剑虹　李肇翔　　　　　总 策 划：崔钟雷　赵玉君

责任编辑：刘小曼　李　克　　　　　封面设计：李 杰　金　明

九州出版社出版　　　　　　　　　全国新华书店发行

社址：北京市海淀区万寿寺甲 4 号　　邮编：100081

开本：850×1168 毫米　32 开本　　　字数：22 800 千字

印张：1116　　　　　　　　　　　印数：3 000 套

版次：2001 年 2 月第 1 版　　　　　印次：2001 年 2 月第 1 次印刷

印刷：北京未来科学技术研究所印刷厂

书号：ISBN 7－80114－588－7/I·110　　全套定价：1368.00 元（全套 76 本）

中国古典名著百部

花月痕

清·魏秀仁 著

目　录

第一回　蚍蜉撼树学究高谈
花月留痕稗官献技

情之所钟，端在我辈。君臣、父子、兄弟、夫妇、朋友，性也，情字不足以尽之。然自古忠孝节义，有漠然寡情之我乎？自习俗浇薄，用情不能专一，君臣、父子、兄弟、夫妇、朋友之间，且相率而为伪，何况其他。乾坤清气间留一二情种，上既不能策名于朝，下又不获食力于家，徒抱一往情深之致，奔走天涯。所闻之事，皆非其心所愿闻而又不能不闻，所见之人，皆非其心所愿见而又不能不见，恶乎用其情。请问看官：渠是情种，煢然坠地时便带有此一点情根，如今要向何处发泄呢？吟风啸月，好景难常；玩水游山，劳人易倦。万不得已而寄其情于名花，万不得已而寄其情于时鸟；窗明几净，得一适情之物而情注之，酒阑灯灿，见一多情之人而情更注之。

这段话从那里说起？因为我乡有一学究先生，姓虞号耕心，听小子这般说，便叹道："人生有情，当用于正。陶靖节《闲情》一赋，尚贻物议；若舞衫歌扇，转瞬皆非，红粉青楼，当场即幻，还讲什么情呢？我们原不必做理学，但生今之世，做今之人，读书是为着科名，谋生是为着妻子。你看那一班潦倒名士，有些子聪明，偏做出怪怪奇奇的事，动人耳根，又做出落落拓拓的样，搭他架子，更有那放荡不羁，傲睨一切，偏低首下心，作儿女子态，留恋勾栏中

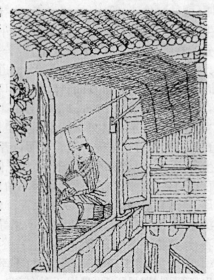

人，——你想，他们有几个梁夫人能识蕲王？有几个关盼盼能殉尚书？大约此等行乐去处，只好逢场作戏，如浮云在空，今日到这里，明日到那里，说说笑笑，都无妨碍，不要拖泥带水，纠缠不清才好呢。你说什么情种，又是什么情根，我便情田也要踏破，何从留点根，留点种呢？"

小子笑道："先生自知甚明，教人也还踏实，只是将情字径行抹煞。试想：枯木逢春，萌芽便发；生公说法，顽石点头。无论是何等样人，比木石自然不同，如何把人当个登场傀儡？古人力辩'情'、'淫'二字，如泾渭分明，先生将情田踏破，情种情根一齐除个干净。先生要行什么乐呢？小子不敢说，求先生指教罢！"

学究勃然怒道："你讲什么话！先王'人情以为田'，这'情'字你竟认作男女私情看么！"

小子嗤的一笑道："先生，你阜的不记得上文有'饮食男女，人之大欲存焉'一句呢？大抵人之良心，其发见最真者，莫如男女分上。故《大学》言诚意，必例之于'好好色'，《孟子》言舜之孝，必验之于'慕少艾'。小子南边人，南边有个乐部，生用真男，旦用真女，燃椽烛，铺红氍毹，演唱《醒妓》《偷诗》等剧，神情意态，比寻常空中摹拟，强有十倍。今人一生将真面目藏过，拿一副面具套上，外则当场酬酢，内则迩室周旋，即使分若君臣，恩若父子，亲若兄弟，爱若夫妇，谊若朋友，亦只是此一副面具，再无第二副更换。人心如此，世道如此，可惧可忧。读书人做秀才时，三分中却有一分真面目。自登甲科，入仕途，蛇神牛鬼，麋至沓来。看官听着，小子说'今人只是一副面具'，如何又说出许多面目来？须知喜怒威福，十副面具只是一副面具也。——然则生今之世，做今之人，真面目如何行得去呢！我看真面目者，其身历坎坷，不一而足。即如先生所说那一班放荡不羁之士，渠起先何曾不自检束。读书想为传人，做官想为名宦？奈心方不圆，肠直不曲，眼高不低，坐此文章不中有司绳尺，言语直触当事逆鳞。又耕无百亩之田，隐无一椽之宅，俯仰求人，浮沉终老，横遭白眼，坐困青毡。不想寻常歌伎中，转有窥其风格倾慕之者，怜其沦落系恋之者，一夕之盟，终身不改。幸而为比翼之鹣，诏于朝，荣于室，盘根错节，脍炙人口；不幸而为分飞之燕，受谗谤，遭挫折，生离死别，咫尺天涯，赍恨千秋，黄泉相见。三生冤债，虽授首于市街，

一段痴情,早销魂于蓬颗。金焦山下,空传瘗鹤之铭;鹦鹉洲边,谁访玉箫之墓! 见者酸鼻,闻者拊心,愚俗无知,转成笑柄。先生,你道小子此一派鬼话,是凭空杜撰的么!"

小子寻亲不遇,流落临汾县姑射山中,以樵苏种菜为业。五年前,春冻初融,小子锄地。忽地陷一穴,穴中有一铁匣,内藏书数本,其书名《花月痕》,不著作者姓氏,亦不详年代。小子披览一过,将俟此中人传之。其年夏五,旱魃为虐,赤地千里。小子奉母避灾太原,苦无生计,忽悟天授此书,接济小子衣食。因手抄一遍,日携往茶坊,敲起鼓板,赚钱百文,负米以归,供老母一饱。书中之是非真假,小子亦不知道。但每日间听小子说书的人,也有笑的,也有哭的,也有叹息的,都说道:"书中韦痴珠、刘秋痕,有真性情;韩荷生、杜采秋、李谡如、李夫人,有真意气。即劣如秃僮,傻如跛婢,屠户,懒如酒徒,淫如碧桃,狠如肇受,亦各有真面目,跃跃纸上。"可见人心不死,臧获亦剥果之可珍;直道在民,屠沽本英雄之小隐。至如老魅焚身,鸡栖同烬;幺魔荡影,兔脱遭擒;吾鼠善缘,终有技穷之日;猢狲作剧,徒增形秽之羞;又可见天道循环,无往不复。冤有头,债有主,愿大众莫结恶缘;生之日,死之年,即顾影亦惭清夜。小子尝题其卷首云:

有是必有非,是真还是假。

谁知一片心,质之开卷者!

今日开气晴明,诸君闲暇无事,何不往柳巷一味凉茶肆,听小子讲《花月痕》去也。其缘起如何,且听下回分解。

中国古典名著百部

第二回　花神庙孤坟同洒泪
　　　　　　芦沟桥分道各扬镳

　　京师繁华靡丽,甲于天下,独城之东南,有一锦秋墩,上有亭,名陶然亭,百年前水部郎江藻所建。四围远眺,数十里城池村落尽在目前,别有潇洒出尘之致。亭左近花神庙,编竹为墙,亦有小亭,亭外孤坟三尺,春时葬花于此,或传某校书埋玉之所。那年春闱榜后,朝议举行鸿词科,因此各道公车,迟留观望,不尽出都。

　　此书上回所表韦痴珠,系东越人,自十九岁领乡荐后,游历大江南北,西登太华,东上泰山。祖士稚气概激昂,桓子野性情凄恻,痴珠兼而有之。文章憎命,对策既忤于主司,上书复伤乎执政。此番召试词科,因偕窗友万庶常,同寓圆通观中,托词病暑,礼俗士概屏不见。左图右史,场夕自娱。乐阴易度,忽忽秋深,乡思羁愁,百无聊赖。忽想陶然亭地高境旷,可以排拓胸襟,也不招庶常同往,只带随身小童——名唤秃头,雇车出城,一径往锦秋坡来。遥望残柳垂丝,寒芦飘絮,一种倒也爽然。

　　不一会,到了坡前,见有五六辆高鞍车,歇在庙门左右。秃头已经下车,取过脚踏,痴珠便慢慢下车来,步行上坡。刚到花神庙门口,迎面走出一群人,当头一个美少年,服饰甚都,面若冠玉,唇若涂朱,目光眉彩,奕奕动人。看他年纪,不过二十余岁。随后两人,都有三十许,也自举止娴雅。前后四个相公跟着,说说笑笑。又有一个小童,捧着拜匣。痴珠偕秃头闪过一边,举目瞧那少年,那位少年也将痴珠望了一望,向前去了。

　　痴珠直等那一群人都出了门,然后缓步进得门来,白云锁径,黄叶堆阶,便由曲栏走上。见殿壁左厢,墨沉淋漓,一笔苏字草书,写了一首七律。便念道:

　　　　云阴瑟瑟傍高城,闲叩禅扉信步行。水近万芦吹絮乱,天空一雁比人轻。疏钟响似惊霜早,晚市尘多匝地生。寂寞独

怜荒冢在，埋香埋玉总多情！

痴珠看了一遍，叹道："这首诗高华清爽，必是起先出门那位少年题的。"再看落款，是"富川荷生"，也不知其姓名。正自呆想，只见一个沙弥从殿后走出来，痴珠因向前相见，随问他："可认得题诗这人？"沙弥道："这位老爷姓韩，时常来咱们这里逛，陶然亭上也有他题的诗，却不知道官名住宅。"痴珠道："这首诗好得很，是个才子之笔。你对汝师父讲，千万护惜着，别涂抹了。"沙弥答应了，便随痴珠逦迤上陶然亭来壁琳琅，痴珠因欲读荷生的诗，且先看款。忽见左壁七律一首，款书"春日招芝香、绮云、竹仙、稚霞诸郎，修禊于此。"后面书"荷生醉笔"四字，不禁大笑。便朗吟道：

> 旧时烟草旧时楼，又向江亭快禊游。尘海琴樽销块垒，春
> 城莺燕许勾留。栎花如雪牵归马，汀水连天泛白鸥。独上锦
> 秋墩上望，萧萧暮雨不胜愁！

痴珠想道："此人清狂拔俗，潇洒不羁，亦可概见。惜相逢不相识，负此一段文字缘了！"沉吟良久，向沙弥要了笔砚，填《台城路》词一阕云：

> 萧萧落叶西风起，几片断云残柳。草没横塘，苔封古刹，
> 才记旧游携手。不堪回首。想倚马催诗，听莺载酒。转眼凄
> 凉，虚堂独步迟徊久。何人高吟祠畔，吊新碑如玉，孤坟如斗？
> 三尺桐棺，一杯麦饭，料得芳心不朽。离怀各有。尽泪堕春
> 前，魂销秋后。感慨悲歌，问花神知否？

自吟一遍，复书款云："东越痴珠，秋日游锦秋墩，读富川荷生陶然亭花神庙诗，怅触闲情，倚声和之。"写完，便掷笔笑向沙弥道："韩老爷再来，汝当以我此词质之，休要忘了。"沙弥亦含笑答应，递上茶来。痴珠兀自踱来踱去，瞧东瞧西。秃头道："老爷，你看天要下雨，我们回去，路远着哩。"痴珠仰着一看，东北上黑云布满，遂无心久留，急忙下墩，上车而去。这且按下。

却说荷生，这日自锦秋墩进城，已有三多钟，一路萧萧疏疏落起细雨来。同行一为谢小林侍御，一为郑仲池太史，侍御因招荷生携四旦小饮顾曲山房。正上灯赌酒，只见青萍回道："老苍头来接老爷回去，说'明经略军营摺弁，送来经略书信，并聘金三百两，现在寓外，候老爷呈

缴,且有话面回。'"荷生迟疑道:"明节相去岁挂印时,原欲邀我入幕,我彼时因春闱在迩,婉辞谢去。今有书来,想必还为这事,但教我怎样处呢?"侍御道:"现在词科既阻于时艰,归路又梗于烽火,何不乘此机会出都,未为不可。"一面催跟班上菜。荷生立起身道:"菜已有了。二君偕诸郎多饮数杯,小弟且告辞回去一看。"侍御也不强留,吩咐提灯,送出大门,看过上车,方才进去。

看官听着,这明经略名禄,本是国家勋戚,累世簪缨,年方四十五岁。弓马娴熟,韬略精通,而且下士礼贤,毫无骄奢气习。五年前与韩荷生的老师三边总制汪鸿猷先生,一同出使西域。汪总制屡屡言及,生平得意门生惟有荷生一人,文章词赋,虽不过人,而气宇宏深,才识高远,曾在秦王幕府佐治军书,意欲招之幕中,又恐其不受羁束。彼时明经略已存在心中。

后来倭寇勾结西域回民作乱,四方刀兵蠢动,民不聊生。汪公奉命防海,明公奉命经略西陲,临别时,经略向汪公求荐人才,汪公又把荷生说起,经略立时欲聘同行。荷生因要应鸿词科,不肯同往,经略心颇怅怅。不料回匪日现猖獗,经略驻兵太原,一面防边,一面调度河南军务,接济两湖、两江、两广各道粮饷,控制西南,出入钱谷日以亿万计。羽书旁午,所有随带文武及留营差使各官,虽各有所长,却无主持全局器量,因想起荷生是汪公赏鉴的,必定不差。近知词科停止,因致书劝驾。

荷生自旧腊入都,迄今已九阅月,润笔之绢,谀墓之金,到手随尽;正苦囊空,得此机缘,亦自愿意,遂定于九月十二日出都。

荷生此行,是明经略敦请去的,自然有许多大老官及同年故旧送赆

敬，张祖席，自彰义门至芦沟桥，车马络绎。那荷生仍是疏疏落落的，带了老苍头贾忠，小童薛青萍，并新收长随索安、翁慎，一路酬应，到得芦沟桥，已是未未申初时候。刚至旅店，适值门口拥挤不开，将车停住。只见对面店中一小僮，伏侍一人上车，衣服虽不十分华美，而英爽之气见于眉宇，且面熟得很，一时却想不起那里见过。正在凝思，谢侍御及一班同乡京官，还有春庆部、联喜部相公们，一齐迎出，便急忙跳下车来。是晚即在行馆畅饮通宵。

次日起身，午后长新店打尖，到得房中，见新涂粉壁上有诗一首，款书"九月十二日，韦痴珠出都，计自丙申，宿此十度矣，感怀得句，不计工拙也。"想道："韦痴珠不就是十年前上那《平倭十策》这么人么？"因朗诵道：

> 残秋候欲尽，客子若行役。行行岂得已，万感在心曲！浮
> 云终日闲，倦鸟不得宿。蓟门烟树多，芦沟水流浊。回首望西
> 山，苍苍耐寒绿。

看毕，叹一口气，想道："此诗飘飘欲仙，然抑郁之意，见于言表。才人不遇，千古如斯！"因触起昨日所见的，"不知是否此君？看他意绪虽甚无聊，气概却还傲兀。我这回出都，好像比他强多，其实沦落天涯，依人作计，正复同病相怜也！"

兀坐半晌，只见索安回道："护送营弁请老爷今日尖后换轿。"荷生想了一回，说道："坐轿甚好，昨天误了半站，今日着他多备两班夫，赶上正站，汝们迟到都不妨呢。"

看官，你道荷生要赶正站，是何意思？他记起芦沟桥上车那人，是在花神庙门口注意瞧他的，此刻因人想诗，因诗想人，恨不一下问明。岂知痴珠在都日久，资斧告尽，生平又介介不肯丐人；此番出都，因陕西是旧游之地，且与两川田节度公子有同游草堂之约，决计由晋入秦，由秦入蜀。把箱奁书籍，概托万庶常收管，自与秃头带一付铺盖，一领皮袍，自京到陕二十六站，与车夫约定兼程前时。你道荷生大队人马，那里赶得上他？正是：

> 大海飘萍，离合无定。
>
> 万里比邻，两心相印。

到底荷生、痴珠踪迹若何，且听下回分解。

第三回　忆旧人倦访长安花
开饯筵招游荔香院

话说痴珠单车趱行，不日已抵潼关。习凿齿再到襄阳，蓟子训重来灞水，一路流连风景，追溯年华，忽然而喜，忽然而悲，虽终日兀坐车中，不发一语，其实连编累牍也写不了他胸中情绪。便口占一绝道：

苍茫仙掌秋，摇落灞桥柳。锦瑟惜华年，欲语碑在口。

吟毕，喟然长叹。秃头正在车头打盹，忽然回头道："此去长安，只有十里多路，老爷进城，何处卸车呢？"痴珠想道："西安尽有故旧，但无故扰人，又何苦呢？"便说道："咱们进城找店罢。"转瞬车到东门，刚进瓮城，忽见从城内来了车，车内坐着一人，定睛一看，原来是一故人，姓王字漱玉，系长安王太傅长孙，与痴珠同年。这日要往城外探亲，适与痴珠相值，两边急忙跳下车来，欢然道故。漱玉因问道："前月接万世兄信，知吾兄有蜀道之游，不想今日便到，如何走得这般快？但如今那里卸车呢？"痴珠未答，秃头在傍道："老爷在找店哩。"漱玉道："岂有此理。难道西安许多相好，都不足邀吾兄下榻么？"痴珠笑道："不是这般说，小弟急欲入川，拟于此时竟不奉访，俟回陕时再与故人作十日之欢。"漱玉笑着吩咐跟人道："你们赶紧飞马回家伺候。"一面说，一面携着痴珠的手道："我们同坐一车，好说话些。你的车叫管家坐着，慢慢的跟来罢。"

原来漱玉家中有一座园亭，是太傅予告后颐养之地，极其曲折，名曰邃园。太傅开府南边时，痴珠尚幼，最为太傅所器重。后来与漱玉作了同年，值逆倭发难，因上书言事，触犯忌讳祸几不测，赖太傅力为维持，得以无罪。未几太傅予告，携入关中，所以园中文酒之会，痴珠无不在座，所有联额题咏，痴珠手笔极多。因此一家内外男女，无一人不认得痴珠。先是，家丁回家，说："韦老爷来了。"漱玉太太便分派婢仆，将邃园中碧梧山房七手八脚铺设起来。

是夜，两人相叙契阔，对饮谈心。伤风泽之渐微，痛动灰之难问。痴珠忽惨然吟道："人生有通寒，公等系安危。我近来绝口不谈时事

矣!"停了一会,漱玉因问痴珠道:"你记得七年前进京,娟娘送咱们到灞桥行馆么? 那一夜两人依依情绪,至今如在目前。你的诗是七绝两首。"便吟道:

> 灞陵驿畔客停车,惜别人来徐月华。
> 浊酒且谋今夕醉,明朝门外即天涯。
> 玳梁指日誓又栖,此去营巢且觅泥。
> 絮絮几多心上语,一声无赖汝南鸡。

痴珠道:"你好记性。这两首诗,我竟一字都忘了。"漱玉道:"自然忘了。"痴珠惨然高吟道:"十年一觉扬州梦,赢得青楼薄幸名!"便问漱玉道:"你如今可知娟娘是何情状呢?"漱玉道:"我前年见过一面才晓得他嫁死了。以后闻人说,他哭母致疾,闭门谢客,近来我不大出门,便两年多没见人题起他踪迹。如今长安名花多着哩,迟日招一个人领你去逛逛罢。"痴珠道:"我也听得人说,这几年秦王开藩此地,幕中宾客都是些名士,北里风光自然比向时强多了。"二人于是浅斟强酌,尘宗渴涤,烛跋三现尚未散筵。只见小丫鬟携着明角灯回道:"太太说夜深了,韦老爷初到,车马劳顿,请老爷少饮,给韦老爷早一点安歇罢。"漱玉笑道:"我倒忘了! 只顾与故人畅谈。"遂尽一壶而散。晚夕无话。

次日饭后,漱玉果招一个人来,姓苏字华农,系府学茂才。漱玉自去城外探亲。西安本系痴珠旧游之地,是日同华农走访各处歌楼舞榭,往往抚今追昔,物是人非,不免怅然而返。

第三日,漱玉回家,也跟着同游。一连数日,总访不出娟娘信息,痴珠就也懒得走了。彼时便有亲故陆续俱来,痴珠也不免出去应酬一番,更把访娟娘一事搁起。且痴珠急于入川,只得将此事托漱玉、华农,慢慢探问。

一日,三人正在山房小饮,门上送进单帖,系痴珠世兄弟吕龙文,专为痴珠饯行,请漱玉、华农作陪,末注行云:"席设宝髻坊荔香仙院,务望便衣早临,是荷!"痴珠将单递给华农道:"这荔香院你认得么,怎的咱们没有到过?"漱玉笑道:"这地方华农是进不去呢。如今龙文请你,你题上'知'字,我们都陪你走一遭罢。"

闲文休叙。到了那日三下多钟,龙文亲自来邀,恰好华农在座,便

花月痕

四人车辆车,向宝髻坊赶来。此时已是十月将终,朔风渐烈。痴珠初进巷口,便遥闻一阵笙歌之声。又走了半箭多路,到了一家前面,车便站住了。四人一齐下车。只见门前一树残柳,跟班先去打门。痴珠细看,两扇油漆黑溜溜的大门,门上朱红帖子,是"终南雪霁,渭北春来"八个大字。早有人开了门,在门边伺候。痴珠四人相让了一回,跨进来,便是一条砖砌甬道。院中卸着一辆雕轮绣帘的轿车。甬道尽处,便是一个小小的二门,进去,门左右三间厢房,厢房内人已出来,开着穿堂中间碧油屏门。痴珠留心看那屏门上匾额,隶书"荔香仙院"四个大字,门中洒蓝草书板联一对,是:

> 呼龙耕烟种瑶草,
> 踏天磨九割紫云。

集句。痴珠赞声"好!"跨进屏门,便是三面游廊,中间摆着大理石屏风,面面碧油亚字栏杆,地下俱是花砖彻成,鸟笼花架,布满廊庑上下。四人缓步上厅,便有丫鬟掀起大红夹毡软帘,早有一股花香扑鼻。方才要坐下,早闻屏后一阵环佩之声,走出一丽人,髻云高拥,鬓凤低垂,袅袅婷婷,含笑迎将出来,把眼瞧着痴珠道:"这位想是韦老爷么?"龙文笑道:"你怎么认得?"便携着丽人的手,向痴珠:"此长安花史中第一人物,小字红卿,吾兄细细赏鉴一番,可称绝艳否?"痴珠深深一揖道:"天仙化人,我痴珠瞻仰一面,已是三生有幸,'赏鉴'两字,你可不唐突么?"红卿笑道:"韦老爷如此谬赏,令我折受不起。"便让四人依次而坐。屋系三间大厅,两边俱有套间在内。

一会,丫鬟捧上茶来,红卿亲手递送已毕,又坐了片刻,漱玉便向红卿道:"我辈虽非雅客,竟欲到你小院一坐,不知可否?"红卿笑道:"岂

敢。小室卑陋,恐韦老爷笑话。"说着便往里请,丫鬟前面领着,转过屏后,又一小小院落。由东边一道粉墙进了一个垂花门,南面墙下有几十竿修竹,枝叶扶疏,面南便是三间小屋,窗上满嵌可窗钵。进了屋门只觉暖香拂面。原来三间小屋,将东首一间隔作卧室,外面两间遍裱着文绫,西南墙上挂着一个横额,上写道"玉笑珠香之馆",款书"富川居士"。痴珠细审笔意,极似韩荷生,便向红卿问道:"这富川居士,可是韩荷生么?"红卿点头道:"是。"漱玉道:"红卿室中,有一字不是荷生写的么!"红卿因问痴珠道:"你在京会过他没有?"痴珠道:"人是会过,诗也读过,只是不曾说过话。"红卿道:"你如今可晓得他的踪迹么?"痴珠道:"他很阔,我出京时,闻他为明经略聘往军营去了。"

　红卿、痴珠说话时,漱玉立起身来,步到东屋门边,掀开房帘,招呼痴珠下炕,道:"你看那壁上许多诗笺,不是荷生小楷么?"痴珠踱入卧室,见茵藉几榻,亦繁华,亦雅净,想道:"风尘中人,有些韵致,不减娟娘也。"便从那柳条诗绢上《七绝四首》瞧起,看到第三首,吟道:

　　神山一别便迢遥,近隔蓬瀛水一条。
　　双桨风横人不渡,玉楼残梦可怜宵!

便道:"哦! 这就是定情诗么?"再瞧那乌丝冷金笺上《金缕曲》一阕云:
　　转眼风流歇。乍回头,银河迢递,玉箫鸣咽。毕竟东风无
　　气力,一任落花飘泊。才记得相逢进节,雾鬓烟鬟人似玉,步
　　虚声,喜赋《瑶台月》。谁曾料,轻轻别! 旗亭莫唱《阳关叠》。
　　最惊心,渭城衰柳,灞桥风雪。翠袖余香犹似昨,咫尺河山远
　　隔。恐两地梦魂难接。自问飘蓬成底事? 旧青衫,泪点都成
　　血。无限事,向谁说!

漱玉便向痴珠道:"这便是荷生去年留别之作,沉痛至此!"又望着红卿道:"你们相别,转眼便是一年,光阴实在飞快!"红卿一面答应,一面眼圈早已红了。漱玉便不往下说。痴珠又瞧那泥金集句楹联云:

　　秋月春风等闲度,淡妆浓抹总相宜。

点头道:"必如红卿,方不负此等好笔墨!"红卿即让四人在房中坐下,道:"你的诗名,早有人向我说过。自古文人相轻,实亦相爱。你这般倾倒荷生,怎的见面不扳谈呢?"痴珠便将花神庙匆匆相遇,及先后题诗一

节,详叙出来。红卿道:"你看过他的诗,你心中自然有了他,他以后读你的诗,又不知怎样想你呢。你爱他的诗,他今年都中还有诗寄来赠我,我如今统给你瞧罢。"说毕,便唤丫头取钥匙,向枕函检出浣花笺数纸,递给痴珠。大家都走拢来,痴珠展诵道:

　　冰绡雾縠五铢轻,记访云英到玉京。苔径晓烟窗外湿,桂堂初月夜来明。花绰约窥新黛。仙果清芬配小名。最是凝眸无限意,似曾相识在前生。

　　银壶漏尽不成眠,乍叙欢情已黯然。萍梗生涯悲碧玉,桃花年命写红笺。团香和泪常无语,理鬓熏衣总可怜。莫话飘零摇落恨,故乡千里皖江边。

便道:"原来红卿是安徽人,游转至此,可怜,可怜!"说毕,又往下念道:

　　玲珑宝髻重盘云,百合衣香隔坐闻。秋剪瞳人波欲活,春添眉妩月初分。紫钗话旧浑如梦,红伏怜才幸有君。杜牧年来狂胜昔,只应低首缕金裙。

　　黄错蜃气忽成楼,怪雨盲风引客舟。水际含沙工伺影,花前立马几回头。……

哎呀,怎么起了风浪,不能见面了?红卿道:"一言难尽。请往下看罢,这还好呢!"痴珠又念道:

　　同心小柬传青鸟,偕隐名山誓白鸥。独看双栖梁上月,为侬私拨钿筌篌。

　　名花落溷已含冤,欲驾天风叫九阍。一死竟拚销粉黛,重泉何幸返精魂。

痴珠读至此,正要与红卿说话,谁知红卿早已背着脸,在那窗前拭泪文,便道:"不用念了!"痴珠如何肯依,仍接着念道:

　　风烟变灭愁侵骨,云雨荒唐梦感恩。只恐乘槎消息断,海山十笏阻昆仑。

　　鸭炉香暖报新寒,再见人如隔世难。握手相期惟有泪,惊心欲别不成欢。黄衫旧事殷勤嘱,红豆析词反复看。凄绝灞陵分手处,长途珍重祝平安。

　　金钱夜夜卜残更,秦树燕山纪客程。薄命怜卿甘作妾,伤

心恨我未成名。看花忆梦惊春过,借酒浇愁带泪倾。恨海易填天竟补,肯教容易负初盟?

　　珍珠蜜字寄乌丝,不怨蹉跎怨别离。芳草天涯人去后,芦花秋水雁来时。双行细写鸳鸯券,十幅新填豆劳动词。驻景神方亲检取,银河咫尺数归期。

吟毕,大家赞道:"好诗! 缠绵宛转,一往情深!"痴珠倒也不发一言,慢慢将诗放在桌上,目视红卿,默默不语。红卿停了一会道:"韦老爷,汝与娟娘情分也自不薄。"痴珠听说娟娘,便急问道:"红卿,你知他下落么?"大家见红卿突说娟娘,也觉诧异,便一齐静听起来。红卿沉吟一会道:"你既念他,你为何分手以后,不特无诗,且无只字? 娟娘每向我诵'为郎憔悴却羞郎'之句,辄泫然泪下。"痴珠红着眼眶道:"这'薄幸'两字,我也百口难分了! 只是事既然无成,万里片言,徒劳人意,到底娟娘如今是怎样呢?"

　　红卿道:"说起娟娘,我也摸不出他的意思。我家向日避贼入陕,投奔于他,深感他恩义。后来我掌起门户,他嬷便死了。娟娘素来孝顺,将衣饰尽行变换,以供丧葬。自此不涂脂粉,长斋奉佛。前年三月初三夜,忽来与我作别,说要去南海朝观音。我方劝他,'心即是佛,不必跋涉数千里路,况目下南边多事,如何去得?'次日即有人传说,娟娘留一纸字给他姊妹,领一婢不知去向。你道奇不奇呢?"

　　大家听说,呆了半晌。痴珠尤难为情。一会,巨烛高烧,酒菜杂陈,丝竹迭奏。无奈痴珠、红卿各有心事,虽强颜欢笑,总无聊赖。正是:

　　　　儿女千秋恨,人前不敢言。

　　　　夜来空有泪,春去渺无痕。

不到二更,痴珠便托词头痛散席,偕漱玉先回去,龙文二人也就散了。不知后事如何,且听下回分解。

第四回 短衣匹马岁暮从军 火树银花元宵奏凯

话说太原本古冀州之地,东连燕、豫,西界大河,北有宁武、偏头、雁门诸关,坐制称雄,屹然为神京右卫。逆倭连年由海道蹂躏各省,北天津、登、莱,南则由宁波滋扰浙江,由瓜州滋扰三江。复援金人册立伪齐故事,封了粤西巨寇员寿泉,窃踞金陵。于是淮海之间,大河南北,以及两湖,土匪蜂起,逆倭遂得以横行无忌。朝廷赋额日亏,军储日绌,全靠西陲完善之区转输支应。山右尤畿疆屏蔽,西北膏腴。

是年春间,豫州节度武公部下官军,迭获胜仗,逆倭势蹙,勾引河东土匪,窜入平阳,计欲结连关外回番各部,由草地潜入燕、云。幸明经略北来,士卒用命,渐次扑灭。是以驻节并州城中,相机剿灭。韩荷生就聘到军,磨盾草檄,持筹高唱,此其余事。始而冀州肃清,继而协同豫州武节度官军,克期剿贼,得以专筹各道军饷。此皆韩荷生一力赞成,经略所以十分器重。

忽忽之间,早是十二月了。一日,探马报称:"口外乱民聚众数十万,酾酒歃血,将由关外直扑宣化、锦州等处。"经略急请荷生计议,荷生笑道:"此谣言也。自古出塞必在春夏,目下穷冬,漫山积雪,毋论乱民不是铜筋铁肋,试想草枯水涸,人马如何走得去呢?但边境近稍宁静,有此谣言,亦不可不早为防备。以愚见料之,大约乱民将诳我张皇北顾,乘虚渡河掳掠,

故造此谣言，教我顾彼失此。为今之计，当先委干员前往潼关，探侦动静，便传檄率领州节度，早为捕治。蒲关一带，亦不可不暗暗戒严。老经略高见以为何如？"经略喜道："先生此论，洞彻匪徒肺腑。"话犹未毕，只见门上传鼓，递进蒲关总兵烧角文书一角，经略忙偕荷生一同披览，道：

> 镇守蒲关总兵游长龄，谨禀节帅大人阁下。敬禀者：十二月十七日午刻，据黄河渡口巡检原士规禀称，"探得十六日夜三更，潼关城中失火，关门大开，乱民万余人，鼓噪而入。一城文武，俱被杀害。声言聚众三十万人，将行北渡。"卑镇即刻出往河干察看，见贼兵帐房布满西岸。现蒲关守兵，自裁撤后，只有八百余名。深恐兵力单薄，不足防御。幸各乡俱有团勇，力扼河岸。惟虑蜂拥而至，众寡不敌。专此飞禀。

看毕，便向荷生道："果不出先生所料。但事已至此，如何是好？"荷生慨然道："此等乌合之众，大人当以先声夺之，便令解散，万不可片刻迟延。今日已四下多钟了，大人起马，万不及事。乞发令箭，调颜参将、林游击各带左右翼兵一千名，连夜出城驻扎，五更兼程趱行，限五日到蒲。大人于明日末刻，统领大兵，出城十里驻扎，二十二日长行。某愿随鞭镫，供大人指挥。"

经略迟疑道："救兵如救火，固当以速为妙。但今日即行调兵，恐势有不及，奈何？"荷生道："左右翼兵即在本营，军装原无不备，着今夜驻扎城外，正为兵丁一切草粮器械计耳。贼一路必有耳目，若知大兵即到，自然心生畏沮。据报'聚众三十万人'，此自狡贼虚张声势，然数万人是必有的。此数万人未必皆无父母兄弟妻子田产，大半为贼逼胁出来。某请为密行晓示，令其自相离异。且平日官军就道，筹饷办装，日延一日，救兵几有迟至半个月尚未出城者。大人朝闻警，暮出兵，鼠辈闻风，定当胆落。看某仗剑为大人杀贼哩。"经略道："先生计画周到，即请先生同行，所有机宜，悉凭先生调度。"说毕，便传中军捧过令箭，教随荷生到帐前施令。果然事权在手，威信及人，二十日一早，颜、林二将早已带兵向蒲州趱行去了。

第二日，经略亦偕荷生出城，将一切筹饷事宜，统交节度曹公。荷

生又将平日先催那一处，先解那一处，某处用某人，某人熟某事，开明节略，送给曹公。曹公接办，自不费手，也着实钦服荷生才干。这且按下。

且说颜、林二将，晓夜趱行，到得中途，忽奉令箭一枝，锦囊一个，内固封密札。二人忙拆开同看，道：

> 顷探得河南土匪阿大郎等，因潼关失守，势复蜂起，攻陷陕州，两将军所带左右翼兵，由小路星驰，搁至陕州，一鼓歼除，无留一人。再于硖石关左右树林中，留兵二百名，不时巡哨，多设旌旗，以为疑兵。定于正月十五日二更后至潼关，看城中火起接应，不得有违！

看毕，急照密札催兵前进去了。

看官，你道颜、林二将，是何等样子？颜参将名超，系武进士出身；林游击名勇，系营伍出身。颜善使单刀，林善使画戟，俱有万夫不当之勇。且两人各有一样绝技：颜参将能于百步之外树林中数过第几枝第几叶，射之无有不中；林游击能发连珠箭，一开弓射倒三人，再无闪得过的。只是心气粗暴，言词大戆，动辄得罪长官，以致十年还是一个守备、一个千总。自经略到晋，克复平阳，会剿陈、汝，他二人便超群绝伦，为经略赏识了。不半年间，以军功擢至参、游，眼见得去总兵不远哩。看官！汝道人生可不要逢个知己么？

闲话休讲。说他两人到了河南，果然土匪纵横，焚村劫舍。颜、林两将所带皆百战之兵，分路剿除，不日即将陕州收得。并按着柬帖，硖石关一带设下疑兵，专等十五日到潼关接应。暂且不表。

且说那贼匪据了潼关，十余日不能渡河。城中不过数里地方，能够搜得出几多粮草？将向华阴进发，又被西安重兵拦住去路。将往河南掳掠，忽闻经略遣将，将陕州土匪斩杀无遗。并探得一路均有伏兵，几次出城，俱被官军击退。且乌合之众，本无纪律，回与番子，只知奸淫掳掠，有勇无谋，弄得个个魂惊胆战，已有散心。

忽一日，潼关城中贴了几十处大营告示，众人瞧道：

> 钦差大臣经略西南世袭一等威勇侯明示：为恺切晓谕事。尔陕甘回民，自李唐以来，转徙内地，食毛践土，千有余岁。我朝天覆地载，汉民回民，从无岐视。乃者逆倭犯顺，天地不容，

神人共愤。鼯是已穷之技，豕无可突之围。釜底游魂，苟延旦夕。尔等乃受其指挥，并勾番部，兼胁良民。岂知天上军来，若风扫叶；汉家兵到，如日沃霜。本爵钦承威命，统领元戎，招募悉拳勇之材，团练集爪牙之利。燕犀排出，争淬鞭蓉；代马驱来，久肥苜蓿。四围炮火，中天掣列缺之鞭；一片刀光，半夜射望诸之魄。猥锋立折，螳斧徒劳。惟思二百年列圣垂谟，但有如伤之念；十余万生灵就溺，谁无欲拯之心。为此，特宣明谕：尔等俱有官骸，亦念骈诛之惨；谁无妻子，盍思孥戮之冤。兵弄潢池，原属无知赤子；戈投牧野，即为归顺黔黎。本爵既往不咎，咸与维新。予以免死之牌，示之投生之路。倘执迷不悟，甘心从逆，则城破之日，必尽杀乃止。其毋悔！某年正月某日给。

于是回民每夜辄有百余人縋城私诣大营，求给免死牌。旬日之间，来者愈众，将十万免死牌给发殆尽。经略一切事务，俱与荷生计议。且屡奉严旨，急命克复潼关，便觉十分愁虑。那荷生每日仍是轻裘缓带，饮酒赋诗，并传知蒲关城内民民，照旧安业，开放花灯。

到了十五日早晨，荷生在经略帐中，传出令箭二枝，密札二个，一个与蒲关游总兵，一个与本营李副将。二人看了密札，各自分头行事，众人皆不知是何缘故。到了黄昏时候，城中银花火树，一色通明。荷生乘马，带了五十名兵，在灯市游了一回，自行出城出了。经略营门，毫不见些动静。

再说颜、林二将，到了十五日午后，行至潼关二十里外，饱餐战饭，预备接应。先差探马探听，回报：“大营、贼营，隔河相对，未曾打仗。”二人心中疑惑。不一会，日色西沉，月光东上，二人骑马当先，逶迤望潼关进发。到了关前，已将近二更时候，只见月明如昼，隔河大营内鼓角无声，又无船只渡河，只好将兵在汉岸扎住。

又过了一个更次，仍无消息，四只眼只往城中看着。兵士们也有坐的，也有立的，都摩拳擦掌，等候打仗。猛然一回头，见隔河大营中赤的的一枝号火腾起，直上云霄，二将便知有了消息，便命众兵一齐上马。随后又见起了两枝号火。话言未了，关内信炮连声，月明之下，倒看不

出火光,只见滚滚黑烟,冲天四起,人声鼎沸。二将便令军士顺风向贼营放起火来。麾兵

上前,正要冲杀,隔河大营也就大开营门,万炬齐出,都在东岸上列成队伍,却不渡河。那时城外贼营,正在睡梦之中惊醒,仓卒接战。怎当二将的兵骁将勇,霎时已经死了一半,一半抛戈弃甲,沿河逃生。正在追杀之际,城内关门大开,先拥出三五百人,皆是黄布包头,大声招呼官兵:"进城杀贼!"四望城上垛口,人俱站满,敌楼上悬出一盏大红灯,上写着斗大的一个"顺"字。二人看了大喜,且不去追赶余贼,带领众兵杀进城来。

是夜,贼众因探得蒲关内大放花灯,所以毫无防备。半夜忽然听得四处火起,人声大呼道:"我等皆明大人官军,投降者免死!"所有贼首沙龙巴戟,带着一干心腹,一时措手不及,四散跑出,自相践踏,死者不计其数。正要出城,迎头遇着颜、林二将,一阵好杀。只见尸横遍巷,血流成渠。便折转头来,想出东门逃命。二将随后正赶,忽见贼匪纷纷倒地,四路炮响枪鸣,迎面在刀光中闪出一将,手舞大刀,正在那里杀贼,犹如砍瓜切菜。原来是蒲关游总兵。见了二人,十分大喜,但道:"明爷有令传与二位,见头包黄布者免死!"于是合兵一处,搜杀城中番回各匪,救灭烟火,安抚良民。此时已是四更,城内城外这一阵杀死的贼,约有万人,投降者亦有万众。只有贼首数人,尚带着一伙悍贼,拚命杀出城外。又合城外的余贼番子回子,一共尚有数千,便想渡河往西抢掠。忽见隔河岸上一片火光,绵亘不绝,遂教番兵引路,打草地内顺着河往西行走。却喜回头一看,并无追兵,遂放心大胆而进。意欲待天明之后,寻着村庄,掳些饮食。

又走了一个更次，已是五更过了。约莫也走了二三十里，月色渐渐西沉，拂拂晓风，吹得那河岸败苇丛芦沙沙乱响。远远望见河旁，似有几辆大车停住。往前再走，荒草愈多。正在寻觅路径，忽听一声炮响，三面火光骤发，前后俱被大车满载柴草，灌上了油，把路都塞断。一阵风过，遍地的枯草烘烘烧着，草内先埋下无数的铁炮，引着药线，直裂横飞。只烧得这一伙数千贼匪，上天无路，入地无门，只往河中乱跳，溺死的也不计其数。其余均焦头烂额，血染黄沙了。

看官，你道这场火是那里来的？就是荷生早晨派的李副将在此埋伏，算定贼匪必由此路，故此烧他一个尽绝。荷生带了数十名心腹健卒，正在高阜了望，见大功已成，十分欢喜。时东方已白，随即与李副将会在一处，向潼关来。

方到关下，早望见经略大旗，正在渡河，颜、林、游、李四将，皆列队相迎。经略一到西岸，见了荷生并四将，便笑吟吟地向荷生拱手道："深劳先生妙算，并诸将勤劳，一战功成，可喜可贺！"遂与荷生并马入城，出榜安民。将生擒贼首，一齐枭斩示众。委员讯问未出城回民：有眷属者，悉令回籍；其单身者，交地方官安插。时雍州节度驻扎同州，约期相见，高宴三日。碛石关伏兵二百名，亦已调回，大兵便凯歌渡河，回太原去了。凡秦晋官民，无不仰慕何生丰采，每出，至道途拥挤不开。看官，汝道热闹不热闹呢！正是：

苟有用我，帷幄运筹。

轻裘缓带，名士风流。

自是逆倭闻风，再不敢窥伺山右了。欲知后事如何，且听下回分解。

第五回　华严庵老衲解神签
草凉驿归程惊客梦

上回书说的是荷生东平回匪,那时正痴珠西入蜀川,天寒岁暮,游子乡关之感,风人屺岵之思,麇至沓来,顿觉茅店鸡声,草桥月色,触目惊心,无复曩时兴致。行次宝鸡,遇一故人,询及行踪,因言节度田公于十月杪奉命移广,已见邸抄,且有"不必来京请训"之语。痴珠意绪,愈觉无聊,想道:"人生遇合自有定数,倒是蜀中风景甲于寰区,自古诗人流寓其地,阅历一番,也不负负。"痴珠自此入益门,度大散关,寓意山水,日纪一诗,转也摆脱一切。

这日到了广汉,广汉守郭公,系痴珠郎舅至戚,迎至署中。十年分手,万里聚头,这一夕情话,比西安王漱玉家又是一样款洽。痴珠借此度过残年,饮薛涛之酒,斗花蕊之诗,客边亦不寂寞。韶光荏苒,转瞬是二月初旬了。始而传闻逆贼窜入建昌,逼近东越,继而传闻上游失守,会城危在旦夕。痴珠与郭公俱有老亲,闻此信息,何等张皇。

到三月间,郭家安信到了,痴珠不得家中一字,如何放心?便差人查探由湖入广之路。差人回报:"黄州道梗,田公现在留滞长沙。"痴珠急得没法,因想往华严庙,系太史金公兆剑之妻冯燕娘所立。燕娘聪颖绝伦,年十九,归太史,蜀人比之赵松雪夫妇。逾年,太史卒,燕娘不茹荤,奉姑以居。逾年,姑又卒,燕娘遂祝发奉佛,高坐禅床,足不出户者三十年。由静生定,由定生慧,一切过去未来之事,洞照无遗。因此把所居舍为华严庵,就菩萨前神签,指示善男信女迷途,法号蕴空。痴珠前引曾往瞻仰,值蕴空朝峨眉去了,只撰一联镌板,送入方丈悬挂。其联云:

也曾续史,也曾续经,瞻落落名山,博议书成,竹素双栖留只影;

未敢言仙,未敢言佛,叹茫茫孽海,大家身在,柏舟一吐引迷津。

蕴空由峨眉回来,见了此联,也还点头称好。这回痴珠因要求签,先期斋戒,于四月初一清早,洗心涤虑,向华严庵来。到了山门,便有斋婆迎接上殿拈香。痴珠磕了头,跪持签筒默祷一番,将签筒摇了几摇,落下第十三签来。重复磕头起来,问过信兆,便有斋婆送过签谱。痴珠看头一句是:

如此江湖不可行,

想道:"这样湖南走不得了。"又看下句是:

且将来路作归程。

想道:"还是由山、陕走哩。"再看底下两句是:

孤芳自赏陶家菊,一院秋心梦不成。

想道:"这是怎说?"沉吟一会,重整衣冠,又跪下磕了三个头,默祝一番,重求一签。检出签谱,看头一句是:

故园归去已无家,

便不知不觉流下泪来,又看下句是:

倾盖程生且驻车。

自语道:"这是遇着什么人留我哩?"再往下看去,是:

秋月何如春月好,青衫自古恨天涯。

痴珠想道:"这也不是好消息。"正在凝虑,只见殿后一个老尼,年纪七十以外,扶着侍者,慢慢蹀过来。斋婆侍立一边,老尼便向痴珠合掌道:"居士何来?"痴珠急忙回礼道:"比邱即蕴空法师么?"便一一通了姓名。

老尼笑笑道:"前蒙居士过访,老衲朝山去了,有失迎候,转承惠赐长联,概括老衲一生行实,令人心感。"痴珠逊道:"久钦清节,且仰禅宗,正想向方丈顶礼慈云,将签意指示,不意比邱转出来了。"说毕,便将签谱帖子递过,蕴空接着,瞧了一瞧道:"头一签,上二句居士自然明白了,下二句后来自有明验,大约居士与'陶家菊'另有一番因果。第二签,首一句且不必疑虑,大抵秋菊春兰,各极其胜。究竟秋菊牢骚,不及春兰华贵。老衲有三十二字偈,居士听着。"便说道:

莺飞草长,凤去台空。黄花欲落,一夕西风。亭亭净植,毓秀秋江。人生艳福,春镜无双。

痴珠迟疑不解,呆呆地立着。老尼道:"居士请了。数虽前定,人定却也

胜天，这看居士本领罢。"说着，便扶着侍者，由殿东入方丈去了。

痴珠也不敢纠缠，到客厅吃了茶，疑疑惑惑的回署。过了一夜，想道："幸是山陕此刻回匪宁静，倘像去冬那样光景，就这条路也走不得哩。"因此决计由原路且先入都，再作回省打算。郭公也留不住，只得厚赆数百金，派两名得力家丁护送至陕。

是时初夏时候，途中不寒不热，山青水绿，比残冬光景迥然不同。到了梓幢，重经云栈、翠云廊、滴水岸、青桥驿、紫柏山、红心峡诸胜，尤令人心旷神怡。奈痴珠系念老母在危急中，恨不能插翅南飞，那有心情流连风景。每日重赏轿夫，兼程前进。

四月初三日起身，至十六夜二更，已到了草凉驿地方。此地上去凤县七十里，下去宝鸡九十里，本非住宿之所，痴珠因夜深了，只得随便住下。是夕月明如昼，跟随人等赶路疲乏，都睡了。痴珠独步小院中，对月凄恻。秃头因痴珠未睡，不敢上床，坐在堂屋打盹，见痴珠在院子里踱来踱去，遂站起说道："天不早了，老爷睡罢。"痴珠看表，已有两下多钟，便进房去，叫秃头服侍睡下。翻来覆去，捱了一会，总睡不着。忽然，似闻窗外有人频频呼唤，又似有人隐隐哭泣之声，将帐子揭开一看，见斜月上窗，残灯半穗，黯然四壁，寂无人声，便又睡下。想起昨日凤岭小憩，见那连理重生亭的碑记，文字高古，非时下手笔，便又恍恍惚惚，如身在亭中，援笔题道：

岭下客孤征，岭上木连理。连理之木死复生，孤征之客生如死！

题毕，瞥见一丽人，画黛含愁，弯蛾锁恨，娇怯怯的立在山坳，将痴珠凝

眸一盼,便不见了。痴珠移步下亭,想道:"怎的这空山中有此丽人,难道青天白日,山魈木魅敢公然出现么?"正在想着,那脚步却向山坳走来。不见人迹。刚转过山坳,又见那丽人手拈一枝杏花,身穿浅月色对襟衫儿,腰系粉红宫裙,神情惨淡,立在那里。痴珠转过脚步,丽人却又不见了。并那地方,亦系一片平原,并非凤岭。痴珠想道:"我如何又走到这个地方呢?"再一望去,见有一庙,隔一箭多地,便缓步向前。只见庙门洞开,油漆颜色黯淡得很,是个古庙。庙门直匾大书"双鸳祠"三字。门堂三间,歪歪斜斜,门上也画有门神,一扇倒在地下。中间碧油屏门,不成颜色。屏门后甬道,砌砖尚自完好,两傍一柏一松,苍翠欲滴。痴珠一步步走上台阶,见廊上东西木栅,中间殿门悬挂板联一付,是:

> 秋月春风,可怜如此;
> 青天碧海,徒唤奈何!

十六个字。用手推那殿门,却是闭得紧紧的,无缝可窥,不知中间是何神像。由东廊转至殿后,只见西边有一小门,趑进门来,却是朝东的三间屋子,空洞洞的无一样家伙。对面有一亭,亭中竖碑一座,痴珠忙把碑文读过,是一篇四六。正要背诵一遍,陡见碑石摇动,向身上倒将下来,吓得痴珠大叫一声,早把对房跟人惊醒了。

秃头从睡梦中一骨碌爬起,问是怎么。大家道:"老爷梦魇了!"痴珠一身冷汗,将眼一睁,瞧着月光灯影,惨然道:"你们不要大惊小怪,没有什么事,睡罢。"便自坐起,揭开帐子,将灯剔亮,去记那碑文。觉得首尾二段,是全记得,中间两段,什忘四五。就趑下床来,披上衣服,检过纸笔,将首段先行誊出。其词曰:

> 曲尘走马,丝柳情长;药店飞龙,香桃骨损。骥方展足,伤心赋鹏之词;凤不高翔,挥泪离鸾之曲。春风眉黛,花管新描;夜雨啼痕,竹斑忽染。瑟弹湘女,落遗响于三秋;坯认韦郎,结相思于再世。大抵青天碧海,不少蛾眉见嫉之伤;谁知白袷蓝衫,亦多鼠思难言之痛。此双鸳祠所为立也。

誊毕,想道:"这段情文,已极哀艳了!近来四六家,那有此付笔墨?"因将次段慢慢的记忆,援笔先誊那首二句云:

则有家传汉相,派衍苏州;

想道:"怪呀!竟是我家的故事了。其下还有八字,再记不出。"便提笔圈了八圈,誊那底下的,是:

青箱付托,鲤庭负剑之年;黄妳编摩,乌几次黎之夜。

想道:"这联以下,还有'名题蕊榜,秋风高掇桂香'了联呢,如何对语再记不出?"就将下字誊过,又圈一十圈,往不誊去,是:

轻裘快马,霜严榆枣关可;寒甬青箬,月冷朐指山下。吊故宫于刘石,禾黍高低;聆泠调于伊凉,筝琶敔楚。

誊到此处,要往下写去,只记不出。想道:"以上数联,后来篡去乍我的墓志,也还可用。以后数联,系叙此人抑郁无聊,得一巾帼知己,笔墨极其淋漓,如何一字也没了?"沉吟半晌,自语道:"咳!恍惚得很,这数联中,不是有郁'叔宝多愁'对那'长卿善病'么?怎的记不起,比做更难?"掷下笔,凝思一会,听得鸡声已唱过两遍了,便提起笔,另行将那段未数联誊出,是:

彩云三素,忽散鱼鳞;宝月一奁,旋亏魂魄。盖积劳所以致疾,而久郁所以伤生。历险阴之驰驱,风如牛马;慨身宫之偃蹇,岁在龙蛇。病到膏肓,竟符噩梦;医虽卢扁,难觅想灵方。天这为之,谓之何哉!

想道:"如今是第三段了。"段首四句是:

尔乃亭亭净植,莲出污泥,烈烈奇香,兰生幽谷。

誊毕,想道:"以下数联又忘了。"便又另行写道:

杯蛇幻影,鬼蜮含沙。萦愁绪以回肠,蔓牵瓜落;拭泪珠而洗面,藕断丝长。生不逢辰,久罹荼苦;死而后已,又降鞠凶。填海水以将枯,冤无从雪;涸井波而不起,心早成灰。含笑同归,树合韩凭之冢;偷生何益,梦随倩女之魂。七千里记鼓邮程,家山何处;一百六禁烟时节,野祭堪怜。魂兮归来,躬自悼矣!

便自语道:"写得沉痛如此,真好文章也!未段我便一字不忘了。"遂接写道:

于是故人阁部,念攻玉之情,敦分金之谊。黄芦匝地,悲

风吹蒿里之音;丹舟孔涂,落日下桂旗之影。衬旗幢之卒祭,
翟柏苍松;升俎豆之馨香,只鸡斗酒。嗟乎! 滚滚劳尘,不外
至性至情之地;茫茫人海,最难一生一死之交。白马素车,犹
是范张同气;珠幡宝盖,终殊娟润双栖。咽汾水之波声,凄凉
夜月;拜昙花之幻影,惆怅春风。逝者如斯,竟成千古;人如可
作,重订三生。川岳有灵,永护同心之石;乾坤不改,终圆割臂
之盟。

眷毕,窗纸上早已晓日大明了。痴珠复朗吟一遍。秃头暨众人早已收
拾行李伺候。痴珠才拭脸漱口,便上车向宝鸡进发去了。正是:

　　　　人生能有几,贸贸马蹄间;
　　　　天与闲身好,如何不肯闲?

欲知痴珠一签一梦后来若何应验,且看下回分解。

第六回 胜地名流禊修上巳
金樽檀板曲奏长生

话说明经略奏凯班师，一路偕荷生察看形势，增减防兵，直到二月杪始抵太原，阖城官员以次排设庆贺筵宴。三军凫藻，万姓欢虞，也不

用铺张扬厉。还有那本地绅士，因荷生破贼有功，便邀了荷生同年梅小岑太史、欧剑秋侍讲，定于上巳日，专席特请荷生洗尘；传齐本年花选上十妓潘碧桃、颜丹翠、张曼云、薛瑶华、冷掌珠、傅秋香、贾宝书、楚玉寿、王福奴、刘梧仙，都到柳溪彤云阁伺候。柳溪在阳曲县署西一里，汾堤之东。宋天禧中，陈尧佐知并州，因汾水屡涨，筑堤周五里，引汾水注之，旁植柳万株。中有秋华堂，堂外有芙蓉洲。每岁上巳，太守泛舟修禊，郡人游观于此。数百年来，久圮于水。

十年前，太原太守率官吏士民，立汾神台骀祠，因复旧迹。彤云阁是上下两层、溪北最高之处，四面明窗，俯瞰柳阴中渔庄稻舍，酒肆茶寮，宛如天然图画。溪南一带，桂树遮列如屏，便是秋华堂。东边一带垂杨，汾流环绕。西边池水一泓，纵横数亩，源通外河，便是芙蓉洲。

到了这一日，彤云阁下层，早排设得锦天绣地一般。已初一刻，教坊十妓齐集。不一会，缙绅和梅小岑、欧剑秋陆续也到了。一面催请荷生。小岑、剑秋和那十妓说说笑笑，都说道："就现在教坊脚色论起来，今年花选，秋痕压在煞尾，也算抱屈了。"秋痕系梧仙小字。秋痕冷笑

道："这也没有凭据,若说第一,那个不想取上呢? 我们本是凭人摆弄的、爱之加膝,不爱之便要坠渊,又有什么凭据可说得出来?"丹翠也说道："这个是平心的话。"正说着,外面报说："韩师爷来了!"晋绅大家也就走下台阶拱候。十妓都迎接出去,在阁门外一字儿花摇柳颤,排着等候。

停了一回,只见一匹顶马从柳阴中转出,便见四人抬、两人扶一座蓝呢大轿,中间坐着彩云皓月一般的韩荷生。后头一群人,约有十余个跟着。将到大门,教坊早已奏动鼓乐,十妓都请过安,荷生轿里也点一点头。轿子停下,荷生出轿,将他们打谅一回,便移步跨进门来。见大家都在阶下,便躬上前,与大家相见,问了好,即携着小岑的手,同上台阶。大家跟着进了彤云阁,重新见礼。大家让小岑陪荷生上炕坐了。家人献上茶来,荷生道："诸公如此盛设,小弟何以克当!"当缙绅中有一个姓苟名才,字子慎,抢着站起来,赔笑说道："聊备杯酌,以伸景仰之意,还求荷翁勿以简亵为罪哩。"剑秋笑道："我们都是软红尘里弟兄,不说套话罢。"

此刻吹打停了,湘帘高卷,十枝花袅袅婷婷,都在两廊,也有说笑的、也有理鬓的,也有更衣的。掌班们尽催着他们上去伺候,秋痕道："我是不上去的。你看一屋子堆着许多人,这般早,上去做什么?"说着,便携着掌珠,从西廊小门向堤边逛去了。这里碧桃、丹翠、曼云三人,只得移步上来,对荷生请了安。

荷生知道这些都是花案上及第的,便也世故起来,搀住碧桃的手道："都非凡艳!"随将姓名年纪一一问过,便说道："我下轿时瞧见一位穿藕紫衫、葱绿裙的,怎么不见呢?"小岑道："那是梧仙。"子慎赶着立起身来,走到帘边,传唤梧仙。狗头急忙答应,却四处找寻不见。玉寿道："他刚才和掌珠从这角门出去。"狗头便从角门去追寻二人,掌珠班长也跟着。一会,才把两人领来。这里却将秋香、宝书、瑶华、玉寿、福奴,都唤上去了。狗头便将秋痕送到帘边。看官,你道这狗头是什么人呢? 却是秋心院一个掌班,因他生得怪头怪脑,以此都唤他做个"狗头"。而且他又有个怪相,是两眼下有二黑斑,也像两眼,以此人又唤做"四眼狗"。后来闹得几多事出来,这且按下。

当下秋痕和掌珠到了帘边，看见一群儿都围在炕前，便推着掌珠先走，自己落后。座上人脸都向上，听着荷生说话，也不瞧见他两个。倒是小岑从人缝中看见掌珠，便问道："秋痕呢？"于是群花闪开，掌珠携着秋痕，向荷生同请一安。荷生见秋痕别是一种洒落的神情，因向小岑道："我却不想并州尽有许多佳丽，就这榜末秋痕，已自出人头地了。"小岑道："一经品题，声价十倍，吾兄赏识，自是不凡。"

再看秋痕，早是秋波盈盈，默然不语。荷生便向群花说道："站了好一会，今日太难为这二十瓣金莲了，请散开坐坐罢。"子慎便跟着说道："两旁空椅，你们随意坐着。韩师爷是个怜香惜玉的人，再不拘你们的。"秋痕早轻移莲步，从东走向窗下花架傍一把小方椅那里去了。大家也有跟着走去的，也有向西窗下去的。荷生便向众缙绅谈了一回潼关破贼的事，复又笑道："人生踪迹，不能预料。两月以前，戎马倥偬，岂知今日群花围绕，玉软香温？但今年花选，小弟不揣冒昧，却要重订一过，诸公以为何如？"

剑秋笑道："吾兄又要翻案了。"众乡绅同接着口道："这又何妨呢，千金请不到这样名公评定哩！"荷生笑道："岂敢岂敢！只是这游戏笔墨，各存一说，谅亦无碍。"子慎便说道："今年花选，本来公论是不依呢。"正说着，家人回说："酒筵已备。"荷生便立起身来，和小岑、剑秋招着秋痕、丹翠、曼云，阁门外散步。

这里七手八脚，将席抬上。正面摆着一席，两边排着四席。每席先是三个座教坊吹打三次，家人捧上酒来，大家送酒安席。正面是荷生、小岑、剑秋陪坐。缙绅们分坐四席，每席两枝花伺候。小岑、剑秋晓得荷生意思，便唤跟班排两个座在下横头，令丹翠也站起来。荷生就随意将各人都点了，只把秋痕的扇子握在手中，且令归坐，慢慢的让酒吃菜，听那曼云等或二簧，或小调，抑扬亢坠，百转娇喉，合着琵琶、洋琴、三弦诸般乐器的繁音促节，已是眉飞色舞，豪情勃发了。

好一会，曼云等以次唱完。小岑笑道："如今该是秋痕昆腔一开生面了。"荷生便向秋痕笑道："你这扇上大半是《燕子笺》、《桃花扇》、《西楼记》、《长生殿》，可见是个名家了。只是你有会得全出的没有？"秋痕站着答应道："只有《长生殿·补恨》旦曲是全会的。"荷生喜道："好极！

我就请教这一出。"剑秋笑道："我虽不懂这些，只全出旦曲，就是难为人的事。"秋痕道："不妨。"于是大家静悄悄的。荷生要过鼓板，亲自打着；教坊子弟吹着笛，弹着三弦，听秋痕敛容静气的唱道：

> 叹生前，冤和孽，才提起，声先咽。单则为一点情根，种出那欢苗爱叶。他怜我慕，两下无分别。誓世世生生休抛撇。不提防惨凄凄月坠花折，悄冥冥云收雨歇！恨茫茫，只落得死断生绝。〔普天乐〕

荷生见秋痕一开口已经眼眶红了，到末了"只落得死断生绝"这一句，竟有忍不住泪的光景，便将青萍才泡上莲心茶亲手捧给秋痕道："你吃了这盅茶，下一支我唱罢。"便一面打鼓板，一面唱道：

> 听说旧情那些，似荷丝劈开未绝，生前死后无休歇。万重深，万重结。你共他两边既恁疼热，况盟言曾共设！怎生他陡地心如铁，马嵬坡便忽将伊负也？〔雁过声〕

小岑、剑秋俱拍案道："好！"荷生笑道："我们少唱，板眼生疏得狠，不及他们的娴熟。"秋痕道："韩师爷板眼自然是讲究的，我们班里总不免有含糊处。"便接着唱道：

> 伤嗟，岂是他顿薄劣。想那日遭魔劫，兵刃纵横，社稷阽危，蒙难君王怎护臣妾？妾甘就死，死而无怨，与君何涉！怎忘得定情钗盒那根节。〔倾杯序〕

荷生唱声"好"，便说道："未免有情，谁能遣此？"剑秋道："词本好的，秋痕又能体会出作者的意思，抑扬顿挫，更令人魂销。"荷生道："我要浮一大白了！"于是丹翠执壶，秋痕斟酒，剑秋、小岑、荷生俱干了一大杯。秋痕归坐。小岑道："如今我献丑罢。"便讨一盅茶，漱了口，唱道：

> 你初心誓不赊，旧物怀难撇。是千秋惨痛，此恨独绝。谁道你不将殡骨留微馇，只思断头香再热。蓬莱宫阙，化愁城万叠。怕无端又令从此堕尘劫。〔玉芙蓉〕

大家都拍手道："好呀！"子慎道："我从来不晓得小岑会昆曲，今日才请教呢。"小岑向秋痕笑道："贻笑大方！"秋痕便也向着小岑一笑，接着唱道：

> 位纵在神仙列，梦不离唐宫阙。千回万转情难灭。双飞

若注鸳鸯牒，三生旧好缘重结。又何惜人间再受罚折！〔小桃红〕

秋痕唱了这支，眼眶又红了。小岑瞧着，便说道："等我再效劳罢。"接着唱道：

那壁厢人间痛绝，这壁厢仙家念热。两下里痴情恁奢，痴情恁奢。我把彼此精诚，上请天阙。补恨填愁，万古无缺。

秋痕背过脸，接着唱道：

还只怕孽障周遮，缘尚蹇，会犹赊！〔大催拍〕

荷生笑向秋痕道："以下便是尾声了。"就唱道："团圆等候仲秋节，管教你情偿意惬。"当下秋痕向着荷生一笑，也背过脸接着唱道："只我这万种伤心，见他怎地说！"秋痕唱完，荷生十分欢喜，教丹翠斟上大杯酒，和小岑、剑秋，每人喝了三大杯，四席上缙绅，也随意饮了几杯。丹翠陪了三大杯，秋痕量小，只得将小杯陪饮。荷生道："先前散步，瞧着堤边预备有船，我们携些酒，到船上去坐一回，也算不负修禊良辰。"子慎道："早预备过，船有五六支，分开去坐罢。"

于是五支船，仍是五席。小岑、剑秋陪着荷生下船。一会，荡入水心。遥望着旷远芊绵，水烟凝碧，那秋华堂、汾神庙，楼阁参差，倒影波中，澄澈空明，真令人胸襟漱涤，不着一尘。那教坊子弟打起《十番》，十妓便齐声唱起《采莲歌》来。前后娇声婉转，响遏行云。当下水陆并进，珍错罗列。到了黄昏，方才将船仍荡到彤云阁。荷生早已醺然，叫索安将一百两银锞分赏十妓，另将自己身上带的一块翡翠九龙佩，送给秋痕。转身谢了众人，先坐轿去了。各缙绅车随到，也随散了。

　　只有小岑、剑秋、子慎三人车久不到,便和十妓说些档话。丹翠等见荷生今日如此看重秋痕,也有妒忌的,也有替他欢喜的,那秋痕终日冷冷的。子慎便说道:"秋痕,你也该懂些巴结。譬如今日韩师爷这样另眼看待你,你就没有一点格外招呼,你们到底是为着什么来呢?"

　　秋痕今日因是走开闲逛,误了呼唤,已受狗头一番絮聒,听着子慎教训他,便哭起来,说道:"自己会巴结,尽管巴结;人家不会巴结,必要教人巴结,这是何心呢!"子慎听了,又羞又怒,登时变起脸来道:"你这东西,真是个不成材料!我好好的和你说话,你为什么哭起来?你到底有人教管没有?"秋痕正要发话,剑秋忙过来,扯到里间,说道:"你哭什么呢?苟老爷说你,原是好意,你不要认错了。"小岑也将子慎扯到炕上,和曼云一块坐着,说道:"这妮子脾气总是这样,难怪人嫌。"子慎道:"我一团好意,倒惹的他抢白起我来,叫我怎么不恼!"小岑只得十分排解,剑秋里边也劝了秋痕许多话,才把两下的气都平了。好是子慎车先到了,便招呼着大家,上车而去。剑秋力劝秋痕出来送子慎上车,秋痕抵死不肯。子慎去了,小岑、剑秋便叫秋痕班长,先送秋痕坐车回去。小岑、剑秋随后车来,也就走了。丹翠大家自有各人的班长各人的车马伺候;客都散完,便莺梭燕掠的一般,纷纷的分路回家。正是:

　　　　酒阑人散,月上星稀;锦天绣地,转眼皆蜚。

欲知后事如何,且听下回分解。

第七回　翻花案刘梧仙及第　见芳谱杜采秋束装

话说山右教坊，设自辽金，旧例每年二月花朝，巨室子弟作品花会。其始原极慎重，延词客文人，遴选姿容，较量技艺，编定花选，放出榜来。后来渐渐废弛，以致蔑片走狗靠此生活，于是真才多半埋没，尽有不愿赴选者。今年是个涂沟富户马鸣盛，字子肃，充作头家，请一南边人，姓施名利仁，字芦岩，主持花案。这利仁年纪二十余岁，生得颀长白皙，鼻峰高耸，昆腔二簧，琵琶三弦，都还会些，只是胸无点墨，卑鄙刻薄，无所不为。似这种人主持花案，这花选尚可问么！到了出榜这日，优婆夷寺地方，彩亭上粘着榜文，是潘碧桃第一，刘梧仙第十。案下哗然。奈教坊司早已详县存案，就也没人来管闲事了。

便却说荷生那日回营，勾当些公事，天已不早，便吃点茯苓粥，青萍等伺候睡下，都退出去。荷生对着那一穗残灯，想道："今日这一聚，也算热闹极了。丹翠、曼云，自是好脚色；掌珠、秋香，秀骨姗姗，也过得去；只有秋痕，韵致天然，虽肌理莹洁不及我那红卿，而一种柔情侠气，真与红卿一模一样。且歌声裂石，伎艺较红卿似还强些。不知那花选何以将他屈在第十？我定当另编一过，饬教坊司更正才好。"又想道："芙蓉洲风景，到了夏月，荷花盛开，自然更好。我今日已约下小岑、剑秋，到那日作一东道，回敬他们。咳！只可惜红卿不在这里……"便朦朦胧胧的好像身子还在芙蓉洲船上，又像是席散时候。

陡然，那边飞过一支画船来，船里一个丽人，倚着船窗看水。荷生便将头探出窗来，正与那丽人打个照面，却是红卿。便急问道："你什么时候到了？"红卿只是笑，那船早离有一箭多地了。荷生忙唤人追赶，回头一看，船上静悄悄的，只有秋痕一人，背着脸靠在那边船窗。便问道："他们往那里去了？"秋痕转过脸来，却不是秋痕，又另是一个丽人：濯濯如春月柳，滟滟如出水芙蓉，比秋痕还好！那丽人又只是瞧着荷生笑。荷生待向前说话，只见那丽人说道："你只认得刘秋痕，那里认得我呢？"

荷生正要回答，那丽人却不见了，船中只是自己一人。

再一回盼，又见那丽人却携着红卿的手，在岸边亭子上并肩而立，喜得心花怒开，急忙跑上岸来，迎前一看，却是丹翠、曼云。荷生此时恍恍惚惚的，便急问道："你看见红卿么？"只见丹翠沉着脸道："你是什么人？怎的混跑到这里来！"便携着曼云，从亭子上小门进去了。荷生想道："分明这是丹翠、曼云，如何他们变了脸，不认我呢？"再一看来，那里是岸，却是一家池亭，想道："今天我怎的这样迷惑起来，莫非是梦中幻境么？"

正想着，只见那池边树林里跑出几个回子，手执短刀，见了荷生，都道："这就是前日在潼关山上教人放火的人，不可放走了！"荷生吃了一惊，往园中便跑。又见红卿和那丽人靠着池边栏杆，吟吟的笑。荷生此时也不管祸福，忙上亭来，跑向前去。后面那几个回子，随后赶来，拦腰抱住。唬得满身冷汗，撑开眼来，却是一梦。回忆梦境，如在目前，心上犹突突的乱跳。想道："此自是上床时胡思乱想所致。"便自收摄精神，扫除思虑，就也安然睡着了。

次日起来，午窗无事，便将十花品第起来。也不会翻旧案，只将秋痕、碧桃前后挪移，但另是一番眼界了。开首撰一小序，每人名下各系一传，传后各缀一诗，即日发刻。数日之间，便轰传起来。看官，你道那教坊司敢不更正么！只几页花选，却是胭脂山的飞檄，氤氲使的灵符，早招出一个绝代佳人来。你道佳人是谁？就是第一回书中说的杜采秋。

这采秋系雁门乐籍，他的母亲贾氏，那年身上有娠，夜梦一仙女手拈芙蓉一枝，说道："此系石曼卿芙蓉城里手植，数应谪落人间，在你手里受了二十年魔劫，然后根移绿墅，果证青娥。"说毕，掷花于怀，贾氏腹痛而醒。是夕生一女，因名梦仙，小字采秋。采秋生而聪颖，词曲一过目，便自了了，不特琵琶弦索，能以己意谱作新声，且精骑射，善画工书，以此名重雁门。到十六岁上，但有一豪客，破费千金梳栊了。每年四五月，到了并门，扇影歌喉，一时无两，以此家颇饶足。然性情豪迈，有江南李宛君、顾眉生之风。千万金钱，到手辄尽。旧年十二月，关外讹言四起，采秋将万贯钗钏衣服，尽行弃去，购书十余架。客问其故，采秋说

道:"钗钏衣服,贼来便是祸根,换此数百万卷书,贼将不顾而去。不好么?"其实采秋是乘此机会,要择人而事,不理旧业。后来大兵东出,平了回匪,他家朝夕絮聒,说他:"年纪才二十岁,不为全家图些基业,专要读书、做诗、写字,难道真要去考博学鸿词,作女学士么?"采秋拗不过他爷娘意思,只得出来,略略酬应。

一日,侍儿红豆传说:"洪相公来访!"看官听着:这洪相公,也是此书中一个要紧的人。此人单名海,字紫沧,现年三十五岁,拳勇无敌,却温文尔雅,是个做秀才的本色。以此,雁门人个个敬爱他。采秋便延入内室客座,闲话一回。紫沧便从靴子里取出一本书来,说道:"今年花选,你见过么?"采秋道:"那花选有什么看头呢!所选的人,横竖是并州那几个粉头,又难道又有个倾国倾城的出来么?果然有个倾国倾城的,上那花选,也就玷辱!"紫沧笑道:"你这议论,实在痛快,只是这一番,又有个人出来,将花案翻过,你瞧罢。"便将花选一本,递给采秋。采秋揭开一看,书目是《重订并门花谱》。便问道:"这重订的人,是个什么样的名公呢?"紫沧笑道:"你不要问人,且看这人的序如何再说。"采秋便将小序念道:

> 露朵朝华,奇葩夜合;莲标净植,絮染芳尘。无托迹之靡常,遂分形而各寄。岂谓桃开自媚,柳弱易攀。生碧玉于小家,卖紫钗于旧邸。羞眉解语,泪眼凝愁。弹秋之曲四弦,照春之屏九折。况兼笔妙,迥似针神。允符月旦之评,不愧霓裳之咏。昨者:躬逢良会,遍赏名花;又读新编,足称妙选。惟武陵俗艳,宠以高魁;……

便说道:"潘碧桃取第一么?"又念道:

> 而彭泽孤芳,屈之末座。

便说道:"这'彭泽孤芳'是谁呢?"又念:

> 私心耿耿,窃不谓然。用是再启花宫,重开蕊榜。登刘贡于上第,许仙人为状头。背踏金鳌,忆南都之石黛;歌传紫凤,夸北地之胭支。愿将色艺,遍质同人,所有是非,付之众论云尔。富川居士撰。

念毕,说道:"好一篇唐小品文字!这富川居士定不是北边人了?你说

罢。"紫沧道:"你且往下看,尚有笔墨呢。"采秋见第一个题名是:
  霜下杰刘梧仙。

便说道:"呵!刘贲登上第,仙人得状头了!究竟这刘梧仙是谁呢?怎的我在并州没有见过,且不闻有这人呢?"紫沧道:"你怎的忘了?那小班喜儿,你就没有会过么?"采秋道:"呵!就是他么?人倒不曾见过,却听见有人说,这喜儿长得模样很好,肚里昆曲记得很多,只是脾气不好,不大招呼人。仿佛去年有人说他搬回直隶去了,怎么这回又来了?今番取了第一,这富川居士也算嗜好与俗残咸酸,不肯人云亦云哩。"说毕,便看那小传道:
  梧仙姓刘氏,字秋痕,年十八岁,河南人。秋波流慧,弱态
 生姿。工昆曲,尤善为宛转凄楚之音。尝于酒酣耳热笑语杂
 沓之际,听梧仙一奏,令人悄然。盖其志趣与境遇,有难言者
 矣!知之者鲜,无足丽焉。

说道:"好笔墨!秋痕得此知己,可以无恨矣。"便将诗朗吟道:
  生来娇小困风尘,未解欢娱但解颦。记否采春江上住,懊
 侬能唱是前身。

吟毕,说道:"诗亦佳。"再看第二名是:
  虞美人颜丹翠。

便说道:"虞美人三字,很切丹翠的样子。"看那小传道:
  丹翠姓颜氏,字幺凤,年十九岁。姿容妙曼,研若无骨,丰
 若有余。善饮,纠酒录事,非幺凤在坐不欢也。至度曲,则不
 及梧仙云。诗曰:
  衣香花气两氤氲,妙带三分宿醉醺。记得郁金堂下饮,酒
 痕翻遍石榴裙。

再看第三名是:
  凌波仙张曼云。

  曼云姓张氏,字彩波,年十九岁,代北人。风格虽不及梧仙,而凤鬟雾鬓,妙丽天然;裙下双弯,犹令人心醉也。诗曰:
  偶然扑蝶粉墙东,步步纤痕印落红。留与天游寻旧梦,销
 魂真个是双弓。

再看第四名是：

> 玲珑雪冷掌珠。

掌珠姓冷氏，字宝怜，年十九岁，代北人。寡言笑，而矶肤莹洁，朗朗若玉山照人。善病工愁，故人见之辄爱怜不置。诗曰：

> 牢锁春心豆蔻梢，可人还似不胜娇。前身应是隋堤柳，数
> 到临风第几条。

再看第五名是：

> 锦绷儿傅秋香。

秋香姓傅氏，字玉桂，年十四岁，湖北人。眉目如画。初学度曲，袅袅可听，亦后来之秀也。诗曰：

> 绿珠生小已倾城，玉笛新歌宛转声。好似旗亭春二月，珠
> 喉历历啭雏莺。

再看第六名是：

> 销恨花潘碧桃。

碧桃姓潘氏，字春花，年十七岁。美而艳。然荡逸飞扬，未足以冠群芳也。诗曰：

> 昨夜东风似虎狂，只悉枝上卸浓妆。天台毕竟无凡艳，莫
> 把流红误阮郎。

再看第七名是：

> 占凤池贾宝书。

宝书姓贾氏，字香卿，年十七岁，辽州人。貌仅中姿，而长眉曲黛，善于语言。诗曰：

> 春云低掠两鸦鬟，小字新镌在玉山。何不掌书天上住，却
> 随小动落人间？

再看第八名是：

> 燕支颊薛瑶华。

瑶华姓薛氏，字琴仙，年十六岁，扬州人。喜作男子妆，学拳勇，秃袖短襟，诙谐偶俛，乐部中之铮铮者也。诗曰：

> 宝髻玲珑拥翠细，春花秋月自年年。苍茫情海风涛阔，莫
> 去凌波学水仙。

再看第九名是：

　　紫曲流楚玉寿。

　　玉寿姓楚氏，字秀容，年十八岁。善肆应，广筵长席，玉寿酬酢终日，迄无倦容。诗曰：

　　花气浓拖两鬓云，绛罗衫子缕金裙。章台别后无消息，芳草天涯又见君。

再看第十名是：

　　娄尾春王福奴。

　　福奴姓王氏，字悒娘，年二十三岁，代北人。杨柳多姿，桃花余艳，以殿群芳，亦为花请命之意云尔。诗曰：

　　柳花扑雪飞难定，桃叶临江恨总多。愿借西湖千顷水，听君闲唱《采菱歌》。

看毕，便将书放在茶几上，向紫沧道："到底这'富川居士'是谁呢？"紫沧道："此人非他，便是正月间大破数十万众回子的那个韩荷生！"采秋沉吟一会，才说道："他还有这闲功夫弄此笔墨？"紫沧道："这荷生奇得很！听得人说，他在军中是诗酒不断的。就是破贼这一日，也还做诗喝酒哩。"采秋道："这也没有什么奇处，那诸葛公弹琴退敌，谢太傅围棋赌墅，名士大半专会摹调！只如今就算得江左夷吾，让他推群独步了！"紫沧笑道："可惜你是个女子，若是男子，你这口气，是要赛过他哩！"说得采秋也吟吟的笑了。又闲谈了一回，天色已晚，紫沧去了。

　　采秋便将《芳谱》携归卧室，叫红豆点一炉香，烹一盅茶，在银灯下检开《芳谱》，得看一遍。想道："我只道现在读书人给那八股时文、五言试帖捆缚得个个作个书呆；不想也还有这潇洒不群的人，转教我自恨见闻不广，轻量天下士了。"因又想道："他既有此心胸眼力，如何不知道我杜采秋呢？你要重订《芳谱》，也不问问，就把什么丹翠的酒量、曼云的

弓弯，都当作宝贝一般形诸歌咏，连那玉寿、福奴，都为作传，不是浪费笔墨么！"

　　停了一回，又想道："我不到太原，他如何知道我呢？这也怪不得他。"痴痴呆呆，想来想去，直到一下钟，贾氏进来，几次催他去睡，才叫红豆和老妈服侍睡下。次日，又沉吟了一日，便决计与他父母商量，前往并州。他爷娘是巴不得他肯走这一遭，立刻料理衣装，不日就到了。正是：

　　　　人生最好，一无所知；
　　　　若有知识，便是大痴。

欲知秋痕、采秋后事如何，且听下回分解。

第八回　吕仙阁韩荷生遇艳\n并州城韦痴珠养疴

　　话说荷生自重翻《芳谱》之后，军务日见清闲。一日，奉着报捷的回批，经略赏加太保衔，大营将吏俱有升擢，荷生也得五品衔。彼此庆贺，不免又是一番应酬。

　　光阴易过，早是四月中旬。长日倦人，又见芍药盛开，庭外丁香海棠，红香腻粉，素面冰心，独自玩赏一回。鸟声聒碎，花影横披，遂起了访友的念头，寻芳的兴致。带了青萍，骑了一匹青海骢，也不要马兵跟随，沿路去访梅小岑、欧剑秋诸人。一无所遇，大为扫兴，便欲回营。

　　走到东南城根边，遥见一带波光，澄鲜如镜，掩映那半天楼阁，俨如一幅画图。便问青萍道："那是什么地方？"青萍道："小的未曾到过。"荷生便信马行来，原来是一座大寺院。门前古槐两树，蔽日参天。墙外是大池纵横十亩，绕着水是绿柳成行，黄鹂百啭，便觉心旷神怡。遂下了马，看那寺门上横额是"吕仙阁"三字。便令青萍拂去了身上的尘土，将马系在柳荫中。荷生缓步走到堤边，看那游人垂钓。忽听阁上数声清磬，度水穿林，更觉涤尽尘心，飘飘意远。又信步走进寺门，早见有辆绣围香车，停在门内。便向青萍道："那不是内眷的车么？不用进去冲撞他们了。"青萍道："老爷骑了半天马，又站了这一会，也该歇一会儿。庙里地方大，那里就单撞见他们哩。"荷生点点头道："你且在此等候。"遂一人踱进门来，静悄悄的，只有那车夫在石板上打盹。转弯到了东廊，见两三个小道士在地下掷钱玩耍，也不招呼荷生。荷生便一直向后走来。只见宝殿琳宫，回廊复道，是个香火兴旺的古刹。

　　原来这纯阳宫正殿以后，四围俱系砖砌成阁，阁分三层：上层左临试院，万片鱼鳞；右接东城，一行雉堞；远则四围山色，万井人烟；近则数亩青畦，一泓绿水。中层为上下必由之道，两边石磴各数十级。下层做个月洞，系出入总路。

　　荷生刚到下层洞门，只听一阵环佩声，迎面走出花枝招展的两个人

来，便觉得鼻中一股清香，非兰非麝，沁人心脾，自然会停了脚步。定睛一看，一个十四五岁的，身穿一件白纺绸大衫，二蓝摹本缎的半臂，头上挽了麻姑髻，当头插一朵芍药花；下截是青绉镶花边裤，微露出红莲三寸，笑盈盈的，已似海棠花娇艳无比。一个年纪大，真是宝月祥云，明珠仙露，这道神采射将过来，荷生眼光自觉荡漾不定。幸是到了跟前，不得不把心神按定，闪过一旁，让这两人过去。这两人也四目澄澄的瞧了一瞧。荷生觉得那绝色眼波，更倾注在自己身上，那缕魂灵儿好像就给他带去；跟着出了洞，走过院子，将次转出正殿，这绝色的回头一盼，才把精魂送转。这两人都不见了，两条腿尚如钉住。停一会，缓步向前。恍恍惚惚，记那绝色身上穿的，是一件镶花边浅蓝云蝠线单衫，下面是百折淡红绉裙，微露出二寸窄窄的小弓弯；头上是挽个懒云髻，簪一枝素馨花，任意绰着春山的光景。一路上凝神渺虑，细细追摹，不知不觉已走到后面阁上第三层扶梯了。且喜并无一个窥见心事，也就步上扶梯，靠着危栏，想道："那一个十四五岁的，是个侍儿，决无可疑了。这一个绝色是那一家宅眷？怎的如许年轻，只带一婢来庙呢？若说是小户人家，那服饰态度，万分不像。咳！似此天上神仙，人间绝色，此地青楼决无此等尤物，这也不用说；譬如果有这样一个人，无论丹翠、曼云，就是秋痕怕也赶不上！只是人家宅眷，无心邂逅，消受他慧眼频频垂盼，已算是我荷生此生艳福，以后还要怎样呢！"这样一想登时把先前思慕心肠，如灌向冰壶，不留渣滓，倒也爽然。

浏览一回，觉得口渴，缓步出来，一个老道士递上一钟茶，却喝不得。瞧着表已有三下多钟了，赶着出门，唤过青萍，跨上马，把鞭一捎，那马如飞的驰归大营去了。

看官，你道荷生所遇的绝色，究竟是谁？原来就是杜采秋。采秋自那日决计出门，次早便和他妈择了日期，带着老嬷、丫鬟、伙伴上路，按站到了太原，就寓在菜市街愉园。这园虽不甚大，却也有些树木池亭，数十间邃房密室。本是巨家别业，后来中落，此园又不转售于人，关闭数年，屋宇渐渐塌坏。采秋去秋以二千金买之，略加修葺，便也幽雅异常。只是他娘贾氏，因途次感冒，成了重症，日重一日。采秋昼夜伏侍，转把来访之客，概行谢绝。此时已半个多月了，见他妈病势有增无减，

因此特来吕仙阁求签许愿，不想遇见荷生。其实采秋意中有荷生，却不曾见过这个人；荷生目中有采秋，又不曾闻有这个人。然荷生看不出采秋是个妓女，采秋却看得出荷生是个名流，一路想道："这人丰神澄澈，顾盼不凡，定是个南边出色人物。"因又想道："此人或且就是紫沧说的韩荷生，那庙门外柳荫拴一匹马，系青海骢，不是大营，那里有此好马？"正在出神，车已到家。想他妈病势危笃，吕仙阁签又不甚好，也把路上所有想头，一齐撂开了。这且按下。

却说痴珠由草凉驿趱程，十九日午后已到西安，随便卸装旅店，就雇定长车。因河南土匪出没无常，与车夫约定，取道山西，限十八日到京。一面吩咐跟人检点行李，一面写了几封川信，交给广汉家丁回去销差。此时已是黄昏，痴珠也不换衣服，坐车向红布街王漱玉家来，不想漱玉夫妇双双的外家去了。痴珠只得把他家里作一柬帖，并诗二首留别，怅然而返。诗云：

　　卅年聚散总关情，销尽离魂是此行。去日苦多来日少，春风凄绝子规声。

　　客囊犹似去年贫，湖海浮沉剩一身。东阁何时重话旧？可怜肠断再来人！

那王家管事家人刘福，为着痴珠是漱玉极爱敬的朋友，三更天自己跑来请安，送过酒菜，再三挽留。痴珠姑且答应，其实天一亮，便装车上路去了。

痴珠自幼本系娇养，弱冠登第，文章丰采，倾动一时。兼之内顾无忧，傥来常有，以此轻裘肥马，暮楚朝秦，名宿倾心，美人解佩。十年以后，目击时艰，肠回嫠纬，宾朋零落，耆旧销沉。此番经年跋涉，内窘于赡家之无术，外穷于售世之不宜。南望仓皇，连天烽火；西行踯躅，匝地荆榛。披月趱程，业驰驱之已瘁；望云陟屺，方启处之不遑。忧能伤人，劳以致疾。

二十一夜赶到潼关，便神思懒怠，不思饮食。次日五更起来，觉得头晕眼花，口中干燥，好不难受。勉强挣扎，出关渡河。晓风扑面，陡然四肢发抖，牙关战得磕磕的响，叫秃头将两床棉被压在身上，全然没用。直到韩阳镇打尖，服下建曲，吹下痧药，略觉安静。是晚，到了蒲关。想

欲求医，因忆起一个故旧来，此人姓钱名同秀，字子守，本南边人，善医，随宦此地，办起盐务，字号"裕丰"。痴珠令人持柬相邀，候至三更不到，痴珠只得付之一笑。睡至五更，头目比日间清爽，而两脚酸痛，不可屈伸。此本痴珠旧疾，近来好了，此时重又大发。一路倒难为秃头扶上扶下，又要收拾铺盖，又要料理饮食，又要管理银钱，日夜辛勤，极其劳瘁。痴珠委实过意不去。行至霍州，值有同乡左藉航孝廉，掌教此地，代觅一仆，名唤穆升，稍分秃头辛苦。孝廉因力劝痴珠就医太原，且将他的家信取出给痴珠瞧，说是二月后贼势渐平，故乡时事，可以无忧。痴珠觉得略略放心，数日之间就也到了太原。

先是在旅店住了一日，嘈杂不堪。遂租了汾堤上汾神庙西院一所客房养病。当下收拾行李，坐车到了寓所，倒也干干净净一所房屋。上房四间屋子，中间是客厅，东屋两间是卧室，西屋是下人的住屋。院中有两株大槐树遮住了，不见天日。后面也是个大院子，却是草深一尺。东边是朝西小楼一座，楼下左边屋放口棺木，却是空的，痴珠也不理论。右边是厨房。西边是墙，墙上有重门，通着秋华堂廊庑。

秃头、穆升赶着将铺盖取出，正在打展，只见一个和尚欢天喜地远远的叫将过来道："我道是那一位韦老爷，却原来就是痴珠老爷！"痴珠拐着脚向前一看，也欢喜道："心印，你如何在这里？"

看官，这心印和尚汝道是谁？原来就是汾神庙住持。他本系西湖净慈寺知客，工诗书，向年痴珠就聘临安，与心印为方外交，往来亲密。后来痴珠解馆，心印以心疾发愿朝山，航南海，陟峨眉，前年顶礼五台后，将便道入都，官绅延主汾神祠。痴珠此来，得逢心印，也算意想不到之事。

当天彼此施礼，略叙别后踪迹。心印见痴珠初搬进来，一切未曾安置，且行李亦极萧条，便向穆升道："这边缺什么家伙，即管向当家取去。"一面说，一面起来携痴珠的手道："老僧搀你到方丈躺躺罢，让他们收拾妥帖，你再过来。"痴珠也自情愿。心印和秃头一路照应，痴珠蹒跚的来到方丈，便躺在心印床上，与心印畅谈十余年分手的事。因说道："自恨华盛时，不早自定，至于中年，家贫身贱，养痾畏疽，精神不齿，那能不病入膏肓呢！"心印慰道："百年老树仲瑟，一斛旧水藏蛟龙。人生

际遇何常,偶沾清恙,怕什么哩。"痴珠道:"功名富贵,命也!只上有老母,下有弱弟,际此时艰,治生计拙,这心怎放得下。"心印道:"这也只得随缘。"遂劝痴珠吃了两碗稀饭。饭后睡了一觉,两脚疼痛已略松动。到了二更,大家换扶过来,晚夕无话。

　　次日五月初一,痴珠换过衣帽,穆升扶着,想到观音阁烧香。刚转过甬道,只见一阵仆妇丫鬟捧着一青年少妇进来,痴珠只得站住。那少妇却也停步,将痴珠打掠一回,向一仆妇说了几句话,径自上阁去了。这仆妇便走到痴珠跟前,问道:"老爷可姓韦,官章可是玉字旁么?"

　　痴珠沉吟未答,穆升说道:"姓名却是,你怎的问哩?"仆妇道:"是我们太太叫问呢。"便如飞的上阁回话。痴珠想道:"这少妇面熟得很,一时记不真了。他来问我,自然是认得我呢。"

　　看官,汝道这少妇又是谁呢?原来就是蒲关游总兵长龄字鹤仙之妹、大营李副将乔松字谡如的夫人。十五年前,游鹤仙之爷官名炳勋,提督东越水师,痴珠彼时就曾就其西席之聘。他兄妹两个,一才十六岁,一才十三岁,师弟之间,极其相得。未及一年,游提督调任广东。痴珠中后,又南北奔驰,也晓得鹤仙中了武进士,却不知道就在江南随标,数年之间,以江南军功擢至总兵,且不晓得即在蒲关。如今认起来,却得两位弟子。痴珠在并州养病,有这多旧人,也不寂寞了。正是:

　　　　相逢不相识,交臂失当前。

　　　　相识忽相逢,相逢岂偶然。

欲知后事如何,且听下回分解。

第九回　芹蜂水阁太史解围
##　　　　邂逅寓斋校书感遇

话说秋痕那日从柳溪回家，感激荷生一番赏识，又仇恨苟才那般糟蹋，想道："这总是我前生作孽，没爹没妈，落在火坑，以致赏识的也是徒然，糟蹋的倍觉容易！"就酸酸楚楚的哭了一夜。嗣后荷生重订的《芳谱》，喧传远近，便车马盈门，歌采缠头，顿增数倍。奈秋痕终是顾影自怜，甚至一屋子人酒酣烛灿，哗笑杂沓，他忽然淌下泪来；或好好的唱曲，突然咽住娇喉，向隔拭泪。问他有甚心事，他又不肯向人说出。倒弄得坐客没意思起来，都说他有些傻气。

五月初五这一天，是马鸣盛、苟才在芙蓉洲请客，看龙舟抢标。他所请的客是谁呢？一个钱同秀，一个施利仁，前文已表。余外更有卜长俊，字天生，是个初出山的幕友；夏旒，字若水，胡孝，字希仁，是一个未入流；原士规，字望伯，是个黄河渡口小官，现被经略撤任。那苟才又请了梅小岑，小岑那里肯和这一班人作队？奈子慎是小岑隔邻，自少同学，两世交谊，面上放不下来，也就依了。今年花选，是马鸣盛头家，因此传了十妓，那十妓是不能一个不到的。只可怜秋痕，赖于酬应，挨时挨刻，直到午后，才上车赴芙蓉洲来。远远听得人语喧哗，鼓声填咽，正是龙舟奋勇竞渡之时。岸上游人，络绎不绝。那时，水亭上早摆上三席：中席是卜长俊、胡孝、夏旒、秋香、瑶华、掌珠伺候；西席是钱同秀、施利仁、马鸣盛、碧桃、玉寿、福奴伺候；东一席是梅小岑、原士规、苟才、曼云、宝书、丹翠伺候。

狗头见赶不及上席，下车时将秋痕着实数说，硬着头皮领着上去。果然苟才、马鸣盛一脸怒气，睁开圆眼，便要向秋痕发话。秋痕低着头，也不言语。小岑早已走出位来，携着秋痕的手，说道："怎么这几日不见，更清瘦了？不是有病吧？"秋痕答应道："是。"马鸣盛、苟才见小岑如此，也就不敢生气，立刻转过脸色来。这小岑即吩咐家人，在自己身边排下一座，给秋痕坐了。狗头便跟上来，教秋痕送酒，招呼大家。小岑

笑道:"有我哩,你下去罢。"狗头诺诺连声,不敢言语。倒是鸣盛前后过来应酬小岑,小岑丢将眼色,着秋痕向前。秋痕才勉勉强强的斟上酒,敬过鸣盛,又敬苟才,说道:"晚上感冒,发起寒热。今日本不能来,缘老爷吩咐,不准告假,早上挣扎到这会,才能上车,求老爷们担待罢。"苟才赶着说道:"我说秋痕向来不是有脾气的,幸亏没有错怪了你,大家都知道,这就罢了。"于是三席豁拳轰饮一会。秋痕默默坐在小岑身旁,见西席上碧桃把同秀短烟袋装好了烟,点着了,送过来给同秀;却把水汪汪的两眼溜在利仁身上。利仁却抱住福奴,要吃皮杯,鸣盛劝着福奴敬他。中一席卜长俊、夏旐、胡孝三个,每人身边坐一个,毛手毛脚的,丑态百出,秽语难闻。这一边席上,小岑是与丹翠一杯一杯的较量,苟才也只好斯斯文文的说笑;只有士规和宝书做了鬼脸。

　　一会,向小岑道:"听说杜采秋来有一个多月,只是总不见客哩。"小岑道:"这却怪不得,他妈现在病重得很呢。"又停了一会,鸣盛有些醉了,和苟才换过坐,却不坐在苟才坐上,自己将椅子一挪,便挤在秋痕下手,迷着两只小眼,手里理着自己几茎鼠须,大有亲近秋痕之间。急得秋痕眼波溶溶,只往小岑这边让过来。小岑见那两边席上闹得实在不像,又怕秋痕冲撞了人,恰好亭外一条青龙、一条白龙,轰天震地的抢标,便扯着秋痕道:"我和你看是那一条抢去标。"便立起身来,向后边过路亭上看去。丹翠乖觉,也就跟着出来。乘着大家向前争看抢标,他三人便悄悄分开芦竹,寻出路径,望秋华堂缓步而来。

　　到得秋华堂,不想心印为着这几天闲杂人多,倒把秋华堂门窗拴得紧紧,中间的垂花门落了大锁。三人只得绕到堂后假山上亭子,就石墩上小憩一会。此时龙舟都散去歇息,看龙舟的人也都散去,各处闲步。这秋华堂就有三五成队来了。小岑只得领着丹翠、秋痕下来,从东廊出去。丹翠见壁间嵌着一块六尺多高木刻,无心将手按,却活动起来。丹翠惊愕,小岑道:"这是个门,通过那边汾神庙,平素是关住的,不知开得开不得。"把手用力一推,那年代久了,里头关键久已朽坏,便"扑落"一声吊了下来。第二重月亮门却是开的,三人以次进去,见是个小院落,上面新搭着凉棚,对面一座小楼,靠南是正屋后身。就有人也跟进来,小岑说道:"这是我的书屋,大家不得进来。"那几个人才退出去。

小岑便把月亮门闭上拴好,笑道:"这都是你两个累我。"说毕,领着两人,由楼边小径绕到屋子前面。见两边都是纱窗,靠西垂着湘帘,便说道:"这地方像有人住了。"秋痕先走向卷窗一瞧,说道:"没个人影儿。"就掀开正屋帘子,让丹翠进去,自己随后跟来,见屋内十分雅洁,上面摆一木炕,炕上横几摆满了书籍。直几上供一个磁瓶,插数枝水栀花,芬香扑鼻。中间挂一幅横披,写着"国破山河在"的杜诗一首,笔意十分古拙,款书"痴珠试笔"。旁挂的一联集句,是:

> 岂有文章惊海内,
>
> 莫抛心力作词人。

款书"痴珠莹"三字,俱是新裱的。秋痕沉吟一会,向小岑道:"这痴珠是谁? 你认得么?"小岑道:"我不认得。只此古拙书法,定是个潦倒名场的人了。"丹翠笑道:"我看起来,这痴珠两字,好像是个和尚。"秋痕见东屋挂着香色布帘,中镶一块月白亮纱,就也掀开进去。窗下摆一长案,是雨过天晴的桌罩。一座弥勒榻,是旧宋锦的坐褥,便坐下去。瞧那桌上摆着一个白玉水注,两三个古砚,也有圆的,也有方的,一把退笔和那十余本书,都乱堆在靠窗这边。随手将书检出一本,见隶书《西征吟草》上册六字,翻开第一页,题是《观剧》,下注"碎琴"二字。诗是:

> 钟期死矣渺知音,流水高山枉写心。赏雅几能还赏俗,丝
>
> 桐悔作伯牙琴。

便点点头,叹一口气,就也不往下看了。这小岑坐在外间炕上,将几上《艺海珠尘》随便看了两页。丹翠陪着无味,便走进来,说道:"你看什么?"秋痕未答,小岑也进来了。见上面挂联,是:

> 白发高堂游子梦,
>
> 青山老屋故园心。

一边傍书"张检讨句",一边末书"痴珠病中试笔。"中间直条款书"小金台旧作"五字,看诗是:

> 士为黄金来,士可丑! 燕王招士以黄金,王之待士亦已
>
> 苟。乐毅邹衍之贤,乃以黄金相奔走。真士闻之将疾首! 胡
>
> 为乎,黄金台,且不配;小金台,且继有!

便说道:"逼真铁崖乐府。又是一枝好手笔,足与韩荷生旗鼓相当。只

是这人福泽不及荷生哩。"秋痕道:"他案上有诗稿,你看去罢。"丹翠瞧着东壁道:"你看这一幅小照,不就是痴珠么?"小岑、秋痕近前看那小照,画着道人,约有三十多岁,神清骨秀小岑笑向秋痕道:"你先前要认此人,如今认着,日后就好相见。"秋痕两道眼波注在画上,答道:"晓得是他不是他?"小岑、丹翠抿着嘴笑,秋痕也自不觉。

小岑正要向案上找诗稿看,听得外面打门,便说道:"房主人来了。"秋痕道:"他空空洞洞的一个屋子,我们不来,他叫什么人开哩?"

正说着,只听西屋一人,从睡梦中应道"来了。"小岑摇手,叫两个不要说话,偷向卷窗看打门是谁。一会,转过屏门来,却是心印。只听心印一路说进来道:"秋华堂那一座门,不知今天是谁推倒? 幸你月亮门早是拴上,不然,怕没有人跑来么!"小岑掀开帘子笑道:"却早有人跑来了。"倒把心印和秃头吓了一跳。小岑接着说道:"你那板门就是我推倒的,我拐了王母两个侍儿来你这里窝藏哩。"心印也笑道:"梅老爷真会要人,却不知你那管家和两三个人到处找你哩。"小岑拉着心印进来里间,见了丹翠、秋痕。这心印不认得谁,却也晓得是教坊里的人,便接口道:"真个王母两个侍儿,被老爷拐来了。"

小岑指着上面的联道:"这痴珠单名莹,可就姓韦? 可就是从前献那《平倭十策》韦莹么?"心印道:"是。"小岑道:"他什么时候来你这里住呢?"心印便将痴珠家世,以及遇合蹉跎,自己平素如何相好,此番如何相遇,细说一遍。小岑、丹翠也都为扼腕叹息,只秋痕脉脉不语。小岑又问心印道:"韦老爷怎的今日不在家养病呢?"心印道:"说来也奇,那一日搬进来,遇着老僧,算是他乡遇故知了。不想次日一早,他到观音阁烧香,又遇着十五年前受业女弟子,就是大营李镇军的夫人,你说奇不奇的? 这李夫人却认真爱敬先生,那日就来这屋子请安,见他行李萧条,回去便送了许多衣服,以及书籍古玩。第二日,李镇军亲自过来,要请他搬入衙署,他执意不肯。今日是端阳佳节,一早就轿过来接去了,回来大约要到二更多天。"丹翠道:"这真叫做人生何处不相逢呢!"秋痕道:"这夫人就难得。"四人谈了一会,天色暗了,小岑家人及丹翠、秋痕跟人,都已找着,知道水阁上大家都散了,他们各自分路回家了。

单说秋痕这一夕回来便道:"痴珠沦落天涯,怪可怜的。他弱冠登

花月痕

科,文章经济,称绝一时,《平倭十策》虽不见用,也自轰轰烈烈,名闻海内。到如今栖声矣,真是与我一样,有话向谁说呢!我这会得个虚名,就有许多人瞧起我来,过了数年,自然要换一番局面,我便是今日的痴珠了。那时候从何处找出一个旧交?咳!这不是我后来比他还不如么?瞧那《观剧》的诗,一腔子不合时宜,受尽俗人白眼,怎的与我梧仙遭遇竟如此相同?他不合时宜,便这般沦落;我不合时宜,更不知要怎样受人糟蹋。大器晚成,他后来或有出路?而且他就没有出路,那菱堆案头,后来便自有千古;我死了就如飞的烟、化的灰,再没痕迹了!"

因又转一念道:"咳!我这种作孽的人,还要讲什么死后?这越发呆了!"又想道:"今日席间大家那般光景,真同禽兽,没有半点羞耻!他们倘和我闹起来,这便是梧仙的死期到了!"这一夜凄楚,比那三月初三晚,更是难受。次日便真病了。正是:

　　有美一人,独抱孤愤。

　　怜我怜卿,飘飘意远。

欲知后事如何,且听下回分解。

第十回　两番访美疑信相参
一倾心笑言如旧见

　　话说端阳这日，荷生营中应酬后，剑秋便邀来家里绿玉山房小饮。两人畅叙，直至日色西沉，才散开闲步。荷生见院子里遍种芭蕉，绿荫匝地；西北角叠石为山，苍藤碧藓，斑驳缠护；沿山凸凹，池水涟漪，绕着一带短短红栏；栏畔几丛凤仙，百叶重台，映着屋角夕阳，别有一种袅娜之致。剑秋因想起《芳谱》，便说道："荷生，你的《芳谱》近来又有人出来得翻了！"荷生惊讶道："这又是何人呢？"剑秋道："如今城里来了一个诗妓，你是没有见过的。又来了一个大名士，赏鉴了他，肯出三千金身价娶他，那秋痕如何赶得上？这《芳谱》却不是又要重翻么？"荷生笑道："果然有这诗妓，有这阔老，我也只得让他发标。只是太原地方，我也住了半年，还有什么事不知，你哄谁呢！"剑秋道："我给你一个凭据罢。"说着，进去半晌，取出一把折扇，递给荷生道："你瞧。"荷生看那扇叶上系画两个美人，携手梧桐树下，上面题的诗是：

　　　　两美娉婷一聚头，桐荫双影小勾留。欲平纨扇年年恨，不写春光转写秋。

　　款书"剑秋学士大人命题，雁门采秋杜梦仙呈草。"笑道："你这狡狯伎俩，我不知道这个地方果有采秋这样人，我韩荷生除非没有耳目罢了，还是我韩荷生的耳目，尚待足下荐贤么？"剑秋也笑道："我这会就同你去访，如有这个人，怎样呢？"说毕，便吩咐套车。

　　此时新月初上，一径向愉园赶来。两人酒后，何等高兴，一路说说笑笑，不觉到了愉园。剑秋便先跳下车，亲自打门。约有半个时辰，才听得里头答应道："姑娘病了，没有妆梳，这几月概不见客，请回步罢。"剑秋再要问时，双扉闭月，寂无人声。剑秋扫兴，只得将车送荷生回营。荷生一路想道："此地原只秋痕一个，那里还有什么诗妓？就如那一天吕仙阁所遇的丽人，可称绝艳，风尘中断无此人！剑秋游戏三昧，弄出什么诗扇来，想要赚我，呆不呆呢！"荷生从此把寻花问柳的念头，直行

断绝了。

一日，剑秋便衣相访，又说起采秋如何高雅，如何见识，如何喜欢名下士。荷生不等说完，冷笑道："算了！人家说谎，也要像些，似你这样撒谎，什么人也赚不过。"

这一席话把剑秋气极起来，说道："我好端端和你说，你尽说我撒谎，我今日偏要拉你去见了这个人，再说罢。"荷生笑道："你拉我到那里，倘他又做了闭门的泄柳，你这冤从何处去诉哟？"剑秋拍掌道："今日再不能进去，我连欧字也不姓了。"荷生看他上了气，便也似信不信地问道："你坐车来吗？"剑秋道："我今天是搭一个人车来的，回去想坐你的车。"荷生道："我们骑马罢。"剑秋道："好极。"于是荷生也是便衣，偕剑秋由营中夹道出来，二人各骑上马，缓缓行来。

刚到菜市街，转入愉园那条小胡同，正要下马，便遇着杜家保儿说道："姑娘还愿去了，欧老爷同这位老爷进去吃一钟茶，歇歇罢。"荷生道："我不去了。"剑秋气极，说道："今天见不了这个人，我也要你见见他的屋子。"便先自下马，和荷生步行，转了一弯，便是愉园。保儿领着走进园来，转过油漆粉红屏门，便是五色石砌成弯弯曲曲羊肠小径。才到了一个水磨砖排的花月亮门，保儿站住，说道："有客！"里面走出一个垂髫丫鬟，保儿交代了。荷生、剑秋随那丫鬟进得门来，却是一片修竹茂林挡住，转过那竹林，方是个花门。见一所朝南客厅，横排着一字儿花墙，从花墙空里望去，墙内又有几处亭榭。竹影萧疏，鸟声聒噪，映着这边庭前罂粟、虞美人等花，和那苍松、碧梧，愈觉有致。转到花厅前面，是一带雕栏，两边绿色玻璃，中间挂一绛色纱盘银丝的帘子。丫鬟把帘掀开，两人进得厅来，随便坐下。见上面一个匾额，是梅小岑写的"清梦瑶华"四字。上面挂着祝枝山四幅草书，两边是郑板桥墨迹，云：

> 小饮遇然邀水月，
>
> 谪居犹得住蓬莱。

中间一张大炕，古锦斑斓的铺垫。几案桌椅，尽用湘妃竹凑成，退光漆面。两边四座书架，古铜彝鼎，和那秘书法帖，纵横层叠，令人悠然意远。荷生笑道："倒像个名人家数。"只见两个清秀丫鬟，年纪十二三岁，衣服雅洁，递上两钟茶，笑嘻嘻地道："我娘吕仙阁还愿去了，失陪两位

老爷,休怪哩。"荷生见了丫鬟说出:"吕仙阁"三字,心中一动,便问道:"这是什么时候许的愿心?"丫鬟说道:"就是我妈病重那几天许的。"剑秋道:"你妈这会大好了么?"丫鬟道:"前个月十七八这几天几乎不好,我娘急得要死。如今托老爷们福,大好了。"荷生想道:"我逛吕仙阁那天,不是四月十八么? 难道那丽人就是采秋? 你看他住的地方如此幽雅,不是那丽人还有谁的?"便笑向剑秋道:"非有卞和之明,不能识荆山之璧;非有范蠡之智,不能进苎萝之妹。是你和小岑来往的所在,这人自然是个仙人了!"剑秋也笑道:"你如今还敢说我撒谎么?"荷生笑道:"其室则迩,其人甚远。"说着,便站起身来,走向博古橱,将那书籍字帖翻翻,却都是上好的。剑秋一面跟着荷生也站起来,一面说道:"人却不远,只要你诚心求见罢。"就也看看博古橱古董书帖。停了一会,把茶喝了。剑秋便向那两个丫鬟道:"你娘的屋子,这回搬在水榭,还是在楼上哩?"丫鬟道:"我娘要等荷花开时,才移在水榭,如今现在春镜楼。"荷生道:"好个'春镜楼'三字! 不就是从这里花墙望去那一所么?"剑秋笑道:"那是他的内花厅。从内花厅进去,算这园里正屋,便是所说的水榭。由水榭西转,才是他住的春镜楼哩。"

又闲话了半晌,采秋还不见来,荷生向剑秋道:"我今日饭后,营中公事不曾勾当,就被你拉到这里来,改天我邀你再来作一日清谈,如今去罢。"剑秋就也移步起来。只见那丫鬟道:"欧老爷,这位老爷高姓?我娘回来,好给他知道。"荷生笑吟吟地道:"你娘回来,说我姓韩,字荷生,已经同欧老爷奉访两次了。"丫鬟道:"老爷,你这名字很熟,我像那里听过来。"那一个丫鬟道:"年头人说,灭那回子三十多万人,不是个韩荷生么?"这一个丫鬟便道:"我忘了! 真是个韩荷生。"剑秋笑向荷生道:"你如今是个卖药的韩康伯。"荷生也笑着偕剑秋走了。

这晚采秋回家,听那丫鬟备述荷生问答,便认定吕仙阁所遇见的,定是韩荷生。荷生回营,细想那丫鬟的话及园中光景与那吕仙阁丽人比勘起来,觉得剑秋的话句句是真,也疑吕仙阁所见的,定是采秋。

次日,挨不到三下钟,便独自一人来到愉园。采秋也料荷生今日是必来的。外面传报进来,叫请入内花厅。便是昨日递茶那个丫鬟,笑盈盈的领着荷生,由外花厅到了一个楠木冰梅八角月亮门,进内,四面游

廊,中间朝东一座船室,四面通是明窗,四角蕉叶形四座门,系楠木退光漆绿的。室内系将十二个书架叠接横陈,隔作前后三层。第三层中间挂着一个白地洒蓝篆字的小横额,是"小郎环"三字。北窗外,一堆危石叠成假山,沿山高高下下遍种数百竿凤尾竹,映着纱窗,都成浓绿,上接水榭。遥见池水潾潾,水石清寒,飘飘乎有凌云之想。那丫鬟不知几时去了,又有一个丫鬟跑来,荷生一瞧,正是吕仙阁所遇的十四五岁侍儿。便笑吟吟地问道:"你认得我么?"那侍儿却笑着不答而去。又停一回,

远远听得环佩之声,却不知在何处。荷生站起来,从向北纱窗望去,只见那侍儿扶着采秋,带着两个小丫鬟,从小榭东廊,袅袅婷婷向船室东北角门来,正是吕仙阁见的那个美人。人影尚遥,香风又到,不知不觉的步入第三层船室等着。那侍儿已推开蕉叶的门,采秋笑盈盈的说着进来道:"原来是韩老爷,我们在吕仙阁早见过的。倏忽之间,竟隔有一个多月了。"荷生这会觉得眉飞色舞,神采愈奕奕有光,只是口里转说不出话来。半响,才答道:"不错,不错!我是奉访三次了。"采秋笑道:"请到里面细谈罢。"说着便让荷生先走。小丫鬟领着路,沿着西边池边石径。转入一个小院落,面南三间小厅,却是上下两层。荷生站在院中,那小丫鬟先去打起湘帘,采秋便让荷生进去。上首椅上坐了。采秋自坐在靠窗椅上,说道:"昨辱高轩枉顾,适因为家母还愿,所以有慢……"尚未说完,荷生早接着笑说:"不敢!不敢!今日得睹芳姿,已为万幸。"

采秋道:"昨日不是同剑秋来么?"荷生道:"那是敝同年。今日急于过访,故此未去约他。"采秋道:"剑秋月前到此,谈及韩老爷文章凤采,久已倾心。"荷生听到此,便急问道:"剑秋怎么说呢?"采秋正要答应,荷

生重又说道："还有一言，我们一见如故，以后不可以老爷称呼，那便是以俗客相待了。"采秋笑道："能有几个俗客到得这春镜楼来？"荷生道："正是。我们何不登楼一望？"采秋便命丫鬟引着，从左首书架后，上个扶梯，两边扶手栏杆均用素绸缠裹。

荷生上得楼来，只见一带远山正对着南窗，苍翠如滴。此时采秋尚未上楼，便往四下一看，这楼系三间中一间，南边靠窗半桌上一个古瓷器，盛满水，斜放数十枝素心兰、水栀等花；上首排着一张大理石长案，案上乱堆书本、画绢、诗笺、扇叶，和那文具、画具；东首窗下摆着香梨木的琴桌，上有一张梅花断纹的古琴。随后听着扶梯上弓鞋细碎的响，采秋也上来了。此时荷生立在窗前，采秋正对着明窗，更显得花光侧聚，珠彩横生。头上乌云压鬓，斜簪着两个翠翘，身上穿件淡青春罗夹衫，系着一条水绿百折的园裙；因上楼急了，微微的额角上香汗沁出，映着两颊微红，更觉比吕仙阁见时又添了几分娇艳。便让荷生坐在长案边方椅上，自己坐在对面。那侍儿送上两钟龙井茶，采秋接过，亲手递给荷生。荷生一面接茶，一面瞧这一双手：丰若有余，柔若无骨，宛然玉笋一般。怕采秋乖觉，只得转向侍儿，说道："你芳名叫做什么？"采秋道："他叫红豆。"荷生道："娟秀得很。婢尚如此，何况夫人！北地胭脂，自当让君独步。"采秋道："过誉不当。我知并门《芳谱》，自有仙人独步一时了！"荷生笑道："这是女学士不肯就征，盲主司无缘受谤！"采秋笑道："这也罢了。"半晌，又说道："儿家门巷，密迩无双，几番命驾，恐未必专为我来。"荷生正色道："这却冤煞人了！江上采春，一见之后，正如月自在天，云随风散，不独马缨一树不识门前，就是人面桃花也无所谓刘郎前度……"荷生正要往下说，采秋不觉齿粲起来，双波一转道："说他则甚。"遂将荷生家世踪迹问起来。荷生便将怎样进京，怎样会试不第，怎样不能回家，怎样到了军营，说了。采秋道："此刻的意思，还是就借这军营出身，还是要再赴春闱呢？"

荷生便蹙着眉道："元宵一战，本系侥幸成功。我本力辞保荐，怎奈经略不从，其实非我心所愿。"采秋点头道："是。"随又叹道："淮阴国士，异日功名自在蕲王之上。荏弱女子，无从可比梁夫人。所幸诗文嗜好，结习已深，倘得问字学书当亦三生有幸。不识公门桃李，许我杜采秋追

阿队春风、参入末座否?"荷生笑道:"这太谦了。"先是荷生一面说话,一面将案上书本、画绢乱翻;这会却检出一张扇页在手,是个画的美人。便取笔向墨壶中微微一蘸,采秋倚案头,看他向上面端端楷楷的写了一首七绝,道:

> 淡淡春衫楚楚腰,无言相对已魂销。若教真贮黄金屋,好买新丝绣阿娇。

款书"荷生题赠采秋女史"八字。写毕,说道:"贻笑大方!"又抚着琴道:"会弹么?"采秋道:"略知一二。"荷生道:"迟日领教罢。"便走了。以后剑秋知道,好不讪笑一番。正是

> 人之相知,贵相知心。
>
> 无曲中意,有弦外音。

欲知后事如何,且听下回分解。

第十一回　接家书旅人重卧病
改诗句幕府初定情

　　话说痴珠移寓汾神庙之后,肢疾渐渐痊愈。谡如因元夕战功,就擢了总兵,游鹤仙加了提督衔,颜、林二将也晋了官阶,遂与合营参游议定,分请痴珠办理笔墨,每月奉束二百金、薪水二十两,就借秋华堂作个办事公所。便有许多武弁都来谒见,倒把痴珠忙了四五日。自此,秋华堂前院搭了凉棚,地方官驱逐闲人,不比从前是个游宴之所。痴珠却只寓汾神庙西院,撤去碑板,把月亮门作个出人之路。又邀了两个书手:一姓萧名祖赞字翊甫;一姓池名霖,字雨农。小楷都写得很好,便请他们住在堂后两间小屋。这西院中槐阴匝地,天然一张碧油的穹幕,把前后窗纱都映成绿玻璃一般。屋里炉篆微熏,瓶花欲笑,药香隐隐,帘影沉沉。痴珠日手一编,虽蒿目时艰,不断新亭之泪,而潜心著作,自成茂苑之书,倒也日过一日。偶有烦闷,便邀心印煮茗清谈,禅语诗心,一空尘障。时而李夫人馈遗时果名花、佳肴旧酝;或以肩舆相招至署,与谡如论古谈兵,指陈破贼方略;间至后堂,团栾情话,儿童绕膝,婢仆承颜,转把痴珠一腔的块磊,渐渐融化十之二三。到了六月初,起居都已照常。收了两个家人:一唤林喜,一唤李福。谡如又赠了一辆高鞍车,一匹青骡。

　　这日,正在研朱点墨,忽节度衙门送到自京递来家报,好不欢喜,及至拆开,顿惨然,泪涔涔下。看官,你道为何呢,原来去年八月间,东越上下游失守,冶南被围,痴珠全家避入深山,不料该处土匪突尔竖旗从贼,以致亲丁四十余口,踉跄道路。痴珠妾茜雯正盛年,竟为贼掳,抗节不从,投崖身死。老母及余人,幸遇焦总戎带兵救护,得无散失。至戚友婢仆,沦陷贼中,指不胜屈。比及敉平,田舍为墟,藏书荡个干净,而且上下游仍为贼窟。慈母手谕痴珠,令其在外暂觅枝栖。痴珠多情人,既深毁室之伤,复抱坠楼之痛,牵萝莫补,剪纸难招,明知乌鸟伤心,鸰原急难,而道路难行,力穷莫致。从此咄咄书空,忘餐废寝。不数日,又

倒床大病起来。这晚，翊甫、雨农、心印来，痴珠竟糊糊涂涂，认不清人了。慌得心印、秃头赶着请个麻大夫，诊了脉息，就郑郑重重的定了一个方，服下，依然如故。一连数日，清楚时候喝不了数口稀饭，余外便昏昏沉沉，不像是睡，也不像是醒。谡如夫妇，逐日早晚叫人来问。

一日，谡如亲自前来，秃头迎出，知痴珠吃下药刚才睡下，谡如就坐外间。

此时正是日高卓午，满院中森森槐影，鸦雀无声，惨绿上窗，药炉半烬，已觉得四顾凄然。忽听痴珠呓语道："梧桐叶落，是我归期。"一会又说道："还有十五个月哩。"一会又吟道："人生无家别，何以为蒸黎!"以后语便微细，恍佛有七字一句，是"身欲奋飞病在床。"又叫了几声"茜雯"，忽然大声道："比闻同罹祸，杀戮到鸡狗。"以后声又小了。约略有"蔓草萦骨，拱木敛魂"八个字，余外不辩什么。谡如听着发怔，只得唤秃头道："你叫醒老爷。"秃头进去，好容易将痴珠唤醒，含糊一语，又昏昏地睡去了。谡如跟着进来，见痴珠穿着贴身衣服，遮着紫纱夹被，瘦骨不盈一把，心中十分难受。便向秃头道："我且回家，访个名大夫来瞧罢。"谡如说着，招呼伺候，上马去了。

次日，谡如延了一个大令，姓高的，也不中用。还是颜参将荐一兵丁，姓王的，和那麻大夫细细的商议，决之心印，服下药，却能多进了几口稀饭，人也明白些。自此，病热比以前便慢慢的减下来。只可怜秃头彻夜无眠，足足闹了一个多月。

再说荷生自见过采秋之后，琴棋诗酒，匝月盘桓。美人有豪杰之风，名士无狂且之气，虽柔情似水，却也稳重如山。此时芙蓉洲荷花盛开，荷生践约，还敬了众缙绅。十妓中只秋痕、掌珠病不能来。这日，管弦沸耳，酒足餍心，却不邀小岑、剑秋，也不唤采秋侍酒，就中单赏识了洪紫沧。

二十三日系荷花生日，荷生先一日订了小岑、剑秋，也订紫沧，只传着丹翠、曼云伺候。日斜后就套车到了愉园。此时采秋卧室早移在水榭。荷生正从西廊向水榭步上来，远远望见采秋斜倚正面栏杆，瞧着荷花。荷生见，忽然心中一动，好像几年前见过这样光景，便站在栏杆前默想，却再也想不起来是何人、何地。那采秋早笑盈盈的迎上来，说道：

"你心里想什么？你夕阳映着红莲，分外好看哩。"荷生笑着走过来，一面说道："我忽然记起一件事，不要紧，不用说了。"丫鬟们搬了两张湘竹方椅子和茶几，二人就向着栏杆坐下。丫鬟递上两盅雪水煮的莲心茶。荷生还默想了一会，谁知越想越记不起。

回眸一盼，又见采秋晚妆如画，头上乌云一丝不乱，一身轻罗薄衫，映着玉骨冰肌，遂把前事忘了。采秋道："人言红莲没有白莲的香，你不闻见香么？"荷生笑道："大抵花到极红，香气便觉减些，所以海棠说是无香，这也是予齿去角的意思。其实，是个名花，再无不香的；只是这种香，只许细心人默默领会，比不得那素馨、茉莉的香，一接目便到鼻孔中来。"采秋也笑道："这才是心清闻妙香。要晓得他有这一股香，才算是不专在色上讲究哩。"二人在花前谈了一坐，才进屋子坐下。荷生瞧着楹联，说道："你这里都没有集句对子，我集有一对，写给你罢。"随将明日的局告诉采秋，就说："八下钟，我会车来和你同去。"便走了。

次日，二人同到了柳溪。上得船来。那船刻着两个交颈鸳鸯，两边短短的红阑，玻璃长窗，篷盖上罩着绿油大卷篷，两边垂下白绫飞沿，中舱靠后一炕，炕下月桌可坐七八人。另一个船略小些，是载行厨及跟人的。荷生瞧着表道："早得很呢。"一会，丹翠、曼云先后到了。又一会，小岑、剑秋、紫沧也都来齐。那船就咿咿哑哑的，从莲萍菱茨中荡出，穿过石桥，不上箭路，便是芙蓉洲水阁。这水阁造在水中，后面桥亭接上秋华堂，前三面俱是楠木雕成竹节漆绿的栏杆。大家上了水阁，凭栏四望，见两岸渔帘蟹簖，丛竹垂杨，或远或近，或断或续，尤觉得烟波无际。家人上来请示排席，剑秋道："船里去罢，一面喝，一面看。"大家俱以为然。

一会，跟班回说："席摆停当了。"七个人都下船来，入席坐定。水手们分开双桨，向荷花深处荡来。只见白鹭横飞，垂杨倒挂，香风习习，花气蒙蒙。真是香国楼台，佛天世界。采秋笑道："今日不可不为花祝寿。"遂站起来，扶着船窗，将一杯酒向荷花洒酹了一回。荷生说道："正是。"也就浇了酒，二人相视微微而笑。于是大家饮了数巡。那边船上，又送过了新剥的莲子，并一盘鲜藕，各人随意吃了。紫沧望着采秋道："今日这般雅集，何不行一令？"采秋想了一想道："今日令筹俱不在此，只好行一个简便的。这令叫做'合欢令'。我先喝一杯令酒，以下如有说错的。照此为罚。"一面说，一面端起杯酒喝了。便说道："这个字要两边都一样，可以挪移的，听着：

　　　琵字喜相逢，东西两意同。拆开不成字，成字喝一杯。"

又接着说道："荷花飞觞：

　　　笑隔荷花共人语。"

采秋并坐是荷生，荷生上首是曼云，恰好数到"荷"字。曼云只得喝了一杯酒，道："这字很少，只怕我要受罚了。"小岑、剑秋，也各人凝思了一会，都道："这令看着不奇，竟难的。"荷生一面催曼云快说。曼云将纤手在桌子上画了一回，笑道："有了。

　　　蒜字喜相逢，东西两意同。拆开不成字，成字罚一杯。"

大家都道："好！"曼云便接着说道：

　　　映日荷花别样红。

一数，数到紫沧。紫沧满饮一杯，说了一个"竞"字。小岑拍手道："我正想了此字，不料被你说了。"紫沧笑着说一句是：

　　　清露点荷珠。

一数，又数到了采秋。采秋道："我再说吗？却怕要罚了。"荷生便道："我替你说罢。"剑秋忙说道："代猜的罚十杯。"采秋便将剑秋看了一看，道："我再说一个及笄的'笄'字，你们说好不好？"大家齐声赞赏。采秋随念一句，一手指着数道：

　　　青苔碧水紫荷钱。

"荷"字恰数到剑秋。剑秋道："我知道必要数到我的，幸而有一个弱字，何如？"众人也都说："可以，快飞觞罢。"剑秋便喝了酒，说道：

留得枯荷听雨声。

采秋先说道："今日荷花生日，不许说这衰飒句子，须罚一杯再说。"众人都说："该罚！你不见方才替花祝寿么？"剑秋道："是了，不错，该罚！"遂又喝了一杯道："我说张耒这一句，最吉利的：

　　池沼发荷英。"

便向采秋道："好不好？"采秋也不答应，笑了一笑。小岑替他一数，数到荷生。彩秋忙用手试一试荷生酒杯，说道："天气虽热，也不可喝冷酒。"便替荷生加上半杯热酒。荷生喝了，说道："我就是本地风光，说个并州'并'字。"大家道："好！"剑秋道："这是从笄字推出来的。"荷生道："诗也是我的本色：

　　不妨游子芰荷衣。

却数到丹翠。"荷生道："你的量大，当喝一满杯。"丹翠喝了，想一会，说了一个"丝"字，众人尚未言语，曼云笑道："丹姊姊要罚了。"丹翠道："丝字不是两边么？"曼云道："那是减写，正写两边是不同的。"小岑道："不错。正写是从'系'，况拆开是个'系'字，罚了，罢了。你的量好，不怕的。"丹翠红着脸，只得又喝了一杯。停了，想出一句诗来，说道：

　　风弄一池荷叶香。

一顺数到小岑。小岑喝了酒，想了又想，说个'芷'字，随说了一句《离骚》道：

　　制芰荷以为衣。

荷生道："好！这又该到紫沧。"紫沧道："我说一个'羽'字收令罢。"大家都说："是眼前字，一时竟想不起。"那时船正荡到柳荫中，远望那堤北彤云阁，雕楹碧槛，映着翠盖红衣，大有舟行镜里之概，大家上岸凭眺一回，又值夕阳西下，暮霭微生，花气空蒙，烟痕淡沱。小岑等三人游秋华堂去了。

荷生遂携了三个佳人，重来水阁。采秋因向荷生道："你带有文具，要写对子，这里写罢。"于是跟班们就中间方桌摆上文具，青萍送上云龙蜡笺，丹翠、曼云按着纸，采秋看荷生蘸饮了笔，写道：

　　香叶终经宿鸾凤；

写完一联，丹翠、曼云两人轻轻的捧过一边，红豆将文具内两块玉镇尺

押住。采秋又把那一幅笺铺上，自己按着，荷生复蘸饮笔，写道：

瑶台何日傍神仙？

采秋瞧着大家向外说话，便眼波一转，澄澄的向荷生道："这'何'字何不改作'今'字呢？"荷生瞧着采秋，笑道："匪今斯今。"采秋笑道："请自今始。"二人说话，脉脉含情。小岑等早已回来，恰好荷生款已落完。采秋便迎将上去。剑秋看着桌上联句，便说道："好呀！你们双双的畅叙，还说瑶台何日傍神仙呢！"小岑瞧着出句，说道："这是老杜《古柏行》，对句呢？"采秋："好个表表的词林！香山诗句都记不得么？"小岑也笑道："是呢。"丹翠道："你们翰林衙门，笑话多哩。"

此是采秋等三人均微有酒意，断红双颊，笑语缠绵。谈了片时，看天渐渐晚了，遂仍都上了船，撤去酒席，烹上了荷叶茶。荷生便命将船往柳溪荡去。采秋问起秋痕来，小岑便将端节那一天故事，说与大家听，刚说到推吊下门来，那船已到了柳溪南岸，一簇车马都在那里伺候。时已黄昏，便道："这会讲不完，改日再说罢。"便跨丹翠车辕走了。紫沧、剑秋两人一车。采秋携了荷生的手，进入后舱，悄说道："你今日还要回营么？"荷生笑一笑，便唤红豆与采秋更衣，看上了车，又送曼云也上车，方才走了。

看官记着！荷生宴客这两日，正是痴珠病笃的时候。正是：

百年须臾，有欣有戚。

剑斫王郎，鞭先祖逖

欲知后事，且听下回分解。

第十二回　宴水榭原士规构衅
砸烟灯钱同秀争风

这书所讲的，俱是词人墨客，文酒风流。如今却要序出两个极不堪的故事。你道是谁？一个是杜采秋此刻的冤家，一个是刘秋痕将来的孽障。这话怎说呢？慢慢听小子道来。

去年大兵驻扎蒲关时候，预备船人，原士规借此科派。经略闻风，立刻根究。本上司怕有人讦发出来，替担处分，就将士规平日恶迹全揭出来，坐此撤回。他这缺是个好地方，士规做了一任，身边很积有许多钱。平素与荀才酒肉兄弟，晓得荀才和荷生的同年梅小岑是个世交，便想由此门路，夤缘回任。你想小岑是个正人，又知道荷生是一尘不染的，如何肯去说这样话，讨这种情？只小岑面皮极软，挣不脱荀才的纠缠，便推在荷生身上，说是"荷生坚说不为力。"士规因此仇恨荷生，比参他的更加十倍。并疑先前撤任，俱系荷生所为。其实，士规不自构衅，荷生那里认得士规这个大名！

你道他怎样构衅呢？原来他家用一老妈吴氏，系代州人，与采秋的妈贾氏素有往来，便花些小钱，结识起来。这士规太太就和贾氏语言浃洽，臭味无差，彼此馈遗，十分亲热。

一日，贾氏要请原太太一逛愉园，原太太说道："这却不必。只我们老爷说要借贵园请一天朋友，不知你答应不答应？"贾氏是个粗率的人，便说道："这等小事，我怎的不答应！我们这园，原是借人请酒的，老爷如肯赏脸，天天到我们园里请酒，就是我们造化了！"原太太说道："不是这般说。现在你那愉园，是大营韩师爷走的。如何肯给我们请酒呢？这是我的情分，打扰你姑娘一天，便教我脸上好看多了。你能做得主不能呢？"贾氏笑道："园是我置买的，韩师爷难道能占去我的园么？生客不见，这也是我那呆女儿的主意。其实，我们吃这碗饭，那里认得如此清楚。况你我何等情分，我这园子就像你家的一样，千万不可存了彼此的心。老爷到我家，还敢比做客么？就借我们的园请一百天酒，我的女

儿也应该出来伺候,何况一天呢!"原太太道:"你且回去与你姑娘商量。"贾氏道:"不要商量,你对你们老爷说,是我已经答应了,凭老爷吩咐那一天,上下酒席,我一起包办罢。"原太太不胜欢喜,到屋里取出三十两银子,说道:"老爷说过,就是明日,上下三席,银数不敷,另日现补罢。"贾氏道:"三十两银尽够开销。老爷要明日,我就回去赶紧张罗,不然,怕误事哩。"说毕,便会车回去了。

看官,你道采秋依不依呢?咳!人间最难处的事,无过家庭。采秋是生龙活虎般女子,无奈他妈在原家一力担承,明知此事来得诧异,但素来是个孝顺的,没奈何只得屈从。

次日,他妈便一早把水榭铺设起来,催着采秋梳妆。日未停午,这原士规便高车华服,昂然而来。他妈径行迎入水榭。两廊间酒香茶沸,水榭上锦簇花团,士规得意之至,便请采秋相见。他妈叫丫鬟叠促连催,采秋不得不坦然出见。正寒暄间,丫鬟招呼:"客到!"一个是钱同秀,一个是施利仁。采秋俱未会过,一一问过姓字。

一会,又报:"客到!"只见月亮门转出三个人来,一个年纪四十多岁,两个年纪都不上三十岁。采秋也未会过,到了水榭,彼此相见。采秋正待一一致问,原士规指那穿湖色罗衫的,说道:"这位老爷姓卜,字天生。"指那穿米色绉衫的,说道:"这位老爷姓夏,字若水。"指那穿半截洋布半截纺绸的,说道:"这位老爷姓胡,字希仁。"采秋只得应酬一遍。停了一回,又报:"客到!"采秋认得是苟才。那苟才一路欢天喜地的喊进来道:"望伯,望伯!好阔呀!今日跑到这个地方请起客来!"口里说话,脸又望着大家,跟跟跄跄地走来。不想从西廊转过水榭,这过路亭是一道板桥,他趾高气扬,全不照管,便栽了一交,大家不禁哄堂起来。他人既高,体又胖,这一栽,上身靠在栏杆上,将欲爬起,用力太猛,只听"咕咚"一声响,连人连栏杆,一起掉下水去了。幸是堤边水浅,采秋忙叫丫鬟传进两三个打杂,下去扶起。虽无伤损,却拖泥带水,比落汤的鸡更觉难看。打杂的乖觉,将他送至园丁的一间小室中。原士规和大家都跟来,教他站着,不要动,招呼他的跟人,替他收拾。又吩咐自己跟人,飞马到他家里,取了衣衫鞋袜,给他换上。

闹了半天,才把这个落水的人洗刷得干净了。不想胡孝又弄出笑话来。你道为何？他出来解手，想四面游廊都系斗大的砖砌成，万无给人撒溺之理；陡见廊尽处有一个白磁青花的缸，半缸水和溺一样，闻之也有些臭味，想道："采秋实在是阔，连溺缸都如此华丽！"刚把衣衫抠起，溺了一半，一个丫鬟瞧见，喊道："那溺不得！那是娘灌兰花的豆水！"大家听见，又是一场哄堂大笑。倒弄得胡孝溺不是，不溺又不是。勉强溺完，自觉赧颜，上来只得假做玩赏荷花，倚顺栏杆边。夏旒看见，笑道："希仁，站开些，不要又掉下一个去！"说的大家又哈哈的大笑了。

一会摆席，钱、施、苟三人一席，原士规自陪；胡、夏、卜三人一席，采秋相陪。原来这愉园中所用酒器及杯盘之类，均系官窑雅制及采秋自出新样打造。肴酒精良，更不必说。这几人除了苟才、原士规在官场中伺候过几年，其余均系乡愚，乍到场面，便觉是从来未见之奇，早已十分诧异。

酒过数巡，士规忽望着卜长俊道："贵东几时可以署事？听说不久可以到班，吾兄是要发大财的。"卜长俊道："敝东秋间就可以代理，且是一个呆缺，别人夺不去的。"夏旒接口道："前日奉托转卖与贵东的几样东西，不知已看过否？兄弟近日手头甚窘，颇望救急。"卜长俊道："不要说起。前日东家下来，一脸怒气，坐了片刻，我也不敢问他，忽然又进去了。这件事只好看机会罢。"随又说了些何人补缺，何人借赈，何人打官司；又说道街上银价如何，家中费用如何，总无一句可听的话。那采秋如何听得，便推入内更衣去了，吩咐红豆带着小丫鬟轮流斟酒，直到上了大菜，才出来周旋一遍，大家都晓得这地方是不能胡闹的，也不敢说什么。采秋却自在游行，说说笑笑，也不调侃众人，也不贬损自己，倒把两席的人束缚起来，比入席之时还安静得许多。采秋转恐他妈看得冷落不像，叫小丫鬟送

上歌扇,说道:"我是去年病后嗓子不好,再不能唱了,他们初学,求各位老爷赏他脸,点一两支罢。"于是一席公点一支。红豆弹着琵琶,领着小丫鬟唱了二支小调,天就也不早了。士规大家说声"打扰",一哄而散。原士规从此逢人便将采秋怎样待他好,怎样巴结,还有留他住的意思说开了。这是后话。

且表那日贾氏喜欢得笑逐颜开,采秋却正色道:"妈!这是可一不可再呢。我这回体妈的意,妈以后也该晓得我的心才好呢。"贾氏笑道:"我明白就是了。"

看官,你道采秋今天的情事,倘令秋痕处之,能够如此春容大雅否?不要说今天这一天,就昨天晚上,不知要赔了多少泪,受了多少气哩。可见人不可无志,亦不可无才。

闲话休题,听小子说那钱同秀一段故事。同秀自五月初四至省,那一夜就施利仁拉往碧桃家来。开着烟灯,三个人坐一炕。同秀见碧桃一身香艳,满面春情,便如蚂蚁见膻一般,倾慕起来,说道:"似你这种人材,须几多身价哩?"碧桃一面替他烧烟,一面笑道:"给你估量看。"同秀道:"多则一千,少则八百。"碧桃点点头,利仁道:"你就允出八百可耗羡锭,取去罢。"同秀躺下,笑道:"怕他嫌我老哩。"碧桃笑吟吟地将烟管递给同秀,说道:"只怕老爷不中意。五十多岁人就算是老,那六七十岁的连饭也不要吃了。"说着,将自己躺的地方让利仁躺下,倒起来叫了两袋水烟,出去与他妈讲几句话,进来便躺在同秀怀里,看他手上的羊脂镯子。同秀把一条腿压在碧桃身上,将上的一口烟一人吹了半口,重烧上一口递给利仁。三人一面吹一面谈,直至三更天。同秀原想就住在那里,倒是碍着利仁,不好意思。利仁也看出,故意倒催同秀走了。

次日,芙蓉洲看龙舟,二人见面,复在一席。那晚散后,同秀是再挨不过,便悄悄跑到他家。碧桃接入卧房,开了烟灯,笑嘻嘻道:"席散许久,你怎么不来呢?"同秀道:"我去拜客,不想天就快黑了。施师爷今夜不来么?"碧桃道:"他和我说,席散后就要出城,干个要紧的事,明后日才能回家。"当下同秀卸了大衫,就躺在碧桃身上,吹了一管烟,笑吟吟地道:"你真不嫌我老,我今夜就住在这里了。"碧桃笑道:"你再老二十岁,我也不给你走。"一会,两人说说笑笑,就在烟灯旁边胡乱成局。

自此,作衣服打首饰,碧桃要这样,同秀便做这样,碧桃要那样,同秀便做那样,每一天也花几十吊钱,连老鸨、帮闲、捞毛的,没一个不沾些光。好在同秀到这个地方,便挥金如土,毫不悭吝。其实,碧桃与利仁是个旧交,以前也曾花过钱,到后来没得钱了,转是碧桃恋他生得白皙,又雄赳赳的人才,虽非如意君,也还算得个在行人。鸨儿爱钞,姊儿爱俏,所以藕断丝连,每瞒他妈给他许多好处。只可怜同秀如蒙在鼓里。

　　一日,同秀醉了,乘着酒兴,便向碧桃家走来。见大门未关,便悄悄的步入院子,一家俱无动静。上房、厢房,灯光都不明亮,径进堂屋,房门却关得紧紧的。微闻里面一阵云雨之声,生辣辣的突入耳来。当下同秀掀开帘子,将脚把门一踢。不想门虽踢倒,同秀的酒气怒气一齐冲上心来人也倒了。碧桃和那人正在那处,忽听"哗喇"一声,惊得打战,忙把烟灯吹灭,倒转喊他妈:"拿火!"他妈从睡梦中听见响,又听见他女儿厉声叫唤,陡然爬起,应道:"什么事?"剔起灯亮,点着烛台,刚掀帘子,瞥见有个人影出去,疑是猴儿,便叫一声,不见答应。再瞧大门,是洞开的,说:"这时候门也不关,猴儿跑到那里去?"碧桃不敢下炕,急得喊道:"先拿个火上来吧!"他妈忙着闭上门,赶到碧桃屋里。只见门扇倒地下,一个人覆在门上,烟灯已灭,碧桃坐在炕沿上系裤带。急将烛台将那人细瞧,却是钱同秀。酒气醺醺,流涎满口。便问碧桃道:"怎的?"碧桃道:"我好端端的在烟盘边睡着了,晓得他是什么时候来! 也不叫人,就这样的拍门擂户,惊醒了人,他却挺倒了。"那婆子一面听碧桃说话,一面将手摸着同秀的额,却是热热的,便说道:"他醉了。"碧桃就也下炕瞧着,反笑起来。婆子将烟灯点着,说道:"你叫他醒罢。"碧桃道:"我凭他挺着,叫他做什么!"婆子不过意,将手绢把他唾涎抹净了,连声叫着。忽听见打门,婆子一面答应走去,一面说道:"施师父是什么时候走的? 我怎么一躺就全不知道了?"开起门来,看是猴儿,便骂道:"小崽子! 你跑了,也不叫人关门。"絮聒一会,便叫他帮着扶同秀上炕,把门上好。这同秀到了三更才醒过来,见碧桃坐在身边,笑容可掬,眉目含情,便将手拢将过来,说道:"我是什么时候来的?"碧桃笑道:"你还问吗? 你酒醉也罢了,怎的把门踢倒,却挺着尸不言语? 害得人家怕得什么似的!"同秀醒后,把以前事情通忘了,这会碧桃说起,倒模模糊糊

记起来。碧桃见他半晌不语,便问道:"你想什么呢?"同秀道:"想你二更天时做得好梦!"碧桃笑道:"你胡说,我又做有什么梦!我做我的梦,你怎么又知道呢?"同秀便把踏门的缘故,转说出来。碧桃便哭起来,叨叨絮絮,闹个不休。同秀只得左一揩赔不是,右一揩赔不是,说道:"总是我醉糊涂了,下次再不吃酒罢。"自此,又好了十余日。

一日雨后,同秀带了一帕子的南边新到菱角和鲜莲子,坐了车,向碧桃家来。才到胡同,早见门首有一辆车停住。下车,便认得那辆车是利仁坐的。同秀车夫向车中取过那帕子,恰好猴儿出来。同秀就跨进门来,猴儿跟着,同秀不许他声张,悄悄向上房走来。只听得利仁说道:"吃一个乖乖算罢。"同秀便抢上一步,将帘子一掀。只见床上开着烟灯,碧桃坐在利仁怀里;利仁一只手兜在碧桃肩上,瞧见同秀,急得推开。同秀这一气,真是发上冲冠,一手将帕子内包的东西向碧桃脸上摔来,一手将烟灯砸在地下,说道:"好!好!你们做了一路!"就怒气冲冲的出来上车,马上叫跟班收拾,搬到店里。

后来花了五百金,买定一妾。进门那一日,办了数度酒,叫了一班清唱相公,请他那相好的财东和苟才、原士规诸人。正在热闹,不想碧桃母女披头散发,坐车而来。一下车,就像奔丧一般,号啕大哭,从门前大闹进来,家人打杂人等都挡不住。同秀跑开了,他妈将头向墙上就掸,碧桃又拿出小刀来,向脖子要抹,十余人分将按住。碧桃就躺在地下,大哭大嚷,声声只叫钱同秀出来。街坊邻右和那过路人,挤满院子。那怕事的财东看见闹得不像,早都跑了。只剩下苟才等酒肉兄弟和那万分走不了的几个伙计,做好做歹的劝。无奈两个泼辣货不肯歇手,直闹到定更。大家晓得此事是背后有人替他母女主张,只得找着同秀,劝他看破些钱,和他妈从两千银子讲到一千两,才得归结,天已发亮了。这苟才等今天真是日辰不好,喜酒一杯不曾吃上口,倒赔嘴赔舌跑了一夜。正是:

> 执鼠之尾,犹反噬人。
> 只有罗汉,狮象亦驯。

欲知后事如何,且听下回分解。

第十三回
中奸计凌晨轻寄柬
断情根午夜独吟诗

　　话说荷生日来军务正忙。忽唔小岑,说原士规愉园请客,十分惊愕,说道:"那愉园平日不是他们走动的地方。"后来小岑说的千真万真,荷生总不相信,特意请了剑秋来。剑秋一见面,也怪采秋,说道:"愉园声价,从此顿落了!"荷生一肚皮烦恼,默默不语。剑秋随接道:"这其间总另有原故。他们那一班人素与采秋是没往来,只是这一天的事如今都传遍了,还能毅说是谣言?"小岑道:"望伯很得意,说是人家花了几多钱,也不过如此闹一天。"荷生听着,心上实在不舒服,便说道:"算了!从今再不要提起'愉园'两字罢。"说着,就将别的话岔开,无情无绪的谈了一会,二人也就去了。

　　此时日已西沉,荷生送出二人,也不进屋,一人在院子里踱来踱去。一会望着数竿修竹痴立,一会又向着那几盆晚香玉徘徊。直到跟班们拿上灯来,青萍请示开饭,荷生才进屋里,说道:"我不用饭了,你将荷叶粥熬些。"便到里间躺下。好一会,门上送上公事,荷生起来问道:"有紧要的军情么?"门上回道:"没甚紧要的。"荷生道:"我明天看罢。"门上答应退出,荷生就撂在一边,青萍回道:"荷叶粥熬好了。"荷生道:"我肚里不饿,停一会吃罢。"遂出来堂屋,又是踱来踱去。忽然自语道:"撒开手罢了。"青萍大家都在帘外伺候,也不晓荷生是什么心事。只听得辕门外已转二更了,便掀帘进来,请荷生用点粥,荷生叫端上来,就在堂屋里吃了,也不叫添。青萍回道:"老爷不曾用晚饭,添些吗?"荷生恼道:"不用了!"青萍不敢再回。跟班送过漱口壶、手巾,荷生只抹了脸,口也不漱,便起来向里间去了。一会,叫:"青萍!"青萍答应进来。只见荷生盘坐一张小榻上,问道:"有什么时候了?"青萍回道:"差不多要一下钟了。"荷生道:"迟了。"便叫跟班们伺候睡下。

　　次日,青萍起来,走进里间,见荷生已经起来,披件二蓝夹纱短袄,坐在案上了。青萍愕然,招呼跟班照常打叠铺盖,打扫房屋。青萍伺候

荷生洗过脸，正要端点心上去，只见荷生检出一张薛涛笺，放在案上，翻开砚匣，磨了浓墨，蘸笔写完。取过一个紫笺的小封套，将诗笺打个图章，折叠封好，写了"愉园主人玉展"六字，便叫："青萍！"青萍却早在案傍伺候。荷生将束贴儿递给青萍，说道："送到愉园就回来罢。"荷生也不用早点，转向床上躺下，径自睡着了。

且说采秋连日盼望荷生，两天却不见到。当下晨妆初罢，红豆剪一枝素心兰，笑吟吟的掀开帘子，说道："这花也解人意，前两天才抽四五箭，今天竟全开了。我剪一枝给娘戴上，也不负开了这一番。"采秋也自喜欢，向着花领略一回，就接过手，对着镜台正要插在鬓边，忽见小丫鬟传进谏贴，说是韩师爷差人送来的。采秋便将兰花放下，亲手拆开一看，却是两纸诗笺，上写是：

> 风际萍根镜里烟，伤心莫话此中缘！冤禽衔石难填海，芳草牵情欲到天。云过荒台原是梦，舟寻古硐转疑仙。懊侬乐府重新唱，负却冰丝旧七弦。

红豆在旁，见采秋看了一行，脸色便觉怪然，再看下去，那眼波盈盈，竟掉下数点泪来。红豆惊疑，递过手绢。采秋也不拭，直往下看去，是：

> 搔首苍茫欲问天，分明紫玉竟如烟！九州铸铁轻成错，一笑拈花转悟禅。虚说神光离后合，可堪心事缺中圆。阳春乍奏听犹涩，便送商声上四弦。

看毕，将诗放在妆台傍边，将手绢拭了泪痕，沉吟一会，那泪珠重复颗颗溢下汗衫襟前。红豆急着问道："娘！怎的？那信是说什么话？"采秋也不答应。红豆呆呆的站了一会，将手向镜台边白瓷面盆拧干手巾，搁往一边，把脸盆捧给小丫鬟，叫他换了水，仍放妆台边，拧上手巾，展开，递给采秋。采秋接过，有半盏茶时候，才向脸上略抹一抹，也不递给红豆，自行搁下盆中，就问道："是谁送来的？"小丫鬟道："是常来的薛二爷。"采秋又不言语，半响才说道："叫他等着，我有个贴儿给他带去。"那小丫鬟便跑出去吩咐。

一会，小丫鬟回来，说道："外头说，薛二爷交过束贴，没有坐，早就走了。采秋默默不语，两眼眶汪汪的泪又一滴一滴的落下来，瞧着红豆，说道："这枝兰花，插在瓶里去罢。"一面说，一面拈着诗笺站起身来，

推开椅，移步至里间帘边，自行掴开帘，将诗笺搁在枕畔簪盒，斜躺着呜呜咽咽的哭。红豆跟了进来，要把话来劝，却不晓得为着何事，想道："娘平日再没有这个样儿，到得懒说话，我们就晓得他烦恼了。再不想今天会如此伤心，到底这韩老爷的柬贴儿是讲些什么在上头呢？"红豆又不敢叨絮，只急得也要哭。小丫鬟等更蹑手蹑脚的在外间收拾那粉盒妆盘，不敢大声说一句话，倒弄得内外静悄悄的。

早有一个黠丫鬟，暗暗的报与贾氏知道。贾氏刚才下床，听丫鬟这般说，也不知何事，便包上头帕过来。采秋见他妈来了，转把眼泪擦干，迎了出来，说道："我起来一早晨了，还没有看妈去，你却远远的跑来。"贾氏见她眼眶红红的，便说道："我的姑娘，是那一个给你气受？你竟哭了这个样儿！"便上前携着采秋的手，说道："清早起来，也不穿件夹的衣服！"采秋便勉强笑着道："起来是穿件春罗夹小袄，因是梳头，才脱了。我那里哭？妈平日见我哭过几回哩。"红豆掀开帘子，在门边伺候。他母女二人就进房来，贾氏坐下，说道："韩师爷好几天不来，今天却送甚柬贴儿，叫你这样苦恼？"采秋道："他做了两首诗，要我和韵，我却没来由去苦恼，难道是怕做不出诗来么！"转说得贾氏和红豆都笑起来了。采秋就也笑道："妈，你没有梳头，我今日却和你梳个头罢。"于是笑嘻嘻的拉着贾氏到妆台前坐下，替他笾了头，盘了一个髻。说说笑笑，摆上饭来，吃了。又邀贾氏同去看看兰花，便过贾氏这边来坐，到午正才自回去。贾氏见采秋这大半天喜欢得很，便不说长道短。

转盼之间，早是七月初四五了，这日，小岑、剑秋乘着晚凉，都来看视荷生。荷生谈吐，全没平时兴会。两人谈及愉园，荷生便无精打采的

说道："我们讲我们的话罢。"小岑、剑秋遂不提起。后来剑秋题起那天所言秋痕逃席一事，小岑不曾讲完，要他接将下去。小岑只得将自己领着秋痕、丹翠的情状说了。说得剑秋、荷生都笑起来。又说闯入汾神庙西院，秋痕见了痴珠联句。荷生等不得说完，便问道："这痴珠可姓韦么？"小岑道："可不姓韦！你也该晓得这人。"荷生便高兴起来，说道："他什么时候来的？他虽比我们早些出山，究是我们一辈。"就将花神庙、芦沟桥两回相遇，及长新店打尖，见壁间题的诗款是"韦痴珠"，因疑两番所遇就是此人，一路想赶着他，竟赶不上，讲了一遍。就说道："我至今心上还是耿耿，如今相见有日了！"便哈哈的笑。剑秋道："我听见武营里公请一位师爷，住在秋华堂，也疑就是此人。"小岑道："不错！"遂将那日心印所说痴珠此来情事，及遇着李夫人的话，复述一遍。荷生大喜道："早上李谡如正下贴请我秋华堂，我为着官场私宴向例不去，具近来心绪不佳，想要辞他。这样说来，却要破例一走。"就向跟班要过李家请贴，递给二人看，道："不是'席设柳溪秋华堂'么？"又向跟班问道："初七这一天，李大人请几个客？营里公请的韦师爷就住在秋华堂，想必在坐。你们再探听着。"跟班答应。荷生当下很喜欢了。二人复闲话一回，就也散去。

　　荷生送二人去后，见新月东升，碧天如洗，满庭花影，袅袅娟娟。寓斋光景，正自不恶。惟心为事感，便觉景物如故，风味顿殊。便步入里间，四顾寂寥，无人可语。因想起鞭蓉洲与采秋目成眉语，何等绸缪。曾几何时，而人是情非，令人不堪回想。因唤青萍焚起香篆，磨墨展笺。荷生提笔写出《采莲歌》四首道：

　　　　隔水望芙蕖，芙蕖红灼灼。欲采湖心花，只愁风雨恶！
　　　　今日芙蕖开，明日芙蕖老。采之欲贻谁，比侬颜色好！
　　　　扁舟如小叶，自弄木兰桨。惊起鸳鸯飞，有人拍纤掌。
　　　　谁唱《采莲歌》，歌与侬相接。珍重同心花，劝侬莫轻折。

写毕，朗吟一遍。意犹不尽，又取一笺。青萍剪了灯花，见荷生提笔就笺上写《相望曲》三字，复另行写道：

　　　　相望隔秋江，秋江渺烟水。欲往从之游，又恐风浓起。
　　　　相望隔层城，层城不可越。中宵两相忆，共看半轮月。

写毕，又朗吟一遍，向青萍笑道："你懂得么？"青萍不敢答应。荷生便将《采莲歌》再看一看，说道："出水芙蓉，晚风扬柳，我自谓似之；只镇日是你们焚香捧砚，好不辱没诗情也！"青萍碰了这个钉子，却不敢走开。消停一会，伏侍睡下。荷生因想道："香山垂老，身边还有樊素、小蛮；苏东坡远谪惠州，朝云也曾随侍。我如今决计买一姬人，以销客况罢。"又想道："倘有机会能够无负红卿凤约，这也遂我初心。只是采秋如此，约卿可知。况人别三年，地隔千里，我不负人，正恐人将负我！"辗转一会，又忆起日间小岑说的韦痴珠来，因想道："人生遇合，真难预料。咳！去了一个杜秋娘，来了一个韦苏州，我客边也算不十分寂寞了。"看官听着，荷生这一夜不特将采秋置之度外，即红卿也置之度外，又晓得痴珠指日可以相见，便像得道的禅师一般，四大皆空，一丝不挂，呼呼的睡着了。

　　正是：

　　　　肠热翻成冷，情深转入魔。

　　　　迢迢莲幕夜，曲唱恼公多。

欲知后事如何，且听下回分解。

第十四回　意绵绵两阕花魂词
　　　　　情脉脉一出红梨记

　　话说六月以后,天气渐凉,痴珠的病也渐渐大好了。雨槛弄花,风窗展卷,遵养时晦,与古为徒,这也省却多少事。无奈谡如多情,却要接他入署消遣。李夫人笑道:"先生,南边这时候重碧买春,轻红擘荔,招些词人墨客,湖上纳凉,何等清爽! 太原城里一片炎尘,有什么消遣的去处?"谡如也笑道:"我们这武官衙门,那里有词人墨客呢。"痴珠笑道:"此间名士,第一总臬是经略幕里韩荷生了。"谡如道:"此人真不愧名士! 我作了十年武官,仗也打过了几十回,起先见经略那样信服,我还不以为然。今年元宵晚上蒲东那一仗,与我一个柬贴,算定回子五更时分败到黄河岸上,教我埋伏,后面注了一行,是:'如放走一人,军法不贷。'不想果然都应了他的话,令我十分敬畏。不知先生怎么认得他?"痴珠就将都中相遇,及长安见了红卿,叙将出来。谡如道:"他如今这里又有个得意的人了。"说将荷生近事讲了一回。又唤跟班将荷生重订的《其谱》检给痴珠看。

　　痴珠瞧了一遍,说道:"怎的这杜采秋却不入选呢?"谡如又将采秋来历讲给痴珠听。痴珠笑道:"那不是名妓,竟是名士了。秋痕这人,得荷生一番赏鉴,自是不错。"因将《芳谱》的诗朗吟一遍。谡如因说道:"秋痕这人,也自不凡,采秋事事要占人先,他却事事甘居人后。其实他的色艺,比采秋也差不多。"痴珠道:"那谱上就说得他的身分好。"谡如道:"谱上不过说个大概,他最妙是焚香煮茗,娓娓清谈。他会画菊,便爱艺菊,凭你杜茎残蕊,他一插就活。只是有点傻气,一语不合,便哭起来。"痴珠叹口气道:"美人坠落,名士坎坷,此恨绵绵,怎的不哭!"便将《芳谱》撂开,抵头不语。谡如忽向夫人道:"我这回却想出一个替先生消遣的法儿。"痴珠和夫人再三诘问,谡如总不肯说。

　　初七日一早,痴珠刚起来,穆升跑进来回道:"李大人便衣来了。"痴珠急忙迎出。谡如早笑嘻嘻地进来,说道:"才起来么?"痴珠也笑道:

"你今天怎的这般早就来了？"谡如笑道："今天是要向先生借秋华堂，热闹一热闹。"痴珠正要致问，谡如却已掀着帘子走了。痴珠跟着出来，谡如回头笑道："先生，停一会过秋华堂来罢。"说着，便弯向楼边小径而去。

痴珠退回外间更衣，然后出来，到了月亮门，只见一群人挑着十几对纱灯及桌围铺垫，在甬道上站着。转过西廊，听得谡如和多人讲话。走进垂花门，见堂中正乱腾腾的摆设，谡如却坐在炕上调度。见痴珠进来，站起身道："客早来了，主人方才收拾屋子呢。"痴珠道："你今天到底请什么客？"谡如道："没有别人，就是先生和韩荷生。"痴珠道："他准来么？"谡如道："他昨天还叫跟班探听请有几个客，我说道：'只有你们老爷和我们这里韦师爷。'他跟班很喜欢，说是'韦师爷在坐，我们老爷是必来的。'这样看来，他也很爱见先生。"痴珠迟疑道："他怎的认得我呢？"

正坐下说着，蓦见屏门外转出一个丽人，就如出峡的云，被风冉冉吹将上来。后面一人抱着衣包跟着。痴珠笑向谡如道："你今天闹起这个把戏来了。"谡如微笑。此时堂中都已铺设停当，那正面及两廊的灯也都挂得整整齐齐。帘波一漾，花气微闻，早是那丽人低着粉颈，款步进来，向痴珠请了安，却怔怔地看了一眼，才向谡如也请一安，就站在谡如身边。谡如便携丽人的手，说道："来得很早，我有几个月没见你了。"丽人答应，把眼波只管向痴珠这边溜来。痴珠细细打量一番，好像见过的人，遂向谡如道："这姑娘就是《并门花谱》第一人么？"谡如笑道："就是秋痕。先生见过？"痴珠道："我到这里，除你署中，我不曾再走一步，那里见过他们。"谡如便向秋痕道："你认得这位老爷么？"秋痕答道："这位老爷姓韦。"谡如笑道："先生方才说'哪里见过他们'，他们怎么又认识得先生呢？"痴珠真不明白，却难分辩，倒是丽人道："见是没有见过，我却晓得韦老爷的官名有个玉字，号叫痴珠。"痴珠大笑道："这怪不怪！"谡如便问秋痕道："你怎的晓得韦老爷名姓？"秋痕便将五月初五跟着梅小岑来到四院，见了联句、小照，叙述一遍。痴珠道："不错，不错！那一天回来，秃头原告诉过我，为着梅小岑素没见面，就也撂开。"谡如笑道："这也罢了。"

先是，痴珠起来，径来秋华堂，却不曾用过早点。秃头也不敢径端上来，此时约有巳正，便上来回道："老爷用些点罢。"谡如道："我倒忘了，一早把先生累到这个时候，还没用点，快端上来。我是家里用过的，

秋痕陪着罢。"便站起身，叫秋痕上炕，秋痕不敢。谡如道："坐罢，这又何妨。"便转向门外更衣，叫人催请荷生。于是两人对坐用点。痴珠见秋痕上穿一件莲花色纱衫，下系一条百折湖色罗裙，淡扫蛾眉，薄施脂粉，星眸低缬，香

辅微开，便想道："似此丰韵，也不在娟娘之下！"秋痕一抬头，见痴珠身穿一件茶色夹纱长袄，只管偷眼看他，不觉一笑，便有一种脉脉幽情，荡漾出来。痴珠把眼一低。秋痕倒低声问道："韦老爷，你怎的比那小照清减许多？"痴珠此时觉得有万种柔情，一腔心事，却一字也说不出来，发怔半响，眼眶一红道："改日说罢。"

猛听得外面传报："韩师爷来了！"痴珠就也更衣出来。几人扶着荷生轿子，已入屏门。瞧见谡如站在台阶，便急忙打着护板。秋痕就在轿前打了一千。荷生下轿，谡如抢上数步见了。痴珠也到檐下。荷生早躬身向前，执着痴珠的手，笑吟吟的，一面移步，一面说道："咱们都中两次见面，都未寒暄一语，抱歉至今！"彼时已到堂中，三人重新见礼，两边分坐。痴珠向荷生道："我们宰交已久，见面不作套语罢。"荷生笑道："说套语便不是我们面目。"接着秋痕上前请安，荷生就接着说道："你们所有客套，我也一起减免罢。以后见面，倘再迎至轿边一千，接到厅上一千，我就不依。再，'老爷'二字也不准叫，你只唤我荷生。你字秋痕，便叫你秋痕。"就向痴珠、谡如道："我们也通行称字，某翁、某某先生，滥俗可奈，两位以为何如？"痴珠道："吾兄爽快之至！"就向谡如道："你再

叫先生,我也不依。"荷生道:"自后大家犯令,我要罚以金谷酒数。"秋痕
坐在西边,瞥见丹翠、曼云从东廊款款而来,笑道:"犯令的人来了。"谡
如道:"你下去通知他不好么?"正说着,丹翠、曼云到帘边,秋痕忍笑,大
声说道:"站着!听我宣谕:奉本大营军令,不准你们请安,不准你们叫老
爷。你们懂得么?"说得荷生、痴珠、谡如三人大笑起来,连那前后左右
伺候的人通笑了。秋痕自己笑得不能仰视。那丹翠、曼云只见过秋痕
痛哭,没有见过秋痕的痴笑,也没有见过他会大声说话,今日见他如此
得意,转停住脚步,只是发怔。大家看见,更是好笑。后来秋痕的笑歇
了,将以前的话告诉,两人倒腼腆腆上来,好像没得开口一般。还是痴
珠初见,和两个应酬,两个才说得几句话。秋痕晓得他们为难,又自吃
吃地笑。荷生也笑道:"我倒不意秋痕也会这般调侃人。"痴珠笑道:"这
是老师化导之力。"又说得大家通笑了。

　　只见家人请示排席,荷生瞧着表道:"就要排席?似乎过早。"痴珠
道:"谡如今天是两顿饭的。"荷生道:"怎的过费!"一会,席已摆好,系用
月桌。谡如要送酒安席,荷生道:"方才什么套都已蠲除,你又来犯令
了!"于是大家换了便衣,团团入坐。酒行数巡,痴珠坐接曼云,就将曼
云折扇取来。正要展视,荷生忽向痴珠说道:"斯人不出,如苍生何!以
吾兄才望,这甘年中倘肯与世推移,不就是携妓的谢东山么?"痴珠将扇
握住,叹口气道:"小弟年少时也还有这些妄想,如今白发星星,涉出愈
深,前途愈窄,滥竽满座,挟琵郝颜,只好做个乞食歌姬的韩熙载罢!"荷
生道:"你是要做入梦的傅岩,不愿做绝裾的温峤,其实何必呢!"痴珠
道:"人材有积薪之叹,捷径多窘步之忧。我就不做韩熙载,也要做个醇
酒妇人的信陵君。那敢高比骑箕星宿、下镜风流哩。"说得大家又笑了
一阵。于是展开曼云的扇,见是荷生楷书,便说道:"教我再写这字,就
写不来了。"再看写的是《齐天乐》两阕,词题系《花魂》。此时秋痕倚在
痴珠坐边,痴珠看着,秋痕念道:

　　　　小阑干外帘栊畔,纷纷落红成阵。瘦不禁销,弱还易断
　　……

痴珠拍案道:"好个'瘦不禁销,弱还易断'八字,这便是剪纸招我魂哩!"
就喝了一杯酒,向荷生道:"是旧作,是近作?"荷生道:"我春间偶有所

触,填此两阕,你不要廖赞。"就也喝了一杯酒。谡如、丹翠、曼云都陪着喝,觉得秋痕黯然又念道:

> 数到廿番风信。韶华一瞬,便好梦如烟,无情有恨,别去匆匆,蓬山因果可重证。

痴珠也黯然道:"半阕就如此沉痛,底下怎样做呢?"就和大家又喝了三杯酒。那秋痕念到"韶华一瞬",已经眼眶红了,以下竟要坠起泪来。就也停了一停,又念道:

> 空阶似闻长叹,

痴珠道:"接得好! 魂兮归来,我闻其声。"秋痕噙着泪又念道:

> 正香销烛灿,月斜人定。三径依然,绿荫一片,料汝归来难认。心香半寸,忆夜雨萧萧,小楼愁听。咫尺迢遥,算天涯还近。

秋痕念到此,忍不住扑簌簌的坠下泪来。痴珠自己喝了酒,便说道:"我念罢。"便将第二阕念道:

> 绮窗朱户浓荫满,绕砌苔痕青遍。碾玉成尘,理香作冢,一霎光阴都变。

痴珠念到此,声音也低了。秋痕一滴一滴的眼泪,将那扇面点湿有几处了。荷生道:"这是我不好。秋痕今天很喜欢,偏教他如此伤心起来。"曼云道:"可不是呢。人家好端端喝酒,怎的荷生这首词,却要叫他洒起泪来?"痴珠勉强又念道:

> 助人凄恋,有树底娇莺,梁间乳燕。剩粉遗芳,亭亭倩女可能见?

痴珠哽咽道:"此中块垒,我要借酒浇了。"便叫曼云取过大杯,喝了五盅。荷生、谡如也喝了。谡如、丹翠都道:"过后看罢。"荷生也说道:"撂开一边,往后慢慢的看。"痴珠那里肯依,又念道:

> 几番烧残茧纸,叹招来又远,将真仍幻。絮酒频浇,银旗细剪,忏尔痴情一片。浮生慢转,好修到琼楼,移根月殿。人海茫茫,把春光轻贱。

痴珠末了也忍不住掉下几点泪来。瞧着秋痕玉容寂寞,涕泪纵横,心上更是难受。想道:"我却不道青楼中有此解人,有此情种。"便转向荷生

第十四回　意绵绵两阕花魂词　情脉脉一出红梨记

说道："真是绝唱，一字一泪，一泪一血！这也不枉秋痕的数点泪渍在上头。只是我也有一词，题在花神庙，想你还没见哩。"荷生道："我自那一晚便定了此间的局面，花神庙一别经年了。你那长新店题壁的诗，我还记得。"痴珠道："你的诗我记得多了。"便喝一大杯酒，高吟道：

　　双桨风横人不度，玉楼残梦可怜宵。

荷生十分惊讶，只见痴珠又念道：

　　毕竟东风无气力，一任落花飘泊。

荷生道："荔香院你到过吗？"痴珠也不答应，便又喝了酒，又高吟道：

　　一死竟拚销粉黛，重泉何幸返精魂。

又拍着桌说道："最沉痛的是：

　　薄命怜卿甘作妾，伤心恨我未成名。"

荷生道："奇得很！这几首诗你也见过么？"痴珠含笑总不答应，唤过秃头，说道："你将我屋里一个碧绿青螺杯取来，我要行令了。"荷生道："你说怎样见过红卿，才准行令。"痴珠笑道："行了令再说。"荷生道："你不说，我是不遵令的。"谡如笑道："痴珠，你这闷葫芦害人难受，不如说了罢。"痴珠道："那里有这般容易！"恰好秃头取得杯来，便一面拿杯，一面向荷生道："你喝了这十杯再说。"丹翠道："这一杯抵得十多杯酒，怎的教人吃得下？"荷生道："可不是呢。"痴珠就是这样作难我哩。"谡如道："我讲个人情，五杯罢。"荷生心上急着要晓得红卿踪迹，也就答应了，随又说道："你也要喝一杯。"痴珠道："说到高兴，自然要喝。"于是曼云执壶，丹翠斟酒，荷生便喝了三螺杯酒。秋痕只叫："慢慢地喝。"荷生喝一杯，便送一箸菜，或是水果。谡如也喝了三大杯。痴珠才把荔香院那一天情事，细细向荷生讲出来。讲得荷生痴痴的听，两眼中也噙了几许英雄泪。谡如、丹翠、曼云都敛容静气，倾耳而听。秋痕更怔怔地望了痴珠，又望荷生。痴珠说到娟娘不知踪迹，就也落下数点泪，叫秋痕斟过一螺杯酒。秋痕只斟有七分杯，痴珠接过，却要秋痕斟满，高吟杜诗道："寇盗狂歌外，形骸痛饮中。"接着吟道："气酣日落西风来，愿吹野水添金杯。如渑之酒常快意，亦知穷愁安在哉。忽忆雨时秋井塌，古人白骨生青苔。如何不饮令心哀！"大家含笑看他吟完，将酒喝了。秋痕笑道："角力不解，必同倒地；角饮不解，必同沉醉。这是何苦呢！"说得大家又

花月痕

笑了。

　　这一席酒自十一下钟起,直喝至三下多钟。幸是夏天日长,大家都有些酩酊,便止了酒。荷生、痴珠只用些粳米稀饭,就散了坐,同到痴珠屋里。只见芸香拂拂,花气融融,别有一种洒洒之致。痴珠又锅秃头焚起一炉好香,泡上好茶。荷生、谡如或坐或躺,丹翠等三人就在里间理鬓更衣。痴珠便将盆中开的玉簪,每人分赠一枝,更显得面粉口脂,芬芳可挹。秋痕出来,见痴珠酒气醺醺躺在窗下弥勒榻上,便悄悄说道:"你病才好,何苦那样拚命喝酒!"又将痴珠小照瞧一瞧,说道:"你怎不请人题首诗?"痴珠道:"没人道得我着,以后你题罢。"秋痕一笑,就将帘子掀开,见谡如走了出去,荷生却躺在炕上微微睡着,便叫道:"起来罢,这里睡不得,怕着了凉。"荷生就也坐起,喝了茶。痴珠随跟出来,向荷生问起采秋。荷生叹一口气道:"不必提起。我有两首诗,念与你听就知道了。"遂将所寄的诗诵了一遍。痴珠笑道:"什么事呢?"随吟道:"丈夫垂名动万年,记忆细故非高贤。"荷生也自微笑。

　　不一会,家人掌上灯来,秋华堂又排了席。大家作队出来,见堂上及两廊明角灯都已点着,越觉得玉宇澄清,月华散采,大家便都向甬道上闲步。痴珠从那月光灯影瞧着秋痕,真似一枝初放的兰花,委蕤窈窕,极清中露出极艳来。听见谡如让荷生上去,便携着秋痕的手,跟大家步上台阶,到得席前,照旧坐下。这秋华堂系长七间一个大座落,堂上爽朗空阔,炕后垂三领虾须帘,帘外排着十多架晚香玉。堂上点有二十余对纱灯,炕上四小盆盛开夜来香。堂左右二十多架兰花,虽才打箭,灯光之下瞧那绿叶纷披,度着炕上内外的花香,就不倾觞,也令人欲醉了。况卯酒未醒,重开绮度,倒觉得大家俱有倦容。

　　入席以后,行了几回酒,上了几碗菜,秋痕便向痴珠发话道:"白天你是闹过酒,如今只准清谈,我随便唱一折昆曲给大家听,可好么?"荷生道:"好么。"秋痕又道:"叫他们吹笛子、打鼓板、弹三弦的都在月台上,不要进来。"谡如道:"这更好。"秋痕又道:"只这痴珠酒杯是要撤去的。"一面说,一面将痴珠面前酒杯递给跟班。谡如、丹翠都说道:"不叫他喝就是了,何必拿开杯子。"荷生、曼云只吟吟的笑。谡如向荷生道:"'一见如旧',这句话却是真有呢。"这一说,痴珠先不好意思起来,秋痕

便觉两颊飞红。荷生忙接口说道："'同是天涯沦落人，相逢何必曾相识。'我和痴珠不一见如旧么？"荷生此句话原想替秋痕解嘲，秋痕也深感荷生为他分谤，只太亲切些，触动心绪，倒掉下泪来。痴珠这一会凄惶，更不知从何处说起，只向秋痕高吟道："君为北道生张八，我是西川熟魏三。"就不说了。荷生见秋痕与痴珠形影依依的光景，便念及采秋，又因痴珠今天说起红卿，便觉新愁旧怨，一霎时纷至沓来，无从排解。谡如也悔先前不合取笑秋痕，以致一座不乐，又见秋痕顾影自怜那一种情态，也觉怅然难忍。丹翠、曼云见席间大家都不说话，只得劝秋痕道："好端端的，又哭得泪人儿一般，人家说你有傻气，你自己想傻不傻哩！"荷生就移步过来，替秋痕抹着眼泪。痴珠便叫跟班们拧过手巾，自己递给秋痕。谡如也吩咐跟人泡上几碗好茶来，又吩咐厨房慢慢的上菜。秋痕只得破涕为笑道："我还唱曲罢。"大家都说："好了，秋痕肯笑了。"谡如道："秋痕这一笑，大家该喝一盏酒。"秋痕道："我总不准痴珠喝，大家依么？"大家笑道："依你罢。"秋痕道："我却要陪一杯。"于是大家都喝了酒，随意吃了几箸菜。痴珠只吃了两片藕。

　　只见秋痕喝一回茶，将椅挪开，招呼痴珠跟人，说几句话。停了一停，帘外鼓板一响，笛韵悠扬。秋痕背脸儿亢起轿声来，痴珠依着声，听他唱的是："此夜恨无穷，似别鹤孤鸿，槛鸾囚凤。我无限衷肠，欲诉无从。悲恸！"

　　痴珠听到此，便叹了一声，招呼跟班装水烟吃去。荷生将手轻轻的拍着棹板道："这底下是'惹祸的花容月貌，嵫人的云魂雨梦。'"谡如道："这不是《红梨记》上《拘禁》这一出么？"荷生点点头。又听秋痕唱完了一支，曼云便将痴珠跟前的一碗茶递给秋痕喝了。秋痕转过脸来，向大家说道："今夜喉咙不好，有些哽咽。"就唾了一口痰，又唱起来。到了"看他诗中字，芳心懂。怎割舍风流业种，毕竟相同。"又唱到"只愁缘分浅，到底成空。"那两道眼波就直注在痴珠身上，大家俱暗暗的笑，却不敢道出。以后便是尾声了。唱完，大家都喝声"好！"荷生因说道："这回我却要痴珠喝一盏酒。"秋痕也依，便将自己的杯斟上，叫痴珠喝了。荷生笑道："我也要你喝一杯。"秋痕道："这是怎说？"荷生道："喝了再说。"秋痕强不过，就也喝了。荷生笑道："你们'风流业种，毕竟相同'，怎么

不吃个鸳鸯杯哩?"说得秋痕的脸通红了。痴珠笑道:"你们这样闹,又何苦呢。"荷生微笑,停一停,说道:"你日间那样狂吟豪饮,这会怎的连酒杯都没哩?"痴珠也就微笑。于是大家又畅饮了一回,便道:"天也不早了,差不多十二下钟了!"谡如也不敢再敬。

大家吃饭、洗漱。荷生向痴珠道:"改日再来奉拜罢。"痴珠笑道:"你又未能免俗了。我明日便是便衣过访,何如?"荷生道:"好极!我便在寓相候罢。"就谢了谡如,几对灯笼引着轿先走了。谡如却要送痴珠先回西院,痴珠看见丹翠等三人都站在月台伺候,便道:"还是给他们先走,我们再说罢。"于是丹翠、曼云、秋痕说道:"我们都不打千了。"丹翠、曼云先走,秋痕落后。痴珠、谡如站在一边,秋痕拉着痴珠的手,问后会之期。痴珠十分难受,勉强道:"两日后就当奉访。"秋痕忽向袖中取出一件东西,悄悄的递给痴珠。痴珠也不便细看,只好袖着,便催着谡如回去。谡如只得告辞。痴珠送出,看秋痕上车,谡如也上了车,然后自回西院。正是:

> 茫茫后果,渺渺前因。
> 悲欢离合,总不由人。

欲知后事如何,且听下回分解。

第十五回　诗绣锦囊重圆春镜
人来菜市独访秋痕

　　话说荷生别了痴珠,轿子沿堤走来,仰观初月弯环,星河皎洁,俯视流烟澹沱,水木清华,因想起:"愉园水榭,今夕画屏无睡,风景当亦不减于此。"又想道:"我们一缕情丝,原是虚飘飘的,被风刮到那里,便缠住那里。就如痴珠,今天不将那脉脉柔情都缠在秋痕身上么?可怪秋痕素日和人落落难合,这回一见痴珠,便两心相照,步步关情,也还可喜。只是他两人这情丝一缠,正不晓得将来又是如何收煞哩!"

　　一路乱想,猛听得打梆之声,是到了营门。只见灯光辉煌,重门洞辟,守门的兵弁层层的分列两旁。那轿夫便如飞的到了帐前停住,门上七八个人都一字儿的站在一边,伺候下轿。荷生略略招呼,就进寓斋去了。跟班们伺候换了衣履。见苍头贾忠踉踉跄跄拿一个纸包上来,像封信似的,回道:"靠晚洪老爷进来,坐等老爷,到了更余等不得了,特唤小的上去,交付这一件东西,吩咐小的收好。又说明日在欧老爷家专候老爷过去,有话面说。"何生也不晓得是什么,接过手,轻飘飘,将手一捏,觉松松的。便撕去封皮,见是一块素罗,像是帕子。抖开一看,上面污了许多泪痕;桌上掉下一个古锦囊,两面绣着蝇头小楷,却是七律二首。便念道:

　　　　长空渺渺夜漫漫,旧恨新愁感百端。巫峡断云难作雨,衡阳孤雁自惊寒。徘徊纨扇悲秋早,珍重明珠卖岁阑。可惜今宵新月好,无人共倚绣帘看。

念毕,叹一口气,自语道:"如许清才附入尘劫,造物何心,令人懊恼!"又将那一边诗朗吟道:

　　　　多情自古空余恨,好梦由来最易醒。

就怪然自语道:"沉痛得很!"又念道:

　　　　岂是拈花难解脱?可怜飞絮太飘零。香巢乍结鸳鸯社,新句犹书翡翠屏。不为别离已肠断,泪痕也满旧衫青。

贾忠和大家怔怔地站着,荷生反复沉吟一会,猛见贾忠们兀自站着,便说道:"你们散去罢。"荷生因欲乘凉,就也踱出游廊。清风微来,天云四皎,双星耿耿,相对寂然。徘徊一会,倒忆起家来,便将都中七夕旧作《望远行》吟道:

> 露凉人静,双星会,今夕银河深浅?微雨惊秋,残云送暑,十二珠帘都卷。试问苍苍,当日长生殿里,私誓果能真践?只地久天长,离恨无限!何况,羁人乡书一纸,抵多少,回文新剪。细计归期,常劳远梦,输与玳梁栖燕。毕竟织女黄姑,隔河相望,可似天涯近远?恨无聊徒倚,阑干扪遍!

吟毕,便唤青萍等伺候睡下。

次日,看完公事,想道:"今天还找剑秋闹一天酒罢。"便唤索安吩咐套车,到了绿玉山房,剑秋不曾起来。紫汾自将采秋不忍拂逆他妈一段苦情,细细表白一番。荷生听了便也释然。

一会,剑秋出来,说道:"荷生,这宗公案你如今可明白么?我原说过,这其间总另有原故,是不是呢?如今吃了饭,我们三人同去愉园走一遭罢。"荷生不语。一会,摆上饭,三人喝了几盅酒,差不多两下钟了。剑秋正催荷生到愉园去,不想红日忽收,黑云四合,下起倾盆大雨来。剑秋又备了晚饭,说了半日闲语。

急雨快晴,早已月上。剑秋、紫沧乘着酒兴,便不管荷生答应不答应,拉上车,向愉园赶来。你报进去,三人刚走入八角亭游廊,早是红豆领着一对手照,亲接出来,笑向荷生道:"怎的不来了十一天?"剑秋笑道:"我三个月没来,你怎的不问哩?"紫沧也笑道:"我们就十一年不来,他也不管呢?"红豆笑道:"洪老爷,你昨天不才来么?"三人一面说,一面走,已到桥亭。只闻得雨后荷香芬芳扑鼻,就都在回栏上坐了。丫鬟们便放下手照,抬了几张茶几来,送了茶。只见远远一对明灯照出一个玉人,转过画廊来。紫沧向剑秋道:"你看此景不像画图么?"剑秋笑道:"我们不配作画中人,只莫学人掉下去作个池中物罢!"刚说这句,采秋已到跟前,故作不闻,说道:"这里暑气未退,还是水榭屋里坐罢。"于是荷生先走,领着大家转几折游廊,才到屋里。原来愉园船室后是池,池南五间水榭,坐南向北,此即愉园正屋。剑秋、紫沧俱系初次到此,留心

看时,只见面面明窗,重重纱罩,五间直是一间。其中琴床画桌,金鼎铜壶,斑然可爱。正中悬一额,是"定香吟榭"四字。两旁板联,是集的宋人句:

> 红看春色低红烛;
> 面向苍烟问白鸥。

款书"渤霞题赠。"下面一张大案,案上罗列许多书籍。旁边排着十二盆兰花,香气袭人。中间地上点着一盏四尺多高玻璃罩的九瓣莲花灯,满室通明。四人一坐下。紫沧见荷生、采秋总未说话,便道:"你两个都是广长妙舌,怎的这会都作了反舌无声?"采秋说道:"人之相知,贵相知心,落了言筌,已非上乘。"剑秋笑道:"相视而笑,莫逆于心,此自是枕中秘本,便有时也落言筌。我却不信你们两个能是马牛其风,不言而喻呢。"荷生笑道:"胡说!"采秋道:"'酒是先生馔,女为君子儒',汤玉茗至今还在拨舌地狱哩,管他则甚!"便又谈笑一会。荷生、采秋总觉得似离似合,眉目含情。又命红豆,都人将南窗外纱幔卷起。只见碧天如洗,半轮明月,分外清华。大家移了几凳,坐在栏杆内,领略那雨后荷香。采秋叫人将早晨荷花心内薰的茶叶烹了来,更觉香沁心脾,俗尘都涤。遥听大营中起了二鼓,紫沧、剑秋就站起身来。荷生也要同行。剑秋道:"你且不用忙。要走,须向采秋借车。我还同紫沧去记一个朋友,不能奉陪了。"荷生笑道:"不是访彩波吗?"剑秋道:"不定。"遂一径走了。丫鬟传呼伺候。采秋送至船室前,也就回来,仍在栏杆边坐下。

荷生道:"好诗,好诗! 但'多情'二句,颇难解说,我正来请教呢。"采秋道:"我这两句本系旧时记的,你要怎么解便怎么解。"荷生道:"你是聪明绝顶的人,我一切也不用说了!"采秋一闻此言,便觉心中一酸,两眼泪珠荧荧欲坠的道:"前日之事,我也百口难分,惟有自恨堕入风尘,事事不能自主。你若从此抛弃了我,我也不敢怨;你若尚垂青盼,久后看我的心迹便是了!"

荷生见说得楚楚可怜,便叹了一口气道:"我倒不是怪你。我一来也是恨我自己长幡无力,未能尽障狂飙,二来是替你可惜这个地方。难道他们那一般人的行径,你还看不出么?"红豆在旁,遂将那日原士规等跌池吐酒、鄙俗不堪的形状,叙了一回。倒说得荷生、采秋也都笑了。

荷生便向采秋道："今夜我颇思小饮。"采秋道："我有好莲蕊酿，咱们到春镜楼喝去罢。"于是携手缓步上楼来。只见霁月照窗，花荫瑟瑟，荷生笑道："我今日到此楼，也算刘、阮重到天台了。"采秋笑道："我不想尚有今日。"遂将荷生纱衫脱了。采秋也卸了晚妆，乌云低垂。然后两人对酌，叙这十日的相思。但见：郎船一桨，依阿双桡，柳暗抱桥，花攲近岸。金缸影里，玉斗光中，西子展鬟，送春山之黛色，南人妍眼，翦秋水之波光。脉脉含情，绵绵软语，风女之颠狂久别，檀奴之华采非常。既而漏鼓鼟催，回廊鹤警；嫣熏兰破，絮乱丝繁；人面田田，脂香满满。从此缘圆碧落，双星无一日之参商；劫脱红尘，并蒂作群芳之领袖矣。

　　却说七夕那晚，痴珠送了谡如，自回西院，急将秋痕递给的东西灯下一看，却是一块翡翠的九龙佩。抚玩一回，就系在身上。看官听着！痴珠自从负了娟娘，这七八年梦觉扬州；锦瑟犀奁，概同班扇；胭脂螺黛，一例昙花。况复郁郁中年，艰难险阻；郁郁迟暮，颠沛流离。碧血招魂，近有鲍参军之痛；青衫落魄，原无杜记室之狂。真个絮已沾泥，不逐东风上下；花空散雨，任随流水东西。不想秋痕三生凤生，一见倾心。秋月娟娟，送出销魂桥畔；春云冉冉，吹来离恨天边。人倚栏杆，似曾相识；筵开玳瑁，末如之何。输万转之柔情，谁能遣此？洒一腔之热泪，我见犹怜。可识前生，试一歌乎《金缕》；勿忘此日，羌相赠以错刀。缓缓归来，仔细忆三春之梦；匆匆别去，丁宁约再见之期。此一段因缘，好似天外飞来一般。倒难为痴珠，一夜踌躇不能成寐，就枕上填了《百字令》一阕云：

　　　　今夕何夕，正露凉烟淡，双星佳会。一带银河清见底，天意恰如人意。半夜云停，前宵雨过，新月如眉细。千家望眼，画屏几处无睡。最念思妇闺中，怀人远道，难把离愁寄。一朵娇花能解语，却又风前憔悴。红粉飘零，青衫落拓，都是伤秋泪。寒香病叶，谁知萧瑟相对。

填毕，兀自清醒白醒的，姑合着眼。猛听得晨钟一响，见纸窗全白了。便起身出外间来，向案上将《百字令》的词写出。

　　秃头在对屋听见响动，也起来，到了这边，见痴珠正在沉吟，愕然说道："老爷你病才好，怎的一夜不睡？"痴珠道："睡不着，叫我怎样呢？"秃

头也不答应,向里间一瞧,低着头,嘴里吐吐噜噜的抱怨,就出去了。痴珠倒觉好笑道:"我就躺下罢。"不意这回躺下,却睡着了,直至午正才醒。起来吃过饭,想道:"我与荷生约今日见面的,须走一遭。"便吩咐套车,带了秃头向大营来。荷生早访欧剑秋去了。便留题一律云:

> 月帐星河又渺茫,年年别绪恼人肠。三更凉梦回徐榻,一
> 夜西风瘦沈郎。好景君偏愁里过,佳期我转客中忘。洗车洒
> 泪纷纷雨,儿女情牵乃尔长。

递给青萍,就走了。秃头说道:"老爷如今是回去,是到李大人署里?"痴珠迟疑道:"还是找李大人去罢。"方转入胡同,痴珠忽问车夫李三道:"此去菜市街,顺路不顺路? 你可认得教坊李家么?"李三道:"小的没有走过,进巷里问去罢。"秃头道:"不消问,那狗头昨天说过住址,南头靠东有一株槐树,左边是个酒店,右边是个生肉铺,中间一个油漆的两扇门,就是李家。小的先下车看去。"到了巷中间,先有一株古槐,一枝上辣,一枝横臣,傍侧一家。秃头只道是了,一问,却是姓张,再看左右,并非屠。只得向前走十余家,果见槐荫重重,映着那酒帘斜卷,顿觉风光流丽,日影筛空。

秃头伺候痴珠下车,见门是开的,便往里走来。转过甬道,见靠西小小一间客厅,垂着湘帘。秃头便问道:"有人么?"也没人答应。痴珠便进二门,只见三面游廊,上屋两间,一明一暗,正面也垂着湘帘,绿窗深闭。小院无人,庭前一树梧桐,高有十余尺,翠盖亭亭,地下落满梧桐子。忽听有一声:"客来了!"抬头一看,檐下却挂了一架绿鹦鹉,见了痴珠主仆,便说起话来。靠北小门内,走出一人来挡住道:"姑娘有病,不能见客,请老客房里坐。"痴珠方将移步退出,只听上屋帘钩一响,说道:"请!"痴珠急回眸一看,却是秋痕,自掀帘子迎将出来。身穿一件二蓝夹纱短袄,下是青绉镶花边裤,撒着月色秋罗裤带;云鬓不整,杏脸褪红,秋水凝波,春山蹙黛,娇怯怯的步下台阶,向痴珠道:"你今天却来了!"痴珠忙向前携着秋痕的手道:"怎么好端端的又病哩?"秋痕道:"想是夜深了,汾堤上着了凉。"便引入靠南月亮门,门边一个十五六岁丫鬟,浓眉阔脸,跛着一脚,笑嘻嘻地站着伺候。痴珠留心看那上面蕉叶式一额,是"秋心院"三字。旁边挂着一幅对联,是:

一帘秋影淡于月；三径花香清欲寒。

进内，见花棚菊圃，绿蔓青鞠，无情一碧。上首一屋，面面纱窗，雕栏缭绕。阶上西边门侧，又有一个十二三岁丫鬟，眉目比大的清秀些，掀起茶色纱帘。秋痕便让痴珠进去，炕上坐下。痴珠说道："这屋虽小，却曲折得有趣。你卧室是那一间？"秋痕道："这是一间隔作横直三间，这一间是直的。"便将手指东边道："那两间是横的，前一间是我梳妆地方，后一间便是我卧室。你就到我卧室坐。"说着下炕，将炕边画的美人一推，便是个门。痴珠走进，由床横头走出床前，觉得一种沉香，也不是花，也不是粉，直扑入鼻孔中。那床是一架楠木穿藤的，挂个月色秋罗帐子，配着锦带银钩。床上铺一领龙须席，里间叠一床白绫三蓝洒花的薄被，横头摆一个三蓝洒花锦镶广藤凉枕。

秋痕携痴珠的手，一齐坐下。小丫鬟捧上茶来，秋痕递过，向痴珠道："你道两日后才来，怎的今天就来呢？"痴珠道："我原不打算来的，因访荷生不遇，回去无聊，故此特来访你。不想你又有病，不是你出来招呼，我此刻要到家了。"秋痕道"我病了，一早晨没有看我妈去。这回松些，看了我妈，要回东屋，听见鹦鹉说话，我就从窗缝望出去，看不清楚；后来打杂出来辞你，我心上就怕是你来了，赶出外间向竹帘一瞧，你正要转身，急得我话都说不出来。"痴珠道："你病着，我偏来累你。如今坐了一会，就走罢。你看天色也要变了，下起雨来好难走哩。"秋痕道："你坐车来吧？"痴珠道："有车。"秋痕道："有车怕什么？就没有车，我这里也雇得有。你多坐一会，和我谈谈，我的病便快好了。天气热，你将大衫脱下罢。"痴珠道："你这里很凉快。"

正说着，忽然雨点大来，痴珠着急道："下雨怎好哩！"秋痕笑道："我却喜欢，好雨天留客。我叫他们熬些桂圆粥给你作点心，好么？"痴珠道："我肚里不饿，倘饿，便和你要。"秋痕向小丫鬟道："你尽管吩咐去。"小丫鬟去了。秋痕悄悄说道："我给你那一块玉，你晓得这块玉的来历么？这就是我今生第一快心之事。你却不要拿去赏了人。"因将上巳这日得荷生赏识，临走给了这块玉，通告诉了痴珠。痴珠道："我倒没有什么好东西给你，怎好呢？"秋痕道："好东西我也不要，只要你身边常用的给我一件罢。"痴珠手上适带一个翡翠扳指，便脱下来套在秋痕拇指，大

喜道："竟是恰好！你就带着。"秋痕道："你这会得带，我有一个羊脂玉的，给了你好么？"痴珠道："我不带。我以后再购罢。"秋痕不依，向枕边一个银盒内取出，也替痴珠套上，笑道："我和你指头大小竟是一样。"秋痕因问起痴珠得病情由，

痴珠略将前事说，便吟道："三年笛里关山月，万国兵前草木风。"就叹了一口气。秋痕款款深深的安慰一番。两个丫鬟送上点心，秋痕劝痴珠用些。听见檐溜玲琮，雨也稍住了。痴珠就站起身来走了。正是：

　　宝枕赠陈思，汉皋要交甫。

　　为歌《静女》诗，此风亦已古。

欲知后事如何，且听下回分解。

第十六回　定香榭两美侍华筵
　　　　　　　梦游仙七言联雅句

　　话说痴珠养病并州，转瞬半年，免不得出来酬应。这日，来了三个同乡：一个余观察名翊，字黻如；一个候补刺史留积荫，字子善；一个候补郡丞晏传薪，字子秀。四人正在会叙，荷生随来，坐了一会，三人先去。荷生便道起失约的缘故，就订痴珠十四愉园小饮，且嘱携秋痕同去，就也走了。此时一院秋阴，非复骄阳亭午，痴珠便吩咐套车，来访秋痕，将荷生相邀并请的人，备细说给秋痕知道，就找谡如去了。

　　到了次早，痴珠坐车来邀秋痕，秋痕正在梳头。痴珠就在妆台边坐下，瞧了一会。见有一张宣纸、一付蜡笺，搁在架上，便说道："你这屋里却没有横额，我和你写罢。"说毕，就将宣纸、蜡笺一齐取下。秋痕要将墨来磨，痴珠说道："你只管妆掠，我自己磨罢。"于是仍坐在妆台边，一边磨墨，一边看秋痕掠鬓擦粉，笑道："水晶帘下看梳头，想元微之当日也不过如此。"秋痕笑道："我却不准你学他。"痴珠微微一笑，将宣纸裁下一幅，蘸笔横写。秋痕瞧着是"仙韶别馆"四字。痴珠又将蜡笺展开一看，是四尺的，要写八字，便匀了字数，教丫鬟按着纸，提笔写道：

　　　　灼若芙蕖，赠之芍药；

　　　化为蝴蝶，窃比鸳鸯。

一边款书"博秋痕女史一粲"，一边书"东越痴珠"。恰好秋痕换完衣服出来，痴珠笑道："我这恶劣书法，不像你袅袅婷婷，留着做个记念罢。"秋痕笑道："我也不晓得好不好，只人各有体，这是你的字，总是读书人的笔意。"痴珠一笑，便叫人前往愉园探听荷生到未。回说："韩师爷来了。"痴珠将车让秋痕坐，自己跨辕，赶愉园来。

　　保儿传报进去。到了第二层月亮门，见荷生含笑迎出来，就携着秋痕手，让痴珠进去。痴珠笑道："我如今总要人双请。"秋痕也笑着说道："我见面不请安了。"于是小丫鬟领着路，痴珠缓缓的跟着走，说道："这园子布置，倒也讲究。"进了第二层月亮门，转过东廊，见船室正面挂着

一张新横额，是"不系舟"三字。板联集句一付，是：

由来碧落银河畔；只在芦花浅水边。

便说道："这船室我听说是采秋藏书之所。"因走进来，荷生、秋痕也陪着瞧过，前后三层，缥缃万轴。荷生便把西北蕉叶门推开，引二人出来。小丫鬟听见响，就从桥亭转到西廊伺候。痴珠、秋痕望那水榭：东西南三面环池，水靡楠木雕栏，檐下俱张碧油大绸的卷篷，垂着白绫飞沿，两边各挂一个小金铃。池内荷花正是盛开之际，却也有红衣半缺，露出莲房来的。空阔处绿叶清不波，湛然无沱。靠着栏杆，摆着都是斑竹桌椅。正面接着上屋前檐，左右挂着七尺宽两领铜丝穿成的帘子。荷生即让痴珠坐下，自己和秋痕对面相陪。痴珠早闻环佩之声来从帘外，晓得采秋出来了，便从帘内望将出去：山花宝髻，都非倚市之妆，石竹罗衣，大有惊鸿之态。不觉惘然。看见秋痕站起身来，就也站起来。采秋到了帘边，向秋痕一笑，就请痴珠归坐，转身坐在秋痕肩下，说道："我们初次相见，荷生说过'不请安，不称老爷。'"痴珠道："我也直呼'采秋'，不说套话了。本来名士即是美人前身，美人即名士小影，谢希孟《鸳鸯楼记》……"

正往下说，外头报说："梅、欧两位老爷来了！"彼此方通款愫，洪紫沧也来了。痴珠都系初见，又不免周旋一番。以后谈笑起来，大家性情俱是亢爽一派的，就也十分浃洽。停一会，荷生道："清兴如此，何不小饮？"遂叫人摆席。痴珠首坐，次紫沧，次小岑，次剑秋，荷生一人打横上坐，秋痕、采秋两人打横下坐。今日酒肴器皿，件件是并州不经见的。七人慢慢的浅斟缓酌，雄辩高谈，觥筹交错，履舄往来，极尽雅集之乐。已而，玉山半颓，海棠欲睡：也有闲步的，也有散坐的，也有向船室中倚炕高卧的。此时丫鬟们撤去残肴，备上香茗鲜果，大家重聚水榭。采秋与剑秋对弈，小岑观局。痴珠、荷生、秋痕三人同倚在西廊栏杆闲话，看紫沧钓鱼。秋痕却俯首池中，领略荷香，并瞧那鱼儿或远或近，或浮或沉，出了一回神。

荷生便携着痴珠的手，径入采秋卧室看诗。只见那上首是一座紫檀木的凉榻，挂着一个水纹的纱帐子，两边的绵带绣着八个字，是："吹笙引凤，有酒学仙。"东边板壁上挂着一幅泥金小横披，草书七言绝句两

首,是:

> 玉漏催宵酒半醒,月钩实上照春屏。碧纱帘幕轻如水,窥见云鬟一枕青。
>
> 小窗风过试新凉,鬓上微闻夜合香。细语喁喁眠不得,只愁辜负好年光。

痴珠笑道:"这就是定情诗么?有此艳福,也该有此丽句。"又见纱罩上粘有两纸色笺,其一云:

> 独夜孤灯有所思,梦回谁解意迟迟。愧无双桨迎桃叶,尺把多情付柳枝。秋扇未捐犹有泪,春蚕半老易成丝。樽前握手浑如昨,不话长旗好护持。

痴珠道:"悱恻缠绵,怨而不怒。这定是月初作的。"荷生道:"你晓得就是了。"又看下一笺云:

> 决绝词成不忍看,连宵好月自团圆。黄衫剑挟双龙起,青鸟书传一字难。春入愁城天浩荡,风停情海浪平安。蚕丝再茧非无谓,飘泊怜他翠袖寒。

痴珠道:"我们眼孔不知空了几许人物,我们胸襟不知勘破了几许功名富贵;只这分儿上,眼孔里不敢轻视一个,胸襟里万不能打扫得干净。我比你马齿加长,更阅历多了酒阵歌场,而今两鬓星星,把曩时意兴,瓦解冰销,不想这会却又给秋痕结出一团热脑。可见人生未死,凭你有什么慧剑,这情丝是斩不断的!"荷生道:"你这议论,斯为本色。大抵是个真英雄,真豪杰,此关是打不破呢。你不记赵清献诗言'春窗恼春思,一枝杜鹃啼',司马温公词言'相见争如不见,有情还似无情',欧阳文忠词言'笑问鸳鸯怎生书',范文正词言'眉间心上,无计相回避,'又'残灯明灭,谙尽孤眠滋味',韩魏公词言'愁无际,武陵凝睇,人远波空翠',文潞公诗言'哀筝两行雁,约指一勾银'么?"痴珠笑道:"难为你寻得出前人许多真赃实证,来做我们歪诗的护法。"荷生道:"以林和靖妻梅子鹤那等清高,却有'罗袜风心结未成'之句;以吕文清正色立朝,守郡恋一乐妓,后召还京,寄以棉胭脂,题诗云:'南有美人,别后长相忆。何以慰相思?寄汝好颜色。'你道这种缠绵情致,那孔光小谨、胡广中庸解此么?"

正说得高兴,采秋领大家都跑进来,说道:"你两个高谈阔论,到底

是说个什么？怎的不分给我们听听,长些见识?"痴珠笑道:"我们道其所道,不过是道点歪诗。"因向秋痕道:"你钓得鱼吗?"秋痕道:"鱼没钓得,却赢了采姐姐一盘棋,这才肯棋谱琴谱都借给我。"剑秋道:"秋痕的棋是好呢,琴却输采秋的手法娴熟。"小岑道:"这都容易,只学诗像难点儿。"

采秋道:"他如今有个诗王诗圣诗祖宗做他秋心院总提,以后怕不学么?"说得大家都笑了。荷生因说道:"今日乐极,大家何不吟一首即事诗,以纪雅集?"痴珠道:"我们联句罢。"紫沧道:"古体呢,近体。"采秋道:"近体没趣,还是古体罢。"剑秋道:"即事也觉无味,不如联一乎《梦游仙曲》。"荷生道:"好,也不要叙次,有的便写出来。我就起句,借重秋痕作个书手。"便唤小丫鬟预备笔砚笺纸。

大家到了水榭,秋痕研墨,提起笔来等着。只听荷生吟道:

　　九华春殿平明开,排云忽现金银台。鸾翔鹤舞翠羽集,

秋痕便写出来,注一"荷"字。荷生瞧着秋痕写,便说道:"秋痕楷书,原来如此秀润,我却不曾瞧见。"痴珠笑道:"你这三句壮丽得很,也该写出好楷字。底下该各人两句才是呢。"也即吟道:

　　苍虬呵殿群仙来。

说道:"下句要转韵了。"大家说道:"自然是要转韵。"痴珠便又吟道:

　　芙蓉城是众香国,

秋痕一一写了,注上"痴"字。大家齐说:"接得好极!"剑秋踌躇了一会,吟道:

　　初日澄鲜霞五色。纤回曲径接丹邱,

众人皆道:"好!"小岑沉吟一会,说道:"那位有的,先接上罢。我思路塞得很呢。"紫沧倚在正面栏杆,因吟道:

　　缥缈飞楼临紫极。雾鬟笼烟羽葆轻,

荷生道:"又转韵了。小岑,你怎的还没有一句呢?"剑秋道:"让他思索一会,或者有好句出来。"小岑不语,只向帘前微步。荷生又催了一遍,小岑道:"有了!

　　佩环隐隐天风鸣。"

痴珠喝声:"好!"荷生道:"也亏他!"小岑就歇了。秋痕笑道:"大家都是

两句,你怎么一句就算了?"小岑道:"你们催得紧,我忘了。"又想一想,吟道:

> 翩然骑凤下相语,

大家齐声道:"这一句亦转得好。"痴珠便说道:"让我接下去罢。"又吟道:

> 左右侍女皆倾城。司书天上头衔重。

荷生道:"上句好。下句提得起。"采秋倚在左边栏杆,怕大家又接了,便说道:"我也接下罢。"吟道:

> 谪居亦在瑶华洞。巫峡羞为神女云,

大家都赞道:"好!"此时早上了灯,自船室桥亭起以至正前廊回廊,通点有数十对潼纱灯,水榭月桌上也燃一枝独,秋痕写字的几上燃一枝洋蜡。那池里荷香一阵阵沁人心脾。荷生更高兴起来,便说道:"我接罢。"

吟道:

> 广寒曾入霓裳梦。西山日落海生波,

采秋道:"下句开得好。"便转身向座吟道:

> 四照华灯听笑歌。天乐一奏万籁寂,

荷生道:"我替秋痕联两句罢。"便吟道:

> 宝髻不动云巍峨。

因笑向秋痕道:"此句好不好?下句你自想去。"秋痕笑首尽写。痴珠当下倚在正面栏杆,说道:"我替了罢。"吟道:

> 此时我醉群花酿,交梨火枣劳频饷,汉皋游女洛川妃。

采秋道:"我接罢。"吟道:

> 欲托微波转惆怅,失颜不借丹砂红。

剑秋时在桥亭边散步,高声道:"你三个不要抢,我有了!"进来吟道:

> 银屏却倩青鸟通,罗浮有时感离别。

采秋道:"上句关键有力,下句跌宕有致。我接罢。"吟道:

> 圜洲从古无秋风。

荷生道:"好句!我接罢。"便指着剑秋吟道:

> 座有东方善谐谑,

采秋亦笑指道:

　　　　双眼流光眸灼灼。一见思俞阿母桃,

小岑笑道:"我对一句好不好?"吟道:

　　　　三年且捣裴航药。

剑秋微笑不语。紫沧道:"我转一韵罢。"

　　　　此时满城花正芳,

采秋当下复倚在左边栏杆,领略荷花香气,说道:"我接下去。"吟道:

　　　　一枝一叶皆奇香。

荷生当下也倚在右边栏杆,说道:"我接罢。"吟道:

　　　　涉江终觉采凡艳,

痴珠此时正转身向座,瞧着秋痕,吟道:

　　　　远山难与争新妆。

荷生也正转身复座,抢着吟道:

　　　　彩云常照琉璃牖,

采秋当下复座,手拿茶盅,也抢着吟道:

　　　　愿祝人天莫分手。好把名花下玉京,

众人齐赞道:"好!应结局了。此结倒不容易,要结得通篇才好。"荷生
道:"这一结我要秋痕慢慢想去。"采秋道:"做出老师样来了!"秋痕低了
头,想有半晌,说道:"我有一句,可用不可用,大家商量罢。"就写道:

　　　　共倚红墙看
　　　　北斗。

大家都大声说:"好!"
荷生随说道:"结得有
力!秋痕慢慢跟着痴
珠学,尽会作诗了。"荷
生和大家再读一过,笑
道:"竟是一气呵成,不
见联缀痕迹。今日一
叙,真令人心畅!"痴珠
道:"明天十五,歇一天

花月痕

十六,我邀请君秋心院一叙,不可不来!"大家皆道:"断无不来之理。"

　　此时明月将中,差不多三更了,大家各散。采秋送至第二层月洞门,各家灯笼俱已传进。痴珠便看着秋痕上了车,方与荷生大家分手而去。正是:

　　　　水榭风廊,茶香荷气;

　　　　不有佳咏,何为此醉?

欲知后事如何,且听下回分解。

第十七回　仪凤翔翔豪情露爽
　　　　　睡鸳颠倒绮语风生

　　话说十六日，痴珠只多约了谡知。大家到齐，都是熟人。虽谡如不大见面，然秋心院却也来过数次。惟荷生，采秋是个初次，便留心细看：那月亮门内一架瓜棚，半熟的瓜垂垂欲坠；中间一条砖砌甬道，两边扎着两重细巧篱笆，篱内一畦菊种，俱培有二尺多高；上首一屋，高槛曲栏，周围四面台阶三层，阶上檐廓，东西各有一门，系作钟式形。里面屋子作品字形。西屋一间，北窗下一炕，炕上挂一幅墨竹，两榜的联句是：

　　可能盛会无今昔，

　　暂取春怀寄管弦。

款书"潇湘居士题赠。"东屋系用落地罩隔开南北。南屋宽大，可摆四席。北屋小些，就是卧室，绣衾罗帐，花气袭人。靠北窗下放着一张琴桌，安一张断纹古琴，对着窗外修竹数竿，古梅一树，十分清雅。

　　这日，大家都先用过饭。采秋便将秋痕的琴调和，弹了一套《昭君怨》。紫沧、荷生下了两局棋。小岑、剑秋、痴珠调弄了一回鹦鹉，就在菊篱边闲谈。接着，紫沧棋局完了，要秋痕唱一枝曲。秋痕又弄了一回笛，天也不早了，才行上席。荷生首座，紫沧、小岑、剑秋、谡如，以次而坐。痴珠要让采秋上首，采秋自然不肯，仍借秋痕打横下坐。也是一张大月桌，团团坐下。荷生见上面新挂的横额，笑道："痴珠的书法也算是一时无两的。"痴珠也笑道："还是我痴珠的样子，总不是摹人呢。"荷生道："以后有这些笔墨，我替你效劳何如？"痴珠不答。采秋笑道："鱼有鱼的目，蚌有蚌的珠，你要把蚌的珠换鱼的目的，鱼怎么愿呢？"痴珠含笑要答，剑秋拍掌大笑道："痴珠！他道你是鱼目混珠，你该罚他一盅酒！"痴珠笑道："我这珠本是痴珠，不是慧珠，就凭他说是鱼目，却还本色。"

　　采秋争起来，说道："人家好好说话，剑秋搬弄是非，我不罚你一盅，倒教痴珠心里不舒服。"痴珠道："算了，我们行一令罢。"荷生道："好

极！"小岑道："你们要弄这个，却是大家心里不舒服了。那一天芙蓉洲酒令，教我肚里字画都搜尽了。"痴珠问："是什么令？"紫沧就将合欢令大家说的八个字告诉痴珠。荷生因说道："你想好有没有呢？"痴珠低头半响，说道："凤字、飞字、翔字何如？"荷生道："只是冷些。"采秋道："我还想一个，是云字。"大家齐赞道："好！"

秋痕红了脸，又说道："菲字、翡字好么？"荷生道："他是要挪移的，菲字、翡字能彀挪移得动么？"秋痕道："这就难了。"便敬了大家一巡酒，吃几样菜，几样点心，便向荷生道："你想是行什么令好呢？"采秋道："我有个令，就费心些。"秋痕道："你不要又叫人去讲什么字，我没有读半句书，肚里那有许多字画呢！"采秋笑道："我晓得你肚里没有他们的字，也还有我们的字。如今行个令，我们占些便宜罢。"便唤跟班的老妈上来，吩咐道："你回去向红豆说，到春镜楼上书架上，把酒筹取来。"

少顷，老妈取来。众人见是满满的一筒小筹，一根大筹。采秋先抽出大筹，给众人看。见筹上刻着"劝提壶"三个篆字，下注有两行楷书，是："此筹用百鸟名，共百支，每支各有名目，掣得者应行何令，筹上各自注明，不赘于此。"大家传看一遍。采秋把小筹和了一和，递给荷生，教他掣了一枝。荷生看那筹，一面刻的隶书，是"凤来仪"三字，傍注两行刻的楷书，是："用《西厢》曲文，凤字起句，第二句用曲牌名，第三句用《诗经》，依首句押韵，韵不合者，罚三杯。佳妙者，各贺一杯。"一面刻的隶书，是"鸳鸯飞觞"，傍注一行，是："用文'鸳鸯'二字，照座顺数，到鸳鸯二字，各饮一杯。鸳字接令。"荷生看毕，也传给大家看过。秋痕道："此令我怕是不能的，只好你们行去。"痴珠道："你曲子总熟的，只是《诗经》这一句难些。"紫沧道："这一句《诗经》，还要依着上句押韵哩。"小岑道："就是《西厢》曲文能有几个凤字？"秋痕道："这个我也不管，只要讲什么《诗经》，我便麻经也没有，又有佬丝经！"说得大家大笑了。采秋道："我们搜索枯肠，恐怕麻经是没有，《诗经》倒还有一两句呢！"荷生道："我先说一个罢。"大家都说道："总是他捷。"痴珠道："你说罢。"荷生欣然念道：

　　凤飞翱翔，朝天子，于彼高冈。

大家都哗然道："好！"痴珠笑道："我们贺一杯，你再说鸳鸯飞觞罢。"于

是大家都喝了一杯酒。荷生也陪一杯,说道:"我的飞觞,也是《西厢》曲文:

> 正中是鸳鸯夜月销金帐。"

荷生并坐是痴珠,痴珠上首是谡如,谡如上首是紫沧,紫沧上首是剑秋。紫沧、剑秋恰好数到鸳鸯二字,二人便喝了酒。紫沧就出座走了几步道:"这不是行令,倒是考试了!"荷生笑道:"快交卷罢。"一会,紫沧道:"有了。

> 他由得俺乞求效鸾凤,剔银灯,甘与子同梦。"

大家说道:"艳得很!"荷生道:"这是他昨宵的供状了。可惜今天琴仙没有来,问不出他怎样乞求来。"紫沧笑道:"不要瞎说,喝了贺酒,我要飞觞哩。"痴珠笑道:"贺是该贺,只是你有这样喜事不给人知道,也该罚一杯!"采秋道:"你们尽闹,不行令么?"于是大家也贺一杯。痴珠必要紫沧喝一杯,紫沧只得喝了,便说道:"我用那《桃花扇·栖真》这一句:

> 绣出鸳鸯别样工。"

一数,鸳字数到秋痕,鸯字数到小岑。二人喝了酒。秋痕向小岑道:"你先说罢。"小岑道:"你是鸳字,该你先说。"痴珠道:"我替秋痕代说一个。"采秋道:"那天代情有例,罚十盅!"痴珠只得罢了。秋痕就自己低着头,想了半响,唤跛脚装了两袋水烟吃了,才向荷生道:"《诗经》上可有'视天梦梦'这一句么?"荷生道:"有的。"秋痕便念道:

> 这不是泣麟悲凤,雁过南楼,视天梦梦。

痴珠道:"错韵了。'视天梦梦',梦字平声,系一东韵。"秋痕红着脸,默默不语。荷生便笑道:"这也是他的心思,他是从'这不是'三字想下,只是太衰疯些,又错了韵,我替他罚一盅酒罢。"于是喝了一杯酒。小岑便说道:"他是从来没有弄过这些事,能够凑得来,就算他聪明了。如今说个飞觞罢!"秋痕想了一想,说道:

> 羡梁山和你鸳鸯冢并。

痴珠瞧着秋痕发怔。荷生道:"秋痕怎的今天尽管说这些话!"秋痕不语,大家自也默然。转是采秋替他数一数,是谡如、紫沧二人喝酒。谡如便笑道:"如今却该是我说,怎好呢?有了这一句,又没有那一句。我倒情愿罚十杯酒,不说罢。"荷生道:"这却不能。"大家也说道:"愿罚须

罚一百盅。"谡如见大家都不依，只得抓头挖耳的思索。大家却吃了一回酒，又上了五六样菜，点了灯，谡如才说道："我凑了一个，只是不通。"荷生笑道："不用谦了，说罢。"谡如便念道：

　　　　是为娇鸾雏凤失雌雄，五更转，凄其以凤。

痴珠道："怎的你也说这颓唐的话？"谡如道："我也觉得不好。"荷生道："好去是好的，也觉成，也流美，只像酸丁的口气，不像你的说法。"采秋道："你尽管讲闲话做什么呢？请谡如飞觞罢。"谡如数一数，说道：

　　　　翅楞楞鸳鸯梦醒好开交。

鸯字是秋痕，鸳字是采秋。秋痕数不清楚，怕又轮到自己，便说道："怎的又说起《桃花扇》的曲文呢？"谡如道："《桃花扇》曲文不准说么？"秋痕道："紫沧才说的《栖真》，你如今又说《入道》，真是要撮弄我么？"采秋便笑道："秋痕妹妹，鸳字是轮着我。"便瞧着荷生、痴珠，念道：

　　　　你生成是一双跨凤乘鸾客，沉醉东风，令仪令色。

大家同声喝一声："好！"采秋笑道："既然是好，就该大家贺一杯了。"大家都说道："该喝。"剑秋道："怎的偏是他两个人便说得有如此好句？"紫沧便接着说道："可不是呢！又冠冕，又风流，实在是锦心绣口，愧煞我辈。"大家都满贺了一杯。采秋说道："听着！鸳鸯飞觞：

　　　　又颠倒写鸳鸯二字。"

鸳字数到痴珠，鸯字数是谡如，二人都喝了酒。痴珠也不思索，说道：

　　　　便如凤去秦楼，四边静，谓我何求。

小岑道："好别致！"荷生道："也萧瑟得很，令人黯然。以后再不准说恁般冷清清的话。"痴珠便说道："这也是题目使然，我们记的《西厢》曲文，总不过是这几句，万分拣不出吉语来，我说个极好的鸳鸯罢。

　　　　他手执红梨曾结鸳鸯梦。

好不好呢？"谡如道："也该有此一转了。"荷生笑道："我别贺你一杯罢，只是又该我重说了。"采秋说道："他有此一番好梦，大家公贺他一杯，也是该的。"秋痕便替大家换上热酒，先喝一杯，请大家干了。荷生喝了两杯。痴珠自己系鸯字，也喝一杯。只见荷生瞧着剑秋，念道：

　　　　好一对儿鸾交凤友，耍孩儿，自今以始岁其有。

大家都说道："好极！旖旎风光。方才说的总当以此为第一。"剑秋道：

中国古典名著百部

"尖薄舌头,有什么好呢?"小岑笑道:"善颂善祷,彩波今天若在这里,便该喝了十杯喜酒,你还说不好么?"大家也有晓得剑秋的故事,也有不晓得的,却通笑了。痴珠道:"就这个令论起来,自然是绝好,用那句《诗经》,真是有鼎说解颐之妙,大家满饮一杯罢。"众人饮过酒,又随意吃了一回菜。荷生说道:"听我飞觞:

　　　　双飞若注鸳鸯牒。"

数了一数,鸳字是采秋。采秋瞅着荷生一眼。荷生道:"我替你喝一杯。"秋痕道:"令不准替,酒也不准替,采姐姐喝罢。"采秋喝了。剑秋拈着酒杯,说道:"我只道轮不到我了,如今《西厢》曲

文的凤字都被你们说完了,教我说什么呢?"沉吟一会,向秋痕道:"你不要多心,实在是《西厢》凤字我只记得这一个。"便念道:

　　　　我只道怎生般炮凤烹龙,五供养,来燕来宗。

荷生赞道:"妙妙! 三句直如一句。"采秋道:"这令越说越有好的来了,只可惜《西厢》凤字太少些。"于是大家也贺一杯。剑秋便向秋痕笑道:"我教你再讲个好的罢:

　　　　我有鸳鸯枕翡翠衾。"

鸳字是秋痕,鸯字是小岑。秋痕道:"我是不会这个的,你何苦教我重说?"采秋道:"你多想一想,总有好的。"小岑喝了酒,秋痕将杯擎在手上,却默默的沉思了好一会工夫,又将酒搁在唇边。痴珠道:"怕冷了,换一杯吃罢。"秋痕道:"我如今不说冷的。"大家听说,都笑起来。秋痕怔怔地看。痴珠道:"我是怕你酒冷,不管你的令冷不冷。"秋痕自己也觉好笑起来,便说道:"得了。

非关弓鞋凤头窄,声声慢,愿言思伯。"

大家都说道:"这却好得很!"采秋道:"秋痕妹妹真是聪明,可惜没人教他,倘有人略一指点,他便没有不会的事了。"剑秋道:"这句《西厢》是极眼前的,怎么我先前总记不起?"荷生道:"秋痕有此佳构,大家都要浮一大白。"便教丫鬟取过大杯,众人痛饮一回。秋痕也陪了三小杯,说道:"小岑没有轮到,如今轮着小岑收令罢。

恨不得绕池塘摔碎了鸳鸯弹。"

莺字荷生,荷生喝过酒。小岑一手拈酒杯,一手指着秋痕道:"我好端端的轮不着,你偏要说出许多字来,叫我献丑,如今《西厢》上的凤字更是没有了,怎好呢?"秋痕道:"我就不说许多字,也要飞着你,不然,怎样收令呢?你听:

拆鸳鸯离魂惨。

不是你么?"小岑喝了酒,走出席来。大家道:"休跑了。"小岑道:"我跑是跑不了,容我向里间床上躺一会想罢。"大家只得由他。

此时天已不早,约有八下多钟了,大家俱出席散步,说些闲话。荷生将箸敲着桌,说道:"小岑!要撤场了,你还不交卷么?"小岑缓缓的出来,说道:"曳白罢。《西厢》这一句,我找来找去,先没有了,还说什么!"采秋道:"你喝了一大盅酒,我给你一句罢。"小岑道:"你要编人,《西厢》那里还有凤字?"采秋道:"你尽管喝酒,避如没有,秋痕妹妹做个保人,我喝两大杯还你。"小岑道:"你说吧。"秋痕将大杯斟满,小岑喝了。采秋道:"我替幺凤妹妹画个小照,好么?"小岑道:"你骗我喝了酒,竟说起这样话来,好好地喝两大盅,我饶你去。"采秋道:"你说我没有这一句曲文么? 你们通忘了,那《拷艳》第五支不是有'倒凤颠鸾'这一句么?"大家都说道:"眼前的曲文,怎么这一会没一个记得呢?"小岑道:"得了,我替你两个预先画出今夜情景罢:

倒凤颠鸾百事有,一窝儿麻,好言自口。"

采秋道:"呸! 狗口无象牙,你不怕秽了口。"荷生笑而不言。大家都笑说道:"小岑这个浪得很,好好地说一个飞觞解秽罢。"小岑笑着说道:"剑秋、紫沧喝酒。

谁扰起睡鸳鸯被翻红浪。"

大家都说道："四句却是一串的。"采秋笑道："好意给你一句，你就这样胡说了。"小岑笑道："你今夜不这样，我说我的令，也犯不着你，你怎的心虚？怕是昨天晚上就这样的了。"采秋急起来，要扯小岑罚一碗酒，小岑跑开了，通席一场大笑。

丫鬟们递上饭，大家吃些，漱洗已毕，钟上已是亥末子初。梅、欧、洪三个便先散了。荷生、采秋同车回愉园去，痴珠和秋痕直送至大门，重复进来。秋痕牵着痴珠的手道："天不早了，你的车和跟班打发他回去好么？"痴珠道："我喝碗茶走罢。"秋痕默然。正是：

　　　好语如珠，柔情似水。

　　　未免有情，谁能遣此？

欲知后事如何，且听下回分解。

第十八回　冷雨秋深病怜并枕
凉风天未缘证断钗

　　话说七月十六后,秋雨连绵,渐沥之声,竟日竟夜。荷生心中抑郁,又冒了凉,便觉意懒神疲,饭食顿减。正在听雨无聊,忽见青萍拿了一封信来,说是:"欧老爷差人冒雨送来,要回信呢。"荷生接过手来,觉得封面行书字迹姿致天然,不似剑秋拘谨笔迹,因想道:"士别三日,当刮目相待,剑秋行书日来竟长进了!"即拆开一看,第一行是"病中吟"三字,急瞧末行,是"杜梦仙呈草"五字。心中倒觉跳了一跳,便将那诗细看过:

　　　　徒劳慈母劝加餐,一枕凄清梦不安。病骨难销连夜雨,愁
魂独拥五更寒。沉沉官阁音尘渺,历历更筹药火残,渐觉朱颜
非昔比,晓来镜影懒重看。

看毕,便问青萍道:"来人呢?"青萍道:"这是门上传进来。"荷生道:"你去叫来人候一候,我即写回信。"青萍出去,荷生又看了一遍,方才研墨劈笺,想要和诗,奈意绪无聊,便提笔作了数字,叠成小方胜,用上图章,命青萍亲交来人,说:"四下钟准到。"

　　此时已有两下钟了。青萍出去,荷生忙将本日现行公事勾当。恰好雨也稍停了,便吩咐套车,一径向愉园来。途间只觉西风吹面,凉透衣襟,身上穿着重棉,尚嫌单薄。进了园门,只见黄叶初添,荷衣已卸。走过水榭,门窗尽掩,悄无人声,便径由西廊转入春镜楼。听楼上宛宛转转的娇吟,便悄悄步入屋子,只听采秋吟道:"早是雁儿天气,见露珠儿夺暑……"以后便听不清楚,遂站在楼门下细听,又听见微吟道:"门儿重掩,帐儿半垂,人儿不见……"荷生就说道:"果然,小丫鬟也不见一个!"红豆向扶梯边望下,微笑说道:"来了,上来罢!"这里荷生刚踏上扶梯,早见采秋站在上面。荷生便望着说道:"怎的不见数日,竟病了。"一面说,一面步上扶梯。见采秋穿一件湖色纺绸夹短袄,米色实地纱薄棉半臂,云鬟半垂,烟黛微颦,正如雪里梅花,比寻常消瘦了几分,说道:

"我也没有什么大病,不过身上稍有不快。"此时荷生已经上楼,便携着采秋的手道:"你一病竟清减了许多!"采秋接着说道:"我觉你也清减些。"荷生道:"我今天也有些感冒。你的诗好得很,只是过于伤感,我本来昨天要来看你,奈密折方才拜发。总是这几天的雨误人。"采秋道:"这几天的雨实在令人发烦。"荷生道:"可不是呢。我正要睡,他又响起来。"

正说着,只听得窗纸策策,起了一阵大风,就是倾盆大雨。电光闪处,一声霹雳,那小丫鬟捧一碗茶,刚上扶梯,心一惊,手一颤,便掉下去砸得粉碎,不顾命的径跑上楼来哭了。采秋、红豆都愕然问道:"怎的?"那丫鬟吓得不能说话,半晌才说道:"茶碗给雷打了!"说得三人通笑起来。红豆道:"不要胡说,下去再泡一碗,好好端上来罢。"采秋说道:"难道屋里只有你一个人么?他们通跑那里去了?替我叫两个来。"小丫鬟答应去了。采秋便向红豆说道:"这样大雷,你替我到妈屋里看看。再,水榭派的婆子丫鬟通走开了,这回老爷来,竟没人知道,你也替我查点一查点。"红豆正要移步,采秋道:"等着。"就向荷生说道:"天快黑了,你的车叫他回去罢。"荷生沉吟半晌,说道:"也好。"于是红豆也下楼去。采秋坐了这一会,觉得乏了,就向床躺下,教荷生坐在床沿。荷生便问起采秋吃的药,采秋向枕畔取出帖子给荷生瞧,说道:"这地方大夫是靠不住的,他脉理全不讲究。"荷生道:"这地方也自不错……"正要往下说,却来了两个小丫鬟。采秋申饬数句,那一个小丫鬟也冲上茶来。这一阵大雨过了,犹是萧萧瑟瑟的一阵细雨,雷声轰轰,只是不住。丫鬟们已掌上灯来。荷生走出帘外,见一天黑云如墨,便说道:"今晚怕还有大雨哩。"远远听得雷声转过西,上瞧,却是红豆披着天青油袖斗篷,袅袅而来,因吟道:"雷声忽送千峰雨,花气浑如百和香。"红豆望着荷生,含笑问道:"开饭好么?"荷生道:"我懒吃饭,有粥熬一碗喝罢。"红豆道:"娘今日喝防风粥,早熬有了。"于是摆上饭,采秋劝荷生用些佛手春。荷生也只喝一小杯,啜了几口防风粥。

采秋看着荷生两颊通红,说道:"你不爽快么?"就将手向荷生额上一按,觉得烫手的热,便说道:"我不晓得你有感冒,寄什么诗,累你雨地里赶来,又伤了寒,怎好呢?"荷生道:"我也不觉得怎样不好,躺躺罢。"

采秋忙替他脱去大衫，伺候躺下，把床实地纱薄棉被盖上，自己向床里盘坐，一双兜罗棉的手，自上及下慢慢的捶。荷生委实过意不去，说道："你也是个病人，我反来累你，怎么好！"采秋道："不妨。"于是采秋、红豆合小丫鬟殷勤服侍。一下多钟，荷生汗出，人略松些，方才睡下，虽阳台春小，巫峡云封，而玉软香温，正不知病相如魂销几许。到了四更，又是一场狂雨直的入纱窗来。一会，尚有那断断续续的檐溜。不想醒来却是红日上窗，天早开霁。

荷生起来洗了脸，漱了口，吃了几口防风粥，便说道："我要回去了。"采秋不肯，荷生道："我在此固好，但有两样不便。一来怕营中有事，二来我在此，你不能不服侍我，我见你带病辛苦，我又心中不安，岂不是更加病了？"采秋踌躇一会，只不言语。荷生道："你不用为难，还是走的好。"叫红豆唤人赴大营打轿。采秋也不好十分拦阻，只是拭泪。不一会，报说轿子到了，便向采秋道："你不用急，好好保养。我回去，一半天好了，就来看你。"采秋忍着泪点头道："好好服药。"便又哽咽住。荷生早起身来，采秋同红豆扶了荷生下楼，青萍接着上了轿，放下风帘去了。

采秋坐在楼下，只是发呆。红豆劝道："这里风大……"正待说下，贾氏已自进来，问道："韩老爷是什么病？昨夜我打听你忙了一夜，辛苦了，该不要留他在此。"采秋一闻此言，泪珠便滚个不住，和贾氏委婉诉说一遍，上楼去了。从此更加沉重。

荷生回营后，也就躺下，一连五日不能起床。看官听着：情种不可多得！此书既有韦、刘做了并命之鸳鸯，复有韩、杜做个同心之鹣鲽，天下独必有偶，这话不真么？

再说痴珠这几天为雨所阻，不能出门，他也闷闷不乐，只得寻心印闲话。到了第四日下午，南风大作，雨更大了，前后院通是冥冥的；电光开处，闪烁金蛇，忽然一个霹雳，震得屋角都动，转喜道："久雨之后有此迅雷，明天定必晴了。"便欣然用过晚饭，向灯下瞧两卷《全明诗话》，呼唤跟人伺候睡下。痴珠连夜通没好睡，这回料定明日必要开晴，倒贴然安卧，并四更天那般大风雨也不知道。

到得次日起来，见槐荫日影，呆呆摇窗，更自欢喜。忽见穆升进来

回道："李大人升任江南宝山镇总兵，颜大老爷接署大营中军，也下札了。"痴珠迟疑道："这一调动，李大人就要远别了。"言下神气顿觉黯然。穆升不敢再说别话，痴珠就吩咐套车。用过早点，衣冠出门。先到旧然公馆贺喜，然后向谡如衙门来。恰好李夫人晨妆已竟，便延入后堂，不免叙起分手的烦恼来。夫人道："我们家眷是不走的。"说着，谡如也回来了，一见痴珠，便说道："我此去吉凶未卜，累累家口，全仗照指。"

痴珠就慰勉一番。摆上早饭，换了衣服，三人同吃。谡如道："游鹤仙前天寄银一百两，我因得此调动信息，便忘了。"痴珠道："他如此费心，教我怎好生受呢。"谡如道："这又何妨。"痴珠道："也罢，此款就存你这里，再为我支出两个月束，统托你带到南边，转寄家中。"谡如答应了。

痴珠怕谡如有事，也不久坐，顺路便向秋心院来。此时积雨新霁，绿阴如幄，南窗下摆四架盛开的木兰花，芬芳扑鼻。秋痕方立栏畔，望见痴珠，笑道："我算你也该来了。"痴珠含笑不语，携着手同入客厅。见秋痕穿件没有领子素纺绸短衫，却也大镶大滚，只齐到腰间；穿条桃红绉裤，三寸金莲，甚是伶俏。两鬓茉莉花如雪，愈显出青溜的一簇乌云。

痴珠便默默的领略色香，凭秋痕问长问短，总不答应。秋痕急起来，说道："你怎的做个哑巴，尽着瞧人，不会说话呢。"痴珠正色道："华曼忉利，不落言筌。"秋痕笑道："原来你参禅了，只怕你这禅也是野狐禅，不然便是打诨语。"说得痴珠吃吃笑起来。恰好丫鬟送进茶来。痴珠放开手，吟道："如今撒手鸳鸯，还我自在。"秋痕瞅着痴珠一眼，道："你说什么？我却是鸳鸯结牢锁心头哩。"痴珠笑道："算了，不说这些。我且问你，这几天好雨，你不岑寂？"秋痕给痴珠这一问，觉得一股悲酸。不知从何处起来，忍耐不住，便索索落落流下泪来。倒教痴珠十分骇愕，说道："怎的？"秋痕也不言语，半晌，起来拉着痴珠，咽着道："我们里间坐罢。"

到了卧室，秋痕呜呜咽咽的说道："若非这几天下雨……"只说这一句，便向床躺下，大哭起来。痴珠不知所谓，见秋痕前是一枝初开海棠，何等清艳，这会却像一个带雨梨花，娇柔欲坠，正不晓得他肚里怎样委曲，自然而然也是凄凄楚楚。二人一躺一坐，整整半个时辰。秋痕见痴珠为他凄楚，心中十分感激，便拉了痴珠的手，重新又哭。痴珠见秋痕拉着他哭，知道是感激他意思，便想起秋华堂席间秋痕两番的洒泪，又想道："秋痕，你有你的委曲，你可晓得我也有同你一样委曲么？"痴珠一想到此，便似君山之涕、阮籍之哀、唐衢之恸一时迸集，觉得痛心融骨，遂将满腔热泪，一一对着秋痕洒了出来，竟是一场大哭。哭得李家的男女个个惊疑，都走来窗外探侦。那两个小丫鬟只站着怔怔地看。倒是秋痕晓得外面知道了，转抹了眼泪，坐了起来，劝痴珠收住泪，故意大声道："你呕人哭了，你又来陪哭做什么呢？"一面说，一面教趿脚舀了一盆脸水，亲自拧块手巾给痴珠拭了脸。痴珠便躺下，秋痕唤小丫鬟泡上茶来。

又停了一回，秋痕见痴珠侧身躺在床上，半晌没有动掸，怕是睡着，便悄悄上来叫了一声。只见痴珠撑开眼，叹一口气道："要除烦恼，除死方休！"秋痕不觉泪似泉涌，咽着声道："不说罢！"就同坐起来。只听得檐前铁马叮叮当当乱响起来，一阵清清冷冷，又一阵萧萧飒飒。飞尘撼木，刮地扬沙，吹得碧纱窗外落叶如潮，斜阳似梦。秋痕向外间揽镜，更细匀脂粉，梳掠鬓鬟。痴珠正襟危坐，朗吟东坡的《水调歌头》道："我欲乘风归去，只恐琼楼玉宇，高处不胜寒。"此际转觉儿女俗情却被那几阵大风吹得干干净净，无复丝毫挂碍，便站起来道："天不早了，我走罢。"秋痕牵着衣，笑道："我今天不给你走。"就拉着手，仍向床沿坐下，噙着

泪说道："闹了半天，我的话通没告诉你一句。"痴珠沉吟一会，道："你留我，我这会却有我的心事。"这一说，把秋痕气极了，将鬓边一条玉钗拔下，就双手向桌上打作两下。痴珠要拦也拦不及。只见柳眉锁恨，杏脸

含嗔，一言不发，就伏在床里薄被上，哽哽咽咽的哭。此时快上灯了，又刮了一阵大风，痴珠只得扶起秋痕，含笑说道："我不走罢。"接着说道："我不是不肯在你这里住，却是怕住时容易，别时为难哩。"秋痕噙着泪说道："住了再说。"于是痴珠笑道："花开造次，莺苦丁宁，我也只得随缘"。就唤跛脚，进来告诉他们叫车回去。

看官！你道秋痕目前苦恼是什么事呢？——原来秋痕自见过痴珠之后，便思托以终身，他的爹妈也想，秋痕看重痴珠，能够来往，也免天天和秋痕淘气。后来见痴珠洒洒落落的，便没甚大望头了。十七这一天，钱同秀、马鸣盛、卜长俊、胡句、夏琳五人作队从张家出来，便由李家门口经过，恰值狗头出来，一见钱、马赶忙请安，邀请进来。这鸣盛是花案头家，自然到过秋心院，其余卜长俊二人，都不过公宴中见面，同秀是五月初五见过秋痕一面，就也无儿无德。只有狗头肚里那晓得鸣盛是不喜欢秋痕的，卜长俊三人不过是阔蔑片，只有同秀是个有名的大冤桶，十分仰慕；如今有缘扳得进门，那一种巴结，无庸笔墨形容。卜长俊三人也晓得其意，便十分怂恿起来。同秀这个人，本是傻子，那里晓得察言观色，却自答应了。幸而四下多钟，五人通去了。可喜天从人愿，靠晚竟下起滂沱大雨来，一连三日，这些人自不能来了。——秋痕算定开一开晴，痴珠必来，又立定主意，教痴珠住了一夜，此围就解，以后慢慢的好商量出身。不想痴珠一见面，就问他"这几天好雨，你不岑寂么？"在痴珠不过是句口头话，在秋痕想来：一则像他平日喜欢兜揽，这冤无处诉；二则怪痴珠全不晓得他的心事，竟然有此大相刺谬之语，所以百感俱集！以后痴珠又许他住下，觉得天壤茫茫，秋痕一人，终久无个结局，所以痛入骨髓。如今痴珠住下，那一夜枕边吐尽衷肠，倾尽肺腑。

此时更深，月也上了，皎皎窥窗。痴珠叹口气道："你的心绪，我无所不知，只是我留滞此间，是为着路梗，路若稍通，我便回家看母去了。我业经负了娟娘，岂容再误！而且你妈口气十分居奇，我的性情又是介介，异日怎样归结呢？"说得秋痕又呜呜咽咽的哭了。痴珠难忍，只得说道："你的话算我都答应了。"因吟道："莫自使眼枯，收汝泪纵横。眼枯即见骨，天地终无情。"又吟道："夜阑闻软语，月落如金盆。"口中高吟，

心中十分悲愤,恰好那五更风声怒号,也像为他鸣尽不平一般。正是:

芳树多阴,雨帘未卷;行郎有伴,接叶当秋。繁香如不自持,冷艳谁能独赏?瑶琴楚弄,惊帘钩鹦鹉之霜;嚼蕊吹花,作天海风涛之曲。歌唇衔雨,珍伊手底馨香;浊水清波,堕我怀中明月。嫣熏兰破,轻轻语碎罗帏;波旋悴寒,猎猎风呼绫扇。江上之青衫未浣,尊前之红泪又斑。蜡烛销魂,窗纱皱影,岂伤心人别饶怀抱?知天下事各有难言!捧皎日之琼姿,涩雌弦之蠹粉。天何此醉,我见犹怜。护持薄雾之裙,游戏凌云之笔。扫除一切,刚逢绝塞秋风;憔悴三生,莫问残灯影事。

到了次日,痴珠的定情诗,是四首七绝,云:

扬州一梦已十年,犹有新声上管弦。
最是荻花萧瑟处,琵琶帘外雨如烟。
少小飘零恨已多,随风飞絮奈愁何!
浮萍还羡沾泥好,凄绝筵前白练歌。
画屏银烛影摇红,一片春痕似梦中。
安得护花铃十万,禁他枝上五更风?
敢将颜色说倾城,但解怜侬便有情。
夜合花开莲子苦,殷勤还与记分明。

从此秋痕一心一意属在痴珠,不待生客不接一语,就是前度渔郎,也不许问津了。因痴珠说起采秋帐条缘有八字,就写了"结欢喜缘,成鸾凤友"一对,也亲自挑绣挂上。其实前生夙孽,此世清偿,烦恼无穷,得几多次天喜地?频伽并命,也难比凤友鸾交!正是:

爱极都成恨,情深转是痴。
旁观明似镜,当局几人知?

欲知后事,且听下回分解。

第十九回 送远行赋诵哀江南
忆旧梦歌成秋子夜

话说痴珠次日,也晓得荷生病了,自秋心院回来,一路想道:"谡如将走,荷生复病,人生盛会,真不能常!"又触起秋痕告诉许多的话,到了柳溪,瞧着丛蓼残荷,黯黯斜阳,荒荒流水,真觉对此茫茫,百端俱集!廿三日,起来洗漱后,作个小横披,是七绝四首。诗云:

> 朋旧天涯胜弟兄,依依半载慰羁情。
> 不堪携手河梁上,听唱阳关煞尾声。
> 金樽檀板拥妖姬,宝马雕弓赌健儿。
> 此后相思渺何处?莫悉湖畔月明时。
> 江北江南几劫灰,芜城碧血土成堆。
> 好将一副英雄泪,洒遍新亭浊酒杯!
> 滚滚妖氛黯阵云,天风鼓角下将军。
> 故人准备如椽笔,挥斥丰碑与纪勋。

又作一对云:

> 春风风人,夏雨雨人;
> 角衣衣我,推食食我。

便坐车来访谡如,把诗和联亲手递上。谡如展开一看,大喜,谢了又谢。痴珠就约二十五日过秋华堂一叙。谡如道:"这又何必呢?"痴珠道:"垂老恶闻战鼓悲,急觞为缓忧心捣。而且经略委余友如河东缉捕,我也要饯行。花案上瑶华、掌珠,说是好的,我不曾见面,请他来与秋痕作伴罢。"谡如答应。

痴珠顺路便约过友如,又约子善、子秀,就来秋心院。两人缠绵情话,早是黄昏。

痴珠要去瞧采秋的病,就到愉园。红豆领上春镜楼来,小丫鬟早将东屋帘子掀起。痴珠进去,见帘幕风微,药炉香烬,床上垂下月色秋罗的帐,采秋坐在帐里,就如芍药烟笼,海棠香护,令人想汉武帝障望李夫

人光景,说道:"我听荷生说你病……"正待说下,采秋早接着道:"荷生怎样呢?"痴珠道:"我是前日见过他,嗽得利害,昨日隔一天,想今日该减些。"采秋叹一口气道:"你教他好好保养罢。你和他说,我没有什么病。"痴珠答应。坐了一会,吃过茶,说些近事,就走了。回寓已有五下多钟。

过了一日,秋华堂也照前一样铺设,秋痕七下钟就来。早饭后,谡如先到,随后大家也陆续到齐。谡如领着众人往芙蓉洲汾神庙散步,从西院回来秋华堂,见席已摆好。痴珠送酒,大家通辞了。友如首座,谡如第二位,子善、子秀第三、第四,以后位次,不用说是痴珠一人上首,下首秋痕、掌珠、瑶华三人团坐。酒行数巡,掌珠唱了一支小调,瑶华唱了一支二簧。秋痕向痴珠说道:"我今天嗓子不好,你给我告个假罢。"友如笑道:"你不唱,我说个令,你却要依。"秋痕道:"我便遵令罢。"友如笑道:"还有一说,别人不管,你是不准替代。"秋痕迟疑一会,也自答应。友如便喝一杯令酒,道:"我这令是一个字,如因缘因字,困卦困字,将里头一个字挖出来,却得人本字领起叠句四书两句。说得好,大家公贺一杯,说得牵强及说不出者,罚三杯。大家依么?"大家通依了。友如道:"我如今说一个国字罢,四书叠句是:

　　　或劳心,或劳力。"

大家都赞道:"好!"公贺一杯。下首是子善,想了一会,说道:"我这字不好,是个囚字,四书叠句:

　　　人焉瘦哉?人焉瘦哉?"

友如道:"字面不好,说得四书却极浑成,大家通喝杯酒罢。"下首是掌珠,情愿罚酒。再下首便是秋痕,秋痕却不思索,说道:"我说一个囿字,四书叠句:

　　　有民人焉,有社稷焉。"

大家都拍手说道:"自然之至,我们该贺一杯。"秋痕瞧着痴珠笑,痴珠急把脸侧开了,向瑶华说道:"琴仙,轮到你了,你想一个字,我替你说四书。"瑶华想一想,说个仑字。痴珠道:"这个字教我那里去找两句四书呢?你再说一字罢。"瑶华又想一想,说个圊字。痴珠道:"得了。始吾于人也,今吾于人也。"友如道:"错了。这两句是叠文,不是叠句。而且

吾字在第二字,该罚三杯。"痴珠道:"我说得太急,忘了。但我是替人的,罚一杯罢。"友如也依了。痴珠喝了酒,复向瑶华道:"你再说一字。"秋痕道:"已经罚了,还要重说作什么呢?"瑶华笑道:"给我再说一个罢。"掌珠道:"你有人替说四书,又有人替喝罚酒,就说一百个也何妨呢?"瑶华道:"我只说这一个,看他有四书出来没有。"大家问道:"什么字?"瑶华道:"淼字。"痴珠鼓掌道:"水哉,水哉!"大家也哗然笑道:"妙得很! 大家又该贺了。"于是子秀说个田字,四书是:

> 十目所视,十手所指。

谡如说个曰字,四书是:

> 一则以喜,一则以惧。

大家也都说:"好! 各贺一杯。"痴珠道:"我说一字收令罢。"便说了个固字,四书是:

> 古之人,古之人。

大家齐声道:"好!"友如道:"我喝一大杯。"痴珠道:"我也陪一大杯。"此时内外上下都上了灯,痴珠向谡如道:"回首七夕,不及一月,再想不到今日开此离筵!"便吟道:"死别已吞声,生别长侧侧。"谡如道:"我自己也想不到。"说着,两人神色都觉惨然。秋痕怕痴珠喝了酒伤心起来,便说道:"我有个令,大家行罢。"友如道:"什么令? 大家商量。"秋痕笑道:"我这令,是有贺酒,没有罚酒,做个破题。"痴珠笑道:"酒令要做破题,也是奇谈。"友如道:"《桃花扇》上酒令不是有个'冰绡汗巾'的破承题么? 且看秋痕出什么题。"秋痕道:"我这题也是四书上有的。"谡如道:"我出的令是四书,你的令又是四书,不是单作难我么?"秋痕向谡如道:"我出题,随着人做不做,你再想一个令罢。"谡如想一想道:"我还飞觞罢,是'江南'二字,数到者,两人接令。"痴珠道:"好! 秋痕,你出题罢。"秋痕道:"我的题是四书开章第一个的圈。"友如道:"好题!"秋痕道:"谡如,你飞觞罢。"谡如喝一杯酒,说道:"子善、友如喝酒——

> 乘胜克捷,江南悉平。"

痴珠拍案道:"好极! 顾我老非题柱客,知君才是济川功。"就将大杯教秋痕斟满一杯,向谡如道:"我贺你一杯。"于是子善、友如喝了酒。友如笑道:"行文、喝酒、飞觞,今日真是五官并用。"秋痕催着飞觞,友如道:

"我先交卷了,再飞觞罢。我破题得了。"便念道:

所贵圣人之神德兮,四方以为圆。

痴珠笑道:"超妙得很! 大家各贺一大杯罢。"于是大家各喝了酒。子善道:"听着'江南'飞觞——

青山一发是江南。

琴仙、秋痕喝酒。"友如便指着秋痕,笑道:"我要再给秋痕喝一杯——

家在江南黄叶村。"

痴珠吟道:"山中漏茅屋,谁复依户牖?"当下瑶华、掌珠各喝了一杯酒。秋痕便喝了两杯。痴珠道:"我也交卷罢:

大圜在上,予欲无言。"

友如道:"运用成语,如自己出,我也还敬一大杯酒,大家也各人贺一杯。"秋痕催着瑶华飞觞。瑶华却瞧着痴珠,说道:"听我飞觞——

青衫泪满江南客。

友如、痴珠喝酒。"痴珠笑道:"琴仙可人也。"谡如道:"我也凑了两句请都罢:

意在寰中,不言而喻。"

痴珠喝一声:"好!"说道:"谡如竟有如此巧思,我便要喝三大杯哩。"秋痕瞅了痴珠一眼,说道:"你真要拼命喝吧?"子秀道:"秋痕,你该两句飞觞,不要管别人的事,快请说罢。"秋痕道:"我的头一句是子秀、谡如喝。"谡如道:"秋痕,你怎的算计我两个哩?"秋痕笑道:"多敬你两盅酒不好么?"便催掌珠。掌珠笑道:"我没有诗句,怎好呢?"秋痕道:"你有现成句子都好。"掌珠又笑道:"我只有这四个字,说出来

却自己要先喝酒了。"便一手举杯,向痴珠说道:

　　江南才子。

说毕,将酒自己先喝干,向秋痕道:"他也喝罢,这是冤你一杯酒。如今该友如、痴珠飞觞了。"友如说道:

　　"解作江南断肠句。

谡如、子秀喝酒。"痴珠向谡如道:

　　"官爱江南好。

子秀、琴仙喝酒。"子秀道:"我共该四句飞觞了,一起说罢。第一句,是友如、痴珠喝酒——

　　论德则惠存江南。

第二句,秋痕、宝怜喝酒——

　　正是江南好风景。

第三句,我同琴仙喝一盅——

　　江南无所有。

第四句,秋前、宝怜再喝——

　　黄叶江南一棹归。"

秋痕笑道:"子秀你好! 三句要我喝二杯酒!"谡如道:"我说两句。第一句给痴珠、友如喝——

　　珥江南之明当。

第二句,我陪痴珠喝罢——

　　江南江北青山多。"

痴珠道:"大家通说了,我双收罢。破题是:

　　默而成之,不言而信。

飞觞是:

　　魂兮归来哀江南。"

说罢,噙着眼泪,将筷子乱击桌板,诵那庾信《哀江南赋》,声声哽咽起来。慌得秋痕跑到上首,说道:"你醉了,到炕上躺躺罢"痴如刚念得"信生世等于龙门,辞亲同于河洛,奉立身之遗训,受成书之顾托"四句,就给秋痕夺去筷子,便说道:"我没有醉,你不要怕。"友如瞧着表,说道:"十一下钟了,我们也该散了。"谡如便催着端饭,秋痕早拧块热手巾递

给痴珠。痴珠转笑向友如道："醉却不醉，只心上不晓得无缘无故会伤感起来！"友如道："客边心绪，凡百难言，放开些罢。"痴珠又觉痛心难忍，谡如也自凄惶，吟道："乱后今相见，秋深独远行。"大家黯然。转是痴珠破涕笑道："分手虽属难堪，壮心要还具在。"便吟道："要闻除去非，休作画麒麟。"大家都道："好极！痴珠豪爽人，该有此转语。"于是吃些稀饭，洗漱一完，友如三人和掌珠、瑶华就都散了。只谡如、秋痕十分难受，奈夜已深，不能不分手而去。看官！你道痴珠这一晚，好过不好过呢？

且说荷生、采秋，病或不愈，愈后复病，直至入月初甫皆脱体。这日痴珠无事，带了秋痕同来。适值刮风，秋痕见痴珠身上只穿两件夹衣服，便叫人回去取件茶色湖绉薄棉袄，替他换上。方卸去长夹袄，痴珠抠着小衫将手向背上搔痒，便把那个九龙佩露出来。荷生瞧见，也不言语，转说道："风大，你快穿上罢。"痴珠换过衣服，喝过茶，见采秋、秋痕同坐床沿，听荷生说那江南军务，讲得令人丧气，便吟道："华夷相混合，宇宙一膻腥。"一人走来外间，见长案上书堆中有一本《鸳鸯镜》填词，就取来随手一翻，是《金络索》，填的词是：

> 情无半点真，情有千般恨。怨女呆儿，拉扯无安顿。蚕丝理愈纷，没来由，越是聪明越是昏，那壁厢梨花泣尽栏前粉，这壁厢蝴蝶飞来梦里魂。堪嗟悯，怜才慕色太纷纷。活牵连一种痴人，死缠绵一种痴魂，穿不透风流阵！

又往下看，填的前腔是：

> 蓝田玉气温，流水年华迅。莺燕楼台，容易东风尽。三生石上因，小温存，领略人间一刻春。怎道是黄金硬铸同心印，怎晓得青草翻添不了根。难蠲忿，怕香销灯炽怅黄昏。梦鸳鸯一片秋云，葬鸳鸯一片秋坟，谁替怎歌长恨！

忽然想道："怕就是这一段故事。"便将序文检看，却是将《池北偶谈》"李闲谢玉清"一则衍出来，就不看了。

里间荷生说到"南北两营溃散，大帅跑上番舶"，大家俱笑吟吟坐听，都忘却痴珠。只秋痕看见痴珠出去外间，半日静悄悄的，便起来将帘子一掀，只见痴珠手上拿一本书，那两只眼睛直注在书皮上呆呆的

瞧。秋痕不知其故,向前说道:"怎的?"痴珠也不答应。荷生也跟出来,见痴珠坐着发呆,秋痕站着发急,倒好笑得很,忍着笑道:"瞧什么,这样出神?"也向前来看,痴珠将书摺在案上,说道:"汝们都不懂得。"秋痕便扯过痴珠的手道:"不要讲梦话了。"痴珠又不答应。荷生也觉骇在,便叫道:"痴珠!你疯么?"此时红豆、小丫鬟都站在一旁。采秋听荷生叫得大声,也出来瞧。只见痴珠笑道:"我那里是疯,我记那碑文。"荷生三人见他好端端说话,便也好笑,都问道:"是什么碑文?"痴珠道:"我四月间草凉驿作了一梦,见个双鸳词碑记,当时默了出来,只忘一半;至梦中光景,合着眼便见那个人,那个地方。自潼关以后,病了两场,把梦通忘了。这会碑文也只记得'则有家传汉相,派衍苏州'十字,你道可恨不可恨!"荷生道:"你既然默了一半,便有底了,记他甚?"秋痕道:"这有什么要紧事,也值得这样用心去想!人家说我傻,我却不傻;你唤作痴珠,不真个痴么?"采秋道:"这梦也奇,确确凿凿有篇碑记。"荷生笑道:"你信他鬼话!不过是他有这一篇游戏笔墨,编这谎话骗人!"痴珠道:"我要编个谎,什么编不得,却编个不完不全的梦?你不信,我明天检那碑记给你瞧,还是草凉驿饭店五更天写的。"采秋道:"这碑记就说的是姓韦,却也古怪!"秋痕道:"那碑记说这姓韦,是怎样呢?"痴珠道:"这姓韦的也同我们一样罢,就中叙的曲折我通忘了。"正说着,丫鬟们端上饭,四人小饮,到了二更方散。

这一晚,痴珠心上总把《金络索》两支填词反复吟咏。不想秋痕另有无数的话要向痴珠讲,却灯下踌躇,枕边吐茹,总不好自己直说出来,忽然问着痴珠道:"妓女不受人污辱,算得是节不算是节?"痴珠道:"怎么不算得是节?元末毛惜惜,明末葛嫩、楚云、琼枝,那个敢说他不是节!"秋痕道:"你晓得我这个人怎样结果?"痴珠道:"我自己结果也不知道,那里晓得。你今日不听荷生说那江南光景?约我看来,普天下的人也不知作何结果,何况我与你呢!"秋痕便默然不说。痴珠枕上听着阶畔窗前虫吟唧唧,翻来覆去,一息难安,吟道:"人生半哀,天地有顺逆。"秋痕在枕边便将"哀乐""顺逆"字字要痴珠讲出,痴珠含笑不语。一会,做成《秋子夜》三章云:

寒蛩啼不住,铁马风力紧。明月入罗帏,梦破鸳鸯冷。捐

　　弃素罗衣,制就合欢帐。一串夜来香,为欢置枕上。侬似秋芙
　　蓉,欢似秋来燕。燕去隔年归,零落芙蓉面。

秋痕听了,叹口气道:"芙蓉闪断,你却不管!"痴珠笑道:"你叫我怎样管
呢?"秋痕道:"你听四更了,睡罢。"正是:

　　　　天涯芳草,目极伤心。

　　　　干卿底事? 一往情深!

欲知后事,且听下回分解。

第二十回 陌上相逢搴帷一笑
溪头联步邀月同归

话说逆倭骚扰各道,虽大河南北官军叠次报捷,而釜底游魂与江东员逆力为蚤朔,攻陷广州,掳了疆臣,由海直窜津沽。谡如起先以南边军功荐升参将,后来带兵赴援并州,又晋一级,就一留大营。元夕一战,应升总兵,此番朝议以谡如系将门子孙,生长海边,素悉贼情,故有宝山镇之命。临行,向疾珠谆问方略,痴珠赠以爱民、礼士、务实、攻虚、练兵、惜饷、禁海、争江八策,约有万言。意是说:面北诸军连营数百座,都靠不住,必须自己携带亲兵,练作选锋,才可陷阵;其平定大局,则以内治为先,内治则以扫除中外积弊为先。积弊报除,然后上下能合为一心,彼此能联为一气,庶几旌旗变色,可复武汉以踞贼上流,可定九江以剪贼羽翼,可清淮海以断贼腰膂。三者得手,直攻贼巢,金陵唾手可复。后来韩荷生平倭、平江东,谡如平淮北、平滇黔、平秦陇,以此战功第一,并为名将。

如今且说谡如临行之日,夫人不曾出城,痴珠却是前一夕先赴涂沟。涂沟绅士见说秋华堂韦师爷来了,他是个武营领袖,便招就近团甲,迎入行馆,摆起筵,转累痴珠无缘无故的酬应起来。酒半,谈着那年贼陷平阳,若何防堵,那年回匪做反,若体戒严。便取出所储火器枪棒,召团丁中勇猛肥长,排立阶下,指说这个善射,这个善拳,这个能飞戟刺人于阵,这个能跃丈墙获贼于野,口若不尽其技,而阶下眉目手足各跃跃欲动。痴珠不免廖赞一番,真是苦恼。次日又累赘了半日,谡如方到,俟得谡如见过各官各绅,已是入夜,才得畅谈。

黎明,痴珠怕与大家酬酢,便是洒泪分手,芬茫归路。想着羁旅长年,萧条独客,桑榆未晚,薄柳先零。不齿之精神,督乱颇同宋玉,无聊之言语,謇吃更甚扬雄。桂俗消亡,桐真半死。值此离别之时,一鞭残照,几阵归鸦,更觉面热心寒,魂销骨化。坐在车上恍恍惚惚,到了一处,却挤了车。方知已是进城。刚腾开了,劈面又有一车,垂着帘子,辚

辚而来。只见车里的人陡然把帘子一掀，露出一个花容来，喜动颜开，笑了一笑道："久不见了！"疾珠瞥目略一迟疑，忆是曼云，便也辗然道："你去那里呢？"曼云尚未回言，两下早已风驰电掣的离远了。

痴珠这会才把以前的心事略行按下，想起荷生、秋痕数日不见，便吩咐李三："到菜市街去！"刚到愉园巷口，恰好荷生的车停在一边，就也下车，步行进去。见过荷生、采秋，知两人病已渐愈，因说些谡如交情及自己伤感的话。荷生、采秋都安慰一番。此时丫鬟已掌上灯，荷生道："你的车叫他回去，在此吃过饭，我送你秋心院去罢。"痴珠正待答应，忽报："欧老爷来了！"荷生大喜。四人相见，各述了这几天情事。荷生就向剑秋道："你这几天访彩波几次哩？"剑秋道："我方才去看他，他给余观察传去陪酒了。我因此步行来找你。"痴珠道："我刚进城逢见彩波，原来友如今天请客。"当下四人对着楼头新月，浅斟低酌，大家俱说起谡如。荷生因谈着江南须若何用兵，若何筹饷，所见与痴珠都合。痴珠也自欢喜，说道："此十余年用兵，一误于士不用命，再误于此疆彼界，三误于顿兵坚城。大抵太平日久，老成宿将悉就凋零，大官既狃恬嬉，后进方循资格。天道十年一小变，你看这一二年后，必有个人出来振刷一番，支撑半壁，所谓数过时可……"正欲说下，剑秋突然说道："安知非仆？"荷生、采秋不觉大笑起来。疾珠正色道："座中总有其人，却看福命如何哩！"采秋就也正色道："这是阅历有得之言。"剑秋道："蕤家之铁跃于海内，黄钟之铎动于地中，有则髡必识之。"荷生道："这也难言！"痴珠便接道："天之生才，何代无有？何地无有？只士大夫生逢其时，有恰好不恰好哩。恰好的便为郭、李，为韩、范，不恰好的便橡栗拾于白头，桃榔倚于儋耳，这又有什么凭据呢！"说得剑秋俯首无词了。荷生道："古今无不平之贼，在先求平贼之人。萧何荐韩信，便拜大将，一军皆惊。光武帻坐迎见马援，恢廓大度，坦然不疑。你要拘牵资格，修饰边幅，这还得非常的么？"痴珠拊掌笑道："合君自不凡！"于是畅饮起来。

直至十下钟，曼云回家，打发保儿来探剑秋，荷生、痴珠十分高兴，要跟着剑秋去曼云家来。此时曼云已卸了妆，赶着接入。因讲起谡如这席是为痴珠、秋痕而设，缘痴珠涂沟去了，秋痕不来，今日只有子秀、子善、掌珠、瑶华和曼云五人。于是说些闲话。曼云无意中却又叙起秋痕出身。

原来秋痕系豫省滑县樱桃村人，三岁丧父，家中一贫如洗。生母焦氏改嫁，靠着祖母侯氏长成。后值荒年，侯氏饮死，堂叔阿虎领着逃荒，到了直隶界上，鬻在章家为婢。章家用一媪，即秋痕现在的妈牛氏。彼时秋痕年才九岁，怯弱不能任粗重，又性情冷淡，不得主人欢心，坐此日受鞭朴。牛氏本非好女人，孀居后素有外交。恰好有一李裁缝，就在章家斜对门开一小铺，牛氏也为他主人待他无恩，便乘机和李裁缝商量，引诱秋痕逃走。李裁缝原是娼家走狗出身，也会中昌些昆腔，奈年老了，将平日

私积娶妻马氏，是个门户中人，生下一子，就是小伙狗头，才有数岁，马氏就死。狗头自少凶悍，无恶不作，却怕牛氏。如今拐下秋痕，认作女儿，和牛氏做了夫妇，跑至并州，想要充个裁缝度日。奈耳聋眼花，想做生理，又没本钱，便逼秋痕学些昆曲，把狗头做个班长。看官！你想秋痕情愿不情愿？大凡一个人，总是一死为难。当秋痕受饿时，能够同侯氏一死，岂不是一了百了？再不然，作了章家奴婢，拚个打死，就也干净。无奈幼年受人诓骗，这也是他命中该落此劫，又前世与李家父子和那牛氏有许多冤债，故此饿不能死，打不能死，该一一偿了清楚，然后与痴珠证果情场，所以百折千回，不能解脱。

秋痕先和曼云极说得来，背地把这出身来历哀诉曼云。曼云这会通告诉痴珠、荷生。痴珠听着，与秋痕所说大同小异，就也罢了。其实秋痕就里还有一件大苦恼，旁人不知道，就秋痕自己也不能出口，痴珠从何晓得？只见狗头，便不喜欢，说他会做强盗。

当下夜深，荷生自回愉园。痴珠便来秋心院，阖家通睡，半晌叫开

大门。狗头披着衣服出来，说道："老爷怎的几天不来呢？"痴珠道："我跑了涂沟一遭，来往三日。"就在南庑栏杆边等了一会，觉得风吹梧叶，簌簌有声，久之，犬儿狺狺，跛脚开了月亮门。里头窗昏竹响，帘动燕醒。只见秋痕早拿个蜡台站在东屋门边，笑盈盈的道："差不多三下钟了，从那里来的？"痴珠也含笑抢上数步，携着秋痕的手，一面进去，一面告诉他这几天的事。秋痕道："你就也不给我信儿！"痴珠说话时候，秋痕已将西洋参交跛脚去煮开水。这会开了，秋痕便酽酽的泡上一碗莲心茶来；又替痴珠卸了长衣服，见身上还穿着共色湖绉薄绵袄，说道："不凉么？出城也该换一件厚些的。"痴珠笑道："是你替我穿上，我就舍不得卸下。"秋痕笑了一笑，便挂起帐来。痴珠瞧着锦被撇在一边，便拍着秋痕的肩，含笑道："春窗一觉风流梦，却是同床不得知。"秋痕沉着脸道："你怎说？难道我心上也有个施利仁么？你就看我同碧桃一般！"言下已掉些泪来。忙得痴珠再三赔笑，秋痕含泪也吟道："何当巧吹君怀度，襟灰为土填清露！"痴珠泫然道："你的心我通知道，我的心你也该知道才好呢。"秋痕道："我可也不是这般说！"痴珠喝了茶，秋痕伺候他睡下。这一夜绸缪就说不尽了。但见：腰知学舞，眉正斗强；沉沉之帐影四垂，光含窈窕；峭峭之鬓云不动，色益妖韶；铜镜欲昏，窗纱上白；檀槽一抹，记寻春色于广陵；睡脸乍新，知污粉痕于定子；亭亭玉树，未怜亡国之人；耿耿秋河，直堕双星之影。这且按下。

再说花选十妓，自秋痕外还有九人。销恨花潘碧桃，后来自有表见。其余占凤池薛宝书，这个池却为士规占去。玲珑雪冷掌珠，这个珠却为夏琉抓住。斐尾春王福奴，春归于苟子慎。紫凤流楚玉寿，风流在卜长俊、胡句两人，后来亦自有结果。锦绷儿傅秋香，萋菶自守，几回将为马鸣盛、钱同秀攫取，都是个绝顶聪明的人，见荷生、痴珠不忍以教坊相待，便十分感激，又见荷生、采秋、痴珠、秋痕如许情分，便也有个择木而栖的意思。丹翠、小岑本系旧交，曼云就与剑秋订了新好，全把当妓女的习气一起扫除。以此剑秋直将张家作个外室，这也罢了。那燕支颊薛瑶华，齿稚情豪，两足又是个肤圆六寸，近与洪紫汾款洽，得了他拳诀剑术真传，就爱束发作辫，着一双小蛮靴，竟像红线后身、隐娘高弟。《花月痕》中有此一人，顿觉韩掾之香、韦郎之诀，犹不免痴儿女常态。

　　光阴荏苒,早是八月十三了。此时荷生、采秋病皆痊愈,李夫人亦已移徙县前街新屋,县前街咫尺柳溪。原来谡如三世单传,只有族弟,谡如又带去了。夫人跟前两男一女,长男七岁,乳名阿宝;次唤阿珍,女唤靓儿,都在五岁以下。夫人又身怀六甲,以此必须居近秋华堂,以便痴珠照管。

　　一日傍晚,小岑、剑秋向愉园访荷生不遇,说是才回营去。两个乘着明月初上,步到大营,恰好荷生公事已了,便唤青萍烹上几碗好茶,三个人就在平台散步赏月。小岑、剑秋议于十五日公请痴珠过节,荷生道:"我和采秋如天之福,病得起床,又是佳节,这东道让我两人做罢。只是痴珠十来天通没见着,今晚月色如昼,柳溪风景必佳,我们三个何不就访痴珠?"剑秋道:"我怕是秋心院去了。"荷生道:"且走一遭。"于是三人步出夹道,从大街西转,便望见汾堤上彤云阁上层。荷生因说道:"我十五的局,就在彤云阁罢。你们替我约着紫沄,说是巳正集,亥正散。各人身边带一个人,做个团圆会,你两位说好不好?"小岑道:"好得很。"剑秋道:"如今真个有酒必双杯,无花不并蒂了。"

　　三人踏着柳荫月色,弯弯曲曲,也有说的,也有笑的。早到了秋华堂。见大门双闭,槐影筛风,桂香不显露。剑秋道:"何如? 我料定秋心院去了。"荷生道:"我们步月从汾神庙进去瞧一瞧罢。"刚进殿门,远远见一昆卢拿个蝇拂,在殿下仰头高吟道:"月到中秋分外明。"剑秋就接着道:"未到中秋先赏月。"倒把那昆卢吓了一跳,寂然无声,抢前数步,见是小岑、剑秋带一个雍容华贵的少年,便合十相见,说道:"三位老爷很有情趣,恁远的跑来赏月,老衲瀹著相陪罢。"就延入方丈。荷生道:"韦痴珠不在家么?"心印道:"老衲才到西院,谈了一会。"荷生道:"他在家,瞧他去罢。"心印笑道:"这位就是大营韩师爷吗? 真个天上星辰,人间鸾凤!"荷生道:"岂敢! 我也久仰上人是个诗僧。"心印道:"少年结习,到老未能忏除,改日求教罢。"小岑道:"他的诗稿很有可观。"剑秋道:"他足迹半天下,名公巨卿见了无数,诗稿却只存痴珠一首序,你就可想他不是周方和尚。"荷生道:"我在都中读过上人《西湖吟》一集。闽人严沧浪以禅明诗,上人的诗是以诗明禅,诗教清品,亦佛教上乘,贾阆仙怕不能专美于前了。"心印道:"韩老爷谬赏不当。"

　　四人缓缓行入西院,痴珠已自迎出,便入里间坐了,说些时事。荷生吟杜诗道:"胡星一彗孛,黔首遂拘挛。"剑秋也吟道:"忆昔开元全盛日,小邑犹藏万家室。"接着吟道:"宫中圣人奏云门,天下朋友皆胶漆。百余年间未灾变,叔孙礼乐萧何律。岂闻一绢直万钱,有田种谷今流血!洛阳宫殿烧焚尽,宗庙新除狐兔穴。伤心不忍问耆旧,复恐初从乱离说。"小岑也吟道:"义士皆痛愤,纪纲乱相逾。一国实三公,万人俗为鱼。唱和作威福,孰肯辨无辜?眼前列枢械,背后吹笙竽。谈笑行杀戮,溅血满长袍。到今用钺地,风雨闻号呼。鬼妾与鬼马,色悲充乐娱。国家计令在,此又足惊呀!"痴珠接着笑道:"你们这般高兴,我却有几首杂感给你们瞧,只不要骂我饶舌。"一面说,一面向卧室取出一纸长笺。大家同看,荷生吟道:

　　　　吕母起兵缘怨宰,谁令贰侧后朱鸢?委于一曲中兴略,原
　　上琴堂与改弦。

荷生道:"指事怀忠,抵得一篇《舂陵行》,却含蓄不尽。"便高吟起来,第二首是:

　　　　东南曩日事仓皇,无个男儿死战场。博得玉钗妆半面,多
　　请还算有徐娘。

小岑道:"痛绝!"荷生复吟道:

　　　　绝世聪明岂复痴,美人故态总迟迟。可怜巢覆无宗卵,肯
　　死东昏只玉儿!

剑秋道:"此两首不堪令若辈见之。"荷生道:"若辈那里还有耻心?"复吟道:

　　　　追原祸始阿芙蓉,膏尽金钱血尽锋,人力已空兵力怯,海
　　鳞起灭变成龙。

心印道:"追原祸始……"便也高吟起来。第五首是:

　　　　弄权宰相不知名,前后枯棋斗一枰。儿戏几能留半着,局
　　翻结赞可怜生!

何生道:"实在误事!"复吟道:

　　　　人腊凄然渡海归,节旄啮尽想依稀。化灰尽趁南风便,此
　　意还惭晋太妃。

心印道："说得委婉。"复吟道：

柳絮才高林下风，青绫障设蚁围空。峨眉若不生谣诼，反
舌无声指顾中。

旧坊业已坏从前，遥忆元臣奉使年。一字虚名争不得，横
流愈遏愈滔天。

剑秋道："俯仰低回，风流自赏。"荷生、心印复吟道：

瑶光夺婿洗浇风，转眼祆祠遍域中。钓闼公然开广厦，神
洲涌起火莲红。

小岑笑道："关上封刀，金丹陨命，自古有这笑柄。"荷生、心印复吟道：

仙满蓬山总步虚，风流接踵玉台徐。销磨一代英雄尽，官
样文章殿体书！

剑秋笑道："骂起我辈来了。"小岑道："原也该骂。"荷生、心印也是一笑，
复吟道：

高卷珠帘坐捋须，榻前过膝腹垂垂；有何博得三郎爱，偏
把金钱洗禄儿？

剑秋道："媚人不必狐狸，真令人恨杀！"荷生、心印复吟道：

绨帷环佩拜璆然，过市招摇剧可怜。果有徽音光翟弟，
自然如帝又如天。

小岑道："不成诛执法，焉得变危机？我倘能得御史，第一折便不饶此
辈。"荷生道："程不识不值一钱。"复吟道：

暖玉拨弦弹火凤，流珠交扇拂天鹅。谁于燠馆凉台地，为
唱人间劳者歌？

心印道："朱门酒肉臭，路有冻死骨。此却说得冷冷的，意在言外。"复吟
道：

过江名士多于鲫，却有王敦是可儿。此客必然能作贼，石
家粗婢相非皮。

荷生道："嬉笑怒骂，尽成文章。"再看长笺，只二首了，是：

山鸡舞镜清光激，孔雀屏开炫服招。可惜樊南未知意，觜
隽轻赠董娇娆。

心印叹道："实在误了痴珠几许事业！"小岑笑道："如今秋痕不是董娇娆

了!"痴珠一笑。荷生、心印复吟道:

炫嫁钟离百不售,年年春梦幻西楼。梦中忽作卢家妇,十
六生儿字阿侯。

荷生吟完,叹一口气,说道:"冠盖满京华,斯人独憔悴!"心印道:"这十
六首借美人以纪时事,又为诗家别开门径。"小岑道:"楚雨含情俱有托。
痴珠的诗,逼真义山学杜。"剑秋笑道:"我只当做帏房匿语之词,才人浪
子之诗去罢。"正是:

王衍尚清谈,自然误天下。

折屐谢东山,矫情亦大雅。

欲知后事如何,且听下回分解。

125

第二十一回　宴仲秋觞开彤云阁
销良夜笛弄芙蓉洲

　　话说十五日黎明，彤云阁中早有青萍领着多人，搬了无数铺垫器皿，以及灯幔和那小圆桌、小坐墩，铺设得十分停当。已初一刻，荷生和采秋来了，又亲自点缀一番，比三月三那一日更雅丽得许多。采秋又吩咐跟班传谕看守芙蓉洲的人，备下两支画船。分派甫毕，小岑、剑秋、紫沧陆续到了。一会，瑶华也来。此时已有午初，痴珠、秋痕却不见动静，叫人向对面秋华堂探问，说"韦老爷天亮就吩咐套车，带着秃头走了。"一会，丹翠、曼云先后都到。差不多午正，荷生着急，又叫人打听。一会，穆升亲自过来，回道："爷早起吩咐套车时，小的也曾回过：'老爷今日请酒，爷怎的出门？'爷笑着说道：'我难道一去不回来么？'"荷生诧异，大家都说道："叫人菜市街走一遭罢。"荷生打发穆升和李安去。又等了好一会，荷生吩咐开饭，八个人即在彤云阁下层吃着。忽见董慎笑嘻嘻地跑上来，回道："韦老爷、刘姑娘通来了，小的在河堤上望见。"大家便出席往外探看，只见秃头汗淋淋的跟着秋痕进门，秋痕一身淡妆，上穿浅月纺绸夹袄，下系白绫百摺宫裙，直似一树梨花，远远扶掖而至。痴珠随后进来，望着大家都站在正面湘帘边，便含笑说道："我肚饿极了！"荷生笑道："你半天跑到那里？"当下秋痕已上台阶，扶曼云的手，说道："他今日同我出城，来回赶有四十里路。"大家问："是何事？"痴珠、秋痕总不肯说。

见杯盘罗列，只道上席了，便道："我须吃些点心，再喝酒。"采秋道："赏仲秋本晚夕的事，给我看还是端上饭，四下钟后到阁上慢慢喝酒。"秋痕说道："采姊姊说的是。那一天谡如的局，两顿接连，叫人怪腻腻的不爽快。"荷生见说得有理，便催家人上菜端饭。大家用些，各自散开，坐的坐，躺的躺，闲步的闲步。

是日，晴光和蔼，风不扬尘。痴珠瞧着一群粉黛，个个打扮得娇娆妩媚，就中采秋珠络垂肩，云裳拖地，更觉得婉娴端重，华贵无双；带一个小丫鬟，名唤香雪，垂鬏剧翠，秋水盈盈，伶俏也不在红豆之下，便痴痴的躺在左边小炕上呆想。秋痕却携着瑶华，站在院子里，望着阁上，见正面檐前挂十二盏宝盖珠络的琉璃灯，两廊及阁下正面挂的是斗方玻璃灯，通是素的，便说道："今晚却不要有灯才好呢。"瑶华道："点这样素净的灯，就也不碍月色"丹翠、曼云、剑秋、紫沧却从西廊小门渡过芙蓉洲畔闲逛，见洲内莲叶半凋，尚有几朵红莲，亭亭独艳，其余草花满地，五色纷披。此时痴珠躺在炕上，采秋到阁后小屋更衣，从纱窗中瞧见后面小池喂有数十个大金鱼，唼喋浮萍，升沉游泳，便招荷生、小岑由东廊绕到池边，坐在石上，悄悄的瞧。忽听得痴珠吟道："日月忽其不淹兮，春与秋其代序。惟草木之零落兮，恐美人之迟暮"采秋便笑道："痴珠又牢骚起来！"痴珠不答，秋痕便掀帘子和瑶华进得屋里。痴珠高诵赵邠卿《遗令》道："大丈夫生世，遁无箕山之操，仕伊吕之勋，天不我与，有志无时，命也奈何！"荷生笑道："何物狂奴，故态复作？"采秋轻声道："他今日出城，到底去什么地方？……"正往下说，忽然丹翠、曼云一路笑声吱吱，跑入屋里，鬏乱钗斜，裙歪衣污，向椅上坐下，喘作一团，大家忙问缘故，两个一边笑，一边喘，半晌，丹翠才说道："你们看……"又笑不可仰。随后曼云忍着笑道："剑秋耍刀……"又嗤嗤的笑。瑶华听见耍刀，就先跑去看。

荷生大家都跟出来，只见紫沧拿把七尺长关刀，在院子里如旋风般舞，剑秋仗着双剑，正从西廊小门转出来。紫沧就让过一边，剑秋站在一边，也将双剑舞起，两边舞得如飞花滚雪一般，台阶上大家俱看得出神。临尾只见寒光一晃，剑秋收住双剑，紫沧也将刀立住，望着大家笑道："这台武戏好看不好看？"痴珠向荷生道："你是懂得。"荷生笑道："舞

的名儿我也懂得,只是没有气力。"紫沧早放下刀上来了,便说道:"采秋的剑舞得极好,你们是没有见过呢。"小岑道:"你不晓得,他还射得好箭哩。"瑶华便道:"采姊姊,我同你舞一回罢!"此时剑秋倚着剑,也站在台阶上,采秋道:"是那里来的这把剑?剑靶乌腻腻的腕脏,叫人怎拿得上手?"痴珠向剑秋道:"你是那里取来的?"剑秋道:"我到芙蓉洲闲逛,不想洲边有一人家,我认得是左营兵丁,他手上适拿把雌雄剑,我借来,渡过河,想吓幺凤、彩波一吓,不想他两人迎风都跌了一身的泥。"说得大家通笑。荷生向紫沧道:"你这刀又是那里来的?"紫沧道:"我是向汾神庙神将借来。"说得大家又笑。瑶华便叫人回去取剑。荷生也逼着采秋叫人取弓箭,就向瑶华道:"晚上月下舞他一回,才有趣呢。"采秋道:"这样,何不就到阁上去坐?"荷生道:"好!"便唤跟人问道:"阁上都停妥没有?"跟人回说:"早已停妥。"

　　荷生当下便领大家由东廊走入小门,门内虬松修竹绕座假山,黄石叠成,高有丈余,苍藤碧萝、斑驳网罩,石磴数十级,曲曲折折到个平台。由平台西转,一个朝南坐落,便是彤云阁上层。四围甬道,绕以石栏。阁系五间,通作一间,落地

花门,南北各二十四扇,东西各十二扇。正面上首摆一大炕,炕下放一圆桌,焚一炉百和香,兰麝氤氲,香云缭绕。顶隔中间,悬个五色彩球百褶香云盖,挂一盏顶大光素玻璃灯。东西挂八盏瓜瓣式桔红玻璃灯,也是顶大的。两边,一边四个座,俱是海棠式的坐墩,两个坐墩夹个圆茶几。下首中间摆两个坐,却是梅花式的坐墩,也夹个圆茶几。茶几上各安个圆合,大小同茶几一般。痴珠大家见这般陈设、着实喜欢。荷生道:"我今日是个团圆大会,每位茶几上俱派定坐次。"大家瞧那个茶几

花月痕

上放一红笺,是荷生、采秋四个字;接着瞧去,东上首痴珠、秋痕,次是小岑、幺凤;西上首是紫沧、琴仙,次是剑秋、彩波。痴珠笑道:"荷生竟闹出叫相公坐位来,我们就入坐罢。"大家也只得照笺上写的坐定。采秋吩咐跟人:"取酒来。"家人答应,走到各人跟前把盒盖揭起,便是一个镶成攒盒,共有十二碟果菜,两付银杯象箸,都镶在里面,十分精巧。每几下层,各送一个鸳鸯壶,遂浅斟低酌起来。

痴珠道:"天色这般早,我们还行个令想想。"荷生道:"回回行令,也觉没趣,今日还是清谈罢。"采秋因向痴珠说道:"你和荷生通是荐过鸿博。我且问你,酒令是何人创的?"痴珠笑道:"这一问倒有趣,我记得是汉贾逵。"荷生道:"我记得他本传就有这一条。"痴珠道:"不错。我却要请教你们,为何唤做酒纠?"采秋道:"唐时进士曲江初宴,召妓女录觥罚的事,因此唤做酒纠,是不是呢?"剑秋笑道:"怪道采秋惯行酒令。"荷生道:"唐尚书朗入直,侍史一人,女史二人,皆选端正妖丽,执香炉香囊,护侍衣服。唐诗'春风侍女朝衣',又'侍女新添五夜香',就是这侍史,如今所以唤他们作女史。"秋痕道:"杜诗'画省香炉围伏枕'的注,不就引这一条么?"小岑喝了一盅酒,笑道:"都有这般快活,我只愿做个省郎,也不愿学剑秋升侍讲了。"曼云道:"你们怎么唤做老爷呢?"痴珠道:"元朝起的,唐宋以前没有此称呼。"荷生道:"《元史·董抟霄传》:'毛贵问抟霄曰:你为谁? 早:我董老爷也。'你指此条么?"痴珠点头。紫沧道:"金人称岳武穆为岳爷爷,老爷二字大约是金元人尊称之词,如今却不值钱了。"采秋笑道:"痴珠,我们自头至脚,你能原原本本说个清楚不能?"痴珠道:"我讲一件,你们通喝一杯酒,我说错了,我喝五杯。"瑶华道:"使得,我就喝。"于是采秋、秋痕五人通喝了。痴珠道:"我如今从你们的髻讲起。髻始于燧人氏,彼时无物系缚,至女娲氏以羊毛为绳子,向后系之,以荆枝及竹为笄,贯其髻发。《古今注》:'周文王制平头髻,昭王制又裙髻。'又《妆台记》:'文王于髻上加翠翘,傅之铅粉,其髻高,各曰凤髻。'"采秋接着说道:"这样看来,文王自是千古第一风流的人,所以《关雎》为全诗之始。"痴珠道:"你不要横加议论,等我讲清这个髻给你听罢。高髻始于文王,后来孙寿的堕马髻,赵飞燕的新髻,甄后的灵蛇髻,魏宫人的警鹤髻,愈出愈奇,讲不尽了。这是真髻,还有假髻。

《周礼·追师》'副编'注：'列发为之。其遗像若今假阶。'《三辅》谓之假髻。《东观汉记》：'章帝诏东平王苍，以光烈皇后假髻、帛巾各一箧遗之。'后来便有飞西髻、抛家髻种种名号，也讲不尽。采秋，我讲这个髻，清楚不清楚？至如梳，始自赫胥氏；笓，始自神农；刷，始自殷，我也不细讲了。"

荷生道："痴珠今日开了书橱。"剑秋道："这不是八月十五，直是三月三斗宝了。"采秋道："你们不要阻他高兴，听他讲下去，替我们编个《妆台志》不好么？"痴珠道："你们每人喝两杯酒，我再讲罢。"采秋道："那要讲两件。"痴珠道："自然。"采秋诸人便各喝两杯。痴珠道："一件画眉。《诗》'子之清扬'。清，指目，扬，指眉。又'螓首蛾眉。'言美人的眉，此为最古，却是天然修眉，不是画的。其次屈原《大招》'蛾眉曼只'，宋玉《招魂赋》'蛾眉曼录'。曼，训泽，或者是画。后来文君远山，绛仙秀色，京兆眉妩，莹姊眉癖，全然是画出来。唐明皇十眉图，横云、斜月，皆其名。五代宫中画眉，一曰开元御爱，二曰小山，三曰五岳，四曰三峰，五曰垂珠，六曰月棱，七曰粉梢，八曰涵烟，九曰拂云，十曰倒晕。讲这画眉，清楚不清楚？一件穿耳。《山海经》'青宜之山宜女，其神小腰白齿，穿耳以璩'，此穿耳之始。《物原》'耳环始于殷。'《三国志》'诸葛属曰：穿耳贯珠，盖古尚也。'杜诗'玉环穿耳谁家女？'是穿耳直从三代至今，此风不改。我想好端端的耳，却穿以环悦人之目，这是何说？"瑶华笑道："这就是缠足作俑了。"痴珠道："我如今就讲缠足。"剑秋道："怎的这般快？美人手、美人乳通不考订么？"采秋道："痴珠，你不要听他胡闹，你且讲缠足。"痴珠道："我是不喜欢妇人缠足呢。只我的人偏偏都裹着三寸金莲，我也不能不随缘了。剑秋，你且讲缠足是始于何时？"小岑道："吴均诗'罗窄裹春云'，杜牧诗'钿尺裁量减四分，纤纤玉笋裹轻云'，似缠足始于唐人。"剑秋道："六朝乐府有《双行缠》词云：'新罗绣行缠，足趺如春妍；他人不言好，独我知可怜。'似六朝已有缠足。"痴珠道："《史记》：'临淄女子，弹弦缠屣。'又云：'摇修袖，蹑利履。'利者，言其小而尖锐也。《襄阳耆旧传》：'盗发楚王冢，得宫人玉履。'汉班婕抒赋'思君弓履綦'。《杂事秘辛》：'吴娲足长八雨，胫跗丰妍，底平指敛，约缣逼束，妆束微如宫中。'此皆裹足之证。齐东昏为潘妃凿金为莲花贴地，令

妃行其上,曰:'此步步生莲花。'《郎环记》:'马嵬娼女王飞,得太真雀头履一双,长仅一寸。'是唐时已尚纤小。《道山新闻》:'李后主宫嫔娘娘,纤丽善舞,后主令以帛绕脚,纤小屈上作新月状。'唐镐诗:'莲中花更好,云里月长新。'就是为娘娘作的。以意断之,上古美人如青琴、宓妃、嫦娥、湘君、湘夫人,必是双双白足。自周以后,美人南威、西子,已自裹足。但古风淳朴,必不是如今双弓。汉唐以后,人心愈巧,始矫揉造作,为此窄窄金莲,不盈一握,其实美人好处全不在此。"说得大家通笑了。荷生道:"果是双双白足,自然也好,最难看是莲船半尺假作莲瓣双钩。"荷生说这话时,瞧着秋痕低头手弄裙带,就不往下说了。

痴珠会意,急说道:"我如今再讲两件。一则首饰。《山海经》:'王母梯几面戴胜。'胜,妇人首饰,此首饰之始。《始仪实录》:"燧人作笄,尧以铜为之,舜杂以象牙、玳瑁,文王又加翠翘、步摇。'《物原》:'五采通草花,吕后制。彩花,晋郭隗制。《玉篇》:"匍彩,妇人头花,髻饰。"是皆首饰。至钗始自夏,手钏、指环始自殷,你们那些穿戴的金玉珠宝,日新月异,考不胜考了。一则妆饰。《神农本草》:'粉锡,一名鲜锡。'《墨子》:'禹造粉。'《博物志》:"纣烧铅锡作粉。'《中华古今注》:'秦穆公女弄玉,有容德,感仙人萧史,为烧水银作粉与涂,名飞雪丹。'此言粉之最古者,后来百英粉、丁香粉、木瓜粉、梨花粉、龙消粉,这也考不胜考。《古今注》:'燕支草似蒯花,出西域,土人以染,名为燕支,中国人谓之红蓝粉。'班固曰:'匈奴名妻曰阏支,言可爱如燕支。《古今注》:'胭指盖起自纣。'此言脂之最古者。脂有面脂,有口脂,见唐《百官志》中。《韩子》:'毛嫱西施之美丽,面用脂泽粉黛,则倍其初。'《广志》谓'面脂自魏兴以来始有者',非。蔡邕《女诫》:'加脂则思其心之鲜,傅粉则思其心之和。'《妆台记》:'美人妆面,既傅粉,复以胭脂调匀掌中,施之两颊,浓者为酒晕妆,淡者为桃花妆。'梁简文诗:'分妆开浅面,绕脸傅斜红。'面脂不是古妆么?口脂,唐人谓之点唇,有胭脂晕诸品:一曰石榴娇,二曰大红春,三曰小红春,四曰嫩吴香,五曰半边娇,六曰万金红,七曰圣檀心,八曰露珠儿,九曰内家圆,十曰天宫巧,十一曰洛儿殷,十二曰淡红心,十三曰猩猩晕,十四曰小失龙,十五曰格双唐,十六曰媚花奴。这与'十眉'不皆是香闺韵事么?你们该喝酒了。"

荷生笑道:"痴珠今日肚子里新开了一间脂粉铺,我们贺他一杯罢。"于是通喝一杯。端上菜,大家用些。青萍回道:"愉园弓箭送来,天快黑了,还射不射哩?"荷生向采秋道:"去射罢。"瑶华欣然出位,拉紫沧道:"射一回箭去。"采秋道:"我久不射,手不柔了。琴妹妹去射,我瞧着。"便携瑶华的手走,大家都跟下阁。紫沧道:"到汾堤空地上射去。"荷生道:"好。"于是都向西廊走来。瑶华瞧个空,早在下层阁里换上一双小蛮靴,将头上钗、手上钏、身上大衣一起卸下,只穿件箭袖大镶大滚的桃红线绉短棉袄,将一条白绫百蝶宫裙系在小袄上,裙幅都插在腰里,露出镶花边的青绉夹裤脚,大红的一簇裤带绦,携上弓箭。大家正说:"琴仙怎的不见?"瑶华却悄悄站在紫沧身后,将手向紫沧肩上一拍,说道:"我来也!"紫沧和大家都觉得一跳。采秋笑道:"琴妹妹结束得好。"跟人早挂上一个二尺贺的五色箭鹄。瑶华步到上面站定,先将弓试了一试道:"这弓是几个力?"采秋道:"这平常射的,不过三个力。"瑶华便取过骨头箭,搭上了弓,调正了柳腰,拳回至手,只听得鸣的一声响,早着在第三层青圈上。大家喝声采。第二箭又着在第一个红圈,大家连声说:"好!"第三箭又着了。荷生笑吟吟地向采秋道:"我再不想琴仙有此好箭!"采秋道:"难为他是才学的,便有如此手段。"紫沧自觉得意,瑶华站着歇一歇,移步向采秋道:"采姊姊,我僭了,如今你射去。"采秋道:"我把工夫丢开一年多,比不得你天天操练。我再射,断不能像你这般准。"荷生道:"准不准算什么,不过耍一耍,也觉得有趣。"小岑道:"就是不准,难道怕人笑话么?"痴珠道:"我有个令,采秋你遵不遵?"采秋笑道:"你什么令?"痴珠道:"你看天上飞的一阵阵归鸦,我指一个,你射了罢。"采秋笑道:"鹄子我还怕不准,你却要另出题目。"荷生道:"这个耍不得,射得不好却把人射一箭,怎了?"紫沧道:"你没有瞧过他的手段,替他提心。"荷生道:"我不信他就能箭无虚发。"痴珠笑道:"你不信,我却信得过。采秋,你射罢,我叫秋痕替你结束。"采秋拗不过大家意思,于是将大衫御下,付给香雪;秋痕便把他首饰除下,将簪拴紧髻子。采秋只将裙带结好,也不抠上裙幅。瑶华递过弓,采秋要过几支狼牙箭,向痴珠道:"你要我射那一阵那一个鸦,我却不能,我准一箭一鸦给你瞧罢。"痴珠道:"就是这样。"瑶华道:"可不是准呢,先前偏要说许多

中国古典名著百部

话,可见采姊姊是个老奸巨猾。"荷生道:"我总信不过。采秋,小心罢。"采秋笑一笑,走上高坡站着。恰好有群鸦哑哑的从西过来,采秋就站远些,众人只听弓弦一响,却蓦然一个鸦坠地。青萍等正抢着去拾,又见两个鸦带箭坠地了。大家目不及视,口不能言。痴珠鼓掌道:"荷生,如何?"荷生眉飞色舞,说道:"这个真怪!"采秋早将弓付给香雪,披上大衫,移步向秋痕,戴上首饰,说道:"上灯了,喝酒去罢。"此时云净天空,冰轮拥出,微风引着南岸桂花的香,阵阵扑人鼻孔。大家步入西廊,见阁上阁下的灯都已点上,就在台阶上三两成群,啧啧称赞采秋的神箭,瑶华的工力。荷生吩咐跟人将阁上三面花门一起洞开,把座位通摆在石栏杆甬道。然后大家步到东廊,上了石磴,在平台上凭眺一回。痴珠、秋痕、荷生、紫沧、小岑先行入席。痴珠高兴之至,喝了一满杯,吟道:"一年明月今宵多。"秋痕接道:"不知明月为谁好?"痴珠一笑,彼时剑秋、瑶华、丹翠、曼云尚未归座,正凭在石栏遥望。瑶华望着堤南秋华堂桂树,因接道:"镜转桂岩月。"剑秋望着芙蓉洲水亭,因接道:"江亭月白诵《南华》。"曼云望着阁东汾流月色水光如一条玉带,便也接道:"蟾蜍夜艳秋河月。"丹翠近望阁门外一带梧桐,远望汾堤上万株烟柳,便接道:"鹿门月照开烟树。"荷生笑道:"好得很!今夕此会,本为赏月,我也吟一句罢:手掐花梢记月痕。"采秋接道:"锦筵红烛月未午。"剑秋拍手赞道:"切情切景,大家各饮一大盅罢。"于是剑秋等也行入席,豪饮一回。上了几件菜,用些点心,复各散开。

此时约有七下多钟了,金风瑟瑟,玉露零零,幸各带几分酒意,尚不觉罗袂生寒。大家携着玉人,凭高凝望,真如到琉璃世界,飘飘若仙,相视而笑,转忘言象。倒是紫汾忆起瑶华的剑来,说道:"你取了剑,何不向院子舞一回?"荷生道:"好极!采秋和瑶华同舞罢。"紫沧道:"一人舞一回,两人再同舞一回,才有趣呢。"痴珠道:"紫汾何不先舞一回给他们看?"紫沧道:"我就先舞。"于是紫沧卸下大衣,大踏步下去,舞了一回。剑秋看得高兴,也舞起来。荷生见舞得热闹。教青萍取过一个粉定窑的大盅,和大家各喝一盅,两人舞罢上来,穿好衣服,合席通敬一大盅,两人喝了。紫沧道:"瑶华舞罢。"瑶华大衣卸后就不曾穿,便提剑下去,进退抑扬,舞得月光闪烁,灯影迷离,大家同声喝彩。采秋喝了一杯酒,

说道:"我也舞去。"于是卸去首饰、外衣,露出大镶大滚的葱绿湖绉棉小袄,镶花边的大红绉夹裤,越显得抟雪作肤,镂月为骨,当下卷起箭袖,抽出一双鸳鸯剑,向荷生笑一笑,走下阁去了。痴珠向荷生道:"我和你往台阶看去。"秋痕也跟着,到得台阶,只寒芒四射,咄咄逼人,渐渐万道金蛇纵横驰骤,末后一团雪絮上下纷飞,全不见绿袄红裳影儿。先前瑶华倚着剑站在一边,还想和采秋同舞一回,看到这里,就将剑收起,向荷生道:"似此神技,紫沧要我和姊姊同舞,我怎敢呢?"荷生道:"你就舞得好。"瑶华道:"我再努力学罢。"正说着,瞥见有条白练临风一闪,早是采秋站在跟前,笑道:"何如?"荷生携着采秋双手,看他面色微红,鬓发一丝不乱,说道:"你从那里学来?"瑶华道:"采姊姊怕是前生学会呢!"痴珠道:"我们上去通喝几盅酒,也不负采秋这一回的舞剑。"荷生道:"我和你喝十大杯罢。"一面说,一面招呼大家入席。饮了一会,端上菜点,随意吃些。采秋道:"如今我们夜泛一回,领略水中月色,就由南岸上车,好么?"大家都道:"好!"就教跟班们吩咐车马南岸伺候。

　　饭毕,众人踏着月色上船,向芙蓉洲驶来。船中早备着香茗时果,大家随意说说笑笑,教水手转由汾神庙后驶到水阁,由水阁驶到南岸,落叶打篷,寒花荡夕,星河散采,珠翠生凉。一会,各家车马灯笼纷然并集。先是紫沧

带了瑶华上车,次是小岑、丹翠一车,剑秋、曼云一车,各自去了。荷生道:"痴珠今夜是回秋华堂,还到秋心院呢?"痴珠道:"秋痕今日原是坐我的车,这时候他家的车还没来,想是他家不要他了。我今就陪他在船里坐一夜罢。"采秋道:"天气凉得很,岂宜如此?"荷生道:"你又信他!我们走了,怕他不回去秋华堂做好梦么?　只是秋痕同痴珠今日出城这

一遭,我却要问一问。"痴珠默然。秋痕道:"我告诉你,今日出城是为着我那殉难的姊姊忌辰。"荷生笑道:"什么地方都可祭奠,特特跑上竹竿岑,冤不冤呢?"采秋道:"我却会得他的意思。"痴珠道:"夜深了,你两个要回去,该走了。"荷生道:"我倒忘了。"于是香雪扶着采秋,秋痕送到船头。痴珠送荷生上岸,看荷生、采秋上车去远了,方才转身携着秋痕进舱,唤秃头撤去肴核,拭净几案,换一支蜡烛。

秋痕吹起笛来,声声激烈。痴珠吩咐水手将船荡至水阁,自出船头站立,见月点波心,风来水面,觉得笛声催起乱草虫鸣,高槐鸦噪,从高爽绸寥中生出萧瑟。秋痕也觉裙带惊风,钗环愁,地备停住。搭起跳板,两人扶上,怅望一回。秋痕想起五月初五的事来,不知不觉玉容寂寞,涕泗阑干。痴珠起先愕然,后来自己触目伤怀,百端难受,将秋痕的手握在掌中,轻轻的搓了几搓,说道:"风月自清夜,江山非故园!我们还下船坐罢。"秋痕点头,便唤秃头伺候。两人重行入舱,喝了几口茶。痴珠见几上有笔砚,便将秋痕一幅手绢展开,写道:

> 采春惯唱碧海青天此恨多!所不同心如此水,好抛星眼
> 剪秋波。溪上残更露湿衣,月明一舸竟忘归;笛声吹出凌波
> 曲,惊起鸳鸯拍拍飞。

款书"八月之望,漏下四鼓,携秋痕泛舟柳溪题赠。"写毕,两人都觉黯然欲绝。还是秋痕辗然笑道:"这地方唤做芙蓉洲,我同你把芙蓉成语同记一记,看得有几多?"痴珠道:"诗词歌赋上这两字多得很,那里说得完。"秋痕道:"芙蓉城到底是天上是人间?"痴珠道:"石曼卿为芙蓉城主,此虚无缥缈之说。成都府中多种木芙蓉,也唤作芙蓉城。你怎的问起?"秋痕不语。此时月斜鸡唱,痴珠也觉偎玉无温,倚香不暖,便唤水手将船驶到秋华堂门口。秃头先行上去,招呼大家起来伺候。然后痴珠慢慢的携着秋痕回来西院,到里间和衣睡倒,一觉未醒,天早明了。正是:

> 酒香花气,弓影剑光。
> 春风蛱蝶,秋水鸳鸯。

欲知后事如何,且听下回分解。

第二十二回　秋华堂仙眷庆生辰
采石矶将军施巧计

看官记着：昨天是茜雯死忌，今日却是秋痕生辰。是日，李夫人约了晏、留两太太来逛秋华堂，以此秋痕昨夜不曾回家。

此时红日三竿，绿阴满院，秋痕妆掠已毕，外面报说："李太太来了！"秋痕赶着迎出月亮门。只见李夫人已下了轿，穆升和李家跟班、老嬷、丫鬟，都一字儿站着伺候。秋痕迎至东廊下，李夫人拉着秋痕的手，端详一会。痴珠早从秋华堂台阶迎下来，李夫人便赶向前请了安。痴珠便让李夫人上来。秋痕磕下三个头，李夫人接他起来，回敬一福，笑向秋痕道："姑娘好日子，我没有预备。"一面说，一面将头上两股珠钗自行拔下，走到秋痕跟前，与他戴上，口里说道："给姑娘添个寿罢。"秋痕只得说道："太太费心。"就重磕一个头，夫人挽起，也福了一福。

入座，秋痕递一茶，阿宝也来了。接着，留、晏两太太都到，便开了面席。席散，大家同来西院更衣。听了秋痕一支《琵琶记》。三位太太都是善于语言的，就秋痕今日也觉兴致勃勃。

一会，出来秋华堂坐席，李夫人首座，问起"凤来仪"酒令，秋痕一一告诉，三位太太都十分赞赏。李夫人道："我们何不做个东施效颦？"晏太太道："《西厢》风字。都给他们说尽。"李夫人道："何不拘定《西厢》？只成句都可。"留太太道："我们也不要鸳鸯飞筋，今日是刘姑娘好日子，飞个《西厢》喜字何如？"李夫人道："好的很。我僭了，就起令罢。"便喝一杯酒，说道：

> 系马于凤凰台柱，收江南，仍执丑房。

大家齐声赞好，留太太道："又流丽，又雅切，这是大人异日封侯之兆，该贺一满杯。"众人通陪了酒，李夫人道："阿宝不算，刘姑娘喝酒，接令！我说个'垂帘幕喜蛛儿'。"秋痕喝了酒，想一想，说道：

> 闻凤吹于洛浦，乔合笙，在前上处。

大家都说道："这曲牌名用得新颖之至，各贺一杯。"秋痕飞出《西厢》是：

"宜嗔宜喜春风面。"顺数该是留太太,想有半晌,瞧着阿宝说道:

　　鸟有凤而鱼有鲲,美中美,宜尔子孙。

李夫人喝声:"好!"晏太太道:"古语络绎,这贺酒更该满杯。"众人通喝了。留太太道:"晏太太接令罢!'这般可喜娘罕曾见'。"晏太太道:"轮到我了,怎好呢?"便将杯擎在手里,想有一会,喝了酒,说道:"我说得不好,休要笑话。

　　凤愈翱翔而高举,拣南枝,有莺其羽。"

李夫人道:"'有莺其羽,四字,妙语解颐,太太真个聪明。"大家又贺一杯。晏太太道:"大家通说了,如今我喝一杯,刘姑娘喝一杯,收令罢。"一面说,一面将酒喝干,说道:"喜则喜你来到此。"秋痕喝了酒,李夫人合得秋痕道:"定更过了,我无人在家。"便吩咐端饭。

饭毕,便叫奶嬷、老家人送阿宝家去。痴珠看过阿宝上车,也到帘外招呼。当下李夫人走了,晏、留两位太太随后也走。

痴珠这日是邀了晏、留、池、萧,借汾神庙客厅游宴。靠晚,心印却出门去了。五人上席,酒行数巡,痴珠叫穆升取出骰盆和色子,向大家说道:"我有一令,掷色集句,照红的算,说出唐诗一句,照位接令,要与上句叶韵,失叶、出韵及语气不联贯,照点罚酒。"子秀道:"痴珠这不是虐政第?我们那里寻得出许多凑巧的诗句来。"翙甫道:"两顿接连,借此用点心思,也可消食。只是要个题目,才好着想呢。"痴珠道:"宫词如何?"子善道:"好极!"痴珠便将色子和骰盆送给翙甫道:"请你起令罢。"翙甫接过,随手一掷,是二个四,一个么,算成九点,沉思半晌,吟道:

　　九华春殿语从容,

大家俱说道:"起得好,冠冕堂皇!"下首该是雨农。翙甫便将骰盆和色子送过,说道:"你掷罢。"雨农道:"二冬韵,窄得很,我怕要曳白了。"随手一掷,是个么,算成一点,也沉思半晌,吟道:

　　人在蓬莱第一峰。

痴珠道:"粘贯得很!如今该是子秀了。"子秀接过色子,随手一掷,是二个四,算成八点,子秀道:"我占便宜,不要押韵,就是这一句罢。"吟道:

　　二八月轮蟾影破,

翙甫道:"好!恰是今日。"因向子善道:"接手是你,请掷罢。"子善接过

色子,随手一掷,是三个幺,算成三点,吟道:

　　　三官笺奏护金龙。

痴珠道:"好句! 如今该是我掷了。"接来一掷,是二个红,算成八点,随口吟道:

　　　八尺风漪午枕凉,

翙甫接手道:"七阳韵,宽得多了。"随将色子一掷,是两个红,一个幺,算成九点,吟道:

　　　九龙呵护玉莲房。

雨农接手,掷得三红二幺,说道:"这算十四点了,那里找得出这恰好的诗句呢?"子秀道:"'溧阳公主年十四',不好么?"痴珠道:"何必拘定十四? 我替你说一句罢。"吟道:"

　　　七月七日长生殿,

这不是十四么?"大家道:"如此放活,还松动些。"于是子秀掷得一幺,吟道:

　　　雁点青天字一行。

下首是子善,掷得两幺,吟道:

　　　一番雨过一番凉,

痴珠道:"还用七阳韵么?"就接手掷出两个红来,吟道:

　　　八字宫眉点额黄。

下首是翙甫,也掷得一幺,吟道:

　　　楚馆蛮弦愁一概,

雨农接手,掷得一幺、一红,吟道:

　　　五更钟后更回肠。

翙甫道:"道两首诗我要僭易了。前首雨农十四点,宜用子秀'溧阳公主年十四'句,接用痴珠'八字宫眉点额黄'七字,不更浑成么? 子善'一番雨过一番凉',接用子秀'雁点青天字一行'七字,不更联贯么?"痴珠道:"好极! 翙甫诗境大进,我和大家贺他一盅罢。"于是喝过酒,子秀接手又掷,是一红、两幺,吟道:

　　　六曲连环照翠帷,

子善接手,是一红、一幺,吟道:

不寒长着五铢衣。

痴珠道："好句!"接手掷成一红、二幺,吟道:

三星自转三山远,

翙甫接手,是一个幺。痴珠道："你说一句收令罢。"翙甫搜索一会,吟道:

万里云罗一雁飞,

雨农道："妙绝!竟联成四首,我们喝酒罢。"后来秋华堂席散,大家便跟痴珠来到西院,与秋痕说说笑笑,也就去了。痴珠便送秋痕回家。秋痕一生,一天也算扬眉吐气。其实谡如起身之时,原想替秋痕赎身,一则为痴珠打算,一则为李夫人作伴,奈他妈十分居奇,只索罢了。

且说谡如是九月初七到江南,见过南北大帅及淮、海、扬、徐各道节度,便奉密札,驰往庐、凤一带,打探贼情。不想逆贼早知李总兵是山西截杀回匪的一员大将,想要计杀此人,为回子报仇,就于采石矶江上,伏兵数处。等了两日,不见动静,各队头目就有些倦了。第三日午后,忽有小艇,却是一老一少载着一瓮美酒及各种点心,泊在矶边售卖。点心不过是江南常见的,那酒却气味醇浓,一钱一杯,各队的贼纷纷要买,累得那一老一少手脚忙乱,答应不迭。

正在卖酒热闹之际,又有三个淦船咿哑而至,每船上两个渔人,隔着卖酒的船一箭多地,那捕鱼的人就跳上岩,向热闹处看来,见是卖酒,又说好酒,各人就也买一杯。渔船上只有一人看守。随后又有个小船,载着几十束连枝带叶的柴,船头上坐个樵夫,身体胖大,年纪不上三十,拿把柴斧轻轻打着船板,口唱山歌,后舱两个摇橹的人也跟着唱,都是本地的腔,就靠着渔船一字儿泊着。恰好有个黄袍贼目,带了数十名贼

兵,先向酒船上查验腰牌并衣上记号,却个个是有的。末后查到柴船上,樵夫道:"有是有的,今天却没有带来。"头目将樵夫细瞧一瞧,向贼兵道:"是个妖,你与我拿住。"说话时迟,下手时快,只见樵夫将柴斧一耸身,贼目的头早已粉碎,鲜血迸流。这些贼兵先前惊愕,次后正要拔刀,却早倒了三四个,船上又跑出摇橹的人,舞着双剑。那渔船上六个壮丁,酒船上一老一少,也轮着兵器,赶上岸来,将这数十人杀个净尽,只有一个跑向贼营报信。

那樵夫便将手炮一响,就有二百多人:也有从芦苇中小船跳上来的,也有从岸上各路跑来的,纷纷都到,径行追入营中。见大家都已酒醉,一人一刀,一刀一个,也全杀了。

看官!你道那樵夫是谁?就是谡如。六个壮丁及摇橹的人,卖酒的一老一少,就是谡如带来将佐亲丁,谡如料得贼有埋伏,此两日故意逗留不进。到了第二夜,抢了贼中做买卖五支小艇,次日便打扮起来。如今杀了西路伏贼,立在岸上,谡如便命将死贼身上衣服及腰眚都取下来,又在黄袍身上搜出小令箭一支,所有尸首,都命抛入江中;又与将领附耳数语,这二百名兵又四散了。谡如自带数人往树林深入,将松鬣四处悬挂。

且说东路岸贼闻西路的炮,道是他的号炮,一路赶来。不想空江一片,并无一船一人,大家俱觉诧异,只好照旧埋伏。不想芦苇丛中的营早烧得空了,只得四处搜寻放炮的人。

天色却已黄昏,那水路的贼,系靠东岸下流十余里。忽见岸上来了一个黄衣头目,跟着两个小头目,手中拿着令旗,传道:"官兵已经渡江,令船内的人都赶紧往东边陆路救应,每一船上只留一个看船,不可迟误!"便将令箭递给船上头目,匆匆的去了。贼船一闻此信,便大家收拾器械,都上岸往东救应。原来这三个都是谡如命人扮来的。这三个人就在东岸树林里也将松鬣四处悬挂,见贼兵去远,便打了一声暗号。二百人拔出短刀,跳上贼船,将看船的贼一刀一个杀了。夺了四五十号大小贼船,悉令荡往上流十里外,一字儿泊住。将岸旁芦苇及所带的柴分布在各大船上,船中所有军壮粮草,一齐运出,留数十名兵守着船,一百余名兵四面埋伏。

却说那贼兵上了岸,往东急走。走了二十余里,已是黑暗,往前一望,毫无动静,也不闻有金鼓之声。那几个头目,择个高阜之处上去了望,只见星斗争辉,江风萧瑟,远近数里并不见一点火光,大家相顾惊异,说道:"明明令箭传我们救应,怎白跑二十余里? 不要是官兵的诡计! 不如大家回船,再作主意。"都说道:"是!"遂又从旧路回来,又是二十多里,走得力尽筋疲。刚到岸边,不见船只,忽听一声炮响,只见得两岸树林里陡起火光,火光闪烁中,呐喊之声不绝,不知有多少人,只说大兵到了,便自相蹂躏,鼠窜逃生。这一百多名兵分头乱杀。谡如也带人由西岸渡过来,喊杀连天,贼兵死者不计其数。其余得命者落荒而走,赶回九伏洲大营,哭诉一切。

此时已有二更多天了。伪元帅、伪军师吓得目瞪口呆。半晌,伪军师方说道:"他来探听军情,所带的兵能有几多? 而且杀了一天,人马俱已疲倦,他们自然都住在船上。我们领着战船,杀将过去,还怕不夺回船只?"伪元帅也说:"有理!"急急的传令。伪元帅、伪军师便领二百余只的大船,分作四队:一队向采石矶杀来,一队从左边杀来,一队从右边杀来,一队留后接应。三队的船刚驶到江心,陡然对面起了一阵大风,吹将过来。此时是九月下旬,三更后月光始上,贼兵俱觉得股栗起来。从那星月中望着采石矶前面,隐隐的泊着数十号的船,并不见有一盏灯光,也不闻有一声刁斗。伪军师、伪元帅四望迟疑,忽听对岸一声炮响,那前面的船都从黑暗中转动起来。

军师惊道:"不好! 又中计了!"赶忙传令:"暂且停住!"后面的船络绎而来,大家得令,俱要回柁,拥挤不开。那对岸官船早扬帆擂鼓,从暗射明,顺着风,火罐火箭如飞的扑将过来,对面贼船早已着了。贼中左右队尚曾接到暂停的令,闻得对岸四处鼓声阗然,正在惊讶,但见火焰腾腾,人声鼎沸,兼着刮剌剌的风打头吹来,觉得四面火起,一江通红,便也湾转船退后驶来。恰值中队的船带着火四面冲突逃生,却把左右队的船也引着,四面环轰。那放火的官兵都上了小战船,尽力擂鼓,大声喊杀。那些贼船本无纪律,见这样声势,早已不战自乱,水中火里,逃避无门。

谡如收队,坐着原来的小船,从芦苇浅濑绕出八卦州下流,渡上岸,

将二百名兵分作两处埋伏。此时约有五更了,谡如站在山上高处遥望,江中火势兀自乘着风热向东南闪来,烹斗煮星,釜汤余沸,想道:"周郎烧曹孟德的一百万兵在那赤壁地方,当亦不过如是!"停了一停,红日渐升,天大亮了,再望大江,直同烟海。远远听得有十数匹马铃,响得铛铛的,继续不绝。只见一个道人打扮,獐头鼠目,头上几茎秃发烧得焦焦的蓬起,骑一匹连线骢。一个穿黄色龙袍,鼠首狼顾,也丢了冠,剩下髻子,骑的是个五花骢。后面跟着十余匹骑坐,也有盔甲全好的,也有丢了盔的。也有盔甲全丢的,也有焦头烂额的,也有头发胡须烧得光光的,也有手足受伤、两人扶掖在马上的,大家手上都没一件兵器。当下谡如放了一声手炮,这些人一惊,拨转马头便走。

两下伏兵鼓噪而出,一人一个,用粗大麻绳一起缚住,又得几多好马,推到谡如跟前。道人打扮,是个军师车律格,穿黄龙袍的,是个副元帅赫天雄,其余都是大头目。这一班人领着重兵,在九伏州结寨,扼达庐、凤之路,接递两湖、两江、东西越伪将信息。不想一日一夜,将数百号的船,三万多的兵,一起陷没,只得跑上岸来,如今给谡如生擒了,自然是没得活了。谡如就乘势克复了九伏洲。

这回用兵,以少胜多,极有布置。只人心叵测,见谡如以二百名兵败了采石矶三万多贼,竟不入告,只说是委探贼情,途遇贼兵,生擒头目数人而已。以后九伏洲又为贼踞,谡如驻扎宝山,凡有陈请,一概不行。想要告病,现格于例,想搬取家眷,又逼近贼巢。只得日日操练本部人马待一年后明经略入阁,力荐提督淮北,才得扬眉吐气,为国家出点死力。

看官听着:千古说个才难,其实才不难于生。实难于遇。有能用才之人,竹头木屑皆是真才;倘遇着不能用才之人。杞梓梗楠都成朽木!而且天之生才,亦厄于数,有生在千人共睹的地方,雨露培成之后,干霄蔽日,便辇去为梁为栋,此是顺的;有生在深岩穷谷,必待大匠搜访出来,这便受了无数风饕雪餮,才获披云见日,此也算是顺的;至如参天黛色,生在人迹不到的去处,任其性之所近,却成个偃蹇支离,不中绳尺,到年深日久,生气一尽,偃仆山中,也与草木一般朽腐。王荆公所谓"神奇之产,销藏委翳于蒿藜榛莽之间,而山农野老不复知瑞也",这真是

冤！在天何尝不一样的生成他？怎奈他自己得了逆数，君相无可如何，天地亦无要如何！你要倔强，不肯低首下心听凭气数，这便自寻苦恼了！正是：

　　　　盛衰原倚伏，哀乐亦循环，

　　　　德人空芥蒂，形役神自闲。

欲知后事，且听下回分解。

第二十三回
帘卷西风一诗夜课
云横秦岭千里书来

　　话彤云阁中秋一会,数日后,紫沧借愉园也还了席,疋阴迅速,早是九月了。此时秋心院菊花盛开,秋痕正拟邀大家一叙。一日,剑秋起个绝早,找着小岑,向秋心院来。恰好大门开着,两人就悄悄走进月亮门,只觉得一阵阵菊花的香,扑入鼻孔。当下绣幕沉沉,绮窗寂寂,一个小丫鬟在院里背着脸扫那落叶,一个大丫鬟靠着西窗外栏杆边换花瓶水,也不瞧见他两人。直至跟前,这两个丫鬟才吓一跳,见是熟人,都笑道:"来得恁早?爷和娘还没醒哩,西屋坐罢。"剑秋进了西屋,就打着东边板壁道:"惊好梦门外花郎。"小岑跟着笑道:"你只合带月披星,休妒他停眠整宿。"那小丫鬟早溜入北屋告诉去了,只听得痴珠轻轻的唤秋痕道:"小岑、剑秋来了。"秋痕惊醒道:"有什么时候了?"丫鬟道:"早很很,太阳还没落地哩。"剑秋道:"太阳没落地,就不准人来么?痴珠里面答道:"你们坐,我就起来。"

　　一会,痴珠两手揉着眼,身上披着长的薄棉袄,趿着鞋,自东屋走出,说道:"昨日你两个在一块么?怎的这般早就出门?"小岑道:"他为着荷生十五的局,我们三个都没还席,晚夕约了大家,要借这层里做个东道哩。"痴珠一面洗漱,一面说道:"好极。只是今日怕来不及。"剑秋道:"叫厨房随便预备罢。"只见炕边的镜推开,秋痕笑吟吟的说道:"你们倒会打算,三个合拢一席,还是随便预备,羞人不羞人呢。"小岑道:"我们兴之所至,要今日就今日罢。"秋痕只得唤跛脚传话厨房去了。剑秋瞧着秋痕去鬟乱挽,星眼初醒,黛色凝春,粉香浮污,便说道:"端详可憎,好煞人无干净!"秋痕不好意思起来,随说道:"好个学士,只这几句《西厢》。"小岑笑道:"人家好意替你张罗,你偏要讨个没脸。"说得三人都笑了。秋痕就走入东屋妆掠,大家跟入。小岑见靠南窗下摆一书案,便说道:"秋痕,你也学采秋读起书来?"剑秋检着案上的书,是一部《文选》、一部《玉溪生诗笺注》、一部《韵府群玉》、一册《砖搭铭》、一册原榻

《醴泉铭》，随手展开一页，却夹一诗笺，上有诗二句，是"郎恩叶溥难成梦，妾命花如不见春。"认得笔迹是秋痕的，便递给小岑道："你瞧，秋痕跟了痴珠不上两个月，竟会做诗，可喜不可喜呢？"小岑瞧过，说道："风调殊佳，怎的只两句？是什么题？"痴珠道："这是他《秋海棠》的诗，我夹圈了这两句。他如今要我夜课一诗，也做有十几首七绝，五六首七律。"便向秋痕道："你何不取了来给小岑、剑秋瞧？"秋痕道："这会我才学，总是不好，等好了再给他瞧。"小岑道："就是不好，给我们瞧又何妨呢？"痴珠道："我昨晚的题是《白鸡冠花》，他有两句还好，念给你听。"便念道："窗前疑是谈玄伴，啼月无声夜色阑。"小岑道："好！"剑秋道："有此心思，还怕他不好？"

正往下说，荷生、采秋都来了，大家延入。采秋瞧着书案，便笑向痴珠道："我不想你做了陈最良。"这会秋痕妆掠已完，采秋取出便面，要秋痕画出几枝墨菊。接着，紫沧、瑶华同来，不一会，丹翠、曼云也到。于是大家呼觞赏菊。采秋道："听说秋痕酒令，要人家做破题，今天行个什么令？"秋痕笑道："联句。"荷生道："如今秋痕真要充起名家来，不是破题，便是联句。"丹翠道："这又何苦呢，快快活活喝酒不好？却要抓头挖寻思。"采秋道："看他出什么题，我们想想着，也还有趣。"瑶华道："我不耐烦干这个营生。凤姊姊，采姊姊，我和你发拳罢。"就和丹翠呼起五魁手、七子图来，将手镯震动得丁丁冬冬的响。剑秋道："发拳的发拳，联句的联句，秋痕，你怎不出题？"秋痕道："我不出题，荷生、痴珠和采姊姊一个人写一个字，斗起来是什么，便是个题。"荷生道："这倒新鲜有趣，我先写罢。"秋痕道："你不要急，到里间写去，等采姊姊、痴珠写了，检开来看。"于是荷生先写，搓个纸丸，次是痴珠、采秋。秋痕一一展开，荷生是个"眉"字，痴珠是个"画"字。荷生道："妙呀！竟有这样凑巧的好题目。"秋痕拈着采秋一丸道："且慢欢喜，还有采姊姊一个字，不晓得对不对？"大家急着要看，秋痕展开，是个"山"字。小岑道："蒲东有个峨眉原。"紫沧道："四川有峨眉山。"痴珠道："秦栈还有个画眉关哩。"采秋道："这'画眉山'一字虽没现成，却雅得很，联几首七绝罢。"丹翠道："我们不能。"采秋道："让你起句好么？"小岑道："倩代有罚，这全开了何如？"大家道："好。"于是丹翠一面发拳，一面喝杯酒。小岑吟道：

峨眉山上翠眉横，

便接道：

浓绿何年蘸笔成？

秋痕道："怎的两句？"荷生道："这一句是他自己的。"便接道：

天亦风流似京兆，

采秋抢着吟道：

一弯着色有闲情。

痴珠笑道："很有趣。第二首我起句罢。"就瞧着剑秋，说道："你们不通是峨眉班里人物么？"便吟道：

杜家痴女亦惺惺，

剑秋一笑，接道：

不把长蛾斗尹邢。

大家寂然。采秋笑道："那个接呢？"

曼云的拳输了，想一会，吟道：

谁取唐皇图一幅，

秋痕便接道：

年年摹上远同青。

荷生拍案道："好句！我喝一盅酒。"采秋道："秋痕妹妹真个聪明。"紫沧道："你们不要联，我竟得了一首，念给大家听罢。"便高吟道：

自是天公解爱才，美人死尚费培栽。绛仙秀色莹娘癖，都
付夸娥守护来。

荷生道："好！"大家也同声道："好！"痴珠道："我也有四句，凑成四首罢。"便吟道：

无赖春风笔一技，此中深浅几人知？可怜混沌初开窍，也
仿风情貌国姨。

荷生笑道："山膏如豚，阙性好骂，你又挖苦起人来。"痴珠道："我讲的是画眉，何曾有心骂人？"秋痕道："你只讲画眉，把山字全丢了。"痴珠道："是极！我忘了。"紫沧道："青出于蓝，诗祖宗今天给人批驳得哑口无言

了。"大家一笑。于是大家俱发拳轰欢,晚夕方散。

到得重阳前一日,秋痕又订了痴珠、荷生、采秋三人小饮,阄题分韵,每人七律一首。荷生拈个菊灯,诗是:

> 万菊分行炫眼黄,灯燃犹自占秋光;金英冉冉添佳色,寒穗亭亭散古芳。才圆风微天不夜,疏篱月落焰生香;内人分得随花赏,星斗参横乐未央。

痴珠拈个菊酒,诗是:

> 漫向云英乞玉浆,一樽菊酒进重阳;清原本性休嫌淡,味到无言自有香。老圃邀来千里月,芳樽酿出一篱霜;白衣花外提壶劝,道是延年益寿方。

采秋拈个菊糕,诗是:

> 镇日东篱采菊忙,为修韵事到重阳;团成粉饵三分白,占得清秋一味凉。遮莫餐英同屈子,几回题字笑刘郎;家家筐篮相投遗,綮舌花开许细尝。

秋痕拈个菊枕,诗是:

> 阑珊菊圃谢幽芳,收拾拼将贮锦囊;一种芬留黄落后,十分秋占黑甜乡。游仙有梦宜高士,连理多情恋晚香;点点红棋纹不来,夜阑和月上藜床。

后来痴珠又做了一篇《菊花赋》,赋云:

> 昨夜霜华酿小寒,扶持秋色上栏杆,卷帘人比黄花瘦,肠断西风李易安。昔偕帝女游,今伴先生隐;梅瓣懒上妆,荷香留剩粉。四壁虫吟一枕多,连天雁语重阳近。盈盈兮无赖,落落兮有神。凉月沈阁,傲霜绝尘;高还似我,淡如其人,玉宇琼楼旧约,青娥素女前身。和雨和烟,不衫不履;碧玉楼前,仙韶院里,稳重同山,轻柔比水;餐秀茹香,迷金醉纸。缸凝夜其不眠,影扶痕而欲起。清樽满杯酌,插得满头多;满头热欲落,落矣奈君何!长笛一声银汉洁,可怜往事休重说。年年岁岁此花开,此花开时人凄绝!

其《谢秋心院送菊》诗云:

> 柳门竹巷鬓飞鸦,翠袖开寒倚暮霞;不去牵萝补茅屋,携

锄墙角种黄花。

　　选得黄花十种鲜,移来茶臼笔床边;遥知天女怜多病,散
人维摩一榻禅。

　　深黄浅白斗轻盈,别种分栽雅淡名;怪底东篱陶处士,一
篇为汝赋闲情。

　　傲霜原不事铅华,更与卿卿晚切夸;不学四娘家万朵,秋
来吹折满溪花。

因将两块青花石,一镌赋,一镌诗,嵌在月亮门左侧。

　　重阳日,荷生是明经略请有彤云阁登高去了。却说李夫人自见秋
痕之后,十分欢喜。是日重阳,秋痕也送了李夫人十盆菊,李夫人便买
一大篓螃蟹,请痴珠、秋痕小饮。夫人和秋痕对局下棋,痴珠看天色尚
早,独向吕仙阁而来。见万井炊烟,游人如蚁,伤孤客之飘零,念佳时之
难再,因吟杜甫《九日》诗中"弟妹萧条各何往,干戈衰谢两相催"之句,
不胜惘然。接着又吟道:"天下尚未宁,健儿胜腐儒。飘飘风尘际,何地
置老夫!"又吟道:"将帅蒙恩泽,兵戈有岁年。至今劳圣主,何以报皇
天!"独吟无赖,靠晚方到县前街。平日爱吃螃蟹,今日肚子正饥,吃了
四五样菜,即上螃蟹,又未免多吃些。接着又是一盘油炒的菊花叶。痴
珠混吃了这一阵,肚子觉得不好起来,向秋痕要个豆蔻吃下,也不见好。
李夫人备下薄荷露茶,痴珠喝些,不上二更,便偕秋痕坐车回来秋心院。
这一夜,秋痕不脱衣服,殷勤服侍。不想痴珠大泻两次,病就好了。
秋痕次日却大病起来,始只寒热往来,头晕不起。自九月起,到了十月,
竟然脸色渐黄,肌肤日减,愈病愈恨,每向痴珠流泪道:"孽由自作,悔无
可追!"痴珠百凡劝解,总不懂得秋痕是何苦楚,只觉李家礼貌都不似从
前,为着秋痕卧病,就也不说,只午间来与秋痕清谈,二更天便走了。

　　一日饭后,西风片片吹,雨敲窗纸,但听槐叶声在庭砌下如千斛蟹
汤湔沸,愁怀旅绪,一往而深。忽李夫人差人送来谡如信件,并有一封
系致荷生的,信中备述采石矶胜仗及两次用兵机谋。痴珠喜道:"谡如
是个将材。只是这样大捷,怎的邸抄还不见哩?"瞧完了信,便随手作一
柬贴,将谡如致荷生的一份信件,叫穆升送去大营。一会儿,穆升回来,
呈上荷生回柬并西安的信一大封。痴珠将荷生柬拆开后,就将漱玉总

封拆开，内是秦中诸友覆书，随将漱玉的缄十余页先行展阅，道：

痴珠征君执事：夏初行旆归自成都，适弟有城南之役。读留示手札并诗，知望去在念，垂翼于飞，良用忪然！中秋既望，从留世兄处得七月初二来书，甫悉玉体违和，留滞途次。南边兵燹，谁实为之？而令吾兄故里为墟，会姬抗节！所幸陔兰池草以及珍珠掌珠，均获完善，则远人当亦强自慰藉。人生非金石，愁城岂长生之国哉！总要吃力保此身在，其余则有天焉。

万庶常赐书，深怪吾兄龙性难驯，锋芒太露；又以人才难得，嘱弟为作曹邱。嗟夫！庶常失辞矣。昔宋欧阳永叔有言：医者之于人，必推其病之所自来，而治其受病之处。病之中人，乘乎气虚而入焉。则善医者不攻其疾，而务养其气。气实则病去，此自然之效也。今天下荼然无复人气，然则治其受患之处而与之更始奈何？曰：培无气而已。自势利中于人心，士大夫不知兼耻为何事，以迎合为才能，以恬嬉为安静，以贪暴济其倾邪之欲，以贿赂固其攘夺之谋。坐此官横而民无所诉，民怨而上不获闻，俾阴鸷险狠之徒，得以煽惑愚氓，揭竿而起。呜呼！四郊多垒，此士之辱也。宜何如各出心肝，以湔国耻？而人心叵测，其钝者惊疑狂顾，望风如鸟兽散；其黠者方且借兵饷开销，饱充囊橐，假军功虚报，冒滥梯荣，而天下之气靡然澌灭。呜呼！亦知天下之气则何以靡然澌灭哉？古之君子，学足于己，足不出户，中外重之。是故道重势轻，嚣嚣然以匹夫之卑与君相抗。降及后世，士各以所长取合当世，所求不过衣食而已。为之上者，习知士之可以类致也，知名之可以牢笼一下、利之可以奔走天下也，于是徐示以抑扬，阴用其予夺，要使天下知吾意之所向而止。不取其定命之宏猷，而徒取其浮华之文藻；不助以立身之大节，而但助雕以侥幸之浮名。其幸而得者，率皆奔竞之徒，迎合意旨，无有龃龉，恬嬉适就，无事激昂，是妆妇之道也，是臧获之才也。咩夫！士君子服习孔孟，出外进退，其关系世道轻重何如也？而乃以议妾妇者议之，双臧获者双之，则宜其所得者多寡廉鲜耻、阿谀顺意，在半皆妾妇臧获之流，而魁梧磊落之士，倔强不少挫者遂因于横郁而苦于奋厉之无门。风气安得不日靡，人心安得不思乱，而其祸岂有穷乎？

夫天下如此其滔滔也，有人焉，謇謇谔谔，不随俗相俯仰，欲为国家延此垂尽之气,此何等胸次,何等魄力!国手者出,就此一线,厚以养之,血脉流通,肤革充盈,蹶然兴矣。庶常翔步云衢,习见人集于菀,而吾兄独集于枯,遂窃非之,此自笃念故人之意。第忆先太傅尝以吾兄及庶常为吾家旗鼓,岂料其出见纷华而悦,以四十余岁老庶常,有何勘不破,而亦人云亦云如此,天下事尚可问乎!尤可笑者,嘱弟为作曹邱,弟苦守邃园,足迹不出户外,与当世赫奕操魁柄者不通音问,何从说项?以从者学贯古今,庶常从朝官后不修孔融之青而致曹操之书,岂将以弟为黄祖耶!军兴以来,白面书生心不辨菽麦,目不识之无,依草附木,云蒸龙变,弟虽不肖,犹羞称之。痴人说梦,迷离惝恍,其有刘道民之际遇乎?究竟所处,不过记室参军。天下之乱亟矣,与其依人作计,成不归功,败且至于归咎,何如携妓东山,素为名士,实亦不愧名臣也。

西北苦寒,太行尤甚。山中人有立志者,则肌肤实而心地坚朴,视轻佻便利者不啻霄壤。他日出而医国,此皆笼中物也,愿君留意焉。若航海南归,此大失策。东越假在海隅,与中原消息隔不相闻,纵有三顾之玄德公,其如草庐遥远何也!若为定省计,则棣鄂众多;若为旨甘计,则田园已芜。丈夫子盱衡当世事,努力道义,以报君亲,穷达命也。娟娘大有仙意,闻诸道路,鸿飞冥冥,南朝普陀,西礼峨眉,或者五台亦将有东来紫气乎?是未可知。

弟顽钝如恒,内人于旧腊得一男,近已牙牙学语,晚景只此差堪告慰。时事方艰,身家多故,保皮身在,国家之无气虽断未断,乾坤之正气虽亡不亡。言不尽意,而词已芜,伏维垂鉴!

阅毕,说道:"良龙多情,为我负气,只是我呢?"就叹口气将书放下。复将众人的信一一看过,撂在一边。再将漱玉的书沉吟一会。初寒天气,

急景催人，已是晚夕，就不去秋心院了。岂料是夜院里竟闹起一场大风波来！正是：

      赏菊持螯，秋光正好。

      属国书来，触起烦恼！

欲如后事如何，且听下回分解。

第二十四回　三生冤孽情海生波
九死痴魂寒宵割臂

话说狗头起先系与秋痕兄示称呼，后来入了教坊，狗头便充个班长。在李裁缝意思，原想将秋痕做个媳妇，牛氏却是不依，一为狗头凶恶，再为不是自己养的儿子，三为秋痕系自己拐来，要想秋痕身上靠一辈子；只自己上了烟瘾，一天躺在炕上，不能管束狗头得住。兼之秋痕挂念痴珠，两日不来，便叫狗头前往探问，自然要假些词色。又有李裁缝主他的胆，这狗头便时时想着亲近秋痕。无奈秋痕瞧出他父子意思，步步留心。狗穿头实在无缝可钻，爱极生恨，恨极成妒，便向牛氏挑唆起痴珠许多不是来，以此秋痕背地里琐琐悄悄，受了无数缕聒，这也罢了。

十四日，荷生、小岑、剑秋都在愉园小饮，靠晚，便来秋心院坐了一会，痴珠不来，各自散了。秋痕陡觉头晕，荷生去后，和衣睡倒。一会醒来，唤跛脚收拾上床，却忘了月亮门，未去查点。睡至三更后，觉得有人推着床横头假门，那跛儿也不晓那里去了。便坐起大声喊叫。跛脚不应，那人早进来了。却是狗头。一口吹灭了灯，也不言事，就搂抱起来。秋痕急气攻心，说不出话，只喊一声："怎的？"将口向狗头膊上尽力的咬，狗头一痛，将手拧着秋痕面颊。秋痕死不肯放，两人便从床上直滚下地来。狗头将手扼住秋痕咽喉，说道："偿你命罢！"

跛脚见不成事，大哭起来。李裁缝沉睡，牛氏从梦中惊醒，说道："外面什么事？"一面说，一面推醒李裁缝。李裁缝就也惊醒，说道："怎的？半夜三更，和丫鬟闹！"急披衣服跳下床来，寻个亮，开了房门，取条马鞭。牛氏披着衣服，一路赶来，说道："什么事？"狗头早放了手，把秋痕推翻，自行爬起。牛氏已到，李裁缝扭住狗头，嚷道："这是怎说？"狗头将头向秋痕胸膛撞将下去，嚷道："我不要命了！"牛氏见这光景，惊愕之至，接着嚷道："你不要命，我女儿是要命呢！"李裁缝死命的拉住狗头，两人就滚在东窗下，将窗前半桌上玉花瓶碰跌下来，打得粉碎。牛

氏忙将蜡台瞧着秋痕,见身穿小衫裤,仰面躺在地下,色如金纸,两目紧闭。牛氏便嚎啕的哭起来,将头撞着李裁缝,也在地下乱滚,声声只叫他偿命。跛脚和那小丫鬟呆呆地站在床前看,只有打战。厨房中两个打杂和那看门的,都起来打探,不知何事。见一屋鼎沸,秋痕气闭,便说道:"先瞧着姑娘再说罢!"一句话提醒牛氏,便坐在秋痕身边,向打杂们哭道:"你看打成这个模样,还会活么!"狗头见牛氏和李裁缝拼命,心上也有点怕,早乘着空跑开了。

这里牛氏摸着秋痕,一声声的叫。打杂们从外头冲碗汤,递给牛氏,一面叫,一面把汤灌下。半晌,秋痕双蛾颦蹙,皓齿微呈,回转气来。又一会,睁开眼,瞧大家一瞧,又合着眼,淌出泪来。牛氏哭道:"你身上痛么?"秋痕不答,泪如涌泉。此时李裁缝安顿了狗头,就也进来。牛氏瞧见,指天画地,呵诟万端。李裁缝不敢出气,帮着两个丫鬟将秋痕扶上床沿。秋痕到得床沿,便自行向里躺下,嘤嘤啜泣。打杂们退出。牛氏检起地下的皮鞭,向李裁缝身上狠狠的鞭了一下。李裁缝缩着头,抢个路走了。牛氏唤过丫鬟,也一人一鞭,说道:"快招!"两个丫鬟遍身发抖,说道:"是……是……爷……爷叫……叫我不要关这……这月亮门,姑娘有……有叫喊,不……不准……准……"牛氏不待说完,扬起鞭跑出,大骂道:"老狗头!老娘今番和你算账,撒开手罢!"李裁缝父子躲入厨房,将南廊小门拴得紧紧,由牛氏大喊大骂,两人只不则声。只可怜那门板无缘无故受了无数马鞭。

且说痴珠早饭后,正吩咐套车,跟班忽报:"留大老爷来了。"原来子善数访痴珠,都不相值。今日偶到秋心院,不想牛氏正要和裁缝父子理论,见子善来了,便奔出投诉。子善也觉气愤,坐定。秋痕知道了,唤跛脚延入,含泪说道:"求你告知痴珠……"只这一句,便掩面娇啼,冰绡淹渍。子善也忍看此狼狈,立起身来,说道:"你不必着急,我就邀他过来罢。"

看官!你道痴珠听了此话,可是怎样呢?当下神色惨淡,说道:"这也是意中之事,只我们怎好管他家事哩?"和怔半响,又说道:"我又怎好不去看秋痕呢?"便向秃头道:"套车!"秃头回道:"车早已套得停妥。"痴珠不答,转向子善道:"我如今只得撒开手罢。"便拉着子善,到了秋心

院。

　　牛氏迎将出来，叨叨絮絮说个不休。痴珠一声儿不言事。牛氏陪子善在西屋坐下。痴珠竟向北屋走来。未到床前，跛脚早把帐子掀开。秋痕悲恸，半晌咽不出声来，痴珠心上也自酸苦。跛脚把一边帐子钩上，痴珠就坐在床沿。秋痕呜咽半晌，暗暗藏着剪子，坐起，梗着声道："我一身以外尽是别人的，没得给你做个纪念，只有这……"一边说，一边将左手把头发一扯，右手就剪。痴珠和跛脚拼命来抢，早剪下一大绺来。秋痕从此鬈发连联矣！

　　当下秋痕痛哭道："你走罢，我不是你的人了！"痴珠怔怔地看，秋痕呜呜地哭。跛脚见此情状，深悔自己受人指使，不把月亮门闭上，闹出这样风波，良心发现，说道："总是我该死！"子善晓得痴珠十分难受，进来说道："你这里也坐不住，到我公馆去罢。"

　　这一夜，子善、子秀就留痴珠住下。你道他还睡得着么？大家去了，他便和衣躺下。自己想一回，替秋痕想一回，想着现在烦恼，又想着将来结局。忽然记起华严庵的签和蕴空的偈来，想道："这两支签两个偈，真个字字都有着落！我从七月起，秋心院，春镜楼没有一天不在心上，怎么这会才明白呢？蕴空说得好：人定胜天，要看本领。我的本领不能胜天，自然身入其中，昏昏不自觉了。"又想道："漱玉劝我且住并州，其实何益呢？我原想入都遵海而南，偏是病了！接着倭夷寇，海氛顿起，只得且住。为今之计，赶紧料理归装，趁着谡如现在江南，借得几名兵护送，就也走得到家。"左思右想，早鸡声三唱了。便自起来，剔亮了灯，从靴页内抽出秋痕剪的一把青丝，向灯上瞧了又瞧，重复收起，天也亮了。

　　洗漱后便来看秋痕。才入北屋，秋痕早从被窝里斜着身掀开帐子，绿惨粉销，真像个落花无言，人淡如菊。痴珠到了床沿，将帐接住，见秋痕着实可怜。秋痕拦着痴珠的手，说道："这是我的前生冤孽，你不要气苦。"痴珠将帐钩起，坐下道："你受了这样的荼毒，我怎的不惨？"秋痕坐起，说道："天早得很，你躺一会么？"痴珠就和衣躺下。正是：

　　　　锦帏初卷，绣被犹堆；燕体伤风，鸡香积露。倭堕绿云之鬟，欹铖红玉之年。越客网丝，难起全家罗袜；麻姑搔痒，可能

　　留命桑田！莫拿峡口之去，太君手接；且把歌唇之雨，一世看来。

　　当下竟自睡了。到得醒来，已是一下多钟。撞着牛氏进来，劝秋痕吃些饭，就将昨晚把狗头撵在中门外、再不准他走进秋心院一步，告诉痴珠。痴珠道："如此分派，也还停妥。"牛氏道："我如此分派，也为着你，只是你也该替我打算。"秋痕见他嬲说起这些话，想道："我命真苦！一波未平，一波又起。"便歪着身睡去了。痴珠只低着头，凭牛氏叨喽了半天，截住道："这个往下再商量，今日且讲今日事。"便向靴内取出靴页，展开检得钱钞，说道："这十千钞子你交给厨房，随便备数碗菜，替我请留大老爷、晏太爷过来小饮。"牛氏瞧见钞子，自然眉开眼笑去了。

　　痴珠走到床沿，见秋痕侧身向里，便拉着道："我今日要尽一天乐，不准哭。"不想秋痕早是忍着哭，给痴珠这一说，倒哭出声来。半晌，秋痕说道："昨天我叫你走，你却不走，必要受那婆子的腌脏气，何苦呢？"痴珠强笑道："我乐半天，去也不迟。"秋痕将头发一挽，叹口气道："我原想拼个蓬头垢面，与鬼为邻，如今你要乐，你替我掇过镜台来。"痴珠于是走入南屋，将镜台端入北屋。秋痕妆毕，唤跛脚和他嬲要件出锋真珠毛的蟹青线绉袄，桃红巴缎的宫裙，自向床横头取一双簇新的绣鞋换上。痴珠道："这双鞋绣得好工致！"秋痕横波一盼，黍谷春回，微微笑道："明日就给你带上。"

　　正说着，子善、子秀通来了。痴珠迎入。见秋痕已自起来，而且盛妆，便不再提昨日的事。闲话一回。秋痕忽向痴珠道："譬如我昨日死了，你怎样呢？"痴珠怔了半晌，说道："你果死了，我也没法，只有跑来哭你一回，拼个千金市骨罢！"秋痕不语。子善道："怎的你两人只说这些话？"子秀道："人家怕是说死，他两个意说得寻常了。"

　　一会，南屋摆上酒肴，四人入座。秋痕擎着酒杯道："大家且醉一醉。"就喝干了一杯酒。子秀道："慢慢着喝。"痴珠道："各人随量罢。"端上菜，秋痕早喝有七八杯。大家用些菜，秋痕道："我平日不弹琵琶，今日给痴珠尽情一乐。"便唤跛脚取出琵琶，弹了一会，背着脸唱道：

　　　　手把金钗无心戴，面对菱花把眉样改。可怜奴孤身拼死无可奈，眼看他鲜花一朵风打坏。猛听得门儿开，便知是你来。

第二十四回　三生冤孽情海生波　九死痴魂寒宵割臂

秋痕唱一字，咽一声，末了回转头来，泪盈盈的瞧着痴珠，到"是你来"三字，竟不是唱，直是怄哭了。痴珠起先听秋痕唱，已是凄凄楚楚，见这光景，不知不觉也流下泪了。就是子善、子秀也陪着眼红，便向秋痕道："你原说要给痴珠尽情一乐，何苦哭呢？"痴珠破涕，让两人酒菜，也说道："秋痕，你不必伤心了。"秋痕忍着哭，把一杯酒喝了，来劝子善、子秀。其实悲从中来，终是强为欢笑。四人静悄悄的清饮一回。此时是初寒天气，到二更天，北风栗烈，就散了席。

痴珠原欲回寓，见秋痕如此哀痛，天又刮风，就也住下。秋痕留一壶酒，几碟果菜，端入北屋，催丫鬟收拾，把月亮门闭上，烧起一个火盆，吩咐跛脚去睡。然后两人卸下大衣，围炉煮酒。

秋痕道："今夜刮风，差不多七月廿一那般利害。咳！我两人聚首，还不上三个月哩。我起先要你替我赎身，此刻你是不能。我也知道。只我终是你的人……"痴珠喝了半杯酒，留半杯递给秋痕，叹口气道："你的心我早知道，只我与你终久是个散局。"秋痕怔怔地瞧着痴珠，半晌说道："怎的？"痴珠便将华严庵的签、蕴空的偈，并昨夜所有想头，一一述给秋痕听了。秋痕听一句，掉下一泪。到痴珠说完了，秋痕不发一语，站起身来走出南屋，回来就坐，说道："千金市骨，你这话到底是真是假？"痴珠道："我许你，再没不真。"秋痕道："痴珠你听！"突的转身向北窗跪下，说道："鬼神在上，刘梧仙负了韦痴珠，万劫不得人身！"

这会风刮得更大，月都阴阴沉沉的，痴珠惊愕。秋痕早起来，说道："你喝一杯酒。"一面说，一面扎起左边小袖，露出藕般玉臂，把小刀一

点,袭有八分宽,鲜血流溢。痴珠蹙着双眉道:"这是何苦呢? 创口大了,怕不好。"秋痕不语,将血接有小半杯,将酒冲下,两人分喝了。赶着取块绢包裹起来,停了一停,窗外淅淅沥沥地下起雨来。秋痕喜道:"你这会很喜欢,我们两心如一,以后这地方你也不必多来,十天见一面罢。每月许他们的钱,尽可不给。至我总拼一个死,到那一天是我死期,我就死了。万有一然,他们回心转意,给我们贺成,这是上天怜我,给我再生,我也不去妄想。"痴珠道:"这……你一段的话,大有把握。"于是浅斟低酌,款款细谈,尽了一壶酒,然后安寝。正是:

> 涕泗滂沱,止乎礼义;
> 信誓旦旦,我哀其志!

欲知后事,且听下回分解。

第二十五回　影中影快谈红楼梦
恨里恨高咏绮怀诗

话说大营日来得了河内土匪警报,经略调兵助剿,筹饷议防,虽荷生布置裕如,然足迹却不能离大营一步。到得这日,正想往访痴珠,同赴愉园,却见青萍呈上一缄,说是韦师爷差人送来的。荷生拆开,是一幅长笺,斜斜草草,因念道:

> 天上秋来,人间春小。欢陪燕语,每侍坐于蓉城;队逐凫趋,屡分餐乎麻饭。萍踪交订,棣萼情深,感激之私,只有默祝佛天,早谐仙眷而已。秋痕命不如人,揶偏有鬼,执事以英雄眼,为慈悲心,拨诸九幽,登之上第,披云见日,立地登天。旁观喜尚可知,当局心如何快!然酒阑灯炧,秋痕宛转悲歌,令人不忍卒听。盖狂且之肆毒,无复人理,非不律所能详也。近以倾赀于我之故,怪遭毒棍,冤受剥肤……

便愕然道:"怎的?"又念道:

> 嗟乎!一介弱女,落在驵侩之手,习与性成,恐已无可救药。乃身惭璧玷,心比金坚,毅然以死自誓。其情可悯,其志可嘉……

便说道:"秋痕自然有此铮铮!"又念道:

> 而走也七尺之躯,不能庇一女子,胡颜之厚?无可解嘲,为咏'多情自古空余恨,好梦由来最易醒'之句,于我心有戚戚焉。或乃以《风雷集》见示,且作书规戒……

便说道:"那个呢?"又念道:

> 古道照人,落落天涯,似此良友,何可多得!第日来一腔恨血,无处可挥;兼之鼠辈媒糵,意中人咫尺天涯!……

便说道:"竟散了么?"又念道:

> 因思采秋福慧双修,前身殆有来历得足下宠之,愈增声价;从此春窥圆镜,钟听一楼,无复有红尘旧迹矣。苦我一领

青衫，负己负人，且贻祸焉。时耶？命耶？尚复何言！咄咄书空，琅琅雪涕，直此生之结局，匪好事之多磨。怅无复之，郁将谁语？念春风之距植，久辱公门；缵彭泽之孤芳，幸垂陪听。某日某白。

念毕，说道："好尺牍！只教我怎样呢"因作个覆书，唤青萍交给来人去了。就吩咐套车，向愉园来。将这四日情事略说一遍，便从靴页检出痴珠的字，递给采秋。采秋瞧着，自也惊讶叹息，因说道："我原说要起风波。"荷生道："这样风波我也经过数处，实是难受。我的覆信，念给你听：

  来示读悉，悲感交深。我辈浪迹天涯，无家寥落，偶得一解人，每为此事心酸肠断。为才寄赠荔香仙院诸诗，早经披览，此中之味，惟此中人知之，不足为外人道也。苍苍者天，帝不可见，阍不可登，合从上达绿章，为花请命？忆旧作有《浪淘沙》小词一阕云：春梦正朦胧，人在香中。树头树底觅残红。只恐落花飞不起，辜负东风。"正谓此也。所幸秋痕铁中峥峥，以死自誓。或者情天可补，恨海能填，解将鹦鹉之绦，放入鸳鸯之队；他日之完美，可偿此日艰辛。有志者好自为之而已。弟与采秋，情性相投，绸缪已久，双栖之愿，彼此同之。第恐后事难期，空花终附；兰因絮果，一切茫茫。况远游王粲，踪迹如萍；半老秋娘，光阴似水；伯劳飞燕，刻刻自危。所恃者区区寸心，足以对知己耳！不日采秋将归乡里，弟满腔离绪，无泪可挥；正拟相邀前往春镜楼一叙，乞即命驾。笔不尽意，容俟面陈。

采秋不待听完，早秋水盈盈，掉下泪来。末后荷生也觉得酸鼻，几乎念不成字，便都默然。红豆只得含笑道："爷和娘替人烦恼，怎的自己先伤心呢？"荷生正要说话，小丫鬟传报："韦师爷来了！"便迎着上楼。

痴珠神气，日来自然不好，瞧着荷生、采秋也不似往时神采，三人这会都像有万千言语，不知从何说起。只大家红着眼眶让坐。还是采秋忍着泪说道："四天没见面，两家都有点烦恼。"痴珠勉强作笑道："此等烦恼，其实是意中事，并非意外。"荷生含泪道："痴珠通极！天下之物，

聚则生蠹，好则招魔，我们聪明，有什么见不到的道理？只是未免有情，一把乱丝，慧剑却斩不断哩！"采秋道："这事我们总要替他圆成和好呢。"荷生道："大难，大难！采秋，你不看你嬷么？"采秋以颐不语。停了一停，痴珠噙着泪说道："'人生艳福，春镜无双'。你两个终是好结局，不似我'黄花欲落，一夕西风'！"荷生道："你这四句是那里得来？"痴珠就将华严庵的签，蕴空的偈，也一一讲给两人听了。两人口里诧异，心中却着实喜欢，谈笑便有些精神起来。

　　不一会，丫鬟掌上灯，摆出酒肴，三人小饮。到了二更，穆升带车来接。痴珠正待要走，却刮起大风，飞沙扬砾，吹得园中如万马左驰一般。荷生道："这样大风，怎样走得？而且一人回去，秋华堂何等寂寞！我两人情绪今日又是无聊，何不煮茗围炉，清谈一夜？"采秋道："我教他们备下攒盒，将这些菜都给他们端去，我们慢慢作个长夜饮罢。"荷生、痴珠俱道："好极！"

　　当下穆升回去。楼上约有一下多钟，三人便浅斟细酌起来。大家参详华天庵签语，就说起《红楼梦》散花寺凤姐的签。痴珠因向采秋道："我听见你有部批点《红楼梦》，何不取出给我一瞧？"采秋道："那是前年病中借此消遣，病好就也丢开，现在此本还搁在家里。"痴珠道："《红楼梦》没有批本，我早年也曾批过。后来在杭州舟中见部批本，系新出的书，依文解义，没甚好处。这两部书如今都不晓得丢在那里去了。你且说《红楼梦》大旨是讲什么？"采秋道："我是将个'空'字立定全部主脑。"痴珠道："太虚幻境、警幻仙姑，此也尽人知道。你怎样说这'空'字呢？"采秋道："人家都将宝黛两人看做整对，所以《后红楼》一书，要替黛玉申出许多愤恨。至《红楼补梦》、《绮楼复梦》，更说得荒谬，与原书大不相似了。我的意思：这书只说个宝玉；宝玉正对，反对是个妙玉。"痴珠不待说完，拍案道："着！着！贾瑞的风月宝鉴，正照是凤姐，反照是骷髅，此就粗浅处指出宝玉是正面，妙玉是反面。人人都看《红楼梦》，难为你看得了这没文学的书缝！好是我批的书没刻出来，不然，竟与你雷同。"荷生笑道："你两人真个英雄所见略同了。只是我没见过你们批本，却要请教：你们寻出几多凭据？"采秋道："我的凭据却有几条：妙玉称个'槛外人'宝玉称个'槛内人'；妙玉住的是栊翠庵，宝玉住的是怡红院；

花月痕

后来妙玉观棋听琴,走火入魔;宝玉抛了通灵玉,着了红袈裟,回头是岸。书中先说妙玉怎样清洁,宝玉常常自认浊物;不想将来清者转浊,浊者极清!"痴珠叹一口气,高吟道:"一失足成千古恨,再回头是百年身。"随说道:"你这凭据,我也曾寻出来,还有一条,是栊翠庵品茶说个'海'字,也算书中关目。就书中贾雨村言例之:薛者,设也;黛者,代也。设此人代宝玉以写生宝玉二字,宝字上属于钗,就是宝钗,玉字下系于黛,就是黛玉。钗、黛直是个虚乌有,算不得什么。倒是妙玉算是做宝玉的反面镜子,故名之为'妙'。一怪一僧,暗暗影射,你道是不是呢?"采秋答应。荷生笑道:"好好一部《红楼》,给你说成怪僧合传,岂不可惜?"说得痴珠、采秋通笑了。痴珠随说道:"色即是空,空即是色。"便敲着桌子朗吟道:

> 银字筝调心字香,英雄底事不柔肠?
> 我来一切观空处,也要天花作道场。
> 采莲曲里猜怜子,丛桂开时又见君。
> 何必扔鞭背花去?十年心已定香薰。

荷生不等痴珠吟完,便哈哈大笑道:"算了,喝酒罢。"说笑一回,天就亮了。

痴珠用过早点,坐着采秋的车,先去了。午间得荷生柬贴云:

> 顷晤秋痕,泪随语下,可怜之至!弟再四解慰,令作缓图。

临行嘱弟转致阁下云:"好自养静。耿耿此心,必有以相报也。"知关锦念,率此布闻,并呈小诗四章求和。

诗是七绝四首,云:

　　花到飘零惜已迟,嫣红落尽最高枝。

　　绿章不为春阴乞,原借东风着意吹。

　　茫茫情海总无边,酒阵歌场已十年。

　　剩得浪浪满襟泪,看人离别与团圆。

　　四弦何用感秋深,沦落天涯共此心。

　　我有押衙孤剑在,囊中夜夜作龙吟。

　　并蒂芙蕖无限好,出泥莲叶本来清。

　　春风明镜花开日,侥幸侬家住青城。

痴珠阅毕,便次韵和云:

　　无端花事太凌迟,残蕊伤心乘折枝。我欲替他求净境,转
　嫌风恶不合欠。

　　蹉跎恨在夕阳边,湖海浮沉二十年。骆马杨枝都去也
……

正往下写,秃头回道:"菜市街李家着人来请,说是刘姑娘病得不好。"痴珠惊讶,便坐车赴秋心院来。

　　秋痕头上包着绉帕,跌坐床上,身边放着数本书,凝眸若有所思,突见痴珠,便含笑低声说道:"我料得你挨不上十天,其实何苦呢?"痴珠说道:"他们说你病着,叫我怎忍不来哩?"秋痕叹道:"你如今一请就来,往后又是纠缠不清。"痴珠笑道:"往后再商量罢。"自此痴珠又照旧往来了。是夜痴珠续成和韵,末一章有"博得蛾眉甘一死,果然知己属倾城"之句,至今犹诵人口。

　　且说荷生此时军务稍空,缘剑秋家近大营,便约出来同访痴珠,说是到县前街去了。秃头延入,荷生就坐在书案弥勒榻上,随手将案上书一翻。见两张素纸的诗,题写《绮怀》,便取出和剑秋同看。荷生朗朗吟道:

　　等闲花事莫相轻,雾眼年来分外明。弱絮一生惟有恨,空
　桑三宿可胜情。漫言白傅风怀减,休管黄门雪鬓成。十二栏
　杆斜倚遍,捶琴试听伊侬声。

　　双扉永怛闭青苔,小住汾堤养病来。几日药炉愁奉倩,一
　天梅雨恼方回。生无可恋甘为鬼,死倘能烯原作灰……

荷生皱着双眉道："非常沉痛！"又吟道：

> 不信羁魂偏化蝶，因风栩栩上当台。犹忆三秋识面初，黄
> 花开满美人居。百双冷蝶围珊枕，廿四文鸳护宝书……

剑秋笑道："此福难销。"荷生又吟道：

> 琐悄香闻红石竹，淤泥秀擢碧芙蕖。灵犀一点频相印，笑
> 问南方比目鱼。

> 暮鸦残柳乱斜阳，昆地胭脂总可伤！凤跨空传秦弄玉，蝶
> 飞本傍楚莲香。谁将青眼怜秋士？竟有丹心呕女郎；云鬟蓬
> 松梳洗濑，为侬花下试新妆。

> 果然悦己肯为容，珠箔搴来一笑浓。长袖逶迤眉解语，弓
> 鞋细碎步留踪。雪儿板拍歌三叠，去母屏开厂一重。生死悠
> 悠消息断，清风仿佛古人逢。

> 绿采盈盈五日期，黄蜂紫燕莫相疑。香兰缓缓云停夜，街
> 鼓冬冬月上时。情海生波拼死别，寒更割臂有灯知。怜才偏
> 是平康女，懒向梁园去赋诗。

剑秋道："巫峡哀猿，无此凄苦！"荷生道："这是实事，你晓得么？"剑秋道："采秋早和我说了。"荷生道："我旧句云'红粉怜才亦感恩'，"也是这个意思。又吟道：

> 夜阑灯灿酒微醺，苦语伤心不可闻。尘梦迷离惊谍幻，水
> 心清浊听犀分。酬恩空洒襟前泪，换恨频看剑上纹。凤伴鸦
> 飞鸳逐鸭，岂徒鹤立在鸡群。

> 北风疯疯紧谯楼，翠袖天寒倚竹愁。鹦鹉笼中言已拙，凤
> 凰巢里夜惊秋。好如豆蔻开娑尾，妒绝芙蓉艳并头。集蓼茹
> 荼无限痛，蘼鞠采飞恨难休。

> 长生恨不补天公，手执红梨梦也空。滚滚爱河沉习羽，茫
> 茫孽海少长虹。琴心绵渺低回里，笛语悠扬往复中。我亦一
> 腔孤愤在，此生沦落与君同。

> 眉史年来费抚摩，双修双谛竟如何？玉台香屑都成恨，铁
> 瓮金陵不忍过。红粉人皆疑命薄，蓝衫我自患情多。新愁旧
> 怨浑难说，泪落尊前定子歌。

中国古典名著百部

　　玉人咫尺竟迢迢，翻觉天涯不算遥。锦帐香篝频入梦，枕
屏衾铁可怜宵。丁香舌底含红豆，子夜心头剥绿蕉。准备临
歧万行泪，异时够得旅魂销。

说道："地老天荒，何以遣此？"又吟道：

　　萍水遭逢露水缘，依依顾影两堪怜。茧丝逐绪添烦恼，柳
线随风作起眠。双泪声销《何满子》，落花肠断李龟年。早知
如此相思苦，悔着当初北里鞭。

剑秋道："亲朋尽一哭矣！"荷生不语，磨墨蘸笔，就纸尾写道："情生文
耶？文生情耶？似此等作，竟不可以诗论，即以诗论，亦当驾玉溪生而
上之，遑问《疑雨集》耶？茶生拜服。"递给剑秋，又取一幅素笺，题诗八
绝云：

　　凤泊鸾飘事总非，新诗一读一沾衣。
　　如何情海茫茫里，忽拍惊涛十丈飞？
　　生太飘零死亦难，早春花事便摧残。
　　看花我亦伤心者，如此新词不忍看。
　　西山木石海难填，弹指春光十八年。
　　为嘱来生修福慧，姓名先注有情天。
　　小别伤怀我亦痴，寒宵换病已多时。
　　烦君再谱旗亭曲，付与《阳关》一笛吹。
　　芙蓉镜里影双双，芳讯朝朝问绮窗，
　　输我明年桃叶渡，春风低唱木兰船。
　　灞陵桥畔柳丝丝，记别秦云又几时？
　　销尽艳情留尽恨，人天终古是相轹。
　　沧溟到眼屡成田，世事纷纷日变迁。
　　但原早储新步障，看君金屋贮婵娟。
　　偶将笔墨写温柔，涂粉搓酥乐唱酬。
　　毕竟佳人还有福，与君佳句共千秋。

末书"荷生信笔"。剑秋吟了一回，说道："我也题两绝罢。"荷生道："好
极！你来写。"便站起身，让剑秋坐下，只见剑秋提笔写道：

　　花片无端坠劫尘，红楼半现女郎身。梦中彩笔怀中锦，都

花月痕

作缠头赠美人。

> 烟月飘零未可知,开函红豆子离离。
>
> 书生合受花枝拜,憔悴萧郎两鬓丝。

剑秋题毕,也递给荷生瞧,笑道:"我没有你们洋洋洒洒的笔才。"荷生道:"这两首诗就好。"于是坐一会,痴珠总不见来,两人就走了。林喜开着屏门,见门上新贴一联云:

> 息影敢希高士传;绝交畏得故人书。

荷生笑道:"痴珠总是这种脾气。"剑秋道:"不这样也配不上秋痕。"两人一笑,分路而去。正是:

> 红楼原一梦,转眼便成空。
>
> 只有吟笺在,珍藏客笥中。

后事如何,且听下回分解。

第二十六回　彤管生花文章有价
围炉煮雪情话生春

　　话说二十六日，系明经略冬阅之期，荷生吩咐搭个彩棚，挂上珠帘，携采秋赴教场，看了一日。是晚，荷生回营办事去了。采秋自归愉园。此时夜漏初长，采秋拥簧独坐，忽想起瘐子出《华林园马射》的赋来，默诵一遍，却忘了数句。教红豆检出，看了一看，就也撂开。和衣上床躺去，合着眼，只睡不着，便想摹仿做个《并门孟科大阅》的赋，想了一会，就有了开首序语一段。因坐起来，唤香雪印一银合香篆，慢慢的燃起。恰好红豆泡上一碗龙井茶，顿觉助兴。教红豆端了笔砚，随便取一张素纸，就在灯下作了一序一赋，约有一千余字。差不多两下钟，才收拾去睡。

　　次日妆罢，觉得晨熹黯淡，移步帘外，见云光周匝，雪意溟蒙。因进来闭着风门，向北窗坐下，取出赋稿，修饰一过。适有荷生飞楷的白折堆在案头，随手取一本，却已套有印格，便磨墨蘸笔，作起楷来。红豆在旁伺候，频频递着茶汤，拨着炉火。不一会，早誊完了。喜是没钮一字，含笑向着红豆道："我倘变个男子，去做这些应制功夫，就也不准荷生旁若无人了。"正在得意，只见香雪上来回道："欧老爷、梅老爷来找，看门的告诉他爷没有来，他却进来，在客厅坐着。娘还见他不见？"采秋道："你请他船房坐罢。"

　　一会，采秋出见。原来两人是为着他会榜的座师是个古文家，明年七十寿诞，要求荷生替他做一篇散行寿序。采秋道："荷生这两天怕不得空，我替你荐一个好手笔罢。"小岑道："是谁？"采秋道："痴珠不好么？"剑秋道："算了，我就是从他那里来。他说是奇特的人墓志家传，他才肯下笔，似此应酬文字，他自己要用，也须倩人。你还荐他么？"采秋笑道："他现办的席面，不通是应酬笔墨么？"小岑道："他那里肯办一个字？通是那两个帮手胡弄局。"采秋道："痴珠这种孤僻，真也不对。读书做人都到那高不可攀的地位，除了我们，怕就没人赏识他了。"剑秋笑

道：“我们还配？他说一家骨肉，四海宾朋，都不是他真知己；只秋痕，说他'不是此刻世界上的人'，是他真知己。”采秋道：“这也真话。五石之瓠，大而无当；拳曲支离之木，匠氏过而不顾。这四句就做得痴珠后来的传赞了。”此会北风大作，剑秋道：“闲话休题，荷生今天想是不来，我们还访他去罢。”采秋道：“我有个拜盒寄给荷生，你教跟人替我带去罢。”剑秋道：“你唤丫鬟取去。我怕下雪，要走了。”采秋道：“我去就来。”说着，便同靠北蕉叶门进去。半晌，香雪捧个洋漆描金小拜盒，并个红纸小封，交给跟人，两人就走了。

这里荷生收过拜盒，将两人延入，自将来意说了。荷生也荐痴珠，小岑含笑把前话一一告诉。荷生也觉好笑，不得已即行答应。两人坐一会，从炕上玻璃窗内望见后院同云密布，便赶着走了。

荷生到了里间，将愉园寄来小封拆开，是把小钥匙。就打开小拜盒，却是一本白折。取出展开，见蝇头小楷写得匀整得很，却是一篇赋，笑吟吟的诵了一遍，携到书案上，密圈细点，讽咏数遍。瞧着表，早是二下多钟。便唤青萍，吩咐套车，赶向愉园。

采秋迎上楼来，荷生道：“好手笔！”采秋笑道：“不要谬赞，替我看了没有？”荷生道：“我僭易数字，和你商量看，好不好？”一面说，一面叫人将拜盒携入，递给采秋。采秋检出瞧一瞧，笑道：“你易了数字，通好。只是何苦这样滥圈！”荷生正要答应，楼下小丫鬟报说：“韦老爷、洪老爷过来。”荷生、采秋迎到梯边。紫沧道：“天冷得很。”荷生道：“要下雪哩。”痴珠上了扶梯，向荷生说道：“那天失迎，你和剑秋就留得好诗。”采秋道：“你的和作也好。”痴珠道：“你见过么？”荷生指着东壁道：“那不是。”紫沧瞧那两张色笺上写的题是《次绮怀诗题后原韵，并质春镜楼主人》，诗是七绝八首，因念道：

筶筬朱字是邪非，裙布连朝理嫁衣。

一洗红颜磨蝎恨，镜鸾指日看双飞。

修到寒梅此福难，阳春独自占冬残。

江郎一手生花笔，可作金铃十万看。

学唱伊侬谱偶填，可怜春恨竟年年。

劳君惜翠留佳句，一笑莺花醉梦天。

　　钟情苦我卖多痴,菜市街头月上时。
　　一掬灵均香草泪,玉参差好为谁吹?

说道:"好句似仙。"又往下念道:

　　涉江花影蘸双双,水部诗心艳绮窗。
　　他日春风蓉镜下,羊可得意理归船。
　　年来客鬓渐成丝,走马胭脂异昔时。
　　尽有惊鸿与平视,感甄未敢赋陈思。

说道:"押思字好得很。"荷生道:
"痴珠才大如活,他稿里次韵之
作,还有洋洋大篇三叠四叠的。"
痴珠道:"我送给你八本诗稿,你
通看过么?"荷生道:"我瞧是瞧了
一遍,一笔的才有一半。大约就
中可存的会有六七,我慢慢替你
去取罢。"痴珠道:"好极!你和采
秋通要给我一篇序。"采秋道:"我
也配替人作序?"这里紫沧正念第
七首的诗,是:

　　澄波莲叶自田田,绝好
清娱会马迁。灵气只今巾帼
萃,相如才调女婵娟。

荷生道:"女相如今日竟有一篇
《羽猎赋》,采秋,你取给他瞧罢。"采秋道:"我是个邯郸学步,算不了什
么。"此时窗外沙沙的响,早一阵阵撒起玉屑来。紫沧念完第八首,是:

　　朔雪初晴鸟语柔,文园病起且勾留。秦云塞草燕支月,落
　　落青衫已十秋。

笑道:"才说雪晴,天却又下了。"就也过来,和痴珠同看这本白折写的
赋。见书法珠圆玉润之中,别有一种飘飘欲仙丰致,早赞不绝口。痴珠
念道:

　　古者司马之职,中冬大阅而狩田;雎鸠之官,二月顺时而

讲武。白旗秋载,驾月令之七驺;黄竹寒吟,乘风驰之八骏。狩歌甫草,弓知斯张;猎校上林,未合有爽在。莫不开节犬逝,协气旁流;期门清尘,野庐扫路。封圻所掌,著为令典已。我国家之命将也,诗咏出车,礼隆推毂,聱士之坛既拜,将军之阃遂开。君开有谷,元老壮猷。功炳于三世之师,化穆乎七旬之格。岂特桓桓夫子,赳赳武夫,学万人之敌,作万里之城云尔哉!经略以椒房懿戚,珂里世臣,督师河上,驻节并州德享乎燕诒,勋名图于麟炳。接云中之雉尾,踵车后之鹰扬。寇准借以抚循,韩琦坐而静镇。抒筹边之伟略,宣专阃之灵威。漕转关中,萧何裕本根之计;寇穷淮上,王景足控双之谋。然犹谦德自伪公忠日懋;吐哺握发,延览英雄;鞠旅陈师,日闲舆卫。所以幕府得一时之人杰,军佐皆绝代之将才。往岁秦中逆回滋事,经略畛域之心不设,水火之救弥勤。亲率精兵,日驰百里,惊砂入面,坚冰在须。先声远树,铜马闻羽檄而降;一夕成功,回鹘望令公而拜。潼并日丽,碛石云屯,东行匝月之劳,西土万家之福。岂止营屯细柳,媲美条侯;芟憩甘棠,兴歌召伯?固已陆龙水栗,泥首于畏威;海巫山陬,铭心于饱德也。于时玄英应律,丹鸟司晨,塞草云黄,剑花霜白。经略乃拥玄狐,驾黑骆,临于讲武之场。千乘雷动,万众凫趋,羽盖风张,牙香霏步障,异金谷之名园;会集兜鍪,同华林之习射。雁翎掠地,鹰架插天。集六部之良家,奋两河之壮士。列阵分屯,旗翻豆绿;分朋别队,襦衲梅红。于是布鸳鸯之阵,扬悲翠之旌,驰唐公之肃霜,萃华元之犀凹。游陟云林,周历烟渚。山谷为之风飙,林丛为之尘上。铜鼓鼍鸣,铁衣蚁聚。赐赍之锦霞堆,论赏之钱山积。《长扬》所不能赋,《羽猎》所不能详也。既而槐荫礼成,汾堤日暮;鸾鹤归林,烟云拥树。玉颜微霁,宾从咸怡;戎政既修,景福爰集。某也与寓目焉,因敬谨以陈词,原雍容而献赋。其辞曰:

　　榆关春小,董泽秋阑。霜乌依日,塞雁惊寒。草枯玉砌,花冷金荸。修故黄于良月,阅技通于材官。经略乃选天驷,驾

云骑,凉生晋水,路出汾川。一条径软,万骑声阗。坡平草剃,林爽风穿。疏槐漏日,残柳凝烟。彩仗共扮榆相映,和鸾与箫管齐宣。天开锦幄,地遍花毡。将举烽而代鼓,先警众以鸣鞭。凫藻心倾,欢虞情畅。炮石雷轰,戟门风壮。翠葆成围,蜂旗叠障。刁斗无声,军书高唱。东西组甲之兵,左右绣袍之将。无何鹰储隼飞腾,熊罴驰突,阵结连环,彩高伏钺;散为蝴蝶,五花八门,团作鸳鸯,春云秋月。耳目纷其陆离,神采飞而焕发。矫如戏水之龙,健若摩天之鹘;香尘辟易以飞扬,电影左驰而灭没。三驱竣事,三耦升堂;弯弧落雁,破的穿扬。悬熊正设,画虎侯张;星流雨集,走潜飞翔。鹄晕,圆而月皎,㭰云破而风扬。步射礼,马驰绮陌,劲有声,蹄轻无迹。狮花奋而扬镳,猿臂撑而射石,之矢纷投,织锦之鞲络绎。控玉勒而星扔,拥绸弓而雾积。乃有汉家飞将,塞上雄才,班师马邑,罢战龙堆。曾建功于绝域,得会从于层台。技能贯虱,令惯衔枚。恰弯弓而满月,倏噪鼓而惊雷。乐工告阕,现赐初行;铜同合徙,锦市俱倾。壮表里河山之色,慰就瞻云之情。石楼霞烂,绣壤风清。惟顺时而布政,乃乐备而礼成。眷回车而迈,祝景福之时呈。

紫沧说道:"研《都》炼《京》,锦心绣口。"痴珠道:"班婕抒歌扇,鲍令晕赋敬,对此麟麟炳炳之文,能无愧色?"采秋道:"你们总是说好。其实算是我作的,自然不好也好。倘说是你们孝廉、茂材做的,就也平常了。"痴珠忽然半响不语,却高吟杜诗《冬狩行》道:"飘然危一老翁,十年厌见旌旗红。喜君士卒甚整肃,为我回辔擒西戎。草中狐兔尽何益,天子不在咸阳宫。朝廷虽无幽王祸,得不哀痛尘再蒙。呜呼! 得不哀痛尘再蒙!"竟洒涕冒雪走了。

荷生晓得痴珠别有感触,送出大门回来,叹道:"古之伤心人!"因也吟杜诗道:"玉箸淡无味,故羯岂强敌? 长歌激屋梁,泪下流袵席。"采秋接着道:"志士幽人莫怨嗟,古来才大难为用。"就留紫沧小饮,到二更天,值雪少止,坐车而去。

荷生送了紫沧,倚在水榭西廊栏杆上,领略一番雪景。真个琼装世

界,玉琢楼台。因触起痴珠稿中的诗句,吟道:

> 飞来别岛住吟身,玉宇琼楼证净因。
>
> 如此溪山如此雪,天公端不负诗人。

正欲回步,蓦见采秋到了跟前,说道:"怎的半天不进去,却站在雪地里吟诗?"荷生从雪光中瞧采秋披件大红哆罗呢的斗篷,越显得玉骨珊珊,便携着手道:"你看这水榭,不就是海上的瑶岛么? 我真欲终老是乡,不必别求白云多矣。"采秋道:"你喝了酒,这一阵阵的朔风扑面吹来,寒冷异常,进去罢。"

此时红豆提一盏荷叶灯也来了,就引着两人慢慢步上楼来,香雪向铜炉内添些兽炭。荷生高兴,教红豆掬了一铜盆的雪,取个磁瓶,和采秋向炉上亲烹起茶来。采秋吟道:"羊羔锦帐应粗俗,自掬冰泉煮石茶。"荷生笑道:"你还不如党家姬哩。"采秋道:"怎说呢?"荷生道:"他买得,你买不得。"采秋默然,停了一停,泪眼盈盈说道:"我的心你还不知道么?"荷生道:"这也不用说了。只是你决意下月走么?"采秋淌下泪来,哽咽半响,说道:"我爹有病,我总要回去看他一遭。自古父母在堂,做侍妾的也许归宁。就算我已经到了你家,得着这个信,求你给我回娘家一两个月,你难道不依么? 而且我终身的事,也要和我爹说去。他是个男人,自然比我妈明白些。紫沧平日和我爹还说得来,我先走,你教紫沧随后也走,大约这事总有八分停妥。万有不然,我这身终算是你的。正月以内我自行进省,彼时他们也不能说我不待父母之命。你道是不是呢?"荷生叹一口气道:"你说的都是,我能说你半句的不是么? 只是天寒岁暮,教我把这别绪离情作何消遣呢?"采秋听了,扑簌簌掉下泪来。荷生眼皮一红,忍着泪说道:"人生离合悲欢,是一定之理。我也不学痴珠,作那儿女嗳嚅、楚囚相对的光景。事已至此,只得给你走罢。"说着便站起身喝了茶,开着风门,向楼外望着园中一片雪光,觉得冷森森的,因复归坐,说道:"我这会有了几句诗,我念着,你写,好么?"采秋点一点头,移步到长案边,教红豆磨墨,自行检张笺纸,向方椅坐下,蘸饱笔等着。只听荷生吟道:

> 压线年年事已非,泪痕零落旧征衣。
>
> 如何窈窕如花女,也学来鸿去燕飞?

荷生一面吟,采秋一面写,到了末句,便停着笔,接连流下几点泪来。荷生又吟道:

　　相见时难别亦难,绸缪絮语到更残。

　　脂香粉合分明在,检作归装不忍看。

荷生吟这一首,声音就低了好些。采秋刚才抹干了眼泪,提起笔来写了一句,却又滚出泪来,便站起身来,咽着声说道:"我不能写了,你自己写去罢!"荷生只得接过笔来写下去。第三、四首是:

　　筌篌一曲谱新填,便是相逢已隔年。

　　珍重几行临别泪,莫教轻洒雪中天。

　　钟情深处转成痴,不欲人生有别时。

　　偏是阳关随地遇,声声风笛向侬吹。

采秋瞧了这两首,竟忍不住呜呜咽咽的哭了。荷生也落下泪来。红豆在旁,赶着拧手巾给两人拭了脸,又递上茶。半晌,采秋噙着泪说道:"我先教我妈走,我挨过你的生日再走罢。"荷生不语。这会天渐开了,风亦稍停,两人也非像先前凄楚了。后来采秋迟走二十日。那《大阅赋》竟为明经略赏识,此是后话。正是:

　　幼妇清才,一时无两。

　　屈指归期,春三月上。

欲知后事,且听下回分解。

第二十七回　痴婢悔心两番救护
　　　　　使君高义一席殷勤

话说痴珠满腔孤愤，从愉园上车，向秋心院赶来。时正黄昏，晚风刺骨，朔地扑衣，好是一箭多地就到了。步入月亮门，跛脚和那小丫鬟站在台阶，将棉袄前襟接着雪花玩耍。瞥见痴珠，一个便打开南屋软帘，一个跑入北屋告诉秋痕。秋痕迎了出来，说道："好好天气偏是不来，这样大雪何苦出门呢？"一面说，一面替痴珠卸下头篷风帽，教小丫鬟取过鞋，换下湿靴。痴珠见秋痕打个辫子，也不涂粉，却自有天然丰

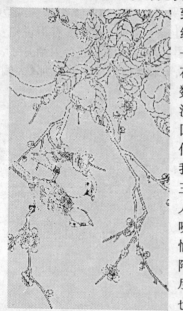

致，身上穿件旧纺绸的羔皮短袄，青绉纱的棉裤。便携着手，同入北屋。觉得一阵阵梅花的香扑入鼻孔，便说道："梅花开么？"秋痕道："你回去那一天就开数枝。你怎的隔两天竟不来呢？我又没得人去瞧你。"痴珠道："我为着差人回南边去，忙了一日。第二日却为游鹤仙自蒲关来了，他就住在李太太公馆，我饭后去回看他，就给他兄妹留住，到三更多天才得回寓。今日清早要来看人，却被上岑、剑秋绊住脚。吃过饭，正吩咐套车，紫沧又来，我只得和他同到愉园。鹤唳风声，天寒日短，我倒像个隋炀帝汲汲顾景哩！"秋痕不语。痴珠尽管向玻璃窗瞧着雪，望着院里梅花，也不理会。忽听得哗喇一响，吓了一跳。回头见满地残羹冷炙，秋痕满脸怒容，坐在方椅，只是喘气；两个丫鬟和一个打杂、眼掂掂的瞧着。痴珠忙问道："怎的？"秋痕一言不发。打杂的说道："我们好端端送饭上来，姑娘发气，将端盘全行砸下。"痴珠

便含笑说道:"不是姑娘发气,是失手碰一下,你们不小心,天冷指僵,自然掀下地来。"打杂正要辩说,痴珠接着道:"如今不要多话。"就向四喜袋内检出一张钱钞,付给打杂道:"这是两吊钱,你替我办几味下酒的菜来,余外的赏你。"那打杂自然欢天喜地的买办去了。痴珠便教两个丫鬟收拾,端出南屋,方来安慰秋痕。秋痕哭道:"我劝你狠着心丢了我,你不肯听,给这一起没良心的恁般轻慢!"痴珠一笑,末了说道:"如今我和你聚一天便是乐一天,你体贴我这意思罢。"秋痕止住哭,痴珠倒伤心起来。秋痕十分愤懑,十分感激,就十分的密爱幽欢。正是:

> 白飞雪絮,红闪风灯;香烬乍温,茶竹微沸。羁璧马于此乡,合金虫以为爱。春凭捣杵,弓任射沙。冰雾之怨何穷?秦丝之弹未已。莲花出水,声谐劳子之心;梅影横窗,闷入梅花之梦。

只情分愈笃,风波愈多。第二日雪霁,痴珠去后,牛氏便进来,拿个竹篦,背着手,冷冷的笑道:"我们伺候不周,叫姑娘掀了酒菜!"就扬开手,打将下来。秋痕哭道:"你们一个月得了人家几多银钱?端出那种饭菜,教我脸上怎的过得去?"牛氏起先不过给狗头父子怂恿进来,展个威风,被秋痕冲撞了这些言语,倒惹起真气来,唤进李裁缝,将秋痕的皮袄剥下,乱打乱骂。秋痕到此,只是咬牙,也不叫,也不哭。倒是跛脚过意不去,死命抱着竹篦,哀哀的哭。牛氏见秋痕倔强,跛脚纠缠,愈觉生气,丢了竹篦,将手向秋痕身上乱拧,大嚷大闹,总要秋痕求饶才肯放手。无奈秋痕硬不开口。跛脚哭声愈高,牛氏嚷声愈大,打杂们探头探脑,又不敢进去。

正在难解难分之际,陡然有人打门进来,却是李家左右邻:一个卖酒的,这人绰号唤作酒鬼,性情懒惰,只晓得喝酒,开个小酒店,人家赊欠的也懒去讨,倒把点子家私都赔在酒缸里;一个开生肉铺的,这人绰号唤作竭太岁,性情爽直,最好管人家闲事,横冲直荡,全没遮拦。当下跑入李家,竭太岁嚷道:"你们是教坊人家,理当安静。怎的今日大吵,明日大嚷?闹出事来,不带累街坊么?"便奔入北屋,将牛氏扯开。酒鬼也跟着,责备了李裁缝一顿。牛氏见是左右邻,也不敢撒泼,只说道:"人家管教儿女,犯不着惊动高邻。"竭太岁嚷道:"你家十四夜闹的事,

对得起人么？弄出人命，我们还要陪你见官哩！"牛氏、李裁缝那里还敢答应。倒是酒鬼拉着牛氏，到了客厅，戆太岁、李裁缝也都出来。大家坐下，酒鬼好言劝解牛氏一番。戆太岁还是气仇仇的带骂带说。李裁缝陪了许多小心，叫打杂递上茶来，两人喝了。戆太岁向着牛氏道："不准再闹！"方才散去。

可怜秋痕下床还没三天，又受此一顿屈打！牛氏下半天气平了，便怕秋痕寻死，又进来诉说了多少话，秋痕只是不理；晚夕，逼着秋痕喝点稀饭，背后吩咐跛脚看守，就也自去吃烟了。

秋痕这一日，愤气填胸，一点泪也没有，和衣躺到三更后，一灯如豆，炉火不温，好像窗外梅树下悉索有声，又像人叹气，想道："敢莫鬼来叫我上吊么？"因坐起来，将裤带解下，向床楣上瞧一瞧，下床剔亮灯，将卷窗展开，望着梅花默祝一番；正跪床沿，悬下裤带，突然背后有人拦腰抱住，哭道："娘就舍得大家，怎舍得韦老爷哩？"秋痕此刻虽不怕什么，却也一跳，回头见是跛脚。跛脚接着道："你死了，还怕韦老爷要受妈的气哩！"秋痕给跛脚提醒这一句，柔肠百转，方觉一股刺骨的悲酸，非常沉痛，整整和跛脚对哭到天亮。这会周身才晓得疼。打算痴珠今天必来，怕他见着难受，谆嘱跛脚不要漏泄。安息一会，支撑下床。

挨至午后，痴珠来了，照常迎入。痴珠见秋痕面似梨花，朱唇浅淡，一双娇眼肿得如樱桃一般，便沉吟半晌，才说道："你又受气？"秋痕忍不住，眼泪直流下来，说道："没有！"便拉着痴珠的手，坐在一凳，勉强含笑道："你昨晚不来，我心上不知道怎样难过，故此又哭得肿了。"痴珠不信，秋痕便邀痴珠步入北院，玩赏列雪析梅，就说道："繁枝容易纷纷落，嫩叶商量细细开。"痴珠接着道："东流江水西飞燕，可惜春光不再见。"秋痕怔怔的说道："怎的？"痴珠不答。到得夜里上床，痴珠瞧着秋痕身上许多伤痕，骇愕之至，亦愤痛之至。秋痕倒再三宽慰，总劝他以后不要常来。

次日就是三十，留痴珠叙了一日一夜。初一早，秋痕折下数枝半开梅花，递给痴珠道："给你十日消遣罢！"两个硬着心肠，分手而去。

痴珠回寓，将梅花供在书案。黯然相对。初二靠晚，游鹤仙便衣探访，痴珠才到秋华堂来，坐至二更天走了。痴珠因约他明午便饭。初三

混了一日。初四午后,访了鹤仙,三更多天回来,穆升回说:"留大老爷亲自过来,请爷初七日公馆过冬。"

看官:你道这一局为何而设呢? 原来子善公馆是那卖酒卖肉的主顾,跟班奶妈们都认得这两人。一日,谈起李裁缝,戆太岁便将二十八日的事,告诉了子善跟班。因此子善前往探访,见秋痕玉容憔悴,云鬟蓬飞,说不出那一种可怜的模样,就十分难过,和秋痕约下这局。痴珠不知。到了一下钟,催请来了,痴珠:"有何客?"跟班回道:"通没别客,听说刘姑娘也来。"痴珠道:"那个刘姑娘?"跟班笑道:"不就是菜市街李家姑娘么?"痴珠听了,便说道:"我即刻就到。"接着吩咐套车。

恰好痴珠下车,秋痕正和晏太太、留太太请安下来,就坐痴珠身下。子秀笑道:"你两人隔数天不见,何不开口谈谈?"秋痕眼皮一红,瞧着瓶里插的梅花,即说道:"谈也是这样,就如这梅花,已经折下来插在瓶中,还活得几天呢?"子秀道:"花落重开,也是一样,不过暂时落劫罢了。"秋痕道:"花落原会重开,人死可会重生么?"痴珠道:"死了自然不能重生,却是死了干净。最恨是不生不死,这才难受。"痴珠说到这里,不觉酸鼻。秋痕早淌下泪来。子善便劝道:"今日请你们来,原为乐一天,而且系个佳节,何必说生说死,徒乱人意。"痴珠道:"着,着! 说别话罢"。子秀因问起谡如江南情景,痴珠叹一口气道:"他这回战功原也不小,荷生营里接着南边九月探报,也与谡如家信说的一样。不晓他怎样得罪大帅,如今还搁着不奏。他前月来的信,说是要饬他到任,这会怕是到宝山去了。"秋痕道:"江南军营不用人打仗么?"痴珠道:"百姓不管官府事,说他怎的?"当下晏、留太太唤着秋痕上去,替他换个髻围——是留太太亲手扎的;又赏了手凰、手袖、脂粉等件。到秋痕下来,便入坐喝酒,下了大菜。

家人们掌上灯,子善道:"秋痕,你如今行个什么令?"秋痕瞧着痴珠道:"我那一夜要记芙蓉,你说是诗词歌赋上多得很。我如今单用调整曲的芙蓉飞觞,照谡如的令,两人接罢。"痴珠道:"也还热闹。你说罢。"秋痕斟满酒喝了,说道:"子善、痴珠接令:

　　　陪得过风月主,芙蓉城遇晚书怀。"

子善喝了酒,说:"秋痕、子秀接令:

羞逞芙蓉娇面。"

痴珠喝了酒,说道:"子秀、子善接令:

　　　草蒲团做不得芙蓉软褥。"

秋痕道:"我再飞个芙蓉,是:

　　　则怕芙蓉帐额寒凝绿。

子善、痴珠接令。"子秀道:"我飞个并蒂芙蓉罢。第一个是:

　　　采芙蓉回生并载。

子善、痴珠接令。第二个是:

　　　也要些鸳鸯被芙蓉妆。

痴珠、秋痕接令。"子善道:"不好,我竟要飞三句了,通说罢。人太少,我要自己喝酒了。第一句飞着痴珠、秋痕:

　　　草床头绣褥芙蓉。

第二句第三句通是宾主对饮:

　　　珠帘掩映芙蓉面。

　　　人前怎解芙蓉扣。

秋痕一杯,痴珠通共三杯,我两杯。"痴珠道:"如今我说五句,秋痕说一句,收令罢。我五句是:

　　　你出家芙蓉淡妆。

　　　三千界芙蓉装艳。

　　　芙蓉冠帔,短发难簪系。

　　　香津微搵,碧花凝唾;鞭蓉暗笑,碧云偷破。

　　　好男儿芙蓉俊姿。"

秋痕道:"痴珠怎的说五句,通是自己喝?又累我喝两杯,却不给子秀的酒?"痴珠笑道:"我要多喝子善的酒,不好么?"于是痴珠喝了五杯,子善喝了三杯,秋痕喝了两杯。秋痕道:"我给子秀一杯酒喝,子善陪一杯:

　　　恨匆匆薄踪浪影,风剪了玉芙蓉。"

痴珠瞧了秋痕一眼,也不言语。子秀、子善喝了酒,让痴珠、秋痕吃些菜。只见老妈领着子善的三少爷,抱个腰鼓出来。痴珠、秋痕都抓些果品,和孩子说笑。子善瞧着鼓,笑道:"我们何不行个击鼓传花的令?"痴珠道:"这更热闹。"秋痕道:"传着的,喝酒,也说句调整曲,才有趣。"就

向炕几花瓶取出一枝梅花,说道:"就说梅字如何?"大家说:"好!"子善道:"教谁掌鼓?"痴珠道:"就屈你令郎做个司鼓吏,好么?"子秀道:"好极!"于是子善唤老妈引孩子到里间打起鼓,席上传花。轮有三遍,传到子善,鼓却住了。子善喝酒,说个梅字,是:

>敢柳和梅,有些瓜葛?

说完,起鼓。轮有一遍,到秋痕鼓就歇了。秋痕喝酒,说道:

>立多时,细雨梅花落香雪。

子善又教起鼓。这回轮有五遍,秋痕将花传向子秀,子秀未接,鼓却住了。秋痕便说子秀故意不搛,要罚子秀。子秀道:"我正要接,鼓声已停,怨不得我。"大家都说:"该是秋痕。"秋痕只得喝酒,说道:

>前夜灯花,今日梅花。

说完,鼓声阗然,轮有两遍,秋痕刚从痴珠手里接过,鼓又停了。大家大笑。秋痕着了急,说道:"怎的三少爷只叫我一个人喝酒?"只得说道:

>俺向这地坼里梅根进。

第五回轮到痴珠,痴珠说的是:

>偏似他翠袖临风惨落梅。

第六回又轮到秋痕,秋痕说的是:

>向回廊月下,闲嗅着小梅花。

第七回又轮着子善,子善说的是:

>簪挂在梅梢月。

第八回又轮到痴珠,痴珠说的是:

>手拈玉梅低说。

第九回又轮着秋痕,秋痕笑道:"今天真教我喝得醉倒了。"痴珠道:"我替你喝酒,你说。"秋痕说道:

>纸帐梅花独自眠。

第十回又轮到痴珠,秋痕将手向痴珠酒杯一捻,觉不大热,便对些热酒,夹一片冬笋给痴珠。痴珠说道:

>他青梅在手诗吟哦。

到了第十一回才轮到子秀,子秀说的是:

>画角老梅吹晚。

花月痕

痴珠瞧着秋痕衿上的表,说道:"一下钟了,已经轮到子秀,收令罢。"秋痕向子秀道:"今日便宜了你。"子秀笑道:"我要酒喝,人家不给我喝,这也是没法的事。"痴珠道:"今日也还乐。"秋痕叹口气道:"这叫做黄连并尾弹琵琶,苦中作乐。"痴珠默然,随说道:"我只是得过且过,得乐且乐。"秋痕用些稀饭,大家散坐。

痴珠洗漱后,喝几口茶,到书案上检张诗笺,教秋痕磨然,提笔写道:"即席赋谢。"子秀、子善都围着看,只见痴珠歪歪斜斜写道:

> 聚首天涯亦夙因,判年款洽见情真。绮怀对烛难胜醉,旅邸登
> 盘枉借春。绿酒红灯如此夜,青衫翠鬓可怜人。使群高义云天薄,
> 还我双双自在身。

末书"子善刺史粲正。痴珠醉笔"。子善含笑致谢。秋痕道:"'借春'二字,有现成么?"痴珠道:"《岁时高》:'冬至赐百官辛盘,谓之借春。'"说毕,喝了茶。便将车先送秋痕,复坐了一回,然后回寓。正是:

> 秋鸟号寒,春蚕作茧。
>
> 破涕为欢,机乃一转。

欲知后事,且听下回分解。

第二十八回

还玉佩憨书生受赚
讨藤镯戆太岁招灾

话说十一月起，痴珠依了秋痕的话，十日一来，来亦不久。牛氏就也明白痴珠意思了。这日，痴珠去后，牛氏便跑入秋心院和秋痕大吵。秋痕道："他走了，教我怎样？"牛氏不待说完，便抢过来，右一巴掌，左一巴掌，秋痕只低头不语。牛氏没奈何，住了手，气愤愤的出去。那狗头虽撵出中门，牛氏屋里他还出入，便慢慢的献勤讨好，如今又乘间想出一个妙计来，这且不表。

却说愉园日来贾氏早走，荷生是上半日进营办事，下半日到愉园和采秋作伴。此时紫沧回家了。小岑、剑秋俱系告假在藉，现在假期已满，摒挡出山。痴珠日来足不出户，著了《扪虱》《谈虎》两编杂录。月秒鹤仙回任，痴珠送行回寓，是夜拥炉危坐一会，唤秃头剪了烛花，向书案上检纸断笺，题诗云：

> 情到能痴天或悔，愁如可忏地长埋。
> 徐陵镜里人何处，细检盟心旧断钗。
> 写成鸳牒转低徊，如今闲情拨不开。
> 尽说千金能买笑，我偏买得泪痕来！

次日，折成方胜，着秃头送去秋心院，痴珠睡了一觉，秃头才回，呈上双鱼的一个绣口袋。随手拽开，内藏红笺，楷书两首步韵的诗。痴珠瞧了，复念道：

> 再无古井波能起，只有寒山骨可埋。
> 镜匣祇今尘已满，蓬飞誓不上金钗。
> 无寒无语自徘徊，见说梅花落又开。
> 为语东群莫吹澈，留些余艳待君来。

念毕，收入枕函。自此隔一日一到县前街，余外编书，或访心印谈禅。

心印道："痴珠，你口头争相空空，奈心头牢锁不开，恁你舌本翻莲，归根是个不干净。"痴珠道："浮生荡泊，吾道艰难，不足为外人道也。"心

中国古典名著百部

印道："这是世情，你不懂么？佛便是千古第一个情处！你们儒教说个仁，又说个义，便有做不得情的时候；我们佛教无人不可用情，恁你什么情天情海，无一不是我佛国版图。只菩萨闲情，却是拈花微笑，再不为情字去苦恼，你怎不想想？"痴珠正要回答，忽见侍者报道："苟老爷、钱老爷来访。"说话时候，两人已经转进门，痴珠回避不及，只得见礼。苟才与痴珠是个初见，那钱同秀系痴珠旧相识，拉着痴珠说长说短，后来心印让坐，同秀就和痴珠一块坐下。也是秋痕该有一场是非，同秀喝茶，无心中将皮袍袖一展，却露出一支风藤镯，痴珠认是自己给秋痕的，怎的落在同秀手里？心上便十分惊愕起来，说道："七哥这支镯，借我一瞧。"同秀陡然发觉，急得满脸通红，赶将手袖放下；迟疑半晌，硬着头皮卸下，递给痴珠，说道："这是一个人才拿来卖呢。"痴珠接过手道："这就是我的，我在四川好费事寻出一对，你不信，看我这一支。"说着，就从袖里取下一支，大家同看。半边包的金色，两头雕的花样，粗大径围，两枝一模一样，苟才道："这样粗大风藤，委实难得。这黑溜溜的颜色，总带得有几十年工夫。"同秀道："你什么时候丢了一支？"痴珠道："我不是丢，我是给个人。你从什么人买来？"同秀道："前天有我一个旧相识拿来，要卖二十吊钱，后来我给他十千钱，他也就肯卖了。"口里这样说，脸上却十分惭沮。心印因向痴珠道："这也难说就是你的。我在南边有把玉如意，竟与许太史家花样大小也是一样，后来我发誓朝山，就送他做个对儿去。"苟才道："痴珠，你给了什么人？何不问这个人有卖没有？还是他给人偷出来卖，也不可知。"痴珠勉强回答数语，带上自己一支藤镯，就先回西院去了。

这里同秀见这支藤镯已给痴珠看见，想道："他们问出来就晓得是我偷了，我也难再见两人，倒不如编个谎话，教他们闹一闹罢。"便含笑向苟才道："你道我这支镯，真是买来么？这是他给了秋痕，秋痕新给了我。我在他跟前不便说出。"苟才道："好呀，你就和秋痕有交情么？"同秀一笑，苟才接着道："你竟巴结得上这个有脾气的姑娘，这也难得。"心印听着这些话，只微微的笑，通不言语。那侍者背地便一一和秃头说了。

秃头听得这话，气愤愤的跑到痴珠跟前，将侍者的话告诉一遍，且

絮聒痴珠，无非是讲白疼了他。痴珠听了，半晌才说道："你不用多话，算我这回明白就是了。"秃头退出，痴珠便向里间躺下。一时懵懂，全不想前前后后，竟然解下九龙佩，又向枕函中检出秋痕的东西，立刻唤秃头送还秋痕，也没一句话说。

　　可怜秋痕这两日正为痴珠和他妈力争上流时候，那里晓得半天打下这个霹雳！当下秃头将拜盒打开，一件件交代明白，气得秋痕手足冰冷，呆呆地瞧着东西，半晌才问道："爷怎样说？"秃头道："爷没说什么，只问姑娘将那一支凤藤镯给了什么人？"秋痕聪明，见秃头说起凤藤镯，便知痴珠受了人家的赚，气转平了，说道："你回去对你爷说，爷给的东西，我一时也检不清，我就没良心，也不敢将爷留的东西，这会儿给了人。那凤藤镯一节故事，你爷将来自然明白。我的东西，教你爷仍旧收入。对你爷说，我总是一条心，再没两条心。教你爷不要上人家的当，徒自气苦。这时候还早，就请你爷来，我有话说。"秃头先前一脸怒气，这会见秋痕说得娓娓可听，就说道："我将这些带回去请爷来罢。只是那一支凤藤镯，怎的落在钱老爷手里？我也气不过。"秋痕道："是他偷着走了，我为什么给他？"秃头道："这钱老爷就可恶得很，他偷了人家东西，还要说几多闲话哩！"遂将日间的话，告诉一遍。

　　看官，你道钱同秀是什么时候来呢？原来初十那一夜，狗头向牛氏保起钱同秀，说他怎样有钱，怎样好骗，又怎样给青桃母子论诈，说得牛氏心花怒开，自悔以前轻易答应了痴珠，总恨那几天的雨误人。次日，就打发狗头去同秀公馆请安，探听口气，还想送些东西，不料失望而归，说是同秀七月间就走了。这十天以内，狗头四处拉拢，无奈太原城里将韦韩称做海内二龙，就把刘杜称做并州双凤，愉园、秋心院再也没人敢于造次。所以痴珠来往，牛氏一时也不敢拒绝。到了二十四日，狗头出门，瞥见同秀衣冠楚楚坐在车里，就如拾着宝贝一般欢喜，忙跟同秀的车跑到一家门首，跟班投贴进去，狗头就在车边请安。恰好主人不在家。同秀回车，便叫停住，向狗头问道："你姑娘都好？"狗头答应，即说道："老爷，怎的从七月就不来了？"同秀道："咳，不要说起。我就是那一夜接着蒲关的信，闹个盐务命案，次日冒雨起身，如今才能脱身。"狗头道："这里到小的家甚近，老爷顺路进去喝一杯茶好么？"同秀做人见人

家会巴结，再不肯拂他意思，便道："也好，只是我听得人说，你姑娘和我的朋友韦老爷好得很。"狗头笑道："他是老爷同乡，小的原不敢混说，其实姑娘近来厌弃他了不得，都是你老爷那夜不来，害我妈上了他的当。如今老爷来了，便是我家造化。"同秀道："往后再看。"两人说说，早到门首。

狗头打门，便一叠连声嚷道："钱老爷过来！"喜得牛氏、李裁缝忙迎出来，又怕秋痕不答应，牛氏自己跟进来，瞧着秋痕款待。——不想同秀这回是他女人和他同来，为着他娶妆，家里好不吵闹，如今是押他搬取回去，你道同秀这回还能够在外头胡闹么？——当下秋痕在牛氏跟前，不能不招呼，到得牛氏去后，便低着头，怎同秀怎样问话，只是不答应。一会，秋痕走入南屋，同秀一人坐在炕边方椅，见枕边黄澄澄的一支风藤镯，想道："秋痕这般可恶，我悄悄的带上，你总要捱一顿打。"其实同秀当时作恶把秋痕教训几句，秋痕打定了。这风藤镯是痴珠的，就丢了十个，他妈也不管，秋痕如何会打？

当下同秀走了，秋痕也送到月亮门，他妈虽十分不快，却不得说秋痕有错。只十一月起，痴珠不来，好容易盼得同秀来了，言语又十分支吾。次日，办点果品，教狗头送去，才晓得同秀这一回有人管了。家人们将狗头送的果品，一人尝一个，却没一个替他端上去回。等至下午，同秀影儿都没见。两盒果品，早给家人们白吃了，只得端回空盒。牛氏听了，委实生气，数说狗头一顿，就懊悔不该冷落痴珠，要秋痕写字去请。秋痕道："这话难说。他见你们待他不好，叫你们自己打算。你如今要和他说话，你叫人请他去，我不敢管。"牛氏听了，自然又和秋痕淘气，却不敢再打。挨到二十八，一月待要完了，又是逼年，牛氏没法，靠晚跑到北屋，将好话和秋痕来说，秋痕只得答应。牛氏刚才出去，秃头就来了。

这秋痕真与痴珠是个凤缘，别人委屈他一点儿，不晓得要哭到怎样，痴珠这样丢他的脸，他还替痴珠体谅，是受人家的赚；且料定秃头回去，痴珠必来，吩咐厨房预备点心，教小丫头向火炉添上炭，做下开水，教跛脚打叠屋里，自己捧着一盒香篆。不一会，痴珠早来了，秋痕照常迎出来，痴珠虽然有气，也不说什么，仍是携手坐下，说道："我再不想今

晚又来这屋。"秋痕一言不发,含笑向跛脚道:"你叫老爷跟人和车都回去。"痴珠道:"怎的?……"正待往下说,牛氏进来招呼道:"我早打发走了。老爷这一个月为什么和我们淡起来? 我多病,家里的人都靠不住,一向委屈老爷,我通知道了。"痴珠见牛氏陡然恭顺,倒诧异起来,就也说了几句应酬话。秋痕倚在方桌,手拨香篆,只抿着嘴笑。牛氏吩咐秋痕道:"爷要酒要点心,就叫,我都预备现成。"秋痕答应,牛氏就去了,小丫鬟递上茶,跛脚端上脸水,向秋痕道:"娘拧。"秋痕道:"今天一家的人,伺候他同祖宗一般,还要我拧?"跛脚笑道:"爷平日要娘拧,还是娘替爷拧罢。"痴珠道:"你搁着,我自己洗。"秋痕含笑向痴珠道:"拧一过给我拭手。"痴珠道:"你不替我拧,还使唤我?"秋痕瞧痴珠一眼道:"我不使唤你,却使谁?"痴珠笑将手上拧的,递给秋痕。秋痕拭完手,向跛脚道:"你把爷茶碗端给我喝。"跛脚道:"爷还没有喝哩。"秋痕笑道:"我不给他喝,你待怎么样呢?"跛脚只得含笑端上。秋痕喝了两口,方才递给痴珠道:"赏你喝罢。"痴珠道:"怎的你今天这般乐?"秋痕眼眶一红道:"我挨了一个月苦,才有这一天乐,你还不情愿么?"说着,就拉着痴珠一块坐下,将牛氏的话一一告诉,说道:"但愿往后不再起风波,我挨那老货两顿打,就打值了。"痴珠道:"你什么时候又打一次?"秋痕就将初十的事说了一遍。痴珠道:"你怎的不给我知道?"秋痕道:"给你知道,也是枉然!"痴珠道:"只因替我省两个钱,你整整受一个月的罪。"跛脚在桌边装水烟,接口说道:"爷不晓得,娘前月还上吊来!"秋痕瞅着跛脚一眼。跛脚道:"也要给爷晓得娘的苦。"就低声将那一夜的事,说给痴珠听。痴珠听了,起来向跛脚揖了一揖,慌得跛脚笑嘻嘻走开不迭。秋痕噙着泪,将痴珠拉开坐下,道:"做什么呢?"痴珠惨然道:"我竟不晓得跛脚这回变了一个人,有些见识罩然你拼个死,不害我受累么? 只是我今天听人谎话,那般决裂,不特对不住你,也对不住跛脚。"秋痕忍着泪说道:"你怎样凌辱我,我也不怨。是我家里人坑害我,我怪不得你,更见你的真心待我。只你气苦这半天,真个冤枉!"痴珠道:"这钱同秀怎的跑来?"跛脚就将狗头怎样去请,怎样和同秀来,同秀怎样偷了风藤镯,通告知痴珠。秋痕道:"他们还送果品去,同秀没有收,这才望绝,回心转意来求你了。"痴珠笑道:"同秀这一来,还算我们功臣。"于是软语

缠绵,跛脚伺候消夜,先自睡了。两人这一夜心满意足。但见:六曲屏边,九枝灯下,构衾乍展,衣扣半松。郎痴若云,侬柔似水。流辉婀娜,接影跌峰。菱支不弱于风波,菡萏自苞于雨露。冬山如睡,玉艳临醒。街鼓冬冬,夜光滟滟。刻鸳鸯翅,成蛱蝶图。春渗枯心,欢销愁髓。研丹擘石,冤魄愿锁于天牢;沁露蜜脾,华曼游于刃。此夜销除百虑,有如点雪红炉;从今暗数千春,原去闰年小月。

　　且说秃头次日见天阴欲雪,便早些带车来接。到了李家门口,觉得一路朔风吹得打战,因向酒鬼店里喝杯酒,恰好戆太岁拿盘卤肝也来了。这两人和秃头近来都讲相好,便倒酒的倒酒,切肉的切肉,呼兄呼弟,一块喝酒。喝到高兴,秃头说起狗头情状可恶,戆太岁道:"你老爷既和他姑娘好,怎的不教姑娘出来喊冤?譬如再有风波,教姑娘尽管喊出街坊,你老爷不方出头替他说话,我们左邻右舍都帮得他去见官理论。买良为娼,已经有罪,何况是拐来呢。"秃头道:"说起姑娘也可怜,昨日我也怪他,后来他说得有理,是我老爷给人赚了,倒教我不过意起来。"酒鬼道:"什么事呢?"秃头便将钱同秀偷镯,从头至尾说了一遍。戆太岁道:"是他么?你带我和他要去。我听得留大老爷公馆的人说,他怕老婆,这回他老婆来了,管住他,不给他走一步。你带我去,你但说'老爷问过李有,说这支镯是钱老爷带来了,叫我带李家的人来要。'以后你做个好人,看我发作便了。我总要教他拿出藤镯,还教那老婆和他闹一场。"秃头哈哈大笑道:"妙,妙!看人手段。我喝过这杯酒,就同你去。"酒鬼道:"讨得来,也好替刘姑娘明明心迹,给钱同秀臊臊脾。"不言二人酒气冲冲的去了。

　　却说痴珠、秋痕起来，差不多八下钟了。痴珠便问："秃头来未?"外面人回道："车到了，二爷没有来。"痴珠道："今天怎的竟不来了?"不一会，秃头笑嘻嘻的径跑入秋心院，恰好痴珠、秋痕都在南屋。秃头将藤镯递上道："讨回来了。"秋痕了不得喜欢。痴珠接过手，说道："你怎的去讨?"秃头便说出戆太岁如何打算，如何上门吵闹，钱太太如何大嚷出来，将镯子掷在地下。就说道："那太太好不利害，骂得钱老爷哑口无言，怕真要打哩。"痴珠微笑不语。秋痕将镯带上，说道："天理昭彰，他要害我们闹出一场故事，不想他自己却北京市出一场笑话了。"因向痴珠道："我一个多月通是打辫，今天我却要重上妆台，你待我梳完头走罢。"痴珠就吩咐秃头："外边伺候"秃头退出。

　　自此秃头逢人就说"钱同秀怕老婆"，就把这六个字做个并州土语。那同秀气愤不过，无法和痴珠、秋痕作对，也难和秃头报仇，却买个营兵，借着买肉，和戆太岁厮打一场，进官究治，要想借此将他出气。无奈锁到衙门，秃头早知道了，告诉痴珠，立地叫武营释放，把那一名兵也革了粮。痴珠又给了戆太岁三十吊钱，再做生理。后来戆太岁感恩报恩舍命保护秋痕，也是为此。正是：

　　　　公子终归魏，邯郸识买浆。

　　　　英雄沦市井，凄绝老田光。

欲知后事，且听下回分解。

第二十九回　消寒小集诗和梅花
　　　　　谐老卜居园游柳巷

话说并州城内柳巷,有个寄园,因山而构,第一层门内有个花神庙,庙傍空地,园丁开设茶社,榜曰"一味凉"。第二层门内便是寄园,系一江姓乡宦住宅,缘南边任内亏空,赶信回家,叫将此园典卖,由并州大营完缴。这且按下。

再说采秋那篇赋,不晓何人抄了出去,就有好事的人,将荷生阅本刻印起来。一时传播,官场中无人不赞好。明经略先前只晓得荷生有个意中人,名唤采秋,却不知道采秋有此手笔。当下将赋看过,登时来访,荷生也无可隐讳,就一一说了。经略索观原本,荷生唤青萍飞马往取。经略看那小楷,拍案叫绝,便想替荷生图此一段好因缘。适值荷生案上搁着江宦家丁红禀,说"屋价库平七千两,逼年无人肯买,求准离屋,缴契归官"等语,荷生粘签批驳。经略瞧着,将荷的签揭起,提笔批道:"着即投契,限十日离屋。"因笑向荷生道:"我买此宅,赠给先生做个金屋,好么?"荷生道是戏言,微微赔笑。经略唤跟人传进门上,将此禀付给,说道:"你着江家缴契,即交韩师爷收管罢。"门上答应。经略和荷生一请走了,荷生无可措词,进出平台,经略又回头笑道:"先生尽管赶年办妥。"荷生只得唯唯。看官,你道采秋得了这个知遇,奇不奇呢?

这日下午,荷生来了愉园。采秋正买了一匹乌骓,向梅花树下空地驰试,见荷生来了,便下了马,将辔勒付给红豆,就问道:"你一早叫人取赋,我还没起来,到底是为甚事?"荷生将经略盛意告知,就笑道:"千金市骏,你的声价竟高起数倍。"采秋欢喜,转笑道:"古人说一字值千金,我却值不上七两。"荷生也笑道:"如今不能不让你说句阔话,可怜和痴珠整天写了几多字出来,却一钱摸不着!"采秋道:"你说起痴珠,我正要问你,这几天见着他没有?"荷生道:"他昨天才到营里。李家如今又和他好了,亏得秋痕这番苦肉计。"采秋道:"秋痕真也不负痴珠。"荷生道:"你还不晓得,痴珠几乎负了秋痕。"采秋道:"怎的?"荷生遂把痴珠述的

前一回事，和采秋说。采秋道："可见你们男人的心是狠的，一翻了脸，就把前情一笔勾销。我想起那锦囊时候，心还会痛。"一面说，一面眼眶就红起来。荷生笑道："旧事不要重提。今日腊八，天气阴寒，我又有空，何不将痴珠、秋痕招来一叙呢？"采秋道："怕痴珠没到秋心院，找他就费事了。"荷生道："这样天气，他好人，不和秋痕送暖偷寒？"说着，就将红豆辔勒接过，骑着乌骓，也在空地上试了一回，便跑出园来。

到了李家，下马进去，悄无人声。步入秋心院南屋。听得秋痕低声唱道："花朝拥，月夜偎，尝尽温柔滋味。"以后声便低了，就听不清楚。正要叫唤，又听一句是："两人合一副肠和胃。"便悄悄的从落地罩的小缝瞧将进去，见痴珠倚在炕上，秋痕坐在一边笑吟吟的唱。因掀开棉帘，说道："好乐呀！"两人惊起，见是荷生，痴珠赶着让坐，说道："你今天却有空跑到这里来？"荷生坐下，向秋痕道："我特地把公事放下，来听昆曲，你唱下去，也不负我今天走这一遭。"秋痕红着脸道："整月不来，来了又鬼鬼祟祟的，做个沿壁虫。"荷生笑道："难道昆曲痴珠听得，别人就听不得么？"就向痴珠道："我听说你著部《扪虱录》，又著部《谈虎录》，到底真是说虱说虎不成？"痴珠笑道："前个月闷得很，借此消遣，这会又丢了。"荷生从北窗玻璃里望着窗外梅花，笑道："这却好，虱也不扪了，虎也不谈了，就伴这一树梅花过了一冬罢！我偷了这半天空，你带着秋痕到愉园，吃碗腊八粥，也是消寒小集，好不好呢？"痴珠道："我和你先走，让秋痕坐车随后来罢。"

于是四人在春镜楼围炉喝起酒来。谈笑方酣，营中送来京信一大封。荷生拆开，一一检看，都是循例贺年的简札。随拆随看，随看随摺。末后一封，系郑促池侍读的信，寄来八首梅花诗，是用张检讨的韵。荷生欢喜，招呼痴珠同看一遍。痴珠道："此君的诗，也算得都中一个好手，只弱得很。"荷生道："我们何不就次韵和他一和？"秋痕道："一人次韵八首七律，岂不是件烦难的事。"荷生笑道："怕烦难就不算荷生、痴珠了。"采秋道："你两人各和八首，我和秋痕妹妹替你分写罢。"于是荷生同痴珠随喝随作，采秋同秋痕随喝随写。荷生的诗是：

　　本来仙骨抱烟霞，为咏罗浮兴倍赊。破腊忽惊风信早，冲寒恰趁月轮斜。退遥香海留春气，寂寞空山阅岁华。驿骑不

来乡讯少,含情莫问故园花。

一枝才放暗香生,对汝双瞳剪水清。偶有月来堪入画,绝无人处亦多情,胥平作赋犹嫌艳,和靖能诗尚近名。试看茫茫银海里,啁啾翠羽学春声。

灞桥风雪步迟迟,别有诗心世未知。纸帐铜瓶时入梦,参横月落最相思。缤纷瘐岭花千本,惆怅江城笛一枝。信是几生修得到,冷吟闲醉也应宜。

蹇驴曾访旧江村,野店山桥载酒樽。绝似神仙来玉宇,从无消息到牛门。盘根久炼诗为骨,写影终嫌笔有痕。莫向东风羡桃李,冰霜一样是天恩。

孤山从古绝尘缘,瑶岛琼楼尽似年。照水只应看瘦影,凌波还欲拟飞仙。偶描粉黛终疑俗,学染胭脂亦可怜。林下美人窗外月,几人佳句借君传?

大并志北记游踪,秦树燕山路几重。茅舍多情容独醉,瑶台有约又相逢。频年飘泊愁戎马,三径荒凉忆菊松。回首绮窗春信好,顿令归兴一时浓。

花事匆匆岁又残,一年容易指轻弹。红莲依幕惭才薄,白雪连篇属和难,褛阁光阴容啸傲,玉堂风味本高寒。长安二月春如锦,不许东皇一例看。

银云满径玉交枝,大地阳和岂有私?傲骨中应留鹤守,清名几欲畏人知。陇头流水风前曲,雪后园林画里诗。记取调羹消息好,百花头上正开时。

痴珠的诗是:

暮景犹留几断霞,巡檐原岂此生赊?鹿岩赠后风如昨,驴背归来日未斜。不分山林终索寞,非关春色自清华。枕屏夜夜瑶台梦,俯看红尘五万花。

偶从香雪证前生,四十年前住太清。地满琼瑶皆故步,心如铁石总多情。空山有约留知己,傲骨无缘得盛名。一觉罗浮骑蝶去,啁啾翠羽不成声。

独步群芳转似迟,珊珊仙骨几人知?馨香怀袖经年别,风

雪漫天耐尔思。铁笛西风吹入破,瑶琴明月怨空枝。并州姑射仙山路,底事栽花总不宜?

访遍山村又水村,枉携灵录酒盈尊。一天雪意浓于墨,几树香魂黯到门。漏尽书灯微有影,梦回纸帐半无痕。春花也似秋花根,冷芷疏枝尽怨恩。

鸿爪无涯话凤缘,江南消息断年年。冬心耐守寒林况,春色先归绿萼仙。颠倒有怀难索解,清癯顾影总相怜。一枝自把灵犀证,栩栩神难笔底传。

彩波红雨渺无踪,叠叠云山隔几重。每遇故人频问讯,可怜迟暮又相逢。寒更伴结离徒鹤,傲雪形同偃蹇松。绝代孤芳遗世立,开时不见露华浓。

阳春独自谱科列,三弄何人古调弹?修到今生真不易,描来设色可知难。花缘有信分迟早,天总无心作暖寒。明月似波云似水,诗心清绝此中看。

东风借问故园枝,乌鸟无缘得遂私。万里星霜人独对,十年冰炭意同知。篆烟脉脉昼垂帘,绮阁沉沉夜赋诗。亦有家山归未得,纸窗灯火忆儿时。

做完,两人互看。痴珠道:"荷生的诗,是此中有人,呼之欲出。"荷生笑道:"你不是这样?"秋痕、痴珠微笑。随后酒阑,采秋印了一盒香篆,慢慢烧着,就和秋痕弹起月琴来,各人将那梅花诗拍入工尺。只按得二首,夜已深了。此时荷生将今早的事,告知痴珠,痴珠笑道:"这却是意外的遭逢,以后须邀我逛一天寄园罢。"就也散了。

这夜天阴得黑沉沉的。秋痕为着采秋给他水仙花和那寒外的五色石,要个盆供,刚走到北窗下,忽一阵风过,吹得竹叶簌簌有声;烛光一闪,瞥见梅花树下有个宫妆女人,脸色青条条的。吓得毛发直竖,把盆一丢,粉碎了,没命地跑入屋里。痴珠听得盆碎,正奔出看,秋痕早到跟前,拉着痴珠,半晌说不出话。痴珠忙问:"怎的?"秋痕定了神,才说道:"我真见鬼了!"便将所见告诉痴珠。痴珠笑道:"好端端的住屋,那里有鬼?"正说着,忽听得窗外长叹一声,顿觉身上毛窍都开。秋痕道:"你听!"痴珠强说道:"疑心多生鬼,我却不听见什么。"口里这样说,心里也

着实骇异,便说道:"无鬼之论,创自阮瞻。其实魂升魄降,是个常理。若'有啸于梁'种种灵泽,吾不敢说是必无,却非常理。只是世间的人随便到一去处,就有那酒鬼、色鬼、赌钱鬼、鸦片鬼、捉狭鬼,肩摩踵接,这岂人之常理?人无常理,鬼更不循常理。阳间之鬼,白昼现形,阴间之鬼,黑夜露影,这鬼就懂得道理。你们不怕白昼现形之鬼,转怕黑夜露影之鬼,呆不呆呢?"秋痕道:"好,好!你又借鬼骂人了!"痴珠笑道:"好好中华的天下,被那白鬼乌鬼闹翻了。自此士大夫不征于人,却征于鬼。东南各道,贼临城下,也有做起四十九日醮场的,也有建了四十九日清醮的,这会通天下的人,皆是个冒失鬼,岂独你家有这鬼头鬼脸几个小谬鬼?"说得秋痕和跛脚通笑了。北窗下转寂然无声。痴珠复闲谈一会,便收拾去睡。

再说江家契券,即日投缴,眷属于十六离屋。荷生即于是日接到紫沧来书,说杜藕斋要增一千金身价,荷生自然答应了。十七日办完公事,便到愉园,和采秋领着红豆,同到柳巷。这里早有索安、翁慎伺候,引着两人先瞧正屋,就是轩轩草堂,崇墉巍焕,局面堂皇。到了第三进,红豆见那临池一座小楼,曲折有趣,说道:"这楼比我们的春镜楼更觉幽雅,娘往后就住这一进罢。"采秋道:"这楼怎的没有横额?"荷生道:"你住了,我就写春镜楼三字,做个匾额挂起来。"两人就在楼上小憩一会。翁慎端上点心,随意用些。然后打上门上了搴云楼。只见第一层是六面样式,面面开窗,纯用整块玻璃隔作六处,额题"并门仙馆"。更上第二层,是四面式样,面面空出回廊,廊畔俱有紫檀雕花的阑干;里边八间并作一间,纯用锦屏隔断,面面有门。瞧着园中亭台层叠,花木扶疏,池水萦回,山峦缭绕,已自可观。再转扶梯,到了第三层,觉得比前两层略小了些,却是堂堂正正一座三间的厅屋,上面横额篆书"搴云楼"三字。地位愈高,眼界愈阔。荷生和采秋携着手,凭栏一望,并州的山水关塞,就如天然画图,都在目前。纵览一回,就下来,在并门仙馆坐下。索安回道:"爷如今从那边逛去?好叫园丁预备。"采秋道:"顺着路,我们骑马走罢。"荷生道:"我们坐船,到了小蓬瀛再骑马,不好么?"索安答应,翁慎便吩咐出来。

不一会,船撑来了。众人下了船,步入门来,见两傍摆列四盆花木,

中间三层台阶,是个堂,方有一丈,足开两席;堂后一边为室,一边为径,径后为廊,廊升为台台上张幔。采秋笑道:"这船式样真是奇创。"荷生道:"浙江西湖船式多得很呢,有名小团瓢的,有名扔碧斋的,有名四壁

花的,有名随喜庵的,这式制唤做烟水浮家。"于是谈谈讲讲,一路看园中景致。有几处是飞阁凌霄,雕甍瞰地;有几处是危岩突兀,老树槎枒。那船慢慢的荡,约有半里多路,绕过了一个石矶,出了小港,即是个大宽阔处。望见西北上一带长廊,荷生指道:"那就是小蓬瀛。"一会到了,系好了船。只见苍松夹道,古柏成盘。一个榭靠山临水,略似鞭蓉洲水阁,上去坐下。索安递上茶,两人喝了,走上岩来。

荷生骑匹小川马,采秋就骑那匹乌骓,迤东而行。过了好些石磴云屏,小亭曲榭,到了平路。茅舍竹篱,颇有鸡犬桑麻之趣。那园丁家眷和着儿女,都一簇一簇的撑着眼瞧,采秋唤他过来,却不敢近前。荷生吩咐索安:"一个孩子赏一百钱。"索安答应,自去分给了。这里荷生、采秋跑了一回马,红豆才到。采秋便先下乌骓,说道:"坐车不如骑马,无奈这城里女人通是坐车。"此时荷生也下了马,说道:"他们娇嫩嫩的,看见马就怕起来,那里会骑?"采秋道:"这也是习惯成自然了。譬如我和你在街上骑着马跑,不就是钱牧斋、柳如是的笑话么?"荷生道:"可不是呢。"两人一边说话,一边度上石桥回望着瓜畴芋区,不胜感慨。荷生就说道:"痴珠的诗有'倘得南山田二顷,此生原不问升沉'之句,真先得我心。我往后要延他将这几处联额和你商量,调换一调换。"采秋笑道:"你和他商量就是了,何必要拉扯到我呢。"

于是下了石桥,顺着两行竹径,转出柳堤,又过了几处神仙洞。董

慎打着小路叫开雨山馆后门，伺候两人进去，转过一座半石半土的小山，接着就是几百株芭蕉，围着三四间书屋。奈穷冬苦寒，却不见绿天的好景，两人就不复坐，望小天如而来。只见怪石嵯峨，若飞若走，土藤如臂，败叶成堆。上了山径，盘旋到了山顶，有三丈多高，远望褰云楼，近瞰竹坞梅窝，令人豁目爽心。看了好一会，早是夕阳西下，朱霞满天，才一步步的拾级而下。到一山凹，桂树林立，有亭翼然，便是金粟亭，靠山踞石。采秋想要到亭子一憩，荷生道："天不早了，下面东手就是梅窝，我们到那里坐，也领略些花香。"遂步下山来，沿着东边山径，到了一带梧桐树边，远远闻着梅花的香。只见一道青溪，转着一个院落，也有几堆小山，尽是梅树，尚在盛开。两人随便步入一屋坐下，荷生道："园中佳处，已尽于此。如今仍打轩轩草堂出去上车罢。"董慎端上松花糕杏酪，两人用些，拭了脸，教索安折下几枝梅，天已黑了，便出来上车。

回到愉园，恰好痴珠正在门口下车，三人便一齐进内，先在船房坐下。说起逛园，痴珠道："我最爱是梅窝那几间屋子。"因叹口气道："春镜无双，我说的偈准不准呢？"荷生、采秋一笑。痴珠又叹道："天下不少名园，单寒卓荦的人既不得容膝之安，膏粱贵介又以此为呼卢博进之场。这园落在你两人手里，才是园不负人，人也不负园哩！"荷生道："往后我就请你住在梅窝。"痴珠笑道："那才叫做寄园寄所寄。"采秋道："人生如寄，就是甲第连云，亭台数里，也不过是寄此一身。"痴珠道："这还是常局，尽有富贵逼人，功名误我，焦螟之寄，亦且为难！"荷生笑道："卿所咄咄，我亦云云，安在彼我易观，不更相笑？"采秋道："进去用饭，不要讲书语了。"痴珠道："秋痕等我一块吃晚饭，我不奉陪。"说着便走。荷生也不强留，送到月亮门，自与采秋春镜档小饮，醉后题一诗云：

> 珠楼新与筑崔嵬，面面文窗向日开。拂槛露华随径曲，绕
> 栏花气待春回。眉山艳入青鸾镜，心字香储宝鸭灰。崃愧粉
> 郎丝两鬓，恐难消受转低徊。

正是：

> 明月前身，梅花小影。
> 听雨褰云，幻境真境。

欲知后事，且听下回分解。

第三十回 看迎春俏侍儿遇旧
祝华诞女弟子称觞

话说明年戊午立春节气,却在今年十二月二十一日。先立春两日,雪霁,天气甚觉暖和。痴珠正与秋痕同立在月亮门外南庑调弄鹦哥,见愉园的人送来荷生一个小束。痴珠展开,和秋痕看着,上面写的是:

> 昨有秦中鸿便,题一梅花画册,寄与红卿,得《念奴娇》一阕,录奉词坛正谱。

痴珠笑道:"既得陇,又望蜀。"秋痕道:"荷生这会还念着红卿,也算难得。"便念道:

> 迢递罗浮,有何人,重问美人萧索? 竹外一枝斜更好,也似倾城衣薄。疏影亭亭,暗香脉脉,愁绪都无着。铜瓶纸帐,几家绣户朱箔?
>
> 却忆月落参横,天寒守尔,只有孤山鹤。毕竟罡风严太甚,恐学空花飘泊……

秋痕眼皮一红,不念了。痴珠接着念道:

> 绿叶成阴,骈枝结子,莫负东风约。绮窗消息平安,岁岁如昨。

秋痕道:"荷生的词,缠绵悱恻,一往情深,我每回读着,就要堕泪。你何不和他一阕?"痴珠道:"我出语生硬,万分不及他,因此多时不敢作了。"秋痕:"你题花神庙的《台城路》和那七夕的《百字令》,就与他一样好。"一面说,一面就拿着束帖词笺,先自进去。痴珠正待转身,只见小岑、剑秋同来。痴珠忙行迎入,秋痕也出来相陪。痴珠道:"好久不见,怎的今天却这般齐?"岑道:"我两人一早访了荷生,便来找你,打算约着明天去看迎春。"痴珠叹道:"文酒风流,事过境迁。下月这时候,你们不都要走么? 到彼时我却有两篇文赠你。"小岑道:"这就难得。"剑秋道:"痴珠肯为我两人做起文章,这真叫做荣行了。"痴珠道:"我是说我的话。"小岑道:"不要骂起来。"剑秋笑道:"他说他的话就够了,那里做

那人的序文就骂那人道理？"说得痴珠、小岑都笑了。

秋痕道："我二十二这一天，也要学着荷生做个团聚会，大家都要到。"小岑道："自然都到。"剑秋道："这一天你替你老师做生，还要一天替你师母饯行呢。"秋痕道："只要师母住得到三十，我三十晚上便替他饯。"

大家说说笑笑，就在秋心院用过早饭。痴珠偶然问起掌珠，剑秋道："你还不晓得么？夏旒与他来往了半个多月，给不上二十吊钱，还偷了一对金环，两个钢表，现在讨个两湖坐探差事，竟自走了。你想掌珠这会苦不苦呢？"痴珠听了气愤，说道："有这下作的东西。"小岑道："你那里晓得外面的事？这几天又有件笑话，你叫剑秋说给你听。"

痴珠便叫剑秋说，剑秋笑道："你猜是那个？"痴珠道："我晓得是那个？你说罢。"剑秋笑道："你认得原士规么？"痴珠道："我久闻其名。"剑秋道："士规参了官，没处消遣，那花选上贾宝书，做人爽直，竟给他骗上了。前个月竟想出主意，借宝书家开起赌场来，四方八面拉着人去赌。不想拉上一个冤家，是大衙门长随，赌输几十吊钱，便偷着上头一付金镯，又来赌输，第二日破了案，府县都碰钉子，这一晚围门一拿，一个都没走脱。士规也挂上链，不敢认是官，坐班房去。只可怜宝书跟着他受这场横祸。倘认真办起来，士规是要问罪，宝书还不晓得怎样下落呢？"

痴珠心上难安，说道："宝书呢，我不曾见；掌珠和我却有一日盘桓，原想乘个空访他一访，为着夏旒在他家来往，就懒得去了。如今他有这场烦恼，你带我去瞧他一瞧罢。"小岑笑道："你要充个黄衫客么？"痴珠道："黄衫客，我自想也还配，只那夏旒却比不上李益。"剑秋道："我同你去。"小岑道："我也去。"

三人一车，向掌珠家赶来。痴珠见掌珠光景委实狼狈，便悄悄给了十两银子，并约他明日来秋心院。掌珠自然十分感激。随后去看丹翠，又去看曼云，也都约着明日的局。痴珠为着秋心院近在咫尺，便将车送小岑、剑秋回去，步行而来。

次日，荷生也来，四人就在秋心院吃了一顿饭，同往东门外看迎春去了。说不尽太守青旗，儿童彩胜，这一日的热闹喧腾。

傍晚进城，小岑、剑秋的车湾西回家，荷生、痴珠是向菜市街来。刚

打大街转入小胡同,见前头停一辆车,两个垂鬟女人,一略少些,伶俏得很,正在下车。车夫只得停住,荷生坐在车沿,这少的且不下车,荷生却认得是傅秋香,这少的将荷生打谅,便唤道:"韩老爷!"荷生也觉得这少的面熟得很,只记不起,便一面跳下车,一面问道:"你怎的认得我?"此时少的下了车,那一个也要下车,就也向荷生打千,说道:"半年多没见面,老爷通好么?"那班长认得是韩师爷,十分周旋。荷生却一眼只瞅着小的,忽记起来,说道:"你不是天香院秋英么?"那班长接着道:"他是从秦中才来呢。"荷生喜道:"我正要问问秦中大家消息。"便招呼痴珠下车,秋香引入和厅坐下。秋香、秋英都与痴珠请安,荷生为通姓名,秋香延入卧室。看官听着:秦中自去年逆回滋事之后,光景大不如前,正香院姬人都已星散。这秋英是天香院一个侍儿,靠着一老妈,流转到了并州,搭在秋香班里。当下痴珠急着问娟娘,荷生急着问红卿。娟娘是他们班里老前辈。秋英连名姓通不知道。红卿是闭门卧病,幸他妈素有蓄积,尚可过日。荷生因向秋英叹口气道:"我和红卿到你天香院喝酒时候,你才几岁?"秋英道:"十一岁。"荷生道:"如今呢?"秋香道:"他如今十五岁了。"痴珠道:"我去后,你才到秦中。我和娟娘一别,竟是八年!你和红卿,算来相别也有四年了。"说话间,秋香已端上点心,两人用些。痴珠见秋香、秋英俱婉娈可爱,因也约了明日的局,便上车同到愉园。是夜两人集李义山诗,联得古风一首,采秋誊出,念道:

> 风光冉冉东本陌(痴),蒲青柳碧春一色(荷)。邮亭暂欲洒尘襟(痴),谢郎衣袖初翻雪(荷)。海燕参差沟水流(痴),绣檀回枕玉雕锼(荷)。旧山万仞青霞外(痴),同向春风各自愁(荷)。衣带无情有宽窄(痴),唱尽阳并无限叠(荷)。浮云一片是吾身(痴),治叶介条偏相识(荷)。鸾钗映月寒铮铮(痴),相思迢递隔重城(荷)。花须柳眼各无赖(痴),汀瑟秦箫自有情(荷)。回望秦川树如荠,轻衫簿袖当君意(痴)。当时欢向掌中销,不须看尽鱼龙戏(荷)。真珠密字芙蓉篇(痴),莫向洪涯又拍肩(荷)。此情可待成追忆(痴),锦瑟无端五十弦(荷)。

念毕,笑道:"竟是一篇好七古。"痴珠见天已不早,就向秋心院去了。

次日靠晚,秋痕邀了痴珠,同到愉园。春镜楼早是绛烛高烧,红毹

匝地。采秋一身艳妆，红豆、香雪也打扮得袅袅婷婷。秋痕点对蜡，向上磕三个头。采秋赶着还礼。荷生早拉着痴珠向水榭瞧梅花去。这夜四人喝酒行令，无庸赘述。

次日，荷生、采秋怕秋痕又来拜寿，转一早领着红豆，先到秋心院。此时痴珠才起身下床，尚未洗漱。秋痕为着要先往愉园拜，起得早些，也还妆掠才完，迎着笑道："这挡驾的法儿却也新鲜。"便让荷生西屋坐下，自和采秋、红豆进南屋去了。不一会，跛脚领着掌珠进来，接着秋香、秋英也来了。

停了一停，小岑、剑秋同到，说丹翠、曼云受了风寒。痴珠道："事不凑巧，秋痕今天还备有两席呢。"荷生道："就是通来，不过十一人，何必如此费事。"当下秋痕早调遣着跛脚和小丫鬟，在南屋里排下两席面菜。早酒大家都不大喝，就散了。秋痕领着掌珠等，替荷生祝起寿来。今日这一会，大家都有点心绪，所以闹热局，转觉十分冷淡。也有在月亮门外倚着梧桐树喁喁私语的，也有借着调鹦哥看梅花消遣的。

到了三下钟摆席，先前是两席，荷生不依，痴珠教秋痕将两席合拢。左边荷生独坐；右边小岑、剑秋；上首采秋居中，左掌珠，右秋香；下首痴珠居中，左秋英，右秋痕。红豆小丫鬟轮流斟酒。上了四五样菜，窗外微风一阵阵送来梅花的香。痴珠见大家都没话说，便要行令。小岑道："采秋的令，繁难得很，令人索尽枯肠。"因向掌珠道："今日你说个飞觞，要雅俗共赏的才好。"掌珠沉吟半晌，说道："今日本地风光，是个寿字。"秋痕道："昨晚行的百寿略，俗气得很，今日还讲这个？"痴珠道："今日不说真的寿字，就不俗了。"剑秋道："说个美人名。"荷生道："美人名能有几个？"采秋道："寿阳公主。"痴珠道："孙寿。"荷生道："还有没有？"小岑

道："有,有。花选上有个楚玉寿,不是美人么?"说得众人通笑了。剑秋因向掌珠道："玉寿我听说死了,真不真?"掌珠道："他前月就死了。"秋痕道："今天有人家不准说这个字,你和宝怜妹妹说了,各罚一杯酒。"剑秋道："着,着,我该罚。"便喝了一杯。秋痕道："宝妹妹也喝罢。"掌珠道："我是跟他说下。"剑秋道："是我累你,我替你喝。"痴珠道："我的意思,说个寿字州县的名何如?"大家想一想,通依了。

痴珠道："我起令。"便喝了一杯酒,说道："福建福宁府寿宁县。玉桂喝酒。"秋香喝了酒。想了半晌,飞出一个寿字,说道："荷生喝酒。陕西同州府、永寿。"荷生喝了酒,说道："山西太原府寿阳。"数是剑秋。剑秋喝了酒,说道："四川资州仁寿。"数是掌珠。掌珠喝了酒,也想一会,说道："秋痕姊姊喝酒。山东兖州府寿张。"秋痕且不喝酒,将指头算一算,把酒喝干,说道："浙江严州府寿昌。该是采秋。"采秋喝了酒,说道："直隶正定府灵寿。该是秋英。"秋英喝酒,想一想,说道："江南凤阳府寿州。"小岑道："轮了一遍,也没有个重说的,我喝罢。"喝了酒,说道："山东青州府寿光。还给荷生喝了寿酒,收令罢。"荷生也自喜欢,红豆换上热酒,喝了。时已黄昏,室中点上两对纱灯。秋痕上了大菜,出位敬荷生三杯酒,就要来敬采秋,采秋再三央告,秋痕只得敬小岑、剑秋,二人各饮一杯,逐位招呼下来。

秋香、秋英便送上歌扇,剑秋道："今天立春第二日,教他们只拣春字多的,每人唱一支,我们喝酒。他们有几多春字,我们喝几多酒,不好么。"荷生道："好极!"回头瞧着红豆道："你数罢。"此时傅家、冷家班长,都拿着鼓板三弦笛子,在院里伺候。秋香移步窗下,说声《一剪梅》,外面答应。笛声徐起,弦语微扬,鼓板一敲,只听秋香唱道:

　　　雾霭茏葱贴绛纱,花影作纱,日影窗纱。迎门喜气是谁
　　家? 春老侬家,春瘦儿家。

大家喝声"好!"红豆道："两杯。"于是斟了酒。痴珠向秋痕道："这一支是那一部的词?"秋香道："《紫钗记·议婚》。"只听秋英唱道:

　　　香梦回,才褪红鸳被。重点檀髻胭脂腻,匆匆挽个抛家
　　髻。这春愁怎替? 那新词且记。

大家也喝声"好!"红豆道："一杯。"荷生道："曲唱得好,只是春字太少,

我们没得酒吃。大家要多喝酒,我唱罢。"痴珠欢喜,便唤跛脚端把椅来,教红豆坐下。红豆背着脸,唱道:

> 他平白地为春伤,平白地为春伤。因春去的忙,后花园要把春愁漾。

痴珠喝声:"好!"剑秋道:"要喝四杯呢。"红豆起身斟酒,掌珠道:"我唱下一支罢。"唱道:

> 论娘行出,人人观望,步起须屏障。但如常,著甚春伤,要甚春游,你放春归,怎把心儿放?

荷生道:"好,好!喝七杯。"采秋道:"如今够你喝了。"于是大家通喝七杯。

秋痕让点菜,痴珠道:"我在留子善家过冬,行的令是击鼓传花,也还闹热。如今要采秋想个雅的,随人爱说者说,不说者讲个词曲梅字罢。"小岑道:"我尽怕采秋的令,你们偏要他来闹。"痴珠向采秋道:"你尽管说。"采秋道:"你不怕繁难,我说两个令,你们商量那个罢。一是:一字分两字,三字合一韵。一是:二物并称,一厅一偶。"荷生道:"前一令还多些,后一令只有数件,留着想想,也觉有趣,吩咐院子里起鼓罢。"痴珠便将梅花给了荷生,教从他轮起。剑秋道:"我们讲了采秋的令,还说句调整曲才有趣。只不要限定梅花。"大家也依。这回是教坊们打的鼓,轻重迟速,有音有节,席上轮三遍,花到秋英,鼓却住了。秋英喝了酒,说道:

> 雪意冲寒,开了白玉梅。

第二次从秋英起,轮到荷生,恰恰七遍,鼓声住了。荷生喝了酒,说道:"我讲个一字分两字,三字合一韵罢。一东的虹字。"大家想一想道:"好!"合席贺一杯。荷生说句词曲,是"伯劳东去燕西飞。"第三次的花,轮到剑秋,鼓声停住。剑秋喝了酒道:"我说个'寿考维祺'的祺字。"痴珠道:"善颂善祷,大家贺一杯,荷生、采秋皆喝双杯。"荷生道:"喝一盅就是了,何必双杯?"剑秋说的词是"进美酒全家天禄"。第四次轮到秋香,鼓声停住。秋香喝了酒,说道:

> 则分的粉骷髅,向梅花古洞。

痴珠因吟道:"天下甲马未尺销,岂免沟壑长漂漂。"秋痕瞧着秋香一眼。

采秋只唤起鼓。这是第五次，轮到秋痕。秋痕喝了酒道："我说个'尺蠖之屈以求伸也'伸字。"大家也赞好，各贺一杯。秋痕道："我词曲是句'拿住情根死不松'。"剑秋道："你不准人说这个字，怎的自说？该罚三杯。"秋痕没得说。痴珠替他讲情，罚了一盅。秋痕道："我还说个本分的令，是：

　　　　单只待望着梅花把渴消。"

剑秋笑向秋痕道："你还渴么？"秋痕道："你又胡说。"第六次又轮到荷生。荷生喝了酒，说道："我如今讲个一物并答，一奇一偶罢，一一冠履。"小岑道："妙！"大家也贺了一杯。荷生说句词曲是："去马惊香，征轮绕月。"第七次轮到采秋。采秋道："前一令我是'袆衣'，后一令我说个'钗环'。"大家俱拍案叫妙，各贺一杯。痴珠道："还有词曲怎不说？"采秋瞧着荷生道："顺时自保千金体。"言下惨然。荷生更觉难受。大家急将别话岔开了。第八次轮到小岑。小岑喝了酒道："我说个'琴德暗暗'的暗字，何如？"荷生道："好得很！"大家也贺一杯。说个词曲，是"北里重消一枕魂。"第九次又轮到秋痕。秋痕喝了酒，说道："我再说个'焉得谖草'的谖字，说句词曲是'情一点灯头结'。本分的令是：

　　　　怕不是梅卿柳柳。"

大家都说好，各贺一杯。第十次轮到掌珠，喝酒说道：

　　　　等得俺梅子酸心柳皱眉。

剑秋瞧着掌珠，笑道："你还等夏旒么？"掌珠两颊飞红，急得要哭。痴珠向剑秋道："你何苦提起这种人？"掌珠早借着吃水烟，试了眼泪，才行当坐。不想十一次又轮到掌珠，只得又喝酒，说道："我说个翁字。"剑秋赶着喝："好！"大家也齐声赞好，满满的各喝一杯。掌珠瞧着秋痕道："我说句词曲，是'漏尽钟鸣无人救'。"秋痕接着道："原在火炕中身早抽。"就叹了一口气。荷生道："讲酒令怎的都讲起心事来？起鼓，给痴珠说了，收令罢。"这是十二次，又轮到秋香。秋香喝了酒，说道：

　　　　只怕俏东君，春心偏向小梅梢。

十三次又轮到秋英。秋英喝了酒，说道：

　　　　梦孤清梅花影，熟梅时节。

十四次又轮到秋痕。秋痕喝酒，说个"杯箸"。荷生道："灵便得很！"大

家各贺一杯。秋痕又说个词曲,是:"说到此悔不来,惟天表证。"说个梅
是:

> 便揉碎梅花。

剑秋笑道:"往下念罢。"秋痕道:"剑秋,你今天怎的尽糟蹋人!我改一
句念给你听:

> 则道墓门梅,立着个没了碑。"

荷生哈哈大笑。小岑道:"他得罪你,你骂他没字碑,怎的把我唤做墓门
梅?"剑秋笑道:"他近来肚里沾了痴珠点儿墨汁,凭什么人都说是没字
哩。"痴珠道:"算了,不说顽话,我还没轮到呢。"秋痕吩咐起鼓。这是十
五次,轮有三匝,花到痴珠,鼓声停住了。荷生道:"你快说,天已不早,
好收令罢。"痴珠喝了酒,说个"东"字,又说个"邻袖",说句曲是"温柔乡
容易沧桑。"荷生道:"好个虹字起,东字结。邻袖二字,近在目前,却没
人想得到。我们贺他一杯酒,散了罢。"秋痕催上稀饭,大家用些。

小岑、剑秋急去看病,便先走了。掌珠、秋香、秋英、荷生、痴珠每人
各赏了十两银,也去了。荷生见秋痕笔砚放在北屋方案,就检张纸,写
一首诗,向痴珠道:"赋此志谢。"痴珠念道:

> 香温酒熟峭寒天,画烛双烧照绮宴。檀板有情劳翠袖,萍
> 根无定感华年。边城箫鼓摧残腊,文字知交信凤缘。却念故
> 山归未得,一回屈指一凄然!

念毕,也检一笺,和道:

> 第一番风料峭天,辛盘介寿合开宴。酒筹缓级消残夜,春
> 日迟迟比大年。知己文章关性命,当前花月证因缘。新巢满
> 志栖双燕,我为低徊亦畅然。

荷生、采秋齐声赞好,喝了茶,然后同回愉园。正是:

> 胜会既不常,佳人更难得。
> 搔道忆旧游,残灯黯无色。

欲知后事如何,且听下回分解。

中国古典名著百部

第三十一回　离恨羁愁诗成本事
闲情逸趣贴作宜春

话说痴珠二十三靠晚，偕秋痕到愉园送行。见骊驹在门，荷生、采秋依依惜别，两人怆然，不能久坐，便自告归。

是夕人家祀灶，远近爆竹之声，断续不已。痴珠倚枕思家，凭秋痕怎样呼觞劝酹，终是闷闷不乐。秋痕因说道："你前说要作《鸦片叹》乐府，我昨日替你作篇序，你瞧用得用不得？"说着，便向这案上检出一纸，递给痴珠。痴珠接着，念道：

> 闻诸父老：二十年前，人说鸦片，即哗然诧异。迩来食者渐多，自南而北，凡有井水之处，求之即得。败俗倾家，丧身惟法，其弊至于不忍言。而昏昏者习以为常，可为悼叹！尤异者，香闺少妇，绣阁雏姬，或亦间染此习。至青楼中人，则什有八九。遂令粉黛半作骷髅，香花别成臭味。觉岸回头，悬崖勒马，非具有凤根，持以定力，不能跳出此魔障也。孽海茫茫，安得十万恒河沙为若辈涮肠涤胃耶？作《鸦片叹》。

念毕，说道："很讲得痛切，笔墨亦简净，你何不就作一篇乐府，等我替你改？我是不止说这个，还有几多时事，通要编成乐府哩。头一题是《黄雾漫》，第二题是《官兵来》，第三题是《胥吏尊》，第四题是《钞币弊》，第五题是《铜钱荒》，第六题是

《羊头烂》，第七题是《鸦片叹》，第八题是《卖女哀》。"秋痕斟一杯酒，喝一半，留一半递给痴珠道："乐府我没有做过。"痴珠喝了酒，说道："你没有做过乐府，那白香山《新乐府》三十章，你不读过么？香山的诗，老妪能解，所以别的诗不好，乐府最妙。学他那样做去，便是正体。"秋痕又斟一杯酒，给痴珠喝一半，将剩的自己喝了，说道："这个你也和我讲过，只我总不敢轻易下笔。你随便起两句，我接下去学学，好么？"痴珠道："我念你写。"便随口念道："外洋瘠中土，制作鸦片烟。"秋痕端过笔砚，写着。痴珠道："你五字的做两句罢。"秋痕故意想了又想，说个不条畅的句，惹着痴珠笑了，又分喝了几杯酒，让痴珠几箸菜，才说道："我做一联对偶，你看好不好。"就写起来。痴珠瞧是"媚骨胜鸾胶，流毒如蛇涎"，说道："这就好，音节也谐。"秋痕擎着酒杯，笑道："我又不晓得怎样接了，你提一句罢。"痴珠便道："如今要转仄韵才好呢。"念道："愚夫不解身中毒，"秋痕写着，笑道："我接句'夜夜吹箫品玉竹'。"痴珠笑道："这不是给人笑说？"秋痕道："我和你讲，怕你笑话么？其实我是这一句，你瞧罢。"痴珠瞧着，是"短榻烧灯枪裂竹"，便笑说道："好好的句，却故意要那般说。以下你自己做去。我替你改。"秋痕剪着烛花，笑道："我不，我要和你联下去。"痴珠道："我酒也不喝，诗也不能做，躺一会罢。"秋痕不依，痴珠只得又念道："生涯万事付一枪，"秋痕写着，接着："万事如烟过瘾忙。朝过瘾，暮过瘾……"痴珠早向床上躺下。秋痕便站起来，跟到床前，伏在痴珠身上，说道："怎的？"痴珠道："你要替我解闷，却叫我做诗，不更添闷么？你好好的替我唱那《紫钗记·闺谑》给我听，我便不闷了。"秋痕笑道："你又来歪缠人家。我和你说，今天是霞飞鸟道，月满鸿沟，行不得也哥哥！"痴珠将手揽住秋痕道："我不信。"秋痕笑把指头向痴珠脸上一抹道："羞不羞？你通不记今天是祭灶日子么？"痴珠黯然道："我在客边，我没灶祭。"秋痕笑道："我没爹没妈，那里还有个灶？"痴珠道："我有妈也似没妈，有灶也似没灶。"因吟道："永痛长病母，五年转沟壑；生我不得力，终身两酸嘶。"一面吟，一面伤心起来。秋痕惨然，将痴珠的手掌着自己的嘴，道："这是我不好，惹你伤心。我还唱那两支《玉交枝》罢。"痴珠泪眼盈盈道："我这会曲也不能听了。"接道高吟道："当歌欲一哭，泪下恐莫收；浊醪有妙理，庶用慰沉浮！"便说道：

"我还喝酒罢。"于是秋痕斟了热酒送给痴珠。痴珠又高吟道："少年努力纵谈笑,看我形容已枯槁。喜君颇尽新礼乐,万事终伤不自保!"就将酒喝干。秋痕珠泪双重道："这样伤心,何苦呢?尤蛰三冬,鹤心万里,愿群善保千金躯哩!"痴珠微笑一笑,说道："唤他们收拾睡罢。"晚夕无话。

次日,下了一天雪,痴珠并没出门。

第三日清早,外面传进一束,说是韩师爷差人送来的。痴珠拆开,只见一张小笺,上写的是:

> 采秋归矣!孤灯独剪,药裹自拈,居者之景难堪;冲寒冒雪,单车独往,行者之情尤可念也。叠梅花诗原韵,得春镜楼本事诗八首,录请吟坛评阅。知大才如海,必更有以和我。痴珠我师。荷生白。

秋痕笑道："诗债又来了。"痴珠念道:

> 断红双脸晕朝霞,乍入天台客兴赊。青鸟偶传书郑重,朱楼遥指路欹斜可能偎倚销愁思,便为飘零惜岁华。自笑无缘赏桃李,独寻幽径访秋花。

> 似曾相见在前生,玉样温柔水样清;月下并肩疑是梦,镜中窥面两含情。随风柳絮迷香国。初日莲花配艳名;最是四弦听不得,樽前偏作断肠声!

叹道："三六鸳鸯同命鸟,一双蝴蝶可怜虫!"又念道:

> 同巢香梦梅迟迟,惆怅情怀只自知。卿许东风为管领,侬家南国惯相思。针能寄恨丝千缕,格仿插花笔一枝。莫把妆梳比浓淡,芦帘纸阁也应宜。

> 如墨同云幂远村,朔风吹泪对离樽。雪飞驿路留鸿爪,柳带春愁到雁门。姑射露光凝鬓色,阆氏山月想眉痕。多情不为蚕丝茧。

又念道:

> 箜候朱字有前缘,小别匆匆竟隔年。束指玉环应有约,凌波罗袜总疑仙。凄其风雪真无赖,况瘁轮蹄剧可怜!毕竟天涯同咫尺,一枝春信为君传。

花月痕

　　小院红阑记旧踪,便如蓬岛隔千重! 云移宝扇风前立,珠缀华灯月下逢。碧玉年光悲逝水,洛妃颜色比春松。

秋痕道:"这松字押得恰好!"痴珠点头,又念道:

　　久拚结习销除尽,袖底脂痕染又浓。

　　孤衣且自耐更残,锦瑟弦新待对弹;尘海知音今日少,情场艳概来难! 谁怜绝塞春衫簿? 却念深闺翠袖寒。愿祝人间欢喜事,团圆镜影好同看。

　　桃花万树柳千枝,春到何曾造物私。恰恰新声莺对语,翩翩芳讯蝶先知。团香制字都成锦,列炬催妆好赋诗。絮果兰因齐悟澈,绿阴结子在斯时。

念毕,又叹道:"天涯多少如花女,头白溪头尚浣纱。采秋就算福慧双修了。"因提笔批道:"茧丝自理,泪烛又垂;惜别怀人,情真语挚。然茶熟头纲,花开指顾,来岁月圆之夜,即高楼镜合之时。从此绿鬟视草,红袖添香;眷属疑仙,文章华国。是乡极乐,今生合老温柔;相得甚欢,我辈皆输艳福。何必紫螺之肠九回,红蛛之丝百结也? 痴珠谨识。"批毕,随手作一复函,交来人去了。

　　跛脚端上饭,两人用过。正苦岑寂,恰好秃头送来县前街十数幅春联,痴珠因唤秃头照样买了好几张朱红笺纸,就在东屋大大小小裁起来。秋痕一边磨墨,痴珠一边写。一会,将县前街的春联写完了;就写着秋华堂大门的联句,是:

　　别梦梅花萦故国;迎年爆竹动边城。

秋华堂一付长联,是:

　　七十二侯,陆剑南酿酒盈瓶;

　　三百六旬,贾浪仙祭诗成轴。

西院门联:

　　自作宜春之贴;

　　请回赶热之车。

西院客厅楹联,是:

　　结念茫茫,未免青春负我;

　　为此寂寂,徒令自日笑人。

西院书室的联,是:

> 思亲旦暮如年永;
>
> 作客光阴似指弹。

卧室的联,是:"岁聿云暮;夜如何其。"厨房的联,是:"为此春酒;祭及先炊。"秋华堂月亮门的联,是:"坡翁守岁;唐祀迎宵。"秋痕道:"你如今替我也写了罢,却都要这样不俗的才好。"痴珠笑道:"我写的就怎样俗,也比你那门首的什么'燕语''莺声'语强。"秋痕道:"那是他们闹的。"痴珠笑道:"你就凭他们闹去罢,何苦教我写?"秋痕道:"你不住在这里,我也不管。如今倘是不好,人家却笑首你。"痴珠笑道:"你替我装袋水烟,做个笔资罢。"就取一幅长笺,作个八字的联去:

> 领袖群仙,名题蕊榜;
>
> 山河生色,颂献椒花。

秋痕道:"不好。出句是个实事,对句我不配,要让采秋,他有篇《大阅赋》,才替山河生色哩!"痴珠道:"我要这般持论,就这样写出来。所谓扬之可使上天,抑之可使入地,何必是实,也何必不是实?难道将此地下六字榜着你的大门,就有人家出说话么?"秋痕道:"人家那里来管许多闲事?只是我自己问心有愧,便觉得不好。"秋痕取过一对纸,痴珠道:"这一付给你正屋贴上罢。"秋痕见写的是:"富可求乎无我相;人尽夫也奈苦何!"秋痕道:"你怎的写出这些话来? 就是骂那老东西,也怕他们懂得。"痴珠笑道:"你要不俗,又句句要我说实事,我如今扫尽春联习气,实实在在说出十四字来,你又怕了。我将对句四字改个'母也天只'何知?"秋痕道:"也不好,你这一付,只胡弄局,备个成数罢。"痴珠只得换一付,写道:

> 消来风月呼如愿;
>
> 卖尽痴呆换一年。

秋痕道:"似此便好。我房门的联,你先写罢。"痴珠道:"你房门我只八个字:'有如皎日,共抱冬心。'"秋痕道:"好极!写罢。"痴珠写毕,说道:"西屋是这两句:

> 绣成古佛春长在;
>
> 嫁得诗人福不悭。"

秋痕道："也好。月亮门呢？"痴珠道："要冠冕些，是八个字：'浴寒枸杞；迎岁梅花。'这里是你梳妆地方，我有了这两句：

> 春风又影圆窥镜；
> 良夜三生澈听钟。"

秋痕喜欢，一一看痴珠写了，说道："厨房还要一付哩。"痴珠道："也有。"便检纸写道：

> 司命有灵，犬声不作；
> 长春无恙，鸡骨频敲。

秋痕笑道："关合得妙！必须如此，他们才不晓得。"

　　当下雪霁，痴珠吩咐套车，到了县前街，然后回寓，复由寓到了大营，拉荷生同到秋心院。秋痕早把春贴子换得里外耳目一新。荷生一一瞧过，微微而笑。秋痕将那付"富可求乎"一联，告诉荷生。荷生说道："尖薄，何苦呢？"痴珠便留下荷生小炊，至二更多天，始叫车送回大营。短景催年，转瞬就是除夕了。正是：

> 热梦茫茫，年华草草；
> 独客无卿，文章自好。

欲知后事，且听下回分解。

第三十二回　秋心院噩梦警新年
搴云楼华灯猜雅谜

话说西北搬马解女人，尽有佳的，腊底太原城里来了姑嫂两人，都有姿色。嫂名胭脂，

男人给贼杀了；姑名柳青，年才十七岁。到了太原，有个将门少年，系武进士出身的官，看上了，聘以千金。柳青对着大家，向少年说道："我自有夫，只你老爷是此地一个英雄，我也愿依你终身。成婚这夕，我要老干十斤，烧猪蹄二只，饽饽五十个，我醉饱了，凭老爷成亲罢。譬如老爷自己不能如愿，便当给我再找男人，这聘金却不归赵哩。"大家都说道："你怎的讲出这些话来？"柳青道："话须预先说明，免得后来淘气。我们走江湖的人，再不受人委曲，也不委曲人呢。"那少年虽觉得柳青说话跷蹊，却自信拿得稳的，便答应了。柳青便请署券交金，给他嫂嫂收了。

日末晡，就欣然艳妆而往。少年迎入，婢仆环观，柳青饮啖自若。约莫定更，自起卸妆，挥老嬷丫鬟出去，嫣然向少年说道："吾醉矣！"登床据褰衣，付少年道："凭你闹罢！"不想柳青坦然裸卧，这少年用尽气力，竟然终夕不能探他妙处。无何，天亮，柳青跃起，少年遁去。以此柳青名色，哄动一时。

却为年残，紫沧已归。小岑娶了丹翠，剑秋娶了曼云，赶着正月内都要进京。荷生筹拨各道军饷，检点年终汇奏事件，更忙得发昏。

花月痕

痴珠虽是闲人,缘无伴侣,就也懒懒的,这日除夕,便在秋心院和秋痕围炉守岁。秋痕只怕痴珠忆家,百般的耍笑。到五更天,两人和衣躺下。痴珠不曾合眼,秋痕竟沉沉睡去。痴珠怕他着凉,将两边锦帐卸下,悄悄假寐。不一会,天发亮了,万家爆竹,声声打入心坎里。正在难受,秋痕突然坐起,瞧一瞧,抱着痴珠,呜呜咽咽痛哭起来。此时外面正在敬神,十分热闹,房中只他两人。急得痴珠抱在怀里,再三诘问,秋痕一言不发,只哀哀的哭。约有半个时辰,才说一句,是:"我和你怕要拆散了。"说着又哭。痴珠顿觉惨然,说道:"这话从何处说起,却这样的伤心?"秋痕呜咽说道:"我做一个大不好的梦,即刻想要生离!"就抱住痴珠的头,哭得灯光无焰,炉火不温。痴珠委实诧异,说道:"大初一,你这般哭,实在不好。"秋痕方才住了哭。

一会,跛脚进来,秋痕哭声已住。就也不觉。剔着灯亮,拨着炉火,见两人静悄悄的,只道是睡,再不想是哭。转怕惊醒,蹑手蹑脚的走了。

这里痴珠问起梦境,秋痕又淌下泪,说道:"我梦和你一块儿走,也不晓是要到那里?忽然见个大山,四面都是峭壁,并无蹬路;回头一望,有无数的狼远远的赶来,我和你前后左右都无去路,抱着大哭。你说道:'哭也无益,我们舍命爬上山罢。'你爬上一层,拖着我,还没上去,两个都滚下来。那一起的狼就近在咫尺,我只怕咬着你,将身遮住你,你还拉我上山。一个狼扑上身来,我也不怕,正和狼死命的挣,忽见那峭壁洞开,两个女人拥个老人将你抓了进去,峭壁复合,犹隐隐的听见你在峭壁里喊着我的名字,我心里一痛,就和狼一起人倒地。醒了见了你,怎的不伤心?以后越想越不好,怎的不哭?咳!以前你说个无缘,我还不信,如今看来……"说到这一句,又哭起来。痴珠听了,也自可伤。这会丽日上窗,见秋痕面黄于蜡,目肿如桃,没命的抽咽,只得说道:"幻梦有何足凭?但这屋你说有鬼,我明日带你西院住去罢。"停了一停,秃头、穆升带着车,拿着衣帽,都来伺候,痴珠就出门去了。

初二日,李夫人便招痴珠、秋痕,就秋华堂院子看搬马解。只见那姑嫂两人,短服劲装,道缠青帕,带两匹马,跟一个老头子来了。柳青穿件窄袖红缎绣袄,约以锦绦,足缠绿縢,倒插青绉印花裙幅。胭脂穿件白绫绣袄,约以青绦,足缠绿縢,倒插红绉印花裙幅。两人双翘皆不及

寸许,伶俏之至。各走了一回绳,舞了一回刀枪,耍了一回流光锤,就搬起马来。先前柳青是站个白马,胭脂是站个黑马,各登一脚,分东西缓走两回,便一面跑,一面舞,一面唱,已令人耳驰目骇;未东东西飞跑间,两人就在马上互换了马,如风如电,如抛彩,如散花,如舞蝶翩跹,如游鱼出没,更令人神骋心惊。正在痴看,不道两人早已下马,站在台阶讨赏。李夫人喜欢,各赏了一锭银。痴珠就也陪赏。奈这两人见痴珠发下赏来,却走上前,笑道:"你不是韦痴珠老爷吗?我两个却不要你赏银,只要你赠我们一首诗。"痴珠哈大笑道:"这怪不怪,你怎晓得我会做诗哩?"李夫人也笑道:"总是先生诗名传播得远,他们也自闻见倾慕。"痴珠于是招入西院,取出秋痕画过的折扇,信笔挥来。李夫人倚在案头,见歪歪斜斜写道:

> 凤阳女子有柳青,柳青选婿轻沙陀。盘雕结队蠕蠕主,驰马快过月氏驼。我为莘莘跃而起,春风陡触雄心多。可能从我建旗鼓,雕鞍飞鞍双蛮靴。旄头指顾忽坠地,嫣然一笔舒流波。人生得此聊快意,呜呼吾意其蹉跎!

再将那一把扇,写道:

> 胭脂索我歌,我歌唤奈何!君不见药师马,红拂驭,蕲玉鼓,红玉挝?龙虎风云有成例,郁郁居此负名花。吁嗟乎!儿女恨填海,英雄呼渡河。会当努力中原事,勿使青春白日空销磨!

痴珠写完,掷笔而起。李夫人笑道:"先生这两首诗,好激昂慷慨哩。"痴珠微笑。柳青、胭脂谢了又谢,秋痕将扇两边都盖了图章,两人喜跃而去。痴珠留李夫人吃饭,定更后带阿宝大家走了。秋痕便住在西院,自此就不回去。牛氏只教小丫鬟玉环跟定身边。在痴珠免了往来,在牛氏省了供给,这都是两边情愿之事。只秋痕为着初一早的梦,触起痴珠华严阁的签,总是闷闷不乐,因向痴珠问起草凉驿梦里碑记来。痴珠从书箱中检来检去,总寻不出,就也撂开。

　　十四这一天,李夫人接秋痕逛灯去了。痴珠一人正在无聊,恰好小岑、剑秋趁着灯月,步行而来,拉着痴珠走了。不多时,到了南司街,便人山人海拥挤起来,还夹着些车马在里头。三人走路,就不能齐集,痴

珠招呼两人道："这些灯也没有什么好瞧，路又难走，我们到柳巷找荷生罢，还听得有好灯谜。"剑秋道："甚好，花神庙也有灯看。"便转入小巷，慢慢地走。一路闲谈，小岑道："荷生这几天高兴得很。"痴珠道："采秋是腊月廿六抵家，他从初五起，天天在新屋里催督工程，要赶二十内收整停妥哩。"剑秋道："他怎的还有工夫制起灯谜？"小岑道："荷生住了搴云楼，适值花神庙今年是个大会，借罢里轩轩草堂结个灯棚，热闹得很。他一人夜里无可消遣，就想出这个玩意儿来。"

　　一边说话，一边听得花炮的声，锣鼓的声，喧哗的声，远远早望见罢门口灯光辉煌，车马阗咽。三人挤进花神庙，瞧了一遍，说不尽银花火树，华丽纷纭，又间着丝竹之声。小岑引路，由殿后小门穿过竹径，望轩草堂来。遥望里边亭树，有挂玻璃灯的，有挂画纱灯的，草堂门外搭着灯楼，门内却有木栅栏住。遥望内里排着灯屏古玩，密密层层，火光闪烁。木栅前鼓乐喧天，人声震地。幸喜地方宽阔，不然也一步不可行了。三人转到堂后，还有好些人在山上池边放泥筒，放花炮，流星赶月，九龙戏珠。只见草堂角门空地里，放着二三项蓝呢的四轿，两顶蓝呢小轿，架着七八对灯笼，都是武营官衔。槐树上系有几匹马，三四个的轿夫，在月下烧着枯叶和花炮的纸烘手。剑秋笑向痴珠道："这是你东家在里头作乐哩。"正说着，听得门声一响，一叠连声的传呼伺候。三人只道是官员出来，各自站开。痴珠更站得远些，暗暗的瞧。停了一停，火炬百道，手照两行，引出人来，却是华妆艳服一群少妇，后面跟着几多丫鬟仆妇，都站在门口等轿。灯火之中，只觉得粉光脂艳，令人眼花缭乱，也不辨得谁好看谁不好看，痴珠远远的瞧，好像秋痕在内，便走近一步，留神凝视。只见李夫人侧着脸和一位太太说话，秋痕手牵着李家一个大丫鬟站在背后。小岑、剑秋也已瞧见，向痴珠道："那不是秋痕么？"痴珠点头。剑秋低声道："那一位是谡如太太？"痴珠也低声说道："站在秋痕前头。"早是李夫人上了轿走了。接着又是一乘四轿上来，听得那位太太吩咐道："先把刘姑娘小轿打过来。"便有几个丫鬟仆妇家人，接叠传话。一会轿到，便有丫鬟老妈抹掖秋痕上轿。痴珠认得李家的人。那位太太又看着几个少妇上轿，就也上轿去了。小岑道："梦想不到这地方会碰着秋痕。"

　　三人说说笑笑，沿着路走向搴云楼。只见三三两两的人从里面出来。一队像是外省的人，就中有一个说道："这个谜好难猜。"一个接着道："谜语自好，只挂在太原城里，怕一年到头也没人猜得着。"剑秋道："什么谜，就把我

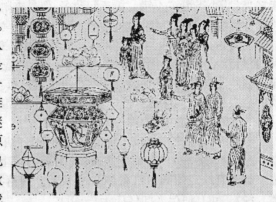

太原一城的人都考倒了？"进得大门，屋内八扇油绿洒金屏门，门上一盏扁的白纱灯，上贴着许多字条，下围着一簇约有十来人。只见索安跑过来，招呼大家进去。痴珠道："我们看了灯谜再进去不迟。"剑秋道："你老爷做什么呢？"索安道："老爷因大人有话说，上灯以后回营去了。"小岑道："他不在家更好，我们慢慢的猜谜。"三人短的不瞧，只瞧着上面长条的，是书一封，小岑念道：

　　忆自卿赴雁门（唐人诗题一），时正河冰山冻（药名一）。两行别泪，尽在尊前（花名一）；半夜痴魂，愿随君去（《诗经》一句）比代飞之燕雁（书名一），感分逝之轮蹄（《西厢》二句）。竟使目断长途（四书一句），深恨行止不能自主（花名一）。昨于新正一日，始得一传消息（花名一）。喜迓韶光，与处俱至（花名一）。芬含豆蔻，偕锦字以同来（药名一）；瘦比梅花，与暗香而并咏（曲牌一）。仆貌惭傅粉，剩有青丝（药名一）；曲谱求凰，好调绿绮（地名一）。定于仲春上完，谨译良辰（《诗经》一句），油壁先迎（药名一），坚如前约（药名一）。想此半幅残笺（药名一），卿见之必破涕为笑也（美人名一）。

剑秋笑道："他竟把给采秋的信做了灯谜，我们猜看。"痴珠道："第一句想是《北片》。"剑秋道："比代飞之燕雁，打一书名，不是《春秋》么？"痴珠道："我想《西厢》二句，是'车儿投东，马儿向西'；四书一句，是'望道而

未之见’。"小岑道："不错。第二句药名，似是香附。"痴珠道："香附真打得好。那貌惭傅粉二句，打一药名，自然是何首乌。"小岑道："是。打得好！但可惜荷生姓韩，要是姓何，那更切当了。"痴珠道："宁于仲春二句，打《诗经》一句，不用说是'二月初吉'了。油壁先迎，打一药名，不是车前么？坚如前约，是什么药呢？"小岑道："信石。"剑秋道："这里人多，我们进去猜罢。"痴珠道："慢一步，我再看这道《浪淘沙》的词。"因念道：

> 客路去漫漫（曲牌一），念女无端（唐诗一句）。长宵独耐
> 五更寒（《诗经》一句）。对镜自惊非昔日（唐诗二句），减却朱
> 颜（美人名一）。春信到重关（花名一），绿上眉山（药名一）。
> 情天有约定团圆（《红楼梦》中一物）。碧落黄泉还觅去（《易
> 经》二句），何况人间（《庄子》一句）。

念毕，三人步入院子。见搴云楼第一层檐下，四面点着一色的二十多盏瓜瓣琉璃灯，照得面面玻璃光如白昼。便有家人延入一方室中坐下，递上茶点。三人随意喝茶用点，先将那一首词也逐句猜来。剑秋道："客路去漫漫，打一曲牌，自然是《望远行》。"痴珠道："《诗经》一句，是'冬之夜'不用说了，《易经》二句，是那两句哩？"小岑道："上不在天，下不在田。"痴珠道："这却似是而非。"剑秋道："情天有约定团圆，打《红楼梦》中一物，有趣得很，是个什么？"痴珠道："风月宝鉴。"小岑道："妙！他会做，也难为你会想"。于是三人将二句唐诗，一句《庄子》，一个花名，一个药名。

剑秋唤索安问道："你爷留有谜底没有？"索安道："一句两句的，老爷都留有底，给小的答应人家。那两纸长条，爷说总没有都打得准，万一有人通猜着了，请他明日来。"痴珠怕秋痕回寓无人作伴，急着要走，便说道："既是没有谜底，我们走罢，迟日再说。"于是大家步出园来。见灯火零落，游人稀少，晓得天不早了，便分路而去。正是：

> 玉箫声未歇，明月已西斜；
> 最是良宵短，城头噪晓鸦。

欲知后事，且听下回分解。

第三十三回　丽句清词三分宿慧
花香灯影一片艳情

话说痴珠自入正后，深居西院，或听秋痕弹琴，或瞧秋痕作画，就县前街也少得去了。

这日上元，子秀、子善久不见面，便两人一车，到了秋心院。值门开着，下车走入。见静悄悄的，没个人影；再看月亮门，落把大锁。两人愕然。后来李裁缝出来说起，才知道初二后，秋痕通没回来。两人出来上车，便吩咐赶向秋华堂来。看门见是熟客，就不通报。两人沿西廊步入月亮门，见厨房里一个打杂，在那里打盹，便悄悄的向西屋窗下走来。正待转入楼下甬道，听得痴珠朗吟道："浮萍大海终飘泊，羞向红颜说服恩。"两人站着脚，又听得秋痕道："你也有些年纪了，积些余囊，作个买山归隐之计，也是着实打算。再者，你的性情不能随俗，万分做不过荷生，让他得意罢。"痴珠叹一口气道："我为着家有老母，不得已奔走四方，谋些衣食；不然，我就做和尚。"秋痕道："你好好做诗，都是我说着闲话，又引起你的心绪来了。"痴珠道："我这上半四首，已是不及他的原作，再做下去，也没有好句出来，不如算了，不作罢。"秋痕道："你昨晚说的'绣榻眠云扶不起，绮穿初日会难缝。三生风絮年来绾，一室天花夜不寒'，都是佳句，怎的不好？"两人听了半天，正待移步，不想玉环从甬道出来看见，便报道："留大老爷和晏太爷来了！"

痴珠迎出来，延入客厅。秋痕掀开香色布棉帘招呼。两人觉屋里一阵兰花香扑鼻，就行步入。见窗下四盆素心兰，开有二十余箭，便向书案走来。案上一幅长笺，狂草一半；子善看了兰花，因取来瞧，上写"奉和本事诗三叠前韵"。子秀念道：

第一洞天访碧霞，云翘有约总非赊。鸾笙吹出香窠暖，凤简题成锦字斜。楚岫朝云开远黛，天台暮雨洗浓华。寻常小谪人间去，也作秋风得意花。

福慧修来费几生？珊珊仙骨照人清。衫裁燕尾成双影，

花月痕

扇写蝇头忆定情。锦瑟相思频入咏,枕屏两地暗呼名。琼霄指日翔鸾凤,别鹤何顺带怨声!

番风轮指数迟迟,贮月楼成燕不知。才子巾箱金粉艳,美人妆成芷兰思。娇呼小字猜莲子,受唱新词谱《竹枝》。陌上花开归缓缓,荆钗珈服两相宜。

涠我卑栖水外村,天涯回首旧琴樽。西风铁笛黄泥坂,夜月银筝白下门。烟柳灞桥留别梦,胭脂北地染新痕。浮萍大海终飘泊,羞向红颜说顾恩!

逢山风引叹无缘,辜负笺天四十年。团扇画梅成小影,绣裙簌蝶记游仙……

子善道:"清艳得很。"子秀笑道:"我们今天做个催租客,打断人家诗兴了。"秋痕道:"他正不高兴,恰好你来,和他谈谈罢。"林喜端上茶来,玉环装着水烟。四人各说了近事。

子秀见上首挂着荷生集《座位》写的一付联对,是:

座列名香,文如满月;

家承清德,室有藏书。

中间是心印的一幅画梅横披。横披下贴两纸色笺,便走近一瞧,见是七绝四道,款书"女弟子游畹兰呈草"。便向痴珠道:"你那里又收个会做诗的女弟子?"秋痕笑道:"不就是李太太?"子秀道:"不错,他娘家姓游。"子善也走过来看。因念道:

华灯九陌照玲珑,掩映朝暾一色红。最是太平真气象,万人如海日当中。

雕轮宝马度纷纷,百和衣香昨夜薰。绣围珠帘都不下,轻尘一任上乌云。

饧箫吹暖遍长街,可有游人拾堕钗?满地香尘轻诗步,几回珍重踏青鞋。

小幅泥金写吉祥,十枝绛蜡照华堂。并门多少娇儿女,但愿家家福命长。

念毕,说道:"李太太也会做诗么?"子善道:"几见诗人的弟子不会做诗?"就掀着卧室帘子,见窗下两盆水仙花,也自盛开;壁上新挂一付联,

一幅山水的横披,横披下也粘一色笺。便踱进去,瞧着联一边款书"痴珠孝廉正腕",一边书"雁门杜梦仙学书",句是:

> 诵十万言,有诗书气;
>
> 翔九千仞,作逍遥游。

当下子秀和痴珠都跟进来。子善道:"采秋竟会写起大字,且有笔力,真是夙慧。"子秀道:"不要说采秋,就秋痕不是大有慧根,怎么几个月工夫就会做诗呢?"痴珠道:"大约琴棋书画,诗酒文词,都要有点夙根才能学得来。你看采秋这幅画,不更好么?"子善、子秀瞧着那幅画,是幅工画山水,笔意却极洒落,小楷款书"奉夫子命,为痴珠孝廉作,韩宅侍儿梦仙写。"子善道:"这落款就也新鲜。"旁有小楷一诗,是荷生题的,子秀念道:

> 拔地奇峰无限好,在山泉水本来清。
>
> 飘然曳杖绝尘事,独向翠微深处行。

两人再看色笺的诗,上书"水仙花"三字,下书"侍儿刘梧仙呈草"。子善念道:

> 云停月落座留香,一缕凉魂返大荒。
>
> 银烛高烧呼欲出,仙乎宛在水中央。
>
> 如伴吟边与酒边,蓬莱春在画堂前。
>
> 烟波倘许侬偕隐,自抱云和理七弦。

子秀道:"大有寄托。"又看了痴珠的帐缘,是秋痕画的菊,就说道:"秋痕的画菊,竟一天苍老了一天了。"当下秃头回道:"池师爷请爷说话。"痴珠出外间去了。子善随手将案上一个书夹一检,见断笺上有诗两首,瞧是:

> 对卿乡更觉温柔,雨滞云痴不自由。
>
> 胸却比酥肤比雪,可堪新剥此鸡头。
>
> 秋波脉脉两无言,檀口香含一缕漫。
>
> 锦帐四垂银烛背,枕边钗坠个中魂。

又一素纸,上书"题画"云:

> 绣帏怎不御银钩,微识双双艳语柔。
>
> 仿佛钗声的抛纸上,销魂岂独是天游?

无言只是转星眸,个里情怀不自由。水溢银河云尚止,子夫散发最风流

春雨梨花醉玉楼,双双弹罢卧箜篌。谁将镜殿铜屏影,付与春风笔底收?"两人一笑。又检得字条,楷书写的是"灯下红儿,真堪锁恨;花前碧玉,颇可忘忧"十六字。又色笺两纸,写的是:

埋骨成灰恨未休,天河迢递笑牵牛。斑骓只系垂杨岸,万里谁能访十洲?

欲入卢家白玉堂,何曾自敢占流光?可怜夜半虚前席,万里西风夜正长。

龙护瑶窗凤掩扉,含烟惹雾每依依。何当共剪西窗烛,日暮归来雨满衣。

云鬟无端怨别离,流莺漂荡复参差,东来西去人情薄,莫枉长条赠所思。

末书:"日来读玉溪生诗,因集得诗如左,呈政吟坛。此中情事,有君有我,有是有非,知足下必能参这也。并希示复,或赐和为望。荷生漫作。"两人不大解得就中谜语,就检别的来瞧,内还有秋痕的词并手札。词云:

花笺唱酬,曳断情丝千万缕。独对柳梢新月影,算今宵人约黄昏后。眉双绉,奈东君一刹,去矣难留。帘幕锁人愁。风风雨雨,肠断晚妆楼。

又一词去:

花怜小劫,人怜薄命,一样销魂处。香销被泠,灯深漏静,想着闲言语。

两人只看到这一纸,瞥见秋痕掀帘进来,将书夹一抢,说道:"半天没有声息,却原来偷瞧人家机密的书札。"子秀笑道:"事无不可对人言。"子善笑道:"人约黄昏后,怎的可对人言?"就出去了。

到了客厅,雨农要走,痴珠因留三人小饮,并请了萧赞甫。到得黄昏,大家都要出去逛灯,痴珠就不十分强留。

此时里外都点上灯。客厅中点的是两对西番莲洋琉璃灯,里屋两间通点一对湘竹素纱、一边字一边画的灯,正檐下一字儿四对明角灯。一会,月也上来,客厅中两盆碧桃花开得艳艳,映着灯光,就像嫣然欲笑一般。秋痕将屋里两重棉帘尽行掀起,引着兰花水仙的香。痴珠就领秋痕到秋华堂玩赏一回月,忽然对秋痕道:"你看如此月色,天又不冷,我们何不同到芙蓉洲水阁走一走?"秋痕道:"怕碰着人,不好意思。"痴珠道:"这时候,还有什么人跑来这冷静地方?"便唤秃头、穆升先去通知看守的人,教他预备茶水伺候去了。正是:

> 灯下红花,花前碧玉。
>
> 销恨忘忧,同心一曲。

欲知后事如何,且听下回分解。

第三十四回　汾神庙春风生麈尾
碧霞宫明月听昆弦

说话痴珠和秋痕由秋华堂大门,沿着汾堤,一路踏月,步到水阁。此时云淡波平,一轮正午,两人倚栏远眺,慢慢谈心。秋痕道:"掬水月在手,这五个字就是此间实景,觉得前夜烘腾腾的热闹,转不如这会有趣。"痴珠道:"我所以和你对劲儿,就在这点子上。譬如他们处着这冷淡光景,便有无限惆怅。我和你转是热闹中百端桩触,到枯寂时候自适其适,心境豁然。好像这月一般,在灯市上全是烟尘之气,在这里才见得他晶莹宝相。"秋痕道:"你真说得出。就如冬间,我是在家里挨打挨骂,对着北窗外的梅花,凄凉的景况,尽也难受,然我心上却干干净净,没有一点儿烦恼,尽天弄那一张琴,几枝笔,却也安乐得很。我平素爱哭,这个月就眼泪也希少了。如今倒好,在你眼前,自然说也有,笑也有,此外见了人到的地方,都觉得心上七上八下的跳动起来,不知不觉生出多少伤感。这不是枯寂倒好,热闹倒不好么?"痴珠道:"热闹原也有热闹的好处,只我和你现在不是个热闹中人,所以到得热闹场中便不觉好。去年仲秋那一晚,彤云阁里实在繁华,实在高兴。后来大家散了,你不和我就同倚在这栏杆上么?"

秋痕道:"那晚我吹了笛,你还题两首诗在我的手帕上。忽忽之间,便是隔年,光阴实在飞快。"痴珠叹道:"如今他们都有结局,只我和你还是个水中月哩。"秋痕惨然道:"这是我命不好,逢着这难说话的人。其实我两人的心不变,天地也奈我何!"痴珠道:"咳!你我的心不变,这是个理;时势变迁,就是天地也做不得主,何况你我!"秋痕勉强笑道:"好好赏月,莫触起烦恼。"口里虽这般说,眼波却溶溶的落下泪来。痴珠就也对着水月,说起别话。无奈两人心中总觉得凄恻,就自转来。秃头道:"夜深了,打汾神庙走近些。"秋痕也觉得苍苔露冷,翠鬓风寒,便说道:"庙门怕落了锁。"秃头道:"我已经叫穆升告诉他们等着。"痴珠道:"甚好。"

一会,到了庙前。见大门已闭,留下侧门。看门的伺候四人进去,便落下锁,自去睡了。痴珠、秋痕刚从大殿西廊转身,只见心印站在西院门口,让秋痕进去了,携着痴珠的手,笑道:"半夜三更,带领妇女潜入寺院,是何道理?"痴珠道:"我不把汾神庙做个敕赐飞寺,就算是循规蹈矩的檀越。"心印道:"好个檀越! 差不多半个月,一步也没有到我方丈。"痴珠道:"你怎的不来访我?"心印道:"你有了家眷,我怎便出入?"痴珠道:"这会还算不得家眷,就使有了家眷,难道方外老友便和我绝交么?"一面说,一面拉着心印,进来客厅坐下。心印道:"君子之交淡如水。淡则迹疏而可久,浓则情纵而难长。你不看这碧桃花,开到如此繁艳,还得几天排在这里呢? 人生该聚多少时,该见多少面,都有夙缘,都有定数。到得缘尽数尽,不特难聚,而且见面也不得一见面。何如少聚几回,留些未了之缘,剩些不完之数,到得散了,这可复聚,不好么? 且如夫妇,原是常聚常见的,然就中也有一定的缘,一定的数。往往见少年失耦的,多是琴瑟之爱笃于常人。大抵浓者必逾节而生灾,淡者能寡欲而养福。夫妇朋友,原是一例。你不来寻我,我就也懒于访你了。"痴珠明知心印此层议论,是大声棒喝的意思,正与水阁上心事针对,心上十分感激,却难一时就自折服,转说道:"我不信。不见了你十来天,竟有这番腐论! 你说少年失耦,多是琴瑟之爱笃于常人,难道那谐老百年的都不恩爱么?"心印道:"水深则所载者重,土厚则所植者蕃。这也看各人的缘有深有浅,各人的数有长有短,我不能预料了。"痴珠道:"这论却通,我不能不割恩忍爱了。"心印哈哈大笑道:"你又懵懂了! 我说的正是你保全所受,难道教你割断情缘,跟我去做和尚么?"说得痴珠也笑了。心印接着道:"大抵我辈不患无情,只患有情有过当处。你聪明人,原不等我一番饶舌。然当局者暗,旁观者明……"

正待说下,只见里间帘子一掀,秋痕突然走出,向心印就拜。慌得心印退避不迭,口里说道:"怎的,怎的? 痴珠,你替我扶起姑娘来!"痴珠也不知所谓。秋痕却恭恭敬敬磕了三个头起来,玉容惨淡,满面泪痕,让心印归坐,就傍着痴珠炕边也自坐下,含泪说道:"大和尚这样说法,就是顽石也会点头,何况我还是个人? 我原把这个身许给痴珠,你这样棒喝,我不知感激,我就对不住他。"说着,便掉下泪来。心印叹一

口气道："难得，难得！姑娘你不要怕，我说的是讲个理。你这样心田，佛天必然保佑你两早谐凤愿。"痴珠接着说："良友厚意，我自当铭诸座右。只是做个人，上不能报效君亲，下不能荫庇妻子，有何面目，不死何为！"心印笑道："据你这般说，那自古晚遇的人都是恭然人面，怎么复唐室竟有个白头宰相，平蔡州却是个龙钟秀才呢！"痴珠道："大器晚成，这也罢了。我想杨雄倘是早死，何至做个莽大夫？王勃若不夭年，安知非个控鹤使？"就向秋痕说道："便是他们，也只好死在三十左右。你想，西子不逐鸱夷，后来也做了姑苏老物；太真不缢死马嵬，转眼也做了谈天宝的白发宫人。就如娼家老鸨，渠当初也曾名重一时，街上老婆，在少年岂不艳如桃李？"

心印不等说完，哈哈大笑，起身说道："夜深了，我却不能陪你高谈了。"秋痕站向前道："我迟日要向观音菩萨前，许下一个长斋愿心，不知大和尚肯接引否？"心印笑道："姑娘拜佛，贫僧定当伺候拈香，这会告退罢。"痴珠只得叫林喜、李福，拿着手照，送入方丈。

这夜痴珠、秋痕添了无限心绪，明晓往后必有变局，只不知是怎样变法。

如今且说采秋回家，他爹妈好不喜欢。采秋虽挂念荷生，然一家团聚，做女儿的过年日子，只这一次，因此打起精神，博着父母的欢笑。出了正月，就有杜家亲戚排年酒，替采秋接见的、送行的，都说是灯节后就要出嫁韩师爷了。不想他妈却变了卦。

原来十二月时候，贾氏怕荷生不放采秋回家，权将紫沧的话答应，如今和藕斋商量翻悔。藕斋是个男人，如何肯依？两口便拌起嘴来。先前还瞒着采秋说说，以后荷生兑项都齐，这一夜，贾氏竟和藕斋厮吵厮打。才知道他妈变了心。当下只得劝藕斋到紫沧家过夜，这边劝贾氏去睡。贾氏道："梦仙，我明白你说，你爹给你走，我是万分不依的！你要嫁人，许你嫁在本地。要是嫁给了韩荷生，我是这一条老命和他们去拚！"采秋无可致词，只得噙眼泪待他妈说完，和他嫂嫂姊妹伺候他睡下。出来，无情无绪的，别了大家，自归屋里，想前想后，整整哭了一夜。

次日，藕斋领着紫沧回来，取出荷生初二日回书并诗一道。采秋将信瞧过，递给紫沧道："你也看得："便将诗念道：

吴笺两幅远缄愁，别有心情纸外留。分手匝旬疑隔世，倾
心一语抵封侯。双行密写真珠字，好梦常依翡翠楼。为报春
风开镜槛，四围花影是帘钩。

采秋念完诗，紫沧也瞧完信，两人互换。采秋将信再看一过，放下说道：
"如今这事闹翻了，须劳你走一遭，教荷生自己来罢。"紫沧道："且看你
爹转弯得下来不能，再作商量。"

看官，你道藕斋怎讲的？他说："这事现在人人知道，况且钦差大人
喜欢荷生得很，买了柳巷屋子给他成亲，翻悔起来，我们理短。"藕斋这
话，自是善于看风势。无奈娘儿们见事不明，又为藕斋和他装腔作势，
说："儿子亲事，是我男人做主的。"因此拿定主意，不准采秋嫁韩的，那
张嘴就像画眉，哨噪得人发烦。紫沧也向贾氏说道："你的议论固是，但
有数节不大妥当。起先你不答应我，我这会可以不管。藕斋口口声声
答应，只要二千两身价，问了你，你也这般说。如今人家通依了，银子也
兑齐了，你却不情愿，教我怎样对韩师父？教藕斋更怎样对得我？此一
节，你想妥当不妥当呢？再则，采秋年来心事，你也看得出，是要择人而
事。好好一个韩师爷，明年就是殿撰，人家巴结不上。你许了，却赖起
来，无论事不可测，就使平安撒开手，也还可惜。而且千金买妾，是个常
事，到得二千金的身价就也肯加倍破钞了，你以后何处再寻这机会？"贾
氏道："去年答应，是那老东西逼着我。他会答应你，你和他去讲。我心
爱的儿女，只有这个女
儿，犯不着嫁那姓韩的
去做妾。他会做官，他
家里还有人，封诰也轮
不到我女儿身上，与我
更没相干。别人稀罕
他二千两身价，我姓杜
的却看似泥沙。这会
要了他的银子，以后他
做了官，今日去东，明
日去西，千山万水，我

从何处找我女儿见一面?"说着便哭起来。紫沧见话不投机,只得委婉说说,走了。

采秋从这日起,翠眉懒画,鸦鬓慵梳,真个一日之中,回肠百转。

光阴荏苒,已是灯节了。雁门灯市,比太原尤为热闹。紫沧和一个杨孝廉逛了一回灯,趁着月色,步上碧霞宫的吕仙阁来,倚栏凝眺。忽听得隔墙叮当弹起琵琶,先是一声两声,继而嘈嘈杂杂,终而如泣如诉,十分幽咽;正将手按着工尺,画出字来,声却停了。杨孝廉道:"我听出三字来,是'空中絮'。"紫沧道:"你晓得这隔墙是谁呢?"杨孝廉正要答应,那琵琶又响起来。只听得娇声搴举,唱道:

> 门外天涯,

只第四字声却咽住。停一停,琵琶再响,又唱道:

> 知今夜汝眠何处?满眼是荒山古道,乱烟残树。离群征
> 马嘶风立,冲寒孤雁排云度……

杨孝廉道:"好听得很,真个是大珠小珠落玉盘。"紫沧不语。接下唱是:叹红妆底事也飘零,空中絮!唱停了,琵琶声划然一声也停了。杨孝廉道:"这不是'空中絮'三字吗?真个四弦一声如裂帛,凄切动人。"紫沧道:"这支词,我是见过,不想他竟谱上琵琶了。"杨孝廉道:"调是《满江红》,我却不晓得此词。"紫沧道:"你听!"只听得琵琶重理。又唱道:

> 沙侵鬓,深深护;冰生面,微微露。况苍茫飞雪,单车难
> 驻。昨宵偃倚嫌更短。

到这一句,唱和声便咽起来,琵琶的手法也乱起来,以下便听不出,就都停了。紫沧十分难受,杨孝廉道:"怎的不唱了?"紫沧惨然道:"以下的词还有四句,是:

> 今朝相忆愁天暮。愿春天及早,报花开,欢如故。"

杨孝廉道:"你怎的见过这支词?"紫沧道:"你道唱的是谁?"杨孝廉道:"我都不晓得。"紫沧道:"这隔墙就是杜家,唱的就是采秋。这词是他来时,韩荷生做的送他。他裱起来挂在屋里,我因此见过。如今却谱上琵琶了。"杨孝廉道:"怪道弹得如此好!他好久不替人弹唱了,我今日出来就值!只他不是要嫁给韩家么?"紫沧道:"韩家的银,早就兑在我铺

里。不想他妈可恶得很，临时又翻悔起来。"杨孝廉道："他爹呢?"紫沧道："他爹倒好说，就是这两个老东西不和，闹起风波。如今是一个依，一个不依。"杨孝廉："我听说身价是二千两，这就算顶好的机遇了。他妈还刁难什么?"于是两人说说，下得阁来，各自步月分路而去。正是：

　　　　三五月团圆，六街春如许。

　　　　独有伤心人，自作琵琶语。

欲知后事，且听下回分解。

第三十五回　须眉巾帼文进寿屏
肝胆裙钗酒阑舞剑

　　话说痴珠系正月念四日生。念三日,荷生就并门仙馆排一天席,一为痴珠预祝,一为小岑、剑秋饯行。是日,在座却有大营三位幕友:一姓黎名瀛,别号爱山,北边人,能诗工画,尤善传神,旧年替荷生、采秋、剑秋、曼云俱画有小照;一姓陈名鹏,字羽侯;一姓徐名元,字燕卿,俱南边诗人。这些人,或见面,或未见面,彼此都也闻名。这日,清谈畅饮,直至二更多天才散。

　　痴珠回寓,只见西院中灯彩辉煌,秋痕一身艳妆出来道:"怎的饮到这个时候?"痴珠携着秋痕的手,笑道:"你们闹什么哩?"秋痕道:"你早上走后,李太太领着少爷就来,等到定更,我只得陪太太吃过面。太太还自己点着蜡,行过礼,才走。说是明天一早就要过来。"痴珠向炕上坐下道:"我五更天就和你出城跑了,凭他们去闹罢。"秋痕笑道:"我和你跑到那里去?"痴珠御下外衣,说道:"到晋词逛一天,好不好呢?"秋痕说道:"明天的席,我已经替你全办了。你懒管这些事,我同秃头三日前都办得停妥,不消你一点儿费心。"林喜端上脸水,秋痕将马褂搁在炕上,替痴珠拧手巾。

　　秃头在傍边拿着许多单片伺候,回道:"县前街、东米市街及各营大老爷,都送有礼。"就将红单片递上。痴珠瞧一瞧,向秃头道:"你们没收么?"秃头道:"武营的礼,我们通没敢收。只县前街送了两分礼,一是李大人的,一是替游大人备的;刘姑娘主意,李大人、游大人的通收了。"秋痕道:"李太太另外还送四盆唐花,十二幅挂屏,是泥金笺手写的,说寿文也是自己做的。我替你挂在秋华堂,你去瞧着,挂得配不配?"痴珠道:"他竟下笔替我做起寿文来,我却要看他怎说。"就站起身,拉着秋痕走。秃头、林喜忙端手照引路。

　　到了月亮门,见堂中点着巨蜡,两廊通挂起明角灯,还有数对烛跋未灭,便说道:"你们这般闹,给人笑话。"秋痕道:"这却怪不得我,都是

李太太打发人搬来排设的。"秃头道："李太太为着爷生，好不张罗，给小的壹百两银，吩咐预备明天上下的面菜酒席。刘姑娘一定不肯，叫小的送还他的管事爷们。"痴珠将手向秋痕肩上拍一拍道："着，着，只是李太太现有身喜，何苦这样烦扰呢？"说话之间，已到堂中。见上面排有十余对巨蜡，只点有两三对，已是明如白昼。炕上挂着十二幅寿屏，墨香纷秀，书法绢秀，上道的是"恭祝召试博学鸿词科孝兼痴珠夫子暨师母郭夫人四秩寿序"，下款是"诰封二品夫人门下女弟子游畹兰端肃百拜敬序"。因将序文念道：

　　寿序非古也。

说道："起句便好。"又念道：

　　　　后人袭天保箕畴之绪，或骈丽而为文，或组织而为诗。虽吉皇典重，无非谰语谀词。畹兰何敢以寿序进？且夫孝子之事亲也，恒言不称老；弟子之事师也，莫赞以一词。然而吾师固不欲人之以寿言进，畹兰尤不当侈然以寿言为吾师进。虽然，礼由义起，文以情生。畹兰于吾师，义有不容不为师寿者，即情有不能自已于出一言为师寿者。师所畹兰言，尚亦笑而颔之乎。师为屏山先生冢嗣。先生以名儒硕德，见重当途，海内名公至其地者，访襄阳之耆旧，拜鲁殿之灵光，门外屡常满。师少聪颖，为先生所钟爱。兄弟八人，禀庭训，均有声痒序间。而师尤能博穷典坟，遍穷六艺，旁及诸子百家。弱冠登乡荐，遨游面北，控金匮石室之藏，尤留心于河渠道里、边塞险要及蕃夷出没、江海关防之迹。往岁逆倭构难，尝上书天子，有揽辔澄清意。格于权贵，游关陇间，益肆志于纂述旧闻，以寄其忠君爱国之思。故所学益闳，所著述益繁富。今夫水，掘之平地，虽费千人之劳，其流不敌溪曲，其用不过灌溉。若夫出自大河江汉，抉百川，奔四海，动而为波澜，潴而为湖泽，激荡莹洄，初无待乎人力。是何也？其所积者厚，所纳者众，而所发者有其本也。师之学术，江洋恣肆，其渊源有自，盖如此矣。既而奉讳归，倦于游，筑室南白下，将慨然复游京师，冀得当以报国家养士恩。卒不遇，乃赋西征。往岁返自成都，以江淮道

中国古典名著百部

梗,留滞并门。

向秋痕说道:"叙次详悉。"又念道:

　　嗟乎!震雷不能细其音以协金石之和,日月不能私其曜以就曲照之惠,大川不能促其崖以通远济之情,五岳不能削其峻以副陟者之欲,广车不能胁其辙以苟通于狭路,高士不能搏其节以同尘于流俗。

　　师之艰于遇,嗒然若丧其偶,盖又如此。

说道:"好笔仗。"又念道:

　　比年身遭困厄,百端万绪郁于中,人情物态触于外,以发其愤,遂一托之于诗。水过石则激,鹤戒露有声,鸿鹄伍于燕雀则哀鸣,虎豹欺于犬羊则怒吼,动于自然,不自知其情之过也。犹忆早岁侍侧时,酒阑烛灿,师尝语人曰:'富贵功名,吾所自有,所不可知者寿耳。'又有句云:'情都如水逝,心怯以诗名。俊物空千古,惊人待一鸣。'此其顾盼为何苦!遭时不偶,将富贵功名一举而空之,至假诗以自鸣,吾师之心伤矣。畹兰少从问字,得吾师之余绪,犹斤斤自爱,何吾师年方强仁,慈母在堂,乃愤时嫉俗,竟欲屏弃一切,泛太白捉月之舟,荷刘伶随地之锸哉!此则畹兰所谓义不容不为师寿,情不能自已于出一言为师寿者也。师听畹兰言,尚亦笑而颔之乎?

笑道:"也说得委婉。"又念道:

　　师母郭夫人,葛罩有俭勤之德,樛木有逮下之仁。吾师前后宦游,师母上事舅姑,以妇代子;下训儿女,以母兼师,族党咸称贤云。畹兰违侍二十年矣,去年夏五,重见于并门,吾师丰采,大非昔比。忧能伤人,竟有若是!乃者夫婿从军,畹兰率两男一女,寄居此地,天涯弱息,依倚之情,直同怙恃。窃愿歌子建诗,为吾师晋一觞也。曰:愿王保玉体,长享黄发期!

念毕,又向秋痕道:"情深文明,我不料李太太有此苍秀笔墨。"

　　秋痕因指着四盆唐花道:"这也是太太送的。那边四盆西府海棠,是剑秋送的。那十二盆牡丹花,是池、萧两师爷送的。小岑送你一尊木头的寿星。荷生送你一把竹如意,十盒薛涛笺,一方'长生未央'的水晶

图章，一块'万年官'的古砖。心印送你一尊藏佛，一卷赵松雪的墨迹。掌珠、瑶华每人送你两件针盒。我都替你收起。"痴珠正要说话，秃头、穆升领着多人，送进十数对点着的蜡，外面响起花炮，一堆儿向痴珠磕起头来。还有颜卓然派来四员营弁，八名兵丁，都在帘外行礼。

痴珠只得笑道："你们起来罢。"又向李夫人派来的家人道："怎好劳了你们。"这一班家人起来，和痴珠打一千请安，就也向秋痕打一千道喜。秋痕委实不好意思，只得说道："难为你们替老爷费心。"痴珠早走出帘外，招呼营里的人。接着，秋华堂当差人等和厨房里的人，一起在院子磕头。痴珠含笑进来，秋痕站在帘边，就拉着痴珠向炕上坐下，笑道："那边是你家太太坐位"。说道，就居中拜下去。痴珠忙站起身拉起，说道："你怎的也这般闹？"秋痕道："不过各人尽一点心罢了。"

两人看一回花，玉环也来磕了头，便携手回来西院。院里早排下席，是三个位。痴珠向炕上躺下道："天不早了，差不多一下多钟，还要喝酒么？"秋痕道："喝杯酒，也应个景儿。"于是恭恭敬斟上两盅酒安下，向着痴珠道："你不起来，我又要拜。"痴珠带笑拉上炕坐下，吩咐秃头撤去席面，随便拣几个碟，几件菜，送上炕几。两浅斟低酌起来。

次日，李夫人带阿宝一早便来。荷生值办密折，不便出门。心印过来拜了寿，就回方丈。倒是陈羽侯、徐燕卿、黎爱山，来坐了面席；小岑、剑秋、子秀、子善、赞甫、雨农，是不用说了；武营中只有颜卓然、林果斋二人在座。余外，痴珠俱叫人远远的就挡了驾。

晚夕，卓然、剑秋、子秀、子善，坐了一席。小岑、赞甫、雨农和痴珠，坐了一席。里边是李夫人、晏太太、留太太、阿宝、瑶华、掌珠、秋痕，七人坐了一席。外面猜拳行令。里边是大营吴参将送来两个女尼，会耍戏法。只见两尼生得丰艳非常，带个徒弟，妖精一般。三位太太都不言语，掌珠、秋痕也不大理会，只瑶华尽抿着嘴笑。先前变出一盘桃，恰恰十五个，内外分尝，却是真的，已足诧异。停了一会，又变出三尾鳊鱼，俱是活的。以后要了十个品碗，排在地下红毯上，左五个，右五个，两尼分立，教他徒弟变十碗水来。那徒弟苦辞不能。右边女尼一掌过去，徒弟倒在左边，那左边五个碗却满满的水；又向左边来，左边女尼也给他一掌，倒在右边，右边五个碗也满满的水。于是两尼将水一碗一碗的捧

上席来,给大家看,映着烛光,都碧澄澄呢。再排原处,教他徒弟收去。只见徒弟东打一筋力,十个碗便干干的,并无一滴。大家惊愕,两尼自说是仙。瑶华大笑道:"只莫做唐赛儿便好。"李夫人招呼秋痕,请痴珠进来,给些赏银,——两尼快快而去——便向晏、留两太太道:"汉末左慈、于吉,原是有的。就是吞刀吐火,喇嘛本有此教。植爬种树,眩人亦属寻常。只这两尼妖气满脸,我们远离他为妙。"两太太都道:"太太有见识。"瑶华道:"我只怕是《聊斋》上说的那个东西。"大家都说道:"可不是呢。"再饮一会,就散了席。

两太太先去,李夫人随后也走了。痴珠便唤掌珠、瑶华出来秋华堂。秋痕就也跟出,敬大家一轮酒。剑秋见秋香、秋英今天不来,问起瑶华,才知道秋香是正月十二陡然发起绞肠痧,医药不及,就死了。秋英也移了屋子。痴珠在东边席上,惨然道:"我怎的不知道呢?"瑶华道:"你不知道的事多哩。目今花选中贾宝书也走了,说是跟了一个南边的女道士做徒弟去了。"小岑在东边席上道:"我也风闻有这事。"卓然道:"这事我知备细。宝书给望伯拖累,押在官媒家里。望伯没良心,上堂不敢认官,将开赌的事一口推在宝书身上。幸喜那承官官与宝书是旧相识,央着我再三求着上头胡弄局,把望伯做个平常人聚赌,打三十板,枷号一个月;替宝书开释,说是他假母开赌,与宝书无干,才放出来。"

痴珠不待说完,便说道:"这承审官是个通人,你晓得他晓姓么?"卓然擎着酒杯道:"他姓傅。"剑秋道:"不要讲闲话。往下说,宝书怎样出家?"小岑夹一片苹果,向卓然道:"这以上的事,我们通晓。望伯因此破了家,如今还病着,怕是不起。"剑秋在西边席上,回过脸瞧着小岑着:"你给卓然说罢。"卓然喝了酒道:"宝书释放出来,没得去处,暂依旧日一个老妈。可怜大冷天,一个钱买炭也没有。还是素日认识的人帮他几吊钱,叫人和望伯商量,望伯分毫不肯答应。宝书灰心,趁他妈尚在枷号,私下跑到东门外玉华宫女道士处,求他收弟子。"子善道:"不错,这女道士姓姚,系南边宦家姬妾,丈夫死后,为嫡出女儿不容,遂将自己积下的金银,买一小屋,改为道院,闭门焚修。后来遇个女仙,告以南边有十年大劫,教他向西北云游,可免大难。前年到了并门,造值玉华宫女道士闹事,被东门外缙绅撵了。大家见姚氏有些年纪,寓在优婆夷寺

焚修,比本寺的姑子尤勤,所以延他主持玉华宫香火。是不是呢?"卓然道:"就是这姚主持。"剑秋道:"你讲宝书罢。"卓然道:"宝书的家,旧在优婆夷寺边,每月朔望,都去烧香。姚氏时常见面,见宝书回回默祷,是求跳出火坑。姚氏

听了,就也存在心上。如今跑来投他,自然收了。不想他妈枷号满了,出来和姚氏要人,姚氏只得教他领去。宝书不愿,被他妈拉到宫门外,便要跳井。恰好我这一天,奉委前往章郎镇查办事件,路过玉华宫,见他们哭哭啼啼,一大堆的人在那里看。我叫人查问,才晓得就是宝书。我和宝书也有一面之缘,见他说得可怜,就到宫里面诘姚主持,洞悉底里。我便替他出了一百两身价,教宝书在我跟前受了姚主持顶戒。"

此时两席的人都是静听。听到这里,痴珠便拍掌道:"快事,快事!我要喝三大杯的酒!"忙得秋痕斟酒不迭。掌珠坐在痴珠身下,只怔怔地发呆,尽痴珠唤人取大怀,取酒,也不说句话。倒是瑶华唤道:"宝怜妹妹,你怎不斟酒?"掌珠道:"没人替我出一百两身价,给我当道士去!"瑶华大笑,把别话岔开,和赞甫、雨农又豁起拳。西边席上,子秀、子善也和卓然、剑秋抢标。以后两席合扰,又闹了一回楚汉争,就有三更多天了。

秋痕、掌珠连座,尽着喁喁私语。瑶华是个爽快的人,听了一会,便站起说道:"做个人,自己要有些把握。就如你两个,一个要做道士,一个要做侍姬,斩钉截铁,这般说便这般做!叨叨缕缕,讲个不了做什么呢? 我要走,不耐烦看他们凄惶的样儿。"秋痕忙拉住。瑶华就和秋痕坐下,向大家道:"我是要从乐处想,再不向苦中讨生活。你想,天教我做个人,有什么事做不来? 都和你们这般垂头丧气,在男子是个不中

用,在女子是个没志气! 我瞧着觉得可怜,又觉得可恼,所以要走。"大家都说道:"说得痛快!"此时有把雌雄剑放在炕上,瑶华便向痴珠说道:"你这把剑还好,我舞一回,给大家高兴一高兴。"说道,就仗着剑走下来。早见瑶华在灯光下,纵横高下,剑光一闪一闪的舞。以后灯火无光,人也不见,只有一道白气,空中旋绕。此时更深了,觉得寒光阵阵,令人发噤。突然听得瑶华道:"后会有期!"但见比影一瞥,两剑当的一声,委在地下——屏门外的人报道:"薛姑娘上车走了!"

两席的人恍恍惚惚,就如梦景迷离一般。痴珠定一定神,说道:"相隔只有五个月,他的剑竟比采秋舞得还好。这飘忽的神情,就和剑仙差不多了。"当下大家都散。

秋痕引着掌珠,重来西院,谈了一回。外面冷家的人,催了两三遍,掌珠才走。秋痕送出屏门,洒泪而别,看官记着:秋痕与掌珠,自此就没再见了! 掌珠是此夜听说宝书做了道士,又受了瑶华一激,便决意出家,和他假母吵闹几次,竟将青丝全行剪下。幸他假母是个善良的人,不忍怎样;二十七日痴珠出门谢寿,就听见人说,送入优婆夷寺做了姑子去了。正是:

豪情胜概,文采剑光。

妒花风雨,乃尔披猖。

欲知后事,且听下回分解。

第三十六回　一声清磬色界归真
百转柔肠情天入幻

话说秋痕廿五后回家，因劝痴珠量入为出，俭省下来为后日南归之计。因说道："你为着我，不能不供给他们开销，这样不是爱你，直是害你，所以千思万想，不能不割断痴情，苦守寂寞。"又说道："初一心印许我礼佛，我便吃了长斋，总要跟你到得南边家里，我才开荤。你念我这般苦守，也该惜些钱钞，作个长久打算。歼兆梦兆虽然不好，或者天从人愿，我两人吃得这苦，造化小儿可怜起来，也不可知。若一味委心任运，眼见得祸离更甚于惨别。"说道，就呜咽起来。痴珠也自伤心。

看官！须知气数两字，埋杀多少英雄豪杰！除非神仙，跳出世外，不受这气数束缚；自古忠臣孝子，到得国家气数要尽之时，怎样出力去挽回，你道有几个挽回得来？不过人事是要尽。秋痕这一回打算，也只是尽人事罢了。再隔十日，两人局势，又不是这般。

你道人事怎尽呢？到了二月初一，秋痕换了一身新衣服，天色大亮，坐个车来到庙中。秃头早在那边伺候，到观音阁来。听得清磬一声，早望见心印披着袈裟，率领两个侍者，在阁上顶礼慈云。秋痕上得阁来，侍者送上一炷香。秋痕跪下，心印敲着磬，将秋痕做的黄疏读道：

盖闻有情是佛，无二为斋。接引十方，法喜维摩之爱；皈依五净，醍醐沆瀣之缘。伏念梧仙，劫重风轮，魔生绮业；天寒袖薄，身贱恩多。居恒顾影自怜，窃欲择人而事。则有韦皋小影，东越寓公，既连艺而掎掌，亦双心而一袜。于是巾帼奉圣，髻解抛家。自谓浮郁香烧，是乡终老；录檀树种，如愿同归矣。无如鸟本流离，窝非安乐。奔精昭夜，徒劳警旦于鸣鸡；惊女采薇，更伫苦心于攀鹿。风花舛午，才命升沉；楚水入淮，栀香交蓼。所冀金轮神咒，能销铁锁烦冤。因此九叩，一诚顶礼。誓如敦日，折此疏麻。愿开一念之慈悲，俯鉴八关之忏悔。莫谓垂枯绛树，甘露难培；还期续命黄花，秋风再艳。从此旃檀

执印,寒菜咬根,不莫膏梁,自甘腐乳。他日者,追随中馈,获补畴昔之坠欢;旨蓄御冬,长娱边撩之晚景。将绣佛以酬恩,辉依满月;亦心斋于清夜,悟澈拈花矣。

　　年　　月　　日　　　　　平康信女刘梧仙谨疏

宣读已毕,烧了。秋痕默誓一番,磕了头起来。心印将一尊观音小像,用紫檀镶玻璃的龛,送给秋痕供奉。秋痕给心印叩了谢,心印也膜拜还礼。便和秃头回来西院,将佛像供在炕几。

这日痴珠就陪秋痕吃一天斋。秋痕晚夕便捧着神龛,坐车而去。后来牛氏知道,百计责令开荤。无奈秋痕受一番打骂,便一粒也不沾牙,牛氏只索罢了。

痴珠自此还读我书。次日,寻一幅宣纸,写个"焦桐室"三字,傍书"病维摩书"四字,盖了图章,交给穆升裱作横额。

一日午后,套车到县前街闲话,便来大营。荷生迎出平台,笑道:"我正要作字给你,你来了,便宜他们跑一遭。你瞧这个图名,取得好不好?"说着,便延入屋里。痴珠道:"什么图?"荷生没有答应。痴珠早见案上铺着一个小轴,是采秋小照,画一面镜,采秋画在镜里,便说道:"像得很,真个镜中爱宠。"荷生道:"你瞧题的图名。"痴珠早见上首横题五个隶字,是"春风及第图",便点头道:"甚好。"再看题的诗,是首七截,因念道:

　　　　镜里眉山别样青,春风一第许娉婷。天孙好织登科记,先
　　借机丝绣小星。

念毕,笑道:"你好踌躇满志。"荷生道:"只这二十余日,信息渺然,连紫沧也没有信来。难道是满招损,占'归妹'迎门翻卦?"痴珠道:"你这事一定百定,千稳万稳,还疑心什么呢? 你不想采秋的书籍,也就够十来天收拾哩。"荷生道:"我也这般想。"痴珠道:"这事不要再说。我此来,是要找爱山替我和秋痕画一图哩。"荷生道:"你今天何不就同我去访他?"痴珠道:"甚好。"

于是荷生引着痴珠,打大花厅后身穿过一个院落,便是爱山书房。爱山迎入,痴珠叙些寒温,坐了一回。荷生遂为痴珠代白来意,爱山许着初七下午。二人正说得款洽,忽见青萍掀开帘子,回道:"洪老爷来

了。"荷生又喜又惊,便同痴珠趿跄出来。爱山见是有事,也不敢强留,只得送出院门。痴珠执手重订初七之约,爱山允诺。

荷生早走得远了,痴珠就也跟来,转到平台,只见紫沧和荷生站在客厅帘边,听得紫沧道:"有点变局。"两人就进去了。痴珠随后走进,和紫沧相见,见荷生神情惨淡,正在拆信,就不说话。紫沧也默然无语。荷生拆开信,抽出一张色笺,看了一会,眉头百结,将笺递给痴珠道:"你瞧!你道天下事算得准么?"便拉紫沧炕上分坐,详问底细。痴珠瞧着笺上,楷书写的是:

> 荷生夫子安:初七日奉到覆函,并诗一首,拳拳垂注,情见乎词,感激之私,无庸琐渎。妾生不逢辰,母也不谅,紫沧目击之,自能为君详言之。妾不忍形诸笔墨,亦不敢形诸笔墨也。伏念积诚尚可动物,岂守义不足悦亲?第区区寸心,总不欲生我者负不慈之名。君与紫沧善为妾图之。妾回天无力,惟有毁妆敛迹,绣佛长斋,冀慈母感悟于万一。挑灯作此,不尽欲言。附呈七绝一道,率书楮尾。侍妾杜梦仙手启。

痴珠道:"绣佛长斋,不谋而合。"紫沧、荷生正对语喁喁,也不听见。痴珠因将诗吟道:

> 云容冉冉淡于罗,欲遣春愁可示何!夜半东风侵晓雨,碧纱窗外早寒多。

吟毕,笑道:"欲知弦外意,尽在不言中。采秋诗品,高于荷生十倍哩!"荷生皱着眉,向痴珠道:"人家有这般懊恼的事,你偏会说笑起来。"痴珠道:"你不用烦恼,不出十天,机将自转。只天见你两个圆成太容易些,也不显得他一番造就的艰难,故此有这一折。其实你没见过采秋时候,大局早已排就。"荷生道:"你何苦又说梦话?我明天将手尾的事交托燕卿,后天一早就可上路。做三站走,初六可到雁门。紫沧,你还要和我同走一遭呢……"正待说下,只见索安回道:"大人请,说是有紧急军务。"紫沧、痴珠就走了。这且按下。

且说采秋系于正月十五早,往碧霞宫,也在观音大士前许下长斋。自此脂粉不施,房门不出。这一个月,柔肠百转,情泪双垂,把个如花似玉的容颜,就得得十分憔悴了。还好红豆、香雪两个丫鬟,都是灵心慧

花月痕

舌,无可讲的也引着采秋讲讲,无可笑的也引着采秋笑笑,所以比秋痕景况总觉好过些。

一日,冷雨敲窗,天阴如墨。采秋倚枕默坐,忽藕斋进来,取出荷生十三寄来的信,展开阅过,叹了一口气,藕斋就出去了。信内附有人日的诗,并痴珠的和章。采秋唤香雪印一盒香篆,自己慢慢的点着,领略一会,将寄来的诗,吟了一遍,就向床上躺下,想道:"天下事愈急则愈远,愈迎则愈拒,去年秋痕不是这样么?"又想道:"痴珠说那华严庵的签兆,竟是字字有着落,似乎我和荷生这段因缘,恁是怎样也拆不开的。只是这签兆也怪,秋痕的秋心院,是小岑替他取的名,我的春镜楼,是我自己杜撰的,怎么那庵的签上有'秋心院'三字? 那老尼偈语,又说出'春镜'? 敢莫这支签和那偈语,能是痴珠编出来也不可知。"想到此,陡然心上冰冷,不知不觉掉下泪来。又想道:"说是痴珠编的,他何苦自己讲那不吉利的话?"左思右想,便合着眼,听着雨声淅沥,竟模模糊糊的好像到了秋心院。突见秋痕一身缟素,掀着帘迎出来,采秋惊道:"秋痕妹妹,你怎的穿着孝?"秋痕泪盈盈道:"采姊姊,你不晓得么? 痴珠死

了! 我替他上孝哩!"正在说话,忽见荷生闪入,采秋便说道:"痴珠死了! 你晓得哩!"荷生吟吟的笑道:"痴珠那里有死? 不就在此?"采秋定神一看,原来不是荷生,眼前的人却是痴珠,手里拿个大镜,说道:"你瞧!"采秋将唤秋痕同瞧,秋痕却

不见了。只见镜里有个秋痕,一身艳妆,笑嘻嘻的不说话,却没有自己影子。正在惊讶,忽一阵风过,尘沙眯目,耳中只闻得呼呼的响,又像是波涛滚滚的声,心上觉得突突的乱跳。一会,悄然开眼一看,只见白茫茫一片大海,自己立在一个山上,四顾无人,十分害怕。沿着径路走来,

见一峰插天，苍翠欲滴，上面有古篆三字，一字方围有一丈多大，却不认是何字，想道："我今日也有认不得的字了。"转过山坳，海也不见了。瞥见痴珠同两个丽人，俱是一身缟素，立在前头。一个丽人，好像秋痕。采秋欢喜，迎上前来，说道："怎么你两个却跑到这里来？"再一审视，那里有三个人？却是一片白石挡住去路，想道："原来就是这石作怪！"再要转身，恍恍惚惚是个屋里。见个丫鬟抢过来抚着说道："娘快醒来，天冷得很，和衣睡不得。"撑眼一看，却是红豆。因起来说道："我略躺一躺，竟睡着了，迷迷惑惑，做了几多的梦。"红豆细问，采秋不说，只叫他取表来看，已是四下多钟。

香雪向熏炉中倒碗茶递来，采秋喝了，回忆梦境，犹觉历历。红豆端上素菜，随便用些。遂向佛前烧了晚香，闷坐听雨，便和红豆说起梦来。正是：

　　　　秋心春镜，一刹罡风。

　　　　情天佛国，色色空空。

欲知后事，且听下回分解。

第三十七回 延推岳荐诏予清衔
风暖草熏春来行馆

说话关陇回子，自去年大受惩创以后，善良者自然回加藉，重谋生业，就中单身的，也受地方官安插，洗心涤虑，去作良民。只有一班狡黠的酋豪，或逃亡在外，复出为非；或虽受招安，家业已荡，便纠合亡命，就逃亡在外，掳掠乡民牛畜，抑劫过往行旅。地方官只怕多事，隐忍不报。这回子啸聚得多，去年逆倭据了广州，回子得信，因又跳梁起来。想并州富足，又是春和时候，这番真个要由草地窜入云州等处。

雁门关总兵于正月三十得了确信，是夜子正三刻，五百里加紧禀报前来。因此经略请荷生计议，荷生道："这番不比前次，只要以防为剿。前次彼已破了漳关，故不能不痛加剿洗。今日彼尚在三关之外，只有迅速将关外各口隘严防，彼来则剿，彼去亦不必追。野无可掠，自然解散。然口外各隘，炮台沟垒及望台探卒，是紧要的。"荷生一面说，经略一面点头道是，随说道："这事只好请先生督兵一行。"荷生辞道："只怕才力不及。"经略那里肯依。又问起荷生纳宠之期，荷生即以采秋的事相告。经略大喜，说道："先生此行，公私两得，须带多少兵呢？"荷生道："兵不在多，就左右翼中挑出千名，着颜副将、林总兵两人管带前往，便够调遣。只此行却要仗大人洪福，两件事都能如愿才好。不然，五台山近在咫尺，誓将披缁入山，不复问人间事矣。"说着，眼皮一红。经略笑道："先生何必如此？回子余孽，先生一出，马到成功。至先生私事，怎样办怎样得手，更属无可疑虑。而且先生气色大好，指日还有喜事，不过这两天，便可得信哩。"荷生道："晚生还有什么喜呢？"经略道："这会且不必说破，我是从气色上看得十分准。"荷生只得撂开，说用兵的事了。

是晚经略就留荷生小饮。一面檄召颜、林二将，于明日卯正三刻，带领左右翼兵，赴教场挑选。一面差员提令箭，谕知粮台办饷，军需局预备军装，俱限明日巳刻齐备。

次日卯正，荷生下了教场，到得辰正，已将一千名兵挑出。面谕颜、

林二将,午刻给饷给装,申刻管带出城,十里驻扎,初四日辰初二刻长行。颜、林二将得令,自去行力。

荷生回营,顺路访了痴珠,告知一切。痴珠笑道:"夫子有三军之惧……"荷生不待说下,截住道:"你还说这些,人家百忙中找你坐一会,你却有工夫讲顽话。我和你说,我到雁门,公事或者办得了,只我私事有些为难,倘是不谐,我便上五台山出家了。我的诗文稿和柳巷园子,一起交给你,你替我收掌罢。"便噙着一眼眶的泪,向靴页中取出一个折子,递给痴珠。痴珠接着,放在案上,说道:"你这话从何说起? 我和你说,你再不要这般胡想,你从此是一派坦途。你想要跑一遭雁门,就出有这一件事,替你做个锦上添花,凑巧不凑巧呢? 我这会正替你喜欢,你何苦说出这些话? 倒是我和秋痕,不晓后来是怎样变局"? 荷生道:"你听心印的话,和李太太商量,给了身价,是正经的事。至秋痕替你打算,都行不去,我劝你不要听他。这数句就是我临别赠言,你须记道。"便站起身,匆匆的走了。

回到营来,正待御下冠服,帘外的人报道:"大人穿着公服过来。"荷生迎出。只见跟班捧着折匣,经略笑吟吟的步上平台,拉着荷生的手进入屋里,即向荷生一揖,说道:"先生大喜!"荷生只道是给他送行,便回一揖道:"全借大人平日的威德,此去或不辱命。"经略笑道:"喜事重重。"便向折匣中取出一本奏折来,递给荷生。荷生见上面朱批道:

> 览奏均悉。这所保五品衔举人韩荸,着授兵科给事中,即
> 留营参赞军务。钦此。

阅毕,将折子安在上面几下,九叩谢恩;便向经略行下礼去,道:"大人栽培。"经略赶忙还礼。荷生起来,说道:"仰荷天恩,不次拔用,只怕材不胜,辜负大人一番盛意。"经略掀髯笑道:"我保举总不错,而且这折子上得也妙。我的折子,是十九到京;十八,谢小林待御早有一折,密保了你。内阁于二十日奉着上谕,也行文来了。"说着,便走向几子,将折子展开,检出一张红单条,递给荷生。见上面写的是:

> 兵科抄出,正月十九日,奉上谕:河南道御史谢嘉树奏称,
> 五品衔举人韩荸,学富韬钤,材堪将帅,现为并州大营延理军
> 务;前年元夜,蒲关奏凯,悉伊运筹之力,与明禄年终密保折

内,语悉想符。着即授兵部给事中,仍留本营参赞,该部知道。钦此。

瞧毕,说道:"幸是不林折子是先一日递的。譬如小林折子后一日,大人折子先一日,倒像小林附声气。"经略道:"这都是先生的福大!"又附耳道:"听说秦王召见时,也曾保过先生。"荷生接着道:"如今求大人别这样称呼。论统属,大人是个堂官;论保举,大人是个恩师。"经略道:"好,好,我们兄弟称咱罢。"坐一坐,就也进去。

自此,荷生算是并州小钦差。遂赶紧备了谢恩的折,由经略代奏。经略即将此次荷生督兵出关防剿情形,也一并奏明。次日卯望拜发。当下通省官员,本地乡绅及营中幕友将校,贺喜者麋至沓来。荷生有见有不见。直闹到定更多天,刚欲歇息,又是痴珠来了,说道:"何如?班生此行,无异登仙。"说得荷生也笑了,执手数语而别。

次日,紫沧是卯正匹马先走,四站赶作两站。荷生为着经略暨文武官亲送出城,到得未正抵青龙镇。是日大风,一队轿马行土岭间,蜿蜒逼仄,兼之土无泉脉,僵峙枯立,经风扬扬,尘垢岔集。将至忻州界,风刮愈烈,飞土如雨。荷生轿中口占七古,是:

> 祖龙鞭石石未尽,破碎弃置西山涯。生公说法不到晋,遂
> 令千载成顽沙。行人策马频来往,轮蹄误听风波响。谁信元
> 戎十丈旗,借作桃根两枝桨。

刚吟完,前行帅字旗转出山坳。三声炮响,忻州文武官接出界上。荷生不免下轿酬应一番。此时天色将黑,等得灯笼火炬一起点着,再走十余里,已经八下多钟。灯火中遥见远远一族人马,知是颜、林二将排队迎接。望着帅旗到了,吹起角来,炮声一响,挝鼓三通。行馆门前,奏着细乐,荷生的轿,软步如飞,进行馆去了。青萍传出令箭安营。森严甲帐,灯火齐明;刁斗传更,旌旗闪影。二更后,荷生自出营外,查了一回,颇觉整齐严肃,心中高兴,便作了一诗,题在壁上云:

> 陌上何人赋草熏?无端祖帐感离群!天连野戍生边气,
> 风卷平沙作浪纹。断涧经年惟积雪,空山有用是生云。独怜
> 天下方多事,鸿雁中宵不忍字!

第二日风定,卯正起马,按队上石岭关,遥望忻州城郭,在高冈陂陀之

际。绕铁笄山下，行河滩沙石中，三十里外，路始平坦。春融冰释，土脉上浮，途间往往水溢。度田间阡陌，到了忻州城。人烟稠密，百货毕会。帅旗一到，父老扶杖，妇孺联裙，道旁顿如堵墙。州官迎入行馆，打尖，尖后行平野中。时方东作，只见扶犁叱犊者，于于而来，喁喁而视，正如一幅图画。那崞县官员，又接来界上了。

第三日由金山铺起马，五里忻口，两山尽处，凿石为关，一夫当之，万夫莫敌。遂沿滹沱河至红崖湾，尖北贾镇。不一时过了崞县，城在土岭之巅，土多崩裂，城亦倾侧不整，道途观听，自不及忻州热闹。四下多钟，到得行馆。

轿子刚进屏门，钲鼓声中，忽见紫沧行装部在台阶上。荷生赶着下轿道："你怎的又转回来?"紫沧正待答应，荷生瞥见上屋有个艳妆侍儿出来，凝眸一视，却是红豆站在帘边。荷生这一喜，如陡见家里的人一般，说不出话，边紫沧怎样说也不听见，只拉紫沧向月台上走来。才上月台，又听得帘内环佩之声，珊珊已到门侧，更是心花怒开，向红豆道："你来接我么?"红豆打开帘子，笑道："娘也来了。"荷生早见采秋倩影亭亭，临风含笑。两人执手，喜极而悲，各自盈盈泪下。

半晌，荷生向紫沧道："我不是做梦么?"紫沧道："坐下再说罢。"方才坐下，青萍回道："代州官员禀见。"采秋、红豆退入里间，紫沧也退出东厢。荷生一起一起的接见。直至上灯，才有空和采秋畅谈。

看官听着：人生富、贵、功、名，一字是少不得的。正月时，贾氏何等刁难！这回紫沧自省赶来，进城已是初三黄昏时候，竟不到家，先来见采秋，将荷生的信递给他瞧。先是雁门郡人心惶惶，讹言四起，闹到初

三下午，得着韩荷生带兵出来信息，才稍安靖。这贾氏见时事如此，深悔前非。后闻荷生带兵来了，又怕惹下祸事，早哑口无言，受藕斋抱怨。如今听得荷生做了官，是个钦差，喜到十分，就也怕到十分，那追悔更不用说了。转自己出来招认不是，只求紫沧领采秋迎上一站来。采秋道："这却不必。"紫沧道："也好。此去崞县只四十里地，知县又是我旧东家，可以据实说给他预备，也免得荷生进城一遭，招摇耳目。且此事是经略知道的。"

原来到雁门关，是由代州阳明堡西行，不走郡治。打郡治北门二十里至雁门关，是个小路。荷生与紫沧打算，是到了崞县，教颜、林二将带兵先行，自己换车私往采秋家一探，即连夜出门，赶到关上。不想贾氏转叫采秋接出来。

当下说明，贾氏、藕斋都在厢房伺候。紫沧领他夫妇出来叩见，荷生也还了揖，前事不提，只面谕两人：将采秋行装收拾妥帖，等候班师。两人答应退下。恰好上屋的席，是两席满汉，荷生便撤一席，赏给两人去吃，自与采秋同坐一席。采秋因问起痴珠、秋痕景况，荷生略说一遍，因叹道："你吃长斋，他也吃长斋；你如今开了荤，不知他何时才开哩！"采秋也为怅然。这一夕，崞县十分讨好，行馆中彻夜灯烛辉煌。二更后，紫沧自在东厢安歇。两人并枕，谈着三十来天别绪。

转瞬天明，营门外角声呜呜的吹个不止。荷生只得起来，传令颜、林二将先走，又见了几起的客。因行馆后进有座望楼，便与采秋领着红豆，登楼凭眺。遥见空际有白云数片，谛视之，不动亦不灭，采秋指着道："这就是雁门关山头积雪。"荷生道："我少刻便在这山外了！"说着，两人泪眼相看一会，不语，忽晓风吹来，凉如冰雪。采秋道："口北地方冷，不比内地，你带着毛大衣服没有？"荷生道："都有。"采秋又嘱咐："诸事留心保养。倘若要打仗，千万不可轻敌，口外回子是不怕死的。"荷生道："我知道。这回不用打仗，你放心。"瞥见尘沙起处，一簇军马如蚁行蜂拥，红豆指着道："兵出城了。"忽见青萍上来，回道："轿马伺候已齐。"荷生遂与采秋订着班师之期。两人执手含泪，采秋呜咽道："我不便下去送你，就在这楼上望望罢。"又嘱咐了青萍，路上好生伺候。又亲自与荷生穿上大红披风，厢金风帽。荷生只得硬着心肠下楼。到了院子，回

头一望，见采秋泪眼凝睇，荷生也含着泪眼道："你也回去罢。"采秋点头。荷生出来前屋，嘱紫沧三日后到关上来，就上轿走了。

采秋和红豆在楼上，听得城边炮响，知荷生出城，便眼撑撑的向着先前瞧见军马的地方望去，等了好一会，才见帅旗过去，一项四人抬的蓝呢轿，前咱后拥，迢迢前去。到得转过树林，望不见了，叹一口气，方扶着红豆下楼，与他爹妈回家。正是：

   杨柳依依，长亭话别。

   驿驿征夫，邦家之杰。

欲知后事如何，且听下回分解。

中
国
古
典
名
著
百
部

第三十八回 车前无灵星沉婺女
棣华遽折月冷祗园

话说痴珠三夜,自大营回寓,一夜无聊。天亮一会,听得炮声连续,知是荷生走了,就也起来。见碧桃花都已零落,憔悴得可怜,便叫林喜挪在槐荫下,教他们天天灌溉。盥漱用点已毕,伏枕假寐。恍恍惚惚瞧见李夫人颜色惨淡,穿着凤冠霞帔,掀着帘子说道:"先生自受,我先走了。"觉得一身毛发竖起,擦开两眼,寂无人声。心上十分作恶,便步行到了县前街。李夫人方才罢妆,迎了出来。痴珠留心瞧夫人的神气,也还好好,自然讲不出梦中的话。转是夫人说道:"谡如许久没有家信,这两天实在记念他。"言下怆然。痴珠只得将话宽解。夫人又说起娘家隔远,没个亲眷,因劝痴珠赶办秋痕的事。痴珠只是不语。

吃了早饭,便来秋心院,只见院中静悄悄的,步入里间。秋痕头也没梳,手拿一本书,歪在一个靠枕上看,抬头瞥见痴珠,坐起笑道:"你来么?"就走下地来。痴珠也笑道:"荷生去了,我无聊得很。"秋痕携着痴珠的手道:"天下事都是翻转来看,譬如你当初不认得荷生,他走他的路,你自己不想着他。就是我……"说到这一句,便和痴珠坐下,噎着咽喉,说不下去了。痴珠惨然,停一会,秋痕又说道:"我没爹没妈,孤苦伶仃一个人,又堕在火坑,死了自然是干净。你怎好……"说到这三字,竟哭起来。痴珠道:"怎的?"秋痕哽咽道:"痴珠,痴珠,你也该晓得,梧仙是心已粉碎,肠已寸断

第三十八回　车前无灵星沉婺女　棣华遽折月冷袄园

了,"痴珠忍不住也掉下泪。停一会,秋痕转抹了眼泪,问道:"你出城送荷生没有?"痴珠摇头道:"没有。"秋痕道:"你这会从家里来么?"痴珠道:"我昨晚一夜没睡。"就将清早梦见李夫人及到县前街李夫人说的话,一一述给秋痕听。秋痕道:"李太太做人,很有福气,何至有什么意外的事? 你我的事,承太太一番美意,只是我家的人,实在难说,总要我挨得一年半载的苦,教他们没甚想头,那时候就好商量了。"

两人促膝谈心。靠晚,吃过饭,秋痕略有意兴,焚了一炉香,将琴调和,弹起《水仙操》。只觉得指头勾剔,怪刺刺的与寻常不同,便说道:"怎的生疏了?"再和一会,又弹起来,没得半阕,忽划然一声,宫羽两弦一齐断了。两人失色,默默无言。秋痕满襟是泪,好似劝慰他一般,痴珠叹气道:"怎的就这般件件见得不好?"秋痕伏在琴案,呜呜地哭。痴珠挨不住,就自走了。

一夜难过,到得四更,忽听外面挝门甚急,秃头认是县前街老奴李升声音。痴珠赶着问:"是何事?"李升入来,站在房门外,回道:"太太夜来生产,觉得十分不好!"痴珠不待说完,便披上衣,跳下床。一面披衣,一面赶着套车。李升提灯迎上,去了。

到得县前街,只见门上的人都迎出来道:"韦老爷来了,我们太太不好得很!"痴珠赶着下车,问道:"到底怎样?"门上的人道:"胎是已下,只人已晕过数次。"痴珠道:"没个亲眷,怎好哩?"大家跟进大厅。炕上一个是高大令,一个是麻大夫,和管事家人商量下药;听说痴珠进来,大家抢下台阶。麻大夫道:"痴珠先生来了,便有人做主。"痴珠道:"给大夫看,怎样呢?"高大令不语。麻大夫摇头道:"脉息已散,怕看命根……"只听得上屋连声说:"太太请韦老爷。"痴珠只得向麻、高道:"全仗高明营救,定个神方。"踉跄走入,掀开帘子,站在房内问道:"这个怎样?"只见老嬷丫鬟围床两旁,李夫人色如金纸,靠在两个老嬷身上,手牵阿宝,望着痴珠厉声道:"先生! 我挨着死等你,你把阿宝手上钥匙收起!"哎呀一声,即便晕绝。大家赶着握住头发,灌下参汤,渐渐回过来。一个大丫鬟带着阿宝,将一包钥匙递给痴珠。痴珠见这光景,又见阿宝泪痕满面,真个心如刀绞,禁不住涕下涔涔。听得李夫人又厉声问道:"交给先生没有?"痴珠只得大声道:"我已收过。太太你拿定心,不要乱。"李

夫人含着泪道:"我的心一丝不乱,只我的爹娘都来叫我去了。谡如数月没有信息,军营中生死不可知。我的兄弟又隔十余天的路,苦呀!"一阵血腥,人又晕绝。

痴珠十分难受,又不便上前,没个主意,只得退出帘外。此时高、麻商定一方,赶着煎好灌下。大家随哭随叫。好一会,又回过来,叫道:"阿宝呢?"大家将阿宝送上,李夫人瞧一瞧。恰好阿珍、靓儿都醒了,奶嬷抱在床前,李夫人也瞧一瞧,说道:"我不管了!"又叫道:"先生呢?"痴珠急人。此时天将发亮,灯光烛影,闪得阴阴沉沉的。猛听得李夫人叫道:"谡如!谡如!"便两目低垂,又牙紧闭了!痴珠大恸,阿宝伏着床沿,呜呜地哭,内外人等都嚎啕大哭起来。

一会,停灵挂孝,管事家人请痴珠议定殡殓。痴珠便领着李家几个老仆,和李夫人身边的老嬷大丫鬟,将一切箱笼尽行粘封;差人向谡如、鹤仙相好的同寅故旧告丧。秋痕就也来了。到得已末,便有各家的眷属前来哭临。秋痕一身素服,陪着痛哭。好是谡如不在家,阿宝又小,却无男客。痴珠乘空,便洒泪作书两封,一专差到蒲关去,一专差到江南去,酉刻同发。

次日初五,阴阳生拣的时辰是卯正三刻大殓,午初一刻进棺。到得三下多钟,安了灵,秋痕便向李夫人灵前哭辞,嘱咐老嬷丫鬟看视阿宝。这阿宝虽只有八岁,却乘觉得很,见他母亲已死,秋痕也要去,便拉着秋痕的衣袖大哭。大家都已收泪,见阿宝这个情状,满屋的人惨然,又跟着哭。秋痕更是伤心,抱着阿宝道:"我不去,你不要哭。"于是痴珠走了。

此时新月如钩,痴珠对月独坐,想着李夫人如许做人,竟罹此难,可见天道无知。便赖赖的进房,一夜翻来覆去,想起谡如远别半载,荷生出师关外,客边痛痒相关的人,目前竟无一个;回首南边,又遍地黄巾,差不多一年不得家信,老亲、弱弟、瘦妻、稚子,竟不如是何景像。想到此处,真个四大茫茫,侧身无所,才名画饼,忧患如山,不知不觉痛哭起来。时已三更多天,累得秃头等从睡梦中各自惊醒,急起探视。痴珠只得说是梦魇。次日一早,教李福磨一盂的墨,教秃头买得白绫,写一副挽联,自行带至县前街挂起。秋痕瞧是:

廿余年往事如烟,记旧日师生,恍见双鬟来问字;

二千里望夫化石,痛当前儿女,何堪两地共招魂!

看罢,又滴了无数的泪。是日,痴珠便陪了一天吊客,又定下念经开吊日期,刻起讣音,直到上灯回寓。

秋痕打发痴珠走后,正在灯下替阿宝缝孝鞋,忽见门上的人领着穆升踉跄奔入,说:"刘姑娘,快看老爷去! 龙山失守,我们八老爷殉难了! 老爷接着家信,大哭一声,晕倒在地。"秋痕这一惊,好像半天打一个霹雳! 大家都也惊骇,赶着替秋痕收拾,骗开阿宝,悄悄的上车。一路淌了多少眼泪。

到得西院,早听得痴珠号啕大哭。心印、池、萧及秃头等,围着一屋。秋痕这会顾不得什么,接着痴珠也哀哀的哭。后来秋痕先住了哭,同大家把痴珠拥入里间躺下,把痴珠劝住哭。痴珠谢了众人,就托心印延请十六位戒僧,就汾神庙开起七昼夜经坛。

到了次日,排设停妥。西院外间,也安了灵。痴珠素服哭奠一番。便赴坛烧香。此夜月色阴沉,纸帜招展,觉得梵语凄凉,灯光黯淡,绝不似寻常鱼鼓经声,便又大恸起来。这日就有同乡过来慰问。以后各营员弁通知了,也有排祭筵的,也有送联轴的,更忙了数日。兼之县前街也在开吊,痴珠万虑千愁,这十数天也疲极了。虽有秋痕、秃头小心伺候,无奈饮食日减下来,直觉骨瘦如柴,身轻似叶;到了谢吊这一日,只喝粥两碗,是夜又呕了数口血,直把两人急得要死。

痴珠因告知秋痕,决意于三月初十,带秃头、穆升轻装南去看家。秋痕忍着泪道:"这是正理,我怎敢多说? 只道路梗塞,是一节为难;再你这样身体,怎禁得起长途跋涉?"痴珠叹口气道:"死生有命,我做我的事罢了。"秋痕默然。痴珠接着道:"我与你总是没缘,故此枝枝节节,生出许多变故。我如今百念俱灰,只求归见老母。"秋痕又掉下泪来,说道:"我原说过,祸离更甚于惨别,你有老母,怎的敢叫你不要回去? 只我的魂魄一路附着你走罢!"痴珠道:"这也何必。自古无不散的筵席,百年岂有不折的鸾凤? 万里一心,遥遥相照;万古一心,久久不磨。你我就不能同生同死,也算得是个同心……"痴珠说到这一句,便咽住了。秋痕更是难忍,竟大恸起来。这夜痴珠于枕上得一首五古,留别秋痕。

花月痕

诗云：

瑶台熟蟠桃，玉母初开宴；鸦头族绣袍，雉尾移官扇；祥云朵朵来，大会神仙眷。就中拈花人，忽展春风面；小儿从隙窥，偷索手中钏；目成两无言，双心盟缱绻。好词致蹇修，竟又遭神谴；妃子谪风尘，岁星亦不见。一十九年间，沧桑知几变？氤氲使有神，会合旧钗钿。堕落香何言，缘惨秋心院！讵惜圭臂躬，一作红颜援？所恨磨蝎宫，事变惊闪电。此别岂不伤？此会难相恋，痛如俎上刀，快若弦端箭，涕泪双滂沱，襟上千行贱。莽莽并州城，可是阎摩殿？早知烦恼多，何如不相见！

正是：

鸳鸯不独宿，难至亦分飞；

春草江南客，扁舟一叶归。

欲知后事，且听下回分解。

第三十九回 燕子覆巢章台分手
雁门合镜给事班师

　　话说鹤仙也没同胞兄弟，只有个族兄，名乔龄，字芝友，原是陇西宁远卫守备，因公革职，此番进京捐复，路出蒲关。鹤仙逆计芝友出京之日，李夫人当已分娩，好教他护送前来。不想芝友到了太原，已不及见李夫人了。鹤仙得了此信，便差四个干弁、两个老家人，星夜赶至，谆恳痴珠替李夫人权厝后，挈阿宝兄妹西来。痴珠因此决意三月初十回南，把所有书籍古玩并一切衣装，开了清单，悉给秋痕。

　　此时秋痕是领阿宝住在西院，当下将单收过，瞧也不瞧。痴珠又将自己地幅小照付给秋痕道："这做你画里情郎罢！"秋痕噙着泪，一言不发。阿宝平日跟着李夫人呼痴珠为先生，看了秋痕情景，接着说道："刘姑娘，你难道不和我先生一起走么？我是要你和先生同送我到舅舅衙门去。你不走，我便跟你住在这里。只是先生一人去找舅舅，没你伺候，你也该不过意。"说着，便倚在秋痕怀里淌泪。两人半晌无言，正是肠断魂销之际，给阿宝这一说，便各伏在几上，大恸起来。阿宝含着泪，东边扯手袖，西边牵衣襟，往来跑个不了。此时院中鸦雀无声，只听得客厅哗喇一声响，把两人吓得一跳，倒停住哭了。出来一看，原来是顶格年久，塌了一半，将个燕窠跌下，燕子纷飞叫噪。正在诧异，忽见秃头进来回道："李狗头带车来接姑娘，说是他妈突患重病，叫姑娘即刻回家。"痴珠尚未答应，秋痕说道："我那里有妈！就是我的妈病，要我回去，也待得明日。"痴珠忙接着道："不是这般说法。你对狗头说，现在李少爷跟着姑娘，明日骗开李少爷，就给姑娘回家看病。"秃头出去说了，狗头没法，只得回去。

　　次日一早，李裁缝、狗头领着跛脚，坐一车辆车，便来门房和秃头吵嚷，要接秋痕。秃头道："早哩！爷还没有起来。这个地方，是你们说话的所在么？"李裁缝嚷道："奇呀！你们把我女儿占了几个月，如今他妈病了，也不给他回去看，到底是什么意思？"穆升不待说完，便抢上前道：

"放你娘的屁！谁占你的女儿?"狗头冷笑道："你问那姓韦的!"秃头怒气冲天，忍耐不住，从狗头背后一把揪住，骂道："你这个小忘八蛋，敢怎样撒野!"狗头刚把手来抓秃头，却被林喜带劝带笑，将狗头两只手鳌住，给秃头连刷了五个嘴巴。李裁缝气极，将头向穆升撞来，却被穆升抓住，骂道："你这不死的老东西，要和我拼命么? 赏你一个死!"便将手一掀，摔出门来。这里看门听差和厨下打杂人等，都一齐跑来，拉的拉，劝的劝，吓得跛脚手足打战，那李裁缝便倒地号啕哭起冤来，穿头只是寻人厮打，却被大家按住手。池、萧两人也起来。痴珠、秋痕在睡梦中听得外面吵闹，不知何事，叫人又不见一个，只得披衣出来。刚走到月亮门，遇着厨子天福，是个急舌，说话不大分明，说是"爷们和吕家的人打架。"数日前汾神庙住了一个吕通判，穆升因他的马常跑入西院，与他家人才有口舌。因此错听了，就不出去招呼，只叫天福传谕穆升不要多事，并唤他进来。

当下秃头听天福说爷唤，秃头便先进了，穆升、林喜、李福也走了。李家爷子晓得痴珠起来，便舍命跟着秃头闯入月亮门，大家都挡不住，痴珠这会才晓是李家父子闹事，听得说的话没有一句不是撒赖，直气得胸吭冤填，手足冰冷，在屋里和秋痕默默相对。一会竟嚷到西院客厅。秋痕愤极，抹了泪，挽好头发，包上绉帕，检出痴珠一轴小照藏在袖里，向痴珠道："你听我的信!"痴珠泪眼盈盈，不能言语。秋痕早跑出客厅道："你们闹什么? 你们不过是要我回去，走罢!"此时心印、池、萧都在一边做好做呆的劝，瞥见秋痕出来发话，倒觉一跳。跛脚迎上前来，秋痕向阿宝老嬷道："少爷没有醒，醒了你好好骗他回去。"又向心印、池、萧道："往后大家替我宽慰痴珠，我做鬼就忘不了!"又向李裁缝道："要我回家，犯不着闹出这种样儿，叫人笑话。"一面说，一面扶着跛脚走了。

李家爷子见秋痕出来，理早短了；而且此来只怕秋痕不肯回去，如今秋痕已走，趁着池、萧一人拉一个，就也出来，跟着车去了。只痴珠、秋痕七个月交情，从此分手，便永无见面之期，说来也自可伤。当下软瘫天窗下弥勒榻上，心印、池、萧劝解一会，痴珠叹口气道；"只这十二日缘分，也不许完满!"

于是大家议论：李家今日如许决裂，是何缘故? 都想不出道理。后

来萧、池两人探得是钱同秀、卜长俊、夏旒、胡孝四人布的谣言，说是痴珠要带秋痕回南。其实痴珠是拚个生离，秋痕是拚个死别。再不想四人做出这种谣言，恰中牛氏心病，所以今天闹出这一段散局。

看官记着：痴珠、秋痕散局这一天，却为荷生、采秋进城之前一日。

荷生是二月初六日午刻，到了雁关门。初七日，檄颜副将带兵二百名，由马邑偏关西出红门口；檄林总兵带兵二百名，由平鲁朔平北出杀虎口，密令二将于口外炮台瞭台，多张旗帜，一路传单谕贴，俱声言是带五千名兵。先是，关外各口汛官，奉到大营严檄，已经将炮台沟垒，一例修整，望台探望，一例添人。如今即饬两将一路查勘。十一日，紫沧至关，荷生便同紫沧带兵出关，驻扎广武故城，等候消息。十二日，大营接到三边总制五百里咨文，说是逆回业自解散，首犯数名，亦已擒获枭斩；是日飞札韩给事班师。十四日，荷生得信，一面入关，一面檄颜、林二将撤兵。

紫沧先回州城，同地方官商议，赶于花朝替荷生迎采秋归于行馆。十五一早，差员往接荷生。十六黄昏吉时，州里备一座蓝呢四轿，轿杠加两道红彩，轿顶结个彩凤，下垂四角彩结；四员营弁，步行护轿；轿前是二十对红纱这灯，四对提炉，一部细乐；轿后是八名银鞍骏马的家丁，前往东巷。

红豆、香雪一身艳服，扶着采秋宫衣宫裙上轿。荷生就行馆中设祖先香案，引采秋行礼。紫沧教青萍于寝室排两张公座，红豆、香雪护侍采秋，谒见荷生。是夕，行馆灯彩辉煌，管弦杂沓，春风溢座，喜气盈阑，不用说了。但采秋远别爷母，荷生回忆山妻，遥怜秦女，触目动心，欣喜之中终不免有些伤感。倒是旁观觉得才子佳人，如此圆会美满，真个福

慧双修，一时无两。

军中大宴三日，传令颜、林二将带兵先行。紫沧也于是日起身。二十六日，荷生、采秋双双言归。先是驻扎代州，得了痴珠来信，述及近事，荷生叹道："痴珠真是晦气！"采秋道："痴珠还怕有什么大不好。"遂将前梦告诉荷生。荷生也为诧异，因笑说道："瑜亮本来是一时无两呢。"

紫沧及颜、林二将，先于二十七到了并州。索安等管押采秋妆奁箱笼，于二十八到了并州。地方官为着荷生是九重特达之知，后来地位难于限量，此番办的差事虽照着小钦差章程，却件件加倍讨好，柳巷行馆，铺陈供给，都照大营。荷生私事，全托紫沧、爱山领着贾忠等照管，公事便交给羽侯、燕卿兼办。二十九巳刻，青萍领着四员营弁，护卫采秋、红豆、香雪一乘四轿、两乘小轿，先进了城。荷生带着几个新来的跟班，一路酬应迎接官员，直迟至未正，才进行馆。接着，又是经略来拜请会，两人叙话，直至黄昏。通省官员这一天便都不及见了。

次日一早，接见曹节度后，就出门回拜了经略、节度及大营办事诸幕友，便来秋华堂看视痴珠。——痴珠虽晓得荷生班师，即日可到，但昨天一早就被狗头爷子吵闹，与秋痕撒了手。接着，又是阿宝醒来不见秋痕，哭得痴珠肝肠寸断，大家好容易哄住阿宝的哭，回县前街去了。痴珠顾影雪涕，骨立形销。第三日早起，荷生打大营前来，慰问痴珠，便询秋痕。痴珠黯然不能答应，倒是秃头回明。荷生叹口气道："我早料有此散局。"痴珠也叹口气道："再休说起。"就把鹤仙的信给荷生瞧，便说道："我送阿宝兄妹到蒲关，即由河南回南。"荷生瞧了信，说道："蒲关只隔十一二天的路，不算什么。南边的路，现在文报两三个月不通，你怎么走得？而且你这样单薄身子……"痴珠不待说完，截住道："我是走得到那里就死在那里，也算是走了！不然，还留在并州城养疴，有此理么？"荷生道："你不要急，再作商量。"随站起身道："我今初到，百凡没有头绪。"帘外跟班传呼伺候。痴珠接着道："我初十是准走呢。"荷生眼皮一红，便匆匆去了。正是：

> 东歌西哭，一喜一忧；
>
> 莫非命也，谁怨谁尤。

欲知后事，且听下回分解。

第四十回　意长缘短血洒鹃魂
人去影留望穷龟卜

话说晚夕，痴珠嗒然独坐，忽见帘子一掀，荷生、紫沧便衣进来，笑道："我充个红娘，好不好呢？"痴珠忙站起迎坐。

原来荷生今早拜了客，回到行馆，已是午鼓，就将痴珠近事，一一告知采秋。采秋为李夫人凄恻，更为痴珠、秋痕烦恼，说道："我不叫两个即日见面，我这杜字也不姓杜。李家这样可恶，总不过是个教坊。明日不是班师喜宴？用得着他们。难道你差人传他，也不来么？只秋痕脸上过不去，须唤紫沧走一遭，给秋痕说明，再嘱琴妹妹伴他进来。你作字订了痴珠，教他们在这里见一面，往后再作打算。"荷生道："我也这般想，明日招了爱山，并替痴珠完个画小照的心愿罢。"

再说秋痕回家三天，虽受过牛氏几次毒詈，也没甚不了之事。这日靠晚，外面传报："冯师爷来了。"李家爷子晓得这人是荷生相好，肃静伺候。秋痕噙着泪望着紫沧进来，便呜呜地哭个不了。紫沧从灯影里瞧着秋痕憔悴的面庞儿，几乎认不得，便坐下说道："我不见你才有三四个月，怎的消瘦到这田地？咳！你总是这个性情，尽着哭，干不了什么事。"秋痕咽着喉咙道："你见过痴珠么？他比我便不堪哩！"紫沧道："我不得空，荷生今早去看他。"秋痕道："他运气不好，家中层叠出许多变故。这都是我苦命，害了他。他初十走，梧仙的魂就在城门边等他，教他叫我的名字，我便跟他走了。"说着，又哭了。紫沧道："你不用这般说，他初十不能走。他就初十要走，荷生也不给他走。"秋痕哭着道："我不敢阻他不走，其实道路是走不得。"紫沧遂将荷生早上对痴珠说的话，及后采秋的打算，悄悄告知。秋痕十分感激，便问起采秋前后的事，紫沧略说一遍，喝了茶，归报荷生。两人就找痴珠来了。

看官！你道痴珠、秋痕还有一见之缘么？要知心印说的，人生该聚多少时，该见多少面，都有定数，到得数尽，任你千谋百计，总是为难。

次日，教坊奉到中军府传单，是：连升部，三吉部，翠云部，秋心部，

准于巳刻齐集柳巷行辕,伺候班师喜宴。李家循例送了差人几钱银,浼他告病。差人悉了脸,将银摔在地下道:"这回比不得寻常,上头吩咐,不准告病。就有真病,也有赴给巡捕老爷验看。你不看翠云部的薛姑娘都不敢告假么?"牛氏没法,只得老着脸来求秋痕。秋痕道:"武营认真呼唤,我怎好不替你们一走?只我却不能妆掉,打个辫子去见巡捕罢。"牛氏自是喜欢。

巳刻,四部齐集柳巷行馆,只见辕门外部满兵丁。大家到了巡捕厅班房,瑶华便引秋痕到个净室,安慰一番。秋痕见了瑶华,就如见了新人一般哭诉。瑶华道:"姊姊,你何必哭呢。你既然肯拚个死,有什么事还做不出?只是忍耐些儿罢。"

秋痕妆下抹了泪,正待答应,忽闻辕门升炮吹打,只见狗头跑进来向瑶华、秋痕道:"大人回来。你道大人是谁?我不想就是韩师爷,你来瞧罢。"于是大家都出来辕门空地里站着,远远的瞧。瑶华扶着秋痕,也站在一块。

原来今日算是凯旋之宴,荷生从经略处拜了奏章回来,用的是全副钦差仪仗。见大门台阶下两边一字金字高脚牌,高脚牌后全部仪仗,从人缝里见锣声过去,是一对金黄棍,接着一把三层红伞,两把洒金青扇,一对对皮做刑杖。大门外早奏起细乐。一会,二员水晶顶骑马官员,引着一把大红马伞,两对雁翎刀,两对提炉,四对车渠硕的挂刀营弁,簇拥着玻璃四轿,坐个高颧广额长耳轩眉的韩荷生。此时人声悄悄,只听得脚步声,马蹄声,武威声,前面数下大锣声。后面四把高帜。却从辕门边湾过来,空地里下马。倒把秋痕吓了一跳,回来班房坐下。秋痕叹一口气,想道:"人生有遇有不遇,难道痴珠不是举人?怎的运气就那般不好!"正在发呆,只听得人说道:"巡捕老爷下来。"一会,狗头跑进来道:"怪得很,我向巡捕老爷替你告病,巡捕老爷只笑吟吟不言语。"狗头还没说完,里头一叠连声传出来,说是"单唤翠云部恭瑶华、秋心部刘梧仙,上去问话。"

于是秋痕、瑶华跟个老嬷,弯弯曲曲走了半里多路,见是一群华妆炫服的丫鬟簇拥采秋迎了出来。秋痕抢上前数步,也不能说话,只只掉下泪来。采秋先前是笑,一见秋痕,就也惨然,拉着手道:"秋痕妹妹,你

中国古典名著百部

通是这样，怎好呢？就招咱瑶华先走。"秋痕忍着哭。采秋一手拍着秋痕的肩，一手将手绢替他抹眼泪，自己也淌下数点泪，向瑶华道："层层折折，都是不如意事，实在难为秋痕。"瑶华也惨然道："却不是呢！"

当下红豆、香雪忙着拧热手巾，给两人擦脸，别的丫鬟递上茶点，好多仆妇都在帘外静悄悄的站着。秋痕方才哽咽着声，哀哀的替痴珠苦诉。采秋道："圆圆易缺，皦皦易污，这真令人恼极！只锯齿不斜不能断木，你总要放活点才好呢。"瑶华道："痴珠是过于洒落，秋痕姊姊过于执滞，所以不好。"采秋道："痴珠那里能真洒落？能真洒落，就不误事。"

此时差不多两下多钟了，仆妇丫鬟排上菜，也有素的，也有荤的。采秋亲陪二人。秋痕酒是一点不喝，饭也只吃半碗。方才洗漱，帘外的人报说："老爷进来。"采秋、秋痕、瑶华都迎出。

只见两个小跟班跟着，荷生便衣缓步而来，脸上十分烦恼，瞧着秋痕、瑶华，勉强笑道："你来得久了。"采秋问道："外头宴完么？"荷生道："完了。"便令秋痕、瑶华、采秋坐下，向采秋叹口气道："人定不能胜天，这真无可奈何了！"三人都觉愕然，采秋问道："什么事呢？"荷生向秋痕道："你吃饭么？"采秋道："他刚才吃了半碗饭。"荷生道："也罢，痴珠今天是不能来了。"采秋道："为着何事？"秋痕早伏在几上哭了。荷生道："穆升来说，昨晚我走后，痴珠呕了数口淤血。早上起来，已经套车，突然吐了几碗血，晕绝数次。我叫贾忠、青萍……"荷生刚说到这里，只听秋痕大叫一声："痴珠，你苦呀！"将饭一起吐出，便栽在地下，手足厥冷，牙关紧闭。忙得采秋、瑶华叠声叫唤，丫鬟仆妇挤在一堆。

闹得好一会，才把秋痕救醒，复行大哭。瑶华道："人还没有死，何

必这样?"采秋道:"痴珠抑郁得很,能够把郁血吐净,倒好得快。"于是大家扶着秋痕,到屋里休息。秋痕只是哭,也没半句言语。

荷生没法,教采秋避入别室,引着爱山到了上房,教瑶华陪着秋痕出来,画个面庞。就吩咐门下,格外赏给狗头十吊钱,差个老嬷送秋痕出来。采秋谆劝秋痕从长打算,又送了许多衣服及些古玩,秋痕只说个谢字,其实是瞧也没瞧。

自此,荷生、采秋、瑶华与秋痕也没见面了。虽瑶华后来飓风打舟,吹到香海洋,得与痴珠、秋痕一叙,然已隔世。

是晚,荷生带着青萍,便衣坐车,来看痴珠。痴珠要坐起来,荷生按住,说道:"不要起来。"就床沿坐下,烛光中瞧痴珠脸色,心上十分难受,便说道:"你这会怎样呢?"秃头道:"服了几许藕汁,血是止了。麻大夫开的方,等小的取给爷瞧。"痴珠一丝没气的说道:"秋痕回去么?"荷生道:"五下钟时,你既不能来,我就打发他走了。他听说你病得利害,就晕倒在地。譬如救不转来,怎好呢?"痴珠默然,秃头递上方,荷生见方上开有人参,便问道:"我先前送来两枝参,还用得么?"秃头道:"麻大夫看过,说好得很。这回服的药,就是配那大枝的。"荷生道:"那大枝的我还有,你往后用完了,即管去取。"穆升端上茶,荷生点头道:"你们好好服侍,我往后总给得着他们好处。"痴珠道:"你便衣出门,也只好一两次,怎好天天晚上这样来呢?"荷生道:"今日我原可不来,为着你病,不亲来瞧,心上总觉得不好。我往后也只能十天八天出来一遭。还好,这个差事是没甚关防,就给人知道,也没甚要紧。"一面说,一面向靴页中取出秋痕面庞,给痴珠瞧,说道:"我今天只为你办了这一件事。"秃头拿着蜡台在旁,说道:"不大像。"痴珠叹道:"得些神气就是了。"就交给荷生,说道:"我病到这样,只怕连这纸影儿就也不能常见。"荷生只得宽慰一番,听得挂钟已是八下了,便谆嘱痴珠静养,出来上车而去。这是三月初一的事。次日,痴珠少愈,拈一笺纸,写诗两绝以谢爱山。诗是:

卷施不死亦无生,惨绿空留一段情。憔悴双双窥镜影,药炉烟里过清明。

生花一管值千金,微步珊珊苦可寻。从此卷中人属我,少翁秘术押衡心。

初三日辰刻,阿宝行丧,奉李夫人的灵帐,停寄东门外玉华宫。痴珠不能出城,也坐着小轿到县前街,排个祖奠,看过灵帐出门,才回西院,已是一下钟了。一人躺在里间,忽听得外面报说:"留大老爷来了。"林喜引入,痴珠抬身延坐。子善说道:"你这两天有人去看秋痕么?"痴珠道:"撒手了!叫谁去呢?"子善道:"我听说昨日三更天,他全家都走了。"痴珠怔怔地望着子善,哇的一声,呕出一口血来,也不说话,就自躺下。子善忙邀心印过来,只见痴珠坐起道:"风尘洞洞,天地邱墟,何况秋痕!"心印就也说道:"你是通人,再没有参不透的道理,勘不破的世事。"子善接着说道:"本来你也要走,他不过先走几天哩。"痴珠不语,只叫秃头,不见答应。穆升四外找遍,全没踪迹。痴珠翻笑道:"这个呆奴,怕是找秋痕去哩。"

等到二更后,子善走了,秃头影子也无,大家惊愕。心印道:"他们不要着忙,秃头不是逃走的人。倒是痴珠今日呕了一口血,他外边强自排遣,内里不知怎样难过,大家留心点儿。"心印便也回去方丈安歇。

这里穆升、林喜,就在痴珠卧室前一间下榻。到了五更天,听得痴珠说道:"秋痕,你怎不等我断了气就走呢?"一会,又听得说道:"如今你的心换给我,我的心换给你,好不好呢?"接着又吟道:"人间独辟钟情局,地下难堤不死心!"走进里层照料,却是睡着鼾呼。

次早,池、萧也走进来,见痴珠神色照常,便问道:"今日心上觉得好些么?"痴珠皱着眉,说道:"我的心虚飘飘的,也没甚好,也没甚不好。秃头不回来么?"大家答应。雨农道:"这事也怪,秋痕走了,我听说李家隔壁屠户酒店都关了门,连那戆太岁、酒鬼也不见。"痴珠道:"怎的?"大家也难分解。

晚夕,荷生差青萍探视,穆升就把这事通告诉了青萍,自然一一回了荷生。荷生顿足道:"我却料不出有此变局!"马上传呼伺候,来看痴珠。因为痴珠卜了一卦,是"损之小畜",说道:"今天是辰月申日。"

痴珠说道:"我如今通没要紧了!见面也是撒手,不见面也是撒手!"荷生道:"不是这般说。秃头、戆太岁、酒鬼,他三人是一气的,自然可以赶得回来。而且我的占卜,十分灵验。如今只要他回来,我情愿替你出二千两银子。我先前是为着采秋的事没有办妥,舍己耘人,情理上

也说不去。而且我的局面，也是依人糊口，如何独力办得来？这回原想替你圆成此事，不想你们已散了局。其实散后，此事也还易办，那里料得出又有此不测的事！不是我说句戆直的话，这一场是非，通是秋痕自闹出来。你不想：秋痕和你讲个'情'，他一家人和你有什么'情'！不图些银钱，图个什么呢？秋痕孩子气，太不通达世务，自然步步行不去。"

痴珠道："这是我昏了！那造作谣言……"荷生不待说完，笑道："水腐而后蠛蠓生，酒酸而后疏鸡集。本来你两人形迹，实在可疑，所以他们编出谣言，人人都信。我想李家这一走，不特怕你拐他，并且疑心到我和你办事哩。"痴珠道："夜行者自信不为盗，而不能使狗无吠。"又叹口气道："青蝇纷营营，风雨秋一叶。心印说的，凡事有数。这一件事，原是数该如此。其实我于娟娘能割得断，再没有秋痕又割不断的道理。我的爱弟妾尚死于贼，岂能保得秋痕！只是我何苦做个人呢？"荷生道："算了，不用说，只愿他好好回来罢。"说着，便走了。

到了十二这一天，痴珠刚打心印方丈回来，穆升递一轴的画，一封的书，说是大营黎师爷送来的。痴珠晓得是秋痕小照，忙展开一看，见一脸含愁，双眉锁恨，神气很像；画的衣服上，是浅月色对襟衫儿，下是粉红宫裙，手拈一枝杏花。恍恍惚惚忆起草凉驿旧梦来，却不十分记得清楚。就拆开书，看了一遍，是两首和诗。便检一小笺，随手作数字致谢，交给来人去了。重把小照细看一番，忽然想着荷生卜的卦，便拍案道："我今生再见不着秋痕！孰是这一轴画儿，应了荷生的占验罢！"正是：

　　　　水覆留痕，花残剩影；
　　　　翡翠楼成，鸳鸯梦醒。

欲知后事，且听下回分解。

第四十一回
焦桐室枯吟萦别恨
正定府沥备远贻书

话说酒鬼姓聂名云,戆太岁姓管名士宽,这二人自三月初二日起,竟没消息,就秃头也自渺然。

一日留、晏二人同来,子秀向靴页中取出两张旧诗笺递给痴珠道:"你瞧。"痴珠接过,展开,见是秋心院本事诗,向日粘在秋痕屋里,便惨然说道:"这两纸怎的落你手里?"子善道:"今天听说园里有新戏开台,我拉子秀去看,不想走到菜市街,恰遇着秋痕住宅开着大门,说是王福奴要移入居住。我两人同进去,前后走一遭。见月亮左侧,你镌的菊花诗赋石刻还有,秋心院中,床榻几案,也照旧排着,我同子秀,相顾惘然。见案下掉落诗笺二纸,子秀检起,是你旧作,竟把我看戏的心肠都没了。"痴珠听了,十分难受。诗是七律二道,七绝二道。七律云:

> 无端鸿爪到花前,正是西风黯黯天。放浪开骸容我辈,平
> 章风月亦神仙。空余红粉称知己,长向青娥证凤缘。早岁绮
> 怀销欲尽,为君又惹恨绵绵。

> 黯绝并门一叶秋,桐阴小语便勾留。聘钱有恨衔牛女,蓝
> 缕何人识马周?青鸟回翔难得路,绿珠憔悴怕登楼。昨宵珍
> 重登车去,知汝晨妆懒上头。

七绝云:

> 罡风吹不断情丝,死死生生总一痴!
> 忍冻中宵扶病起,剔灯苦诵定情诗。

> 强将红烛夜高烧,鬓影撕磨此福销。
> 欢喜场成烦恼恨,青衫红袖两无聊。

常说"日之所思,夜之所梦。"这夜,痴珠梦中大哭而醒,见残灯一穗,斜月上窗,回忆梦境,历历在目,十分凄楚。

次早,心印来看,痴珠因说道:"我昨宵却记得两个梦。前一梦,是到了秋心院,见一个女人,年纪约有二十余岁,身子既高,脸儿又瘦,就

如枯竹一般,自说姓王,小字惺娘。后一梦,大是不好!梦见秋痕扶着病,和我携手在阴湿地上走。两人脚上都沾是泥,走有几里路,觉得黑乎乎的,上不见天日,下面又尽是滑滑没胫的泥。秋痕两手按在我肩上,说道:'我走不得,鞋底全裂,怎好哩?'我便扶他坐在石板上。随后重走一箭多路,便是一道河,拦住去路。沿河走有一里,两人的足都软了,才见有个孤木板桥。秋痕先走上去,扑落一声,秋痕竟跌下去!我眼撑撑的看他沉到没影去,一面哭,一面叫救,却没个答应,我便号啕大哭,醒了。你想这梦凶不凶?"

心印道:"梦要反解,梦吉是凶,梦凶或反是吉。大凡有眼界遂有意识,有意识即有窒碍,恐怖变幻颠倒梦想,相因而至。你要先把情魔洗除干净,那梦魔便不相扰。咳!你万里一身,关系甚重,南边家里……"

痴珠不待说完,便说道:"亲在不许友以死,何况秋痕原是儿女之情,不过如风水相值,过时也就完了,那里有天长地久,尽在一块儿的?就算今生完全美满,聚首百年,到得来世,我还认得秋痕,秋痕还信得我么?而且他又是走了,明知无益事,翻作有情痴,我便不这般呆!我此刻打算,病愈立即回面,以后再不孟浪出门了。"心印道:"这一节再作商量。凡事有个定数,该是什么时候回去,该是什么时候又出来,你也不能自主。"痴珠不语,心印坐了一会,就走了。

是日,天阴得黑沉沉的,夜来冷雨敲窗,痴珠辗转床头,因起来挑灯搦管,作了怀人诗八首。次日,作一柬,将诗封上,差李福送给荷生。

恰好荷生正在挈云楼和采秋看花,青萍呈上痴珠的缄。荷生与采秋同看了信,采秋

将诗念道：

　　　断雨零风黯黯天，客心憔悴落花前。算来缘要今番尽，过此情真两地牵。银汉似墙高几许，沧波成陆浅何年？除非化作颇伽去，破镜无端得再圆。

采秋眼眶一红道："这一首就如此沉痛！我念不下，你念罢。"荷生接着念道：

　　　一春愁病苦中过，肯信风波起爱河？鸟鸟几声花事谢，杜鹃永夜泪痕多！能营三窟工谖兔，推拔明灯救火蛾？从此相思不相见，拔山力尽奈虞何！

　　　畴昔频频问起居，每逢晨盥晚妆初。药炉熏骨眉偏妩，镜槛留春梦不虚。坐共挥毫忘示疾，笑看泼墨赌搜书。红窗韵事流连惯，分袂将行又揽裾。

　　　而今红袖忽天涯，消息沉沉凤女家。十日纪纲迟报竹，几回鹦鹉罢呼茶……

就叹道："秋心院的鹦鹉，这回生死存亡也不知道了。"又念道：

　　　燕寻梁垒穿空幕，犬拥金铃卧落花。翻似闭关长谢客，不堪室迩是人遐。

采秋道："我去年回家时候，愉园不也是这样么？只你没有他这般苦恼。"荷生道："冤人不冤？我去代州那几天，苦恼差不多就同痴珠。"采秋道："你苦恼处便是热闹处，难为痴珠这一个月颠沛流离！"荷生笑一笑，又念道：

　　　一树垂垂翠掩门，判年春梦了无痕。娥眉自古偏多嫉，鸩鸟为媒竟有言！山厝愚公空立志，海填少妇总埋冤。昨宵月下亭亭影，可是归来倩女魂？

　　　今生此事已难谐，噩梦分明是玉鞋。苓术纵教延旦夕，蒿砧无计为安排。魂销夜月鞭蓉帐，恨结春风翡翠钗。半幅罗巾红泪渍，一回检点一伤怀！

荷生惨然说道："泪痕满纸。"瞧着采秋，已经是滴下泪来，见荷生瞧他，便强颜笑道："替人垂泪也涟涟。"荷生往下念道：

　　　并门春色本凄凉，况复愁人日断肠！月满清光容易缺，花

花月痕

开香艳总难长。剧怜夜气沉河鼓,莫乞春明阻护海棠。拚把
青衫轻一殉,孤坟谁与筑鸳鸯?

　　五夜迢迢睡不成,灯昏被冷若为情! 名花证果知何日?
蔓草埋香有旧盟。地老天荒如此恨,海枯石烂可怜生! 胭脂
狼藉无人管,凄绝天边火风声。

两人默然半晌,荷生才说道:"痴珠就是这样埋没,真可惜!"采秋道:"南
边道路实不好走。不然,差个干弁,送他回去也是好呢。"荷生道:"无论
南边满地黄巾,万万走不得,就令上路,迢迢两个多月路程,谁护持他
哩?"采秋道:"孤客本来可怜,何况是病? 病里又有许多烦恼,就是铁汉
也要磨坏!"两人言下都觉得十分难受。过一会,采秋向荷生道:"我想
痴珠平日很是喜欢红豆,我想送给他,病中既有服侍,就是异日旋南,也
不寂寞,你意下中何?"荷生笑道:"这是你一番美意,只怕痴珠不答应
哩。"采秋笑道:"你且与子善言之。"

　　以后子善将采秋的意思告诉痴珠,痴珠微笑,吟道:"惭愧白茅人,
月没教星替。"便手裁一束,寄与荷生,荷生与采秋同看,束云:

　　承采秋雅意,欲以红豆慰我寂寥,令人衔结。然仆赋性虽
喜治游歌风,未流狄滥。此次花丛回顾,原为有托而逃;可怜
芳草伤心,尚迷途未远。病非销渴,远山底事重描? 人已中
年,逝水难寻故步。大福自知不再,良缘或订来生。为我善辞
采秋,为我善抚红豆。

荷生笑道:"何如? 我说过痴珠不答应哩。咳! 痴珠做人,我是晓得。"
采秋叹口气道:"这教我也没得用情了。"

　　光阴迅速,早是三月二十二日。痴珠正将一碗莲心茶细啜,忽见李
福、林喜狂奔进来,喊道;"秃头回头了!"痴珠就出来问道:"在那哩?"只
见秃头身上只穿件蓝布棉短袄,由屏门飞路上前,眼泪纷纷,磕下头去。
痴珠两眶中也泪出如流,扶起道:"你见过刘姑娘?"秃头扶着泪道:"见
过。可怜得很,现在病在正定府保兴馆饭店里。"痴珠听了说道:"他二
月间本来有点痢疾,这会自然更是不好。"秃头道:"姑娘从上车后,点米
不曾沾牙,下的全是血,两脚不能踏地,人极消瘦,面目肿得一个有两个
大。病到这样,一天还要受他们的絮聒。"痴珠黯然道:"你怎样见得姑

娘哩?"秃头道:"小的那一天心上恨着姑娘,就气糊涂了,一口气去找管士宽。走至大街,逢着聂云,才晓得姑娘被他嬲骗了出城。管士宽天亮知道,带了盘缠,便赶出城,跟寻下落。聂云都晓得他们去向,小的一时气愤,拉着聂云就走。原想一两站就赶得着,岂料一天赶不上一天,直到十二这天,到了正定府,方才见着管士宽,知道牛氏和姑娘是初二日下午出城,坐的是短雇的车;李裁缝父子和跛脚、玉环,是初三日五更走,天亮出城;才是长雇的一辆大车,一辆轿车。将屋子交给他的同乡顾归班。因姑娘下了红痢,一天有数十次,路上不便,才延搁在这店中。管士宽一路跟着姑娘坐的轿车路,姑娘住也住,姑娘走也走,天天都得与姑娘见面,却不能说得话,只跛脚通得信儿。到了正定府,姑娘取出一条金耳扒,送给管士宽,教士宽换作盘缠,一路跟去,好传个信给老爷。当下士宽与小的见面,才得跛脚传与姑娘,知道姑娘约小的十四日天亮,店后空地里相见。姑娘问知老爷病中光景,一恸几绝,教小的快回。"

痴珠迟疑半晌,说道:"这样看来,你也是空跑一遭。"秃头道:"姑娘有信给爷哩。"便在怀里探出一个小小油绝包,展开油纸,将个蓝布包递上。痴珠瞧那蓝布包,缝得有几千针。林喜送过剪子,痴珠一面绞,秃头一央回道:"姑娘说没有笔砚,也没有地方写个字儿,里头几个字,是咬破指头写的。"

痴珠不听犹可,听了秃头这般说,那一股酸楚直从脚跟涌上心坎,从心坎透到鼻尖,一言不发,把布包绞开。内里是痴珠原给的一支风藤镯,一块秋痕常用的蓝绸手绢,一块汗衫前襟,上面血迹模糊。痴珠略认一认,便觉万箭钻心,不知不觉眼泪索索落落的滴满蓝布包。一会,穆升递上热手巾试过脸,重把那血书反复审视,噙着泪,一字字辨清,是:

> 钗断今生,琴焚此夕。身虽北去,魂实南归。裂襟作纸,
> 齿指成书。万里长途,伏维自爱。

凡三十二字,痴珠默念一遍,停了一停,向秃头道;"你路上辛苦,且歇息去。"秃头答应。

痴珠携了血书、手绢、风藤镯并那块蓝布,到卧室躺下。费长房缩

花月痕

不尽相思地,女娲氏补不完离恨天！这一夜,别泪铜壶共滴,愁肠兰焰同煎,不待说了。

　　秃头和聂云跑了这一遭,空自辛苦。去的时候,两人都是空手出城,秃头将皮袍脱下,当了作路费,用尽了。聂云的皮马褂,也脱下当了。幸是正定府遇着管士宽,将秋痕金耳扒换了十余串钱,付给两人作个回费。秃头是自己多事,也还罢了。可怜聂云,路上受了风霜,到家又被浑家杨氏唾骂,受一场气,次日便病,病了几天就死。后来痴珠闻知,大不过意,晓得聂云女儿润儿,是嫁给子秀的跟班李升,就赏了润儿四十吊钱。那杨氏系随着女儿过活,就也十分感激。管士宽无家无室,只有屠铺一间,系他侄儿照管,他竟随秋痕住在正定府了。正是:

　　　　娼家而死节,名教毋乃亵!

　　人生死知己,此意早已决。

欲知后事,且听下回分解。

第四十二回　联情话宝山营遇侠
痛惨戮江浦贼输诚

　　话说谡如是去年十一月到任，申明海防旧禁，修整本部战舰，出洋巡哨。逆倭三板船，从此不敢直达建康，就是员逆，也有畏忌。江南江北一带官军，因此得以深沟固垒，卧守一冬。谡如蒿目时艰，空自拊髀，兼之宝山僻在海壖，文报不通，迢递并云，鱼沉雁渺，十分懊恼。忽忽又过了一春。

　　一日傍晚，步出营门，西望月明，衔山一线，有无限心事，都枨触起来。踱了一回，退入后堂，叫跟班燃了一枝高烛，倒两壶酒，取件野味，一人独喝。喝完了酒，无聊之极，瞧见壁上挂的剑，因取下来，就灯下舞了一回，便向炕上坐下，按剑凝思。此时五月天气，日长夜短，辕门更鼓，冬冬的早转了三更，跟人都睡，只个小跟班喜儿，站在背后。忽听飕飕的风起，檐下一树丁香花纷纷乱落。瞥见金光一闪，烛影无焰，有个垂髫女子，上身穿件箭袖对襟鱼鳞文金黄色的短袄，下系绿色两片马裙，空手站在炕前，说道："几乎误事！"谡如愕然，提剑厉声问道："你是妖是人？怎敢到我跟前！"这会跟班暨巡兵听得谡如厉声，都起来探望，女子笑道："站住！"便如木偶了；接着道："将军不要动手，我念你和韦痴珠有旧。"谡如听说痴珠，便按剑问道："你这个妮子，怎认得痴珠？"女子指着炕上的联道："你且说何处见过痴珠？"谡如道："他现在并州。"女子道："'解衣衣我，推食食我。'你和他很有交情。"谡如放下剑道："你这来是替何人行刺？"女子道："将军请坐，我说个来历罢，我名春纤，我的师父是徐娟娘。"谡如恍然道："娟娘不与痴珠有旧么？我早闻名。这人如今在那里？"女子叹一口气道："我的师父尸解了，现在香海洋青心岛做个地仙。我原是他的侍儿，四年前三月间他带了我朝了普陀岩。到次年冬间，附海舶到得东越，探侦痴珠，说是进京去了。次年春天，师父游了武彝、雁宕，重来江南，寄居无锡菁山庵，遇个女道士慧如，传授我剑术。去年云游两湖、两川，冬间想要由川归陕，路过广汉，寄寓华严庵，

主持蕴空禅师,与师父极其相得,因知道痴珠入川,也到广汉,却与师父相左。师父从此百事灰心,除夕这一夜坐化了,留一锦囊给我,嘱我急时开看。我因正月间蕴空也坐化了,他的徒弟又与我不对,拆开锦囊,教我回来无锡。不想前月到了映山庵,慧如却为金陵逼挟迎去,封他无上清妙真妃伪号。我因此投入贼营,访寻慧如,说是命里该有此两月魔劫。今日慧如是奉将令,取你首级。慧如差我前来,谆嘱留心。我为瞧见痴珠的联,不忍加害,你瞧你的跟人罢!"只见红烛光摇,春纤早不见了。谡如和院子里大家,就像做梦一般。再瞧喜儿,头早断了。谡如回想,以上犹觉突突乱跳。

过了几日,是出哨之期。稷如上船后,开行十里,还没出口,遇着顶头风,传令停泊。一连三日。谡如气闷,也不带人,便服上岸。见遍地斥卤,都无人迹。远远的见前面有数株大柳树,便望着柳树,向前走去。不想愈走逾远,差不多走有十余里路,方才到得树下。向前遥望,一遍绿芜,茫无边际。西边是个山,青青郁郁,好些林木。因湾向西走来。将到山下,都是几抱围的大树,老干参天,黛痕匝地。到得山下,连峰叠嶂,壁立千仞,独立四望,令人神爽。

沿山又走有一里多路,向西树林里,却有一径。踱过径路,是个平坡,坡下一口井。井边有个庙,头门大殿都已倾塌,蓬蒿青草,一路齐腰。步入后面,是个三间小殿,却整洁无尘。西边一字儿丛竹,竹里有个小门。谡如踱进院子,见上面是三间小屋,屋中间布一领席,有个女道士微微开眼,笑道:"总兵贵人,何苦单身轻来,来此荒僻地方?"谡如道:"素昧生平,何以识得我是总兵?"女道士仍闭上双目,唤道:"春纤,

你的故人来了。"谡如无可措词,只听嘤咛一声,春纤葛衫布裤,从屋后转出。谡如瞧见,转觉愕然。春纤说道:"将军何来?"谡如仓卒不能答应。女道士开眼说道:"我有早偈,总兵听道:

　　车前无灵,春风梦醒。西望太行,星河耿耿。

　　故人织缣,新人织素。缣素同功,怆然非露。

谡如道:"炼师法号上字有个慧字么?"春纤答应道:"是。"谡如打一躬道:"钦仰之至!只下士尘顽,不能窥测炼师意旨。就第一偈想来,敢莫并州眷属,有甚意外之变么?"

女道士开眼微笑道:"总兵解得更好。"谡如眦泪欲堕,说道:"承炼师第二偈指示,想是我也要死。"慧如道:"此解却错。总兵燕颔虎头,后来功名鼎盛,如何会死?"说完,仍自垂眼危坐。谡如因向春纤道:"那一夜相见,说是炼师现在金陵,不想今天却在这个地方相遇。"慧如复开眼道:"我就是那一夜脱了魔劫,潜踪此地。今日与总兵一会,也是数中所有。不久便有人领兵来此平贼,都是你的熟人,请回步罢。"说着,仍低下双眉,闭目不语。

谡如不敢纠缠,只得别了春纤而去。见日色衔山,赶紧寻着原路,奔上坡来。刚到坡心,回头一望,只见庙里赤腾腾的发起火来,毒焰冲空,浓烟布野,吃了一惊,想道:"他两个都是剑侠飞仙,还怕什么火?我走我的路罢。"走了数步,转念道:"他两个就是神仙,如今这庙烧了,今夜先没有栖身,我眼见了,岂可不回去看他一看?"便转步跑下坡来,耳中尚闻得霹霹剥剥的响。及到井边,依然是个破庙,并无星火,十分惊讶。奔入庙中,重由竹林小门探身进去,前前后后寻了一遍,却不见慧如、春纤。再向后殿寻来,也没些影儿。此时天已黄昏,渐渐辨不得路径,只得反身便走,自语道:"我难道是做梦?"跟跄走出,只见门边有一匹黑溜溜的青驴,鞍辔俱全,拦住门口,鞍上粘一字纸,谡如取下瞧着,上面写的是:

　　将军多情可感。惟是道僻,黑夜难行,奉赠青驴一匹,聊
　　以报往返跋涉之劳。贫道与春纤当往并州勾当一场公案,即
　　日走矣。

谡如瞧毕,十分诧异,想道:"真是神仙!但此驴方才不见,这会从

何处得来？可惜两个前往并州，我不曾寄他一信。"见天已黑，只得跨上驴子，踏着星月，找寻原路。可喜驴子驯熟得很，虚闪一鞭，便如飞的跑了。走到大柳树外，远远的望见灯笼火把，四面环绕而来。谡如料是营中兵丁前来接应，一面加鞭向前，一面招呼大家。到得船中，已是八下多钟了。兵丁将驴子牵入后舱喂养，都说"好匹驴子，是仙人赠的天马。"这谡如自喜不待言了。

且说慧如远遁之时，正是群丑自屠之日。你道群丑何以自屠呢？当初员逆倡乱，结了五个亡命，号为五狗。一为伪东王羊绍深，一为伪西王刁潮贵，一为伪南王冯云珊，一为伪北王危锵辉，一为伪翼王席沓开。后来踞了金陵，云珊死于全州，潮贵死于道州。潮贵系员逆妹夫。员逆这妹，名唤宣娇，极有姿色，却狡猾异常，与绍深恰是敌手。员逆始以天主教蛊惑乡愚，奉一木主，说是天父，配以天母，天父附身绍深，天母便附身宣娇，所有号令，出自两人。气焰生于积威，权势倾于偏重，以此阿柄持自两人，员逆转成疣赘。这番潮贵死了，宣娇尊为天妹，广置男妾，朝欢暮乐，于是群丑皆有垂涎之意。奈员逆受制于绍深，事事仰承鼻息，适值绍深妻死，遂把宣娇再嫁绍深。成亲这日，是个伏天，绍深做架大凉床，空工极巧，四面玻璃，就中注水，养大金鱼百数，游泳其中，枕长四尺寸，所有男妾，悉使从嫁。锵辉、沓开，十分眼热。沓开便带兵打宁国去了，锵辉逼处一城，自然刻刻拈酸。贼中男归男馆，女归女馆，自六逆外，夫妇同宿，名"犯天条"，双双斩首。绍深却把宣娇男妾，悉配妇簿书，锵辉道是应斩，伺绍深开科取士，带了数名亲兵，直入东府，按名指索。不想这男妾，俱系童子军中选出骁健，一哄而至，约有三十余人，锵辉只好饱了一顿老拳，十分羞恼。再说绍深也有一妹，名唤碧玉，年已廿九岁，不曾匹配。有陈宗扬者，一表人才，又生得白皙，充个东府承宣，妻名云娘，是个女承宣。宗扬轮班，住宿内厢，因得与云娘偷寒送暖，素无人知。自宣娇男妾配了女簿书，散处前后左右厢房，这碧玉入夜便如画眉踏架一般，瞧了这里一段风流，又觑了那边百般秘戏。因此云娘的丑态，竟被碧玉勘破，以此挟制宗扬，竟占了云娘夜局，云娘岂敢声张。那绍深许多姬妾，都是怨女荡妇，就也挟制宗扬，宗扬没有分身法儿，久之自然闹出事来。绍深下令，斩了宗扬夫妇。不想宗扬就是锵

辉妻弟。事有凑巧，宗扬夫妇才缳首示众，其弟宗胜，偏自河北败仗，贸贸逃回。绍深传令腰斩，锵辉大恨。那员逆见绍深件件威福自专，也是不能相忍。一日，绍深忽说天父附身，责了员逆五十大棍，责了锵辉一百小板，大众忿忿不平。锵辉于是内受员逆意旨，外以沓开略以宣娇，突于这夜五更天登坛礼拜、咏诵赞美时候，执杀绍深。然后围了东府，男女并诛，只赦员宣娇，却自己配合了。到得当开自宁国奔回，生米已做成饭，沓开忿恨不堪。锵辉想道："斩草必要除根。"就乘夜定计，又围了翼府。不料沓开早走了，骑虎势不得下，就把沓开眷属全行杀害。那翼府部下将领官属，如何肯依？弄得内外鼎沸起来。慧如便是这一夜远遁。

　　看官听说绍深残忍，一日除去，人人快心，锵辉虽报私仇，亦缘公愤。如今平白害了沓开全家，沓开平日在贼中算有威望，众心不服，转把北府围得铁桶相似。员逆做不得主，传令杀了锵辉，将首级送到宁国前，迎回沓开。沓开这番入城，不特父子妻妾做了刀头之鬼，就是宣娇玉骨，也为大众剁作肉泥。沓开怅然，又与员逆兄弟荣合、荣法不合，就辞出京口，自作一股，向粤东去了。后来扰乱闽、浙、江西、湖南以及滇、黔，窜蜀就擒，磔于成都，这是后语。

　　当下谡如巡海归营，探得金陵两番自屠自戮，高兴之至，说道："有此机会，扫穴犁庭，指顾间事。我那天马用得着了。"连夜叠成烧角文书，限时限刻，向南北大营禀明出师。随即部署将领，水陆并进，杀上金陵。忽报金陵来了无数船只，谡如惊讶，大兵如何从这里来？不想却是贼中危家人马。原来锵辉胞弟至俊，系领兵把守江浦，得了内变信息，内畏沓开，外怕大营乘机攻剿，晓得谡如是个好官，又是名将，便率所部战船数百号，向宝山进发。恰好接着谡如出师，当下遣人递了降书，脱帽背缚，跪在辕门。谡如传令："降将衣冠谒见！"至俊谢了又谢，哭诉前事，便请效力。谡如答应。至俊入伍，缘路夺了江上无数贼卡，破了江路无数铁锁。

　　谡如把酒临风，正在扬扬得意，忽然大营来了令箭，大加申饬，不准轻动。谡如叹了一口气，传令回军。至俊所部二万余人，谡如简阅一番，精壮留营效用；老弱的愿散者听，愿留者开垦海边荒地，为屯田计。

花月痕

假至俊五品顶戴,委领屯田事务。从此宝山营兵强粮足,为东南一个巨镇。正是:

　　　　情动飞天,诚输阵将。

　　　　维鹈在梁,令人怏怏。

欲知后事如何,且听下回分解。

第四十三回　十花故事肠断恨人
一叶惊秋神归香海

　　话说痴珠缠绵愁病,过了一春,把阿宝行期也误了,急得鹤仙要请假来省。转瞬之间,又是炎夏,芝友引见也回头,痴珠甫能出门。这日来访芝友,芝友道:"南边时事,目下实在不好,这真令人寝食不安,就是都中,也是近日才撤防堵。"痴珠叹口气道:"生涯寥落,国事不遇。早上得荷生杨柳青军营的信,也是这般说。"

　　看官,你道荷生何事驻军杨柳青呢? 四月间,逆倭从广州海道窜入津门,京师戒来,朝议令山陕各省领兵入卫,荷生所以领兵五千到河北。后来奉到谕旨,都令驻杨柳青助剿。五月初二,芦台官军打了胜仗,逆倭窜至靖海,又为荷生伏兵杀败,遂退出小直沽,回南去了。葆生后来仍回并州军营参赞,这是后话。

　　当下痴珠从县前街就来柳巷,采秋为是荷生密友,素来晤面,就延入内室。见痴珠病虽大好,却老了许多,就也欢喜。痴珠见采秋华贵雍容,珠围翠绕,锦簇花团,心中却为天下有才色的红颜一慰。又见个丫鬟面熟得很,询知是秋英。原来秋香死后,荷生赏秋香的老嬷五十两银,把秋英收为婢女。痴珠又为秋英喜脱火坑。此时,爱山住在听雨山房;紫沧失偶,就把瑶华赎身出来,作个继室,住在梅窝。痴珠都走访了,又到东米市街,才行回寓。既不见乏,晚饭也用得多,大家都道痴珠一天好过一天,可以和芝友同走了。不想无意中又钩出旧病来。

　　看官,你道为何呢? 紫沧为着鹤仙是旧交,便延芝友逛一天并门仙馆,嘱痴珠及羽侯、燕卿、爱山作陪,传来本年花选第一巫云、第三玉岫伺候。又因大家说得荷生花选只剩福奴一人,也有沧桑之感,便又传了福奴。这一会,觥筹交错,钗环纷遗,席上人人心畅,只有痴珠触目伤心。酒未数巡,便推病出席,倚炕而卧。大家只得叫福奴、巫云、玉岫轮番上前陪伴,与他瀹茗添香。痴珠微吟道:"细草流连侵座软,残花惆怅近人开。"大家一笑。紫沧席间因说起采秋凤来仪的令来,羽侯道:"雅

得很,我们何不也试行看?"爱山道:"《西厢》中那里再寻得许多风字?"
燕卿道:"把《西厢》换作《桃花扇》何如?"羽侯、紫沧道:"好极!"当下芝
友首坐,次是痴珠、羽侯、燕卿、爱山、紫沧、福奴、巫云、玉岫。羽侯要推
芝友起令,芝友道:"叫我起令,万分不能。大家说了,我学学罢。"于是
羽侯喝了一杯令酒,说道:

> 翾翔双凤凰,缑山月,零露瀼瀼。

大家赞好,各贺一杯。次是燕卿,瞧着福奴说道:

> 凤纸金名唤乐工,碧玉令,夙夜在公。

大家也说:"好。"各贺一杯。次该是巫云,说道:

> 传凤诏选蛾眉,好姊姊,被之祁祁。

羽侯道:"跌宕风流,我要贺三钟哩。"大家遂饮了三钟。该是福奴。福
奴含笑说道:

> 鸾笙凤管云中响,烛影摇红。

就不说了。大家道:"怎的不说?"福奴道:"我肚里没有一句《诗经》,教
我怎的?"燕卿道:"一两句总有。"福奴笑道:"有是有了一句,只不好意
思说出。"大家道:"说罢,《诗经》里头有什么不好意思说的?"福奴笑说:
"中心……"又停了。芝友接着道:"养养。"便拍手哈哈笑道:"妙!"紫沧
道:"徐娘虽老,丰韵犹存,竟会想出这个令来。"大家也贺了上杯。次该
玉岫,玉岫说道:

> 风尘失伴凤彷徨,清江引,将翱将翔。

大家道:"也还一串,这就难为他。"次该是芝友,芝友想了一会,向痴珠
说道:

> 飞下凤凰台,梧桐落,我姑酌彼金罍。

大家说:"好。"各贺一杯。次该是爱山,爱山说道:

> 望平康凤城东,逍遥乐,穆如清风。

次该紫沧,紫沧说道:

> 听凤子龙孙号,光乍乍,不属于毛。

大家都道:"好!"各喝贺酒。次该是痴珠说了收令。紫沧便来炕边催促
痴珠起来,痴珠不起,道:"我说就是,何必起来?"因说:

> 家杳万山隔鸾凤,月上五更,乃占我梦。

说毕,痴珠仍是不语。大家见痴珠今日又是毫无意兴,便一面喝酒,一面向痴珠说笑,给他排解。不想痴珠检着案上一部小说,瞧了一会,见上面有一首词,噙着泪吟道:"春光早去,秋光又遍……"停一停,又吟道:"恨随流水,人想当时,何处重相见? 韶华在眼轻消遣,过后思量总可怜!"就觉得无限凄凉,便自去了。

次日,芝友大家来看痴珠,又拉他同访福奴,重过秋心院。觉得草角花须,悉将溅泪。这夜回来,便咯咯吐了数口血,吟道:"西园碧树今如此,莫近高窗卧听秋!"次日就不能起床了。

那芝友却与福奴十分情投意合,就订了终身。到得六月间,挈福奴领着阿宝一群人,向蒲关去了。

痴珠病中,见阿宝兄弟前来辞行,又是一番伤苦。从此服药便不见效,日加沉重。此时荷生撤防未到,子秀、子善都出了差,羽侯、燕卿、紫沧、爱山,天天各有公事,就是汉、萧照管笔札银钱,一天也忙不了。只心印镇日都在西院前屋,帮秃头照料,二更天才回方丈去睡。

穆升等见痴珠病势已是不起,大家想着不久便是散局,秃头渐渐的呼唤不灵,只得自己撑起精神,彻夜伺候。痴珠自知不免,二十八日倚枕作了数字,与家人诀别;就教萧赞甫替他写一付自挽的联,是:

　　　　一棺附身,万事都已;
　　　　人生到此,天道难论。

因叹道:"大哉死乎! 君子息焉。"又吟道:"海内风尘诸弟隔,天涯涕泪一身遥!"赞甫着实安慰一番,就也走了。

这夜二更时候,痴珠清醒白醒,瞥见灯光一闪,有个侍儿眉目十分媚丽,却另有一段飒爽的神气,含笑招手。痴珠起身,那侍儿早掀着帘子出去。痴珠不知不觉跟着走。只隔一步,却赶不上。再看走的地方,是个甬道,却不是汾神庙的路,脚下全是青花石磨光的石板,两边是白玉栏杆,围护着无数瑶花琪草。那侍儿早不见了。远远望去,只见上面数十级台阶,阶上朱红三道的门,黄金兽环。沿阶排列那些仪从——一对对旌旗旌盖,刀鞘弓衣;还有那金盔金甲的神将,手执兵器,分班站在中门两边。痴珠想道:"这是什么地方呢?"正在踌躇,不敢前进。忽见西边的门拥出许多侍女,宫妆艳服,手中有捧冠带的,有捧袍笏的,迎将

出来。一个空手的,生得荷粉露垂,杏花烟润,向前跪下道:"请主人更衣。"便引痴珠进了中门。东西两班人等,瞧见痴珠,都叩起头来。痴珠从屏门出走上殿来,见殿上立一更衣镜,有七尺多高,镜中一个影,衣服虽不华美,而丰采奕奕,英爽之气见于眉宇。镜后走出一个神人来,向痴珠道:"先生来了。"把手一拱,足下便冉冉生云,上天而去。侍女伺修更衣已毕,扶在正面几上坐下。痴珠正要说话,忽见屏门洞开,门外停两座七香宝辇,又有许多宫妆侍子,有执拂的,有执扇的,有捧如意的,有捧巾栉的,有捧书册的,簇拥着两位珠缨蔽面的女神下车。痴珠从殿上望将下来,一个面庞好像亡妾茜雯,一个面庞儿好像娟娘。只见黄巾力士引向廷前方面,下铺两个宝蓝方垫,那女神绰绰约约走至垫前,便

俯伏跪下。旁有一个金甲神将唱:"泪泉司、愁山司谒见。"痴珠身旁侍女唱道:"平身。"便有四个侍女扶掖二女神,从东庑环佩珊珊步上殿来。刚到殿门,痴珠立起身,上前略

一凝视,一个正是茜雯,一个正是娟娘,喜极不能说,一手携着一人发怔。半晌,转扑簌簌的掉下泪来。茜雯、娟娘早是泪珠偷弹,至此更呜咽欲绝。痴珠向茜雯恸道:"人亡家破,教我何以为人!"茜雯咽着道:"天数难逃。"娟娘抹泪道:"你今到此,尘缘已断,平陂往复,世事自有回环,何必重生魔障? 我告诉你:这地方系香海洋青心岛,你原是此间仙主,我和茜雯妹妹、春纤妹妹、秋痕妹妹,都是你案下曹司。因数十年前误办一宗公案,害许多痴男怨女都淹埋在这恨水愁山、泪泉冤海;因此玉帝震怒,召着金公兆剑替你作了仙主,将我们监禁在离恨天,先后谪降人世,亲历了恨泪愁冤的苦。去年蕴空坐化,玉帝怜他五十余年节苦

行高,诏金公领着蕴空重游尘世,享历荣华,方才去了。我和茜雯妹妹罚限先满,如今你已复位了。秋痕妹妹罚限即刻也满,只春纤尘劫未尽,尚有五六年耽延,修成正果,方许重证仙班。"说到此,便将牙笏向痴珠心前轻轻一拍,道:"怎的尘梦还不醒哩?"

痴珠咳嗽一声,呕了一口鲜血,却是南柯一梦。秃头闻声,急跑进来,见桌上的灯黯黯一穗,帐外模模糊糊有个人影,像是红衣女子,一闪即不见了。秃头唬得打战,急掀开帐,见痴珠眼撑撑的说道:"什么时候?"秃头道:"差不多两下钟。"痴珠一丝半气的说道:"我又呕了一口血,觉得腥臊得很,你取些汤给我净净口。"秃头将帐挂起,剔了灯,点起枝蜡,从水火镳上倒半瓯的燕窝莲子汤,递到痴珠唇边。痴珠歪转半身,将口漱净,又喝两口下去,合眼把梦境记忆一回,恍然悟却前生,就问秃头道:"立秋是什么时辰?"秃头道:"说是卯时。"痴珠吟道:"兰摧白露下,挂折秋风前,就说你叫林喜去方丈请师父起来,你把小衫裤替我换上。"秃头道:"老爷身子不好,何苦要换?"痴珠道:"傻奴!我要走了,你留得我么?我箱里东西,萧师爷替我开有清单,通给你去。箱以外的东西,穆升、林喜、李福三人均分了,也算跟我辛苦一场,留个纪念罢。我这几个月剩下的束脩也寄不回去,殡殓了我,余下的你拿去,作个下半世的养活。倘道路平静,替我回南看家走罢。秃头哭道:"老爷好好的,又没有变症,怎讲起这些话?"穆升流着泪,说道:"老爷保重………"正往下说,林喜已请心印来了。

穆升掀开帘子,让心印进去,自己向厨下招呼大家起来。刚由墙跟转过后院,忽听楼下一响,便问:"是谁?"没有答应,已吓得满身寒毛直竖。再听得一声很响,像似左边屋里空棺挪动的声,便觉得通身发抖,两只脚就如钉住,走不动了。林喜、李福闻得声响,拿枝蜡赶来看视,穆升还自站着,心上突突的乱跳。停一停,三人同到楼下,唤醒大家出来前院。烛影里,又似槐树底下隐隐有几多人站在那里。其实,天是阴沉沉的,只听得风吹槐叶,簌簌有声而已。

屋里,秃头还哭检痴珠衫裤。心印瞧着痴珠两颊飞红,也觉得不好。痴珠早把吩咐秃头的话,与心印复述一遍,就唤秃头将一小箱交给心印道:"这是我的诗文集和那各种杂著,总共一百二十卷,你替我转交

荷生。《玄》文覆瓿,《论语》烧薪,这算什么？只我一生的心血,都在这里,托他替我收拾罢。"心印见此光景,就要忍住哭,也忍不住了。林喜等满面泪痕,帮着秃头替痴珠擦了身上,换了衣裳,跏趺而坐,向心印道:"你是大解脱的人,何为也哭？我这会心上空荡荡的,只有老母尚然在念。为子如我,有不如无。"便滴下两点眼泪。一会,目神渐散,两颊的红也渐淡了。满屋里忽觉灵风习习,窗外一阵阵细雨。痴珠叫林喜端过一张炕几,向李福要了笔砚,心印检一张笺纸递上,林喜磨着墨,痴珠提起笔来,在纸上写了四句道:

> 海山我旧小游仙,谪落红尘四十年;一叶随风归去也,碧
> 云无际水无边。

题罢,掷笔倚几而逝。时正印三刻。心印大恸,秃头等泥首号啕,却远远的闻得笙箫之声,经时才歇。

心印一面哭,一面招呼秃头将痴珠扶下。只见容颜带笑,脸色比生时还觉好看。只瘦骨不盈一把。这会,赞甫、雨农也到,大家帮着点香烛、焚纸钱,哭个泪干声尽。心印领着徒子徒孙,就在秋华堂念起度人经。赞甫、雨农领着穆升,照料衣衾棺椁。用的棺,就是停放楼下那一口。秃头诸事不管,只在床前守尸哭,就如孝子一般。到了入殓,秃头体贴痴珠生前意思,将秋痕剪的一绺青丝、一双指甲,缝个袋儿,挂在痴珠襟上;其余痴珠心爱的古玩,和秋痕的东西,俱装入棺中。将灵停放在秋华堂,秃头等轮流在灵帏伴宿。次日,心印题上一付挽联,是:

> 梓乡极目黯飞云,可怜倚枕弥留,犹自伤心南望;
> 莲社暮年稀旧雨,方喜高斋密迩,何期撒手西归!

这且按下。

看官须知:痴珠方才化去,秋痕却已归来。正是:

> 铁戟沉沙,焦洞入爨,
> 安道碎琴,王郎斫案。

欲知后事如何,且听下回分解。

第四十四回　一刹火光秽除蝉蜕
　　　　　　廿年孽债魂断雉经

说话秋痕自卧病后，敝衣蓬首，垢面癯颜，竟不是个画中人了。那小伙狗头，闲暇无事，结识几个土棍，烧香结盟，便宿娼赌钱起来。先前只乘空偷些现钱，后将现钱三百余两都偷完了。一夜，竟把金银首饰，上好玉器皮衣，席卷而去。次日李裁缝起来，见箱笼都已打开，急得口定目呆，说是被盗，要和店主打官司。闹了一天，四外找寻狗头，不见个影。店主转说李裁缝父子合谋图赖，又见他带了家眷，来历不明，要见官呈告，经旁人劝止。牛氏十年辛苦，剩得这点家私，如今给人搬运一空，气得发昏。数日跟寻狗头，没有踪迹，后来就同李裁缝拚了几回命，到得归结，只是抱怨秋痕。

当下无可奈何，就正定府城里，租了一间小屋暂住。四月后，秋痕的病略好，牛氏想逼他见客，无奈地方生疏，无论秋痕不肯答应，就令妆梳起来，也是枉然。挨到六月初，李裁缝、牛氏都沾瘟病。此时用不起火伴，可怜秋痕要和跛脚自己下锅煮饭，服事两个病人。士宽是就近租个店面，做个小买卖。正拟寄信太原，不想二十二夜，牛氏屋里竟发起火。你道为何？牛氏挂了一床夏布帐，这一夜就帐中吃烟，把件小衫丢在烟灯傍边；昏沉沉，竟自睡着；此时天燥，一引就着，夏布帐、顶帐、纸门，烘腾腾的烧起来。牛氏、李裁缝梦魂颠倒，身上着火，不晓得夺门走出，倒向后壁去寻门路。到得街坊来救，只救出秋痕、跛脚。秋痕、跛脚亦只抢得一尊观音小龛，一痴珠小照，其余都归毒焰，就玉环也随着两人化做冷灰。

管士宽当下接秋痕主婢到了自己店中。次日，秋痕替三人寻出骨殖，买地掩埋，想着自己命苦，又痛他三个人枉自辛苦一场，就也大哭数次。

二十四早，士宽雇了一辆轿车，给秋痕、跛脚坐了，自己雇了骡子随走，一路小心看视。秋痕心上感激他，也敬重他，想道："他领我找痴珠

去,只痴珠的病,不晓得好了没有?"又想道:"痴珠倘好了回南,我如今是孤身一人,投在何处? 没得法,要向荷生、采秋讨些盘缠,我径到南边找了去。"又想道:"我命就这样苦,受得大半年罪,这回又跑个空? 譬如痴珠与我真个无缘,那两个东西就不该烧死。咳! 早晓得有些机会,也不该将身子糟蹋到这田地。"秋痕这般一想,饭也饱餐,睡也安稳,以此路上辛苦,身边空乏,全不复觉。到了二十八这日,秋痕车中心惊肉跳,坐卧不安。二十九日,又好了。

是晚,宿黄门驿。屈指初二,便抵并州。又想道:"痴珠平素要做衣服给我,如今是一下车便要他替我打扮一身,本来腌腌脏脏得来东西,除个干净也好。"又想道:"说起也怪,二十一夜,我穿的是件茶色的绉夹衫,怎的冒火起来,却是痴珠给我的小坎肩?"合着眼,迷迷离离的想,忽见痴珠笑吟吟的穿着一身的新棉绸短衫裤,站在床前。秋痕赶着坐起,拉着手说道:"你晓得我回来么?"痴珠不应。秋痕审视一回,见痴珠脚上也没穿袜,一言不发,只向襟前解个小口袋。秋痕道:"你坐下,我替你解罢。"痴珠坐下,秋痕一面替他解口袋,一面说道:"你怎的又不说话? 你从那里来? 竟不穿袜,不冷了脚?"痴珠只是笑。秋痕早把口袋解下,检里头纸包,原是自己一绺青丝、两个指甲。秋痕凄然泪荧道:"你就长带在身边?"痴珠仍是不语。秋痕泪珠纷坠,说道:"你不好也是不说话,好也是不说话,实在教人难受。"痴珠盘上脚,哈哈的笑。秋痕一手抹泪,一手摸着痴珠的脚,是冰冷的,说道:"何苦呢。你看双脚,冷得冰人。"转身想将夹被替痴珠盖上,猛回头,却不见了。睁眼看时,只有一灯如豆,跛脚鼻息如雷。起来坐着,将梦凝思一回,也摸不着是吉是凶。见跛脚枕头推在一边,仰着面,开着口,鼻孔朝天,也不理他。剔亮了灯,听得院子里秋虫乱叫,一阵风吹得怪刺刺的响。吃两袋小烟,重复睡下,合着眼,便见痴珠,撑开时,又不见了。心上十分忧疑,翻来覆去,想道:"敢莫痴珠有甚意外之事? 我去时,他原吐血,如今四个月了。"想到此,便把日来高兴的念头,一时冰冷,眦泪珠珠下滴。一会,又自解道:"我梦见他,都不像病人气色,大约是好了。"又想道:"我和他受了一年苦楚,自然是苦尽甘来。"想来想去,晨鸡早唱,灯也没油,昏昏欲灭。听得跛脚唔唔呓语,好像两口子说话,一会,大声道:"这样讲,韦老

爷是成仙了。"停一会,又说道:"姑娘原也可怜。"以后又鼾声大震。秋痕便叫了几声,推了几下,跛脚才醒过来,问道:"做什么?"秋痕道:"你做什么梦?说起韦老爷,又说起我。"跛脚方揉揉眼,坐起道:"我没有梦见韦老爷,也没有梦见姑娘,我却梦见玉环向我要钱呢。"秋痕就不言语。

此时天也发亮,大家起身,收拾车。这日,秋痕在车里,昏昏沉沉地睡了一天,好像是和痴珠住在秋华堂光景,醒来却一些儿也记不清楚。是夜,宿石坪驿。初二日,走三十里地就进城了,径到士宽家下车。

士宽侄儿找那姓顾的,要秋心院钥匙,自己便来秋华堂报信。不想刚到柳溪,逢着李福,穿件白袍,跟跄前走,士宽抢上数步,赶着叫。李福猛回头,见是士宽,惨然道:"你回来么?姑娘呢?"士宽道:"姑娘也来了。"李福道:"咳!爷不在了!"士宽道:"怎的?"李福道:"爷是前日去世,你和姑娘什么时候到?却不给爷知道。"士宽此时气得发昏,半晌才能说道:"姑娘方才下车,还在我家,就叫我给老爷信。如今老爷没了,怎好呢?"李福道:"事到这样,真个没法!"于是士宽垂头丧气,跟李福向秋华堂来。

没到秋华堂,早望见大门上长幡。士宽大哭道:"我只怕迟了,老爷已经回南,再不料有此惨变!"门上大家都迎下来,探问信息。

这日,子善才出差回来,也在秋华堂帮忙。子善的跟班赶着去回。一时,子善、心印、翙甫、雨农,都走出月亮门,见士宽只穿件小衫,脚上还是草鞋,跪在台阶上,向痴珠的灵前,嚎啕大哭。秃头也哭得凄惶。大家见此光景,都为酸鼻。一会,劝住了,士宽哀哀的诉。子善叹道:"我就同士宽去看。"

且说秋痕在士宽家,歇息一会,料痴珠闻信,必定赶来。恰好士宽侄儿,找着归班,开了秋心院大门。秋痕便过这边,略同归班说些家难。归班呶呶不休,秋痕就不大理他。归班没趣,自去探访狗头信息。当下,秋痕赶着和跛脚拂拭了几榻尘土,浼士宽侄儿帮着打扫。见空宅荒凉,又经人住过,家伙位置,都不像从前,也有给人搬去的。秋痕此时虽不暇问,只痛定思痛,愈觉伤心。又想:"自己空无所有,或者今夜就到秋华堂去。"正在盼望,忽见士宽和穆升来了,说道:"老爷病着。"秋痕正

要问话，子善进来。秋痕赶忙迎坐，眦泪盈盈，问着痴珠的病。子善叹道："病是不好，只你初到，歇一歇，再和你说。"秋痕哭道："到底怎样？我吃尽千辛万苦，都是为他，你说罢。"子善道："这两天却也不妨。你如今只剩下一身，怎好的？"就吩咐跟班和穆升道："你看姑娘屋里应用什么，都向公馆取来。"秋痕道："这却不必。我即刻要到秋华堂看痴珠去。"一面说，一面向穆升道："劳你替我叫一辆车。"穆升答应，子善止住道："此刻已是五下多钟，你要去，也等明天。"秋痕道："子善，你怎说？你想，痴珠听我到了，不晓怎样着急想见我呢！"子善再三劝止，秋痕那里肯依。士宽是个莽撞的人，禁不住说道："韦老爷早是……"子善忙行叫他出去。秋痕见此光景，知道不好，呆呆地瞧着子善，半晌，跳起说

道："我千辛万苦………"止说这一句，就急气攻心，昏晕倒了。跛脚大哭，子善帮着叫。停了一停，秋痕转过气来，大哭一阵，握着两拳，将心胸乱打，大家拦住，就向板床歪下。子善边边劝慰，总不答应。不一会，子善

的跟班和穆升搬取铺盖器皿也来了。差不多天就黑了，秋痕才坐起，向子善道："你请回罢。承你照指，我来世做犬马报你。"说毕，重复躺下。子善只得吩咐跛脚好好照料，就带跟班回家。穆升怕家里有事，早就走了。士宽被子善叫人了出去，心中很不自在，领着侄儿回家歇息。

一间空屋，只剩下秋痕、跛脚两人。只听得梧桐树上那几个昏鸦，呀呀的叫个不住，又有一个枭鸟，在秋心院屋上鼓吻弄舌，叫得跛脚毛发森竖。时已新秋，天气昼热夜凉，跛脚身上只一件汗衫，十分发冷，肚又饿，瞧着秋痕，就如死人一般，合着眼，一言不发。猛听得有人打门，

跛脚答应,步下阶来,见新月模糊,西风萧槭,满院里梧叶卷得簌簌有声。走到月亮门处,不防廊上栏杆有个乌溜溜的大猫跳将下来,把跛脚一吓,哎呀一声,栽倒在地,那黑猫一溜烟走了。跛脚战兢兢的爬起来开门,原来是士宽和他侄儿,送来四碟小菜,四碗面,四个饽饽,和那油烛盘香。跛脚这回不怕了,便来告秋痕。秋痕坐起,请士宽坐下,说道:"枉费了你大半年的气力。晓得这样,倒不如那一晚也烧死了,岂不是好?"士宽粗人,又吃了酒,含含糊糊说了几句。他的倒儿点上灯,就都走了。开门出来,恰好秃头带个打杂,送来帘幕饭菜及点心等件。秋痕见了秃头,也是不哭,只问痴珠临死光景。秃头挥泪告诉一遍。秋痕长叹。秃头劝秋痕用些饭菜,秋痕一点不用,跛脚却饱吃一顿。时已有二更天,秃头也走了。

　　跛脚拿着烛台送了秃头,关门进来。刚到二门梧桐树下,瞥见上屋有个妇人,和秋痕差不多高,走入月亮门。跛脚只道是秋痕出来,也不惊疑,还说道:"娘,你也不点个亮?"到得月亮门,见那妇人已上台阶,不入屋里,却由东边湾去后院。又说道:"娘缓一步,我照你走。"却不见答应。直跟到梅花树畔,冉冉而没。不觉吓得通身发抖,跑入屋里,秋痕还歪在床上,不动分毫。跛脚回想起来,十分害怕,又不敢告诉,随说道:"娘,你自清早起身,至今不曾吃点东西,喝些汤好么?"秋痕不应。跛脚停一停,又说道:"你要躺,起来一坐,给我铺下褥子,你也好躺。"秋痕道:"你铺在西屋自睡,我就这样躺。"

　　跛脚没法,只得伴着秋痕呆坐。坐到三更多天,十分疲倦,歪在一边,恍恍惚惚的觉自己走到一个地方,静悄悄的。只见对面一对宫妆女子,手持幡熏,引着他娘和个带剑的女子,缓步而来,来到跟前,转西去了。心上想道:"娘同这女子去那里哩?"赶着跟来,却又不见。遥望过去,前面有个庙,出出进进,都是戏台上打扮的人,只没有涂脸的。想道:"这庙里敢莫有戏?"就跟着人进去,见宝殿巍峨,是个极大的所在,月台上香烟成字,宝盖蟠云,有许多穿戏衣的人,也有男的,也有女的,女的都是少年美貌,男的便有老有少。看了一会,不像是戏,又不像是佛殿,正想要走,只听得两边鼓乐起来,说是"冤海司来了。"有一穿戏衣的男人,瞧见跛脚,立地揎出。跛脚吓得打战。只见许多艳服女子,引

一座金碧辉煌的车，坐着一个缨络垂肩的人，远远的看，却不晓得是谁。忽然又有个穿戏衣的人喝道："你什么人？敢跑来这个地方闲逛！"恶狠狠的一鞭，跛脚哎呀一声，原来是梦。

睁眼一看，日已上窗，却不见秋痕，跛脚只道起来，前屋后屋找了一遍。只见秋痕高挂在梅花树上。跛脚吓得喊救，两手抱着大哭。士宽隔墙听得跛脚哭喊，知道秋痕不好，赶着过来。跛脚一面开门，一面哭道："娘吊死了！"士宽和他侄儿进来，忙行解下，见手足冰冷，知不中用，便赴子善公馆告知。得七下钟，秋华堂和柳巷的人，通知道了。瑶华奔来看视，大哭一场。街坊的人，个个赞叹，都说："难得！"子善主意从厚殡殓，不用说了。

看官须知：秋痕原拚一死，然必使之焦土无立锥之地，而后华曼归切利之天，这也在可解不可解之间！秋痕系戊午七月初三日寅时缢死，年二十岁。例斯人于死节，心固难安；报知已而投缳，目所共睹。遭逢不偶，衔大恨于三生；视死如归，了相思于一刹。留芳眉史，歌蒿借《孔雀》之词；证果情天，文梓起鸳鸯之冢。正是：

　　比翼双飞，频伽并命；
　　生既堪怜，死尤可敬。

欲知后事如何，且听下回分解。

第四十五回

竹竿岭旧侣哭秋坟
枞阳县佳人降巨寇

话说荷生自杨柳青撤防,到了青萍驿,接见太原各官,惊知痴珠、秋痕先后去世,大为悯然。是夜,就枕上撰一付挽联,是:

万里隔乡关,望一片白云,问魂兮几时归也?

双栖成泡影,剩两行红泪,伤心者何以哭之!

次日进城,唱起凯歌,打起得胜鼓,闹得一城人观看,热烘烘的拥挤。

到了行馆,采秋迎出并门仙馆。小别三阅月,两人相见,欣喜之情,自不用说。只接续见客,直到二更天,甫能退入内寝细谈。说起痴珠、秋痕两人十分伤感。采秋便将挽秋痕的联句,述给荷生听,念道:

有限光阴丁噩梦;

不情风雨虐梨花。

荷生道:"好!我的联是这十六字

痴梦醒时,秋深小院;

劫花堕处,春隔天涯。"

采秋也道:"超脱之至!"荷生随把挽痴珠的句,也念给采秋听。

次日,一起写好,分头张挂去了。下午亲往秋华堂,排上一台祭品,换了素服,哭奠一番,就同子善大家到西院浏览一回。琴在人亡,十分惆怅。见焦桐室粘的诗笺,有《五月下浣重过秋心院感赋》七律二首,因念道:

沉沉绮阁幌双垂,频卜归期未有期。杯影蛇弓魔入幻,帷灯匣剑鬼生疑。搏沙踪迹含沙射,销骨谗言刺骨悲。昨夜落梅风信息,纸窗策策益凄其。

眉峰离恨锁层层,欲断情丝总未能。不恤人言谁则敢?可怜薄幸我何曾!半生豪气销双鬓,九死痴魂傍一灯。碧落黄泉皆诳语,残更有梦转堪凭。

念毕,正向子善说话,只见索安回道:"汾神庙主持心印求见,说有韦老

爷遗嘱面回。"荷生道:"甚好。我正要往访。"就同子善迎了出来。心印行礼,荷生拉住,叙些契阔,又谢他经理痴珠丧事。心印洒泪道:"贫僧二十年心义,聚首天涯,竟为他办了这等事,说来就可伤心!"荷生听了,双目滴泪。心印便将痴珠遗嘱述了一遍。荷生向子善道:"我事自是后死者之责。但我简牍纷纭,心也粗了,学问我又不如他,怎能替他纂辑起来? 只好暂藏在我那里。至诗文集,尽管付梓罢!"子善躬身道:"是。"荷生又坐了一会,走了。

次日,荷生因秃头求差健弁赍着痴珠遗札回南,遂作一缄,寄给谡如,也交差弁带去。此时子秀回省销差,接着余觥如缉捕盐枭差务也完竣到省,大家商议道:"南边道路不通,秋华堂又不便久停灵木,不如就葬并州,附以秋痕,完了他生时心愿。"回明荷生,荷生道:"归葬为仁,随葬为达。况时事多虞,葬了也完我们一件心事。"大家道:"是。"嗣后心印、池、萧看准南门外竹午岭一区坟地,就在夫妻庙后。于是择了九月初二未时,将痴珠、秋痕两柩安葬。就岭下善人村,买一百亩田地,五十亩菜园,一所房屋,将跛脚配给秃头,便令搬往守墓。穆升、林喜、李福三人,荷生都收作跟班,就赞甫、雨农,也延入文案处。秋华堂仍做游宴公所。汾神庙西院,自从痴珠死后,都说有鬼,没有敢住,后来是韦小珠搬入作寓,才把谣言歇了。秋心院也纷传有鬼,后来是一邵姓买为别业。这便是痴珠、秋痕两人结局。

一日,采秋和瑶华商量上坟。这日林喜、李福到夫妻庙伺修。采秋、瑶华素服,只带了穆升、红豆、秋英,由甬道坐小轿出城。穆升骑马先走,红豆、秋英坐一辆车,跟轿而行。到了城外,采秋、瑶华、红豆、秋英一起换了马。路上歇一歇,便望见竹竿岭夫妻庙。

林喜、李福迎出,两人下马。进得门来,破庙荒凉,草深一尺,见一群的羊在那里吃草,颓垣败井,廊庑倾欹。进了前殿,尚自洁净,也排有两三张破的木几,告墙一张三脚的桌。这是林喜先到,教看庙预备的。廊下自有行厨供给,穆升捧上两碗茶来。红豆、秋英跟着采秋、瑶华,看了塑像和那壁间画像残碑,说道:"去年八月十五,痴珠、秋痕不到这里祭奠么? 不想今年我和你来祭他!"瑶华也觉然欲绝。

两人喝了茶,逛到后殿,见西边坍了一角,风摇树动,落叶成堆,凄

凉已极。又闻得远远有人哭声。红豆、秋英站在倒墙土堆上，见墙外槐树下拴一匹黑骡，一人看守。李福认是汾神庙的人，问道："你来做什么？"那人道："我跟师父来上坟。"采秋向李福道："韦老爷的坟，在庙后那里？"穆升道："只在墙外西边，这里去，不上一箭地。这般近，我们打这里步行去罢。"采秋道："甚好。"便携着瑶华的手，步上土坡，穆升前引。两人凭高远眺，见平原地远，旷野天低，觉得眼界一空。到得下来，便是庙外。疏林黄叶，荒径寒鞠，萧条满目，早令人悲从中来。转向西，远远的望见三尺孤坟，坟前点着香蜡，一个和尚正在膜拜；秃

头烧纸，哀哀的哭。林喜跟着祭品的担，也才到墓下。采秋道："等和尚走了，我们祭罢。"穆升道："他们已哭过，想是知道我们上来，匆匆要去，槐树下的骡不牵向前么？"只见秃头和林喜说了几句话，和尚点点头，绕向东边而去。

红豆、秋英便搀着采秋、瑶华，到了坟上，见墓碑题的是："东越孝廉痴珠韦公之墓。"林喜早排好祭筵，采秋洒泪上香，拜了一拜。瑶华也洒泪行了礼。红豆浇酒，秋英执壶，林喜、穆升焚纸事毕，四人以次磕头。只李福在夫妻庙中照料，不曾跟来。秃头尽着哭。采秋、瑶华十分伤感，俱站不住，那乌骓和瑶华的马都扎在墓前伺候，就不再到夫妻庙，只劝谕秃头数语，上马走了。这且按下。待小子表出潘碧桃一番好结果来。

碧桃自与钱同秀撒赖以后，并州是站不住。他妈便将碧桃走了绛州，又走了泽州，走了清化，走了汴梁。汴梁自古佳丽之地，近来黄河迁徙不常，又新遭兵燹，中州光景，就也不可问。但是樊楼之灯火成墟，饭甑之琵琶还伙。碧桃阅人既多，又戒了烟，容华遂愈焕发。迷香洞里，居然座客常满。一日，来个道人，授以操纵吐纳摩咒顿挫之诀，临行说

道："你过些便当发迹。"只这道人去后，无论旧宠新欢，相对总是味如嚼蜡。后来帮闲领个豪华公子到门，这碧桃放出手段，百般讨好。那公子见得碧桃千娇百媚，就也十分怜爱。不想晚夕两口翻了一阵，一个是渺乎其小，一个是廓其有容。还是碧桃泥他唱个后庭花，到了天明，竟自走了。数月门庭寂然。母女十分站不住，听说樊城热闹，现在贼退，遂带了猴儿，径行上路。

这日，离樊城不上十里，日早落了。对面忽来一队游骑，车夫望风而遁。当头一个少年，望着碧桃，便跳下马抢了，飞鞭而去。没有三里多路，天快黑了，投一小小乡村。碧桃高叫救命，村中的人，没个来理。这少年向一家门首停住，里边有个妇人，黄瘦的脸儿，手拈盏灯，将碧桃扶下。碧桃跳掷喊哭，那妇人笑道："哭也无益，喊也枉然。"这少年也说道："娘子安静，我们不是食人老虎。"碧桃道："你还我的妈，我便跟你。"那少年道："这是容易的事，马上就到。"碧桃见他没甚歹意，就停住哭，与妇人见礼。那少年已将他妈带来见面，碧桃大喜。

看官，你道这队游骑，又是那一股贼哩？原来淮北一带城池，近为员逆头目吕肇受窃踞。这肇受原是枞阳县著名巨盗，却极孝顺，县官破案，一拘他娘，便自投到。后来积案多了，几毙杖下。幸站木笼，有个官善于风鉴，见他脸有红光，便放了，令去投军。不想肇受投贼，受了伪职，踞了枞阳，拥有淮北千余里盐利，与河南捻首姚荟琳结为兄弟，以此饷足兵多，势强援众。只是生平有个缺憾，是个驴形，自做贼以来，不知糟蹋了整千整万妇女，却不曾了一回帐，以此四布游骑，到处掳抢。这少年掳得碧桃，献了肇受，肇受见面，也不甚为奇。这日酒后，叫来服侍，不料碧桃竟禁得起春风一度，而且曲尽媚猪之态。这是肇受不曾尝的滋味，当下乐得心花怒开，告了他娘，择日成亲。赏了少年一百两金，差人迎了碧桃的妈，连猴儿也得了好越。

看官，你道人生无论什么人，肯从根本上着点精神，再没有不好呢！碧桃那般淫贱，终始与他妈相依为命。肇受那般荣华，也是终始与他娘相依为命。他娘这会见个粉妆玉琢的媳妇来了，喜欢之至。这碧桃就珠围翠绕，做起夫人。看官，你道是好结果不是？尤可喜者，一夕枕上，两人各诉衷曲，碧桃说道："你如今富贵极了，只是依人，自来是没结果呢！你怎不反正？将淮北盐利献与朝廷，必有一番奖励。然后请率所部讨贼，就这千余里在，征税课做我粮饷。金陵守得住，我且霸住一万；金陵守不住，我便做个陶朱翁。你道好不好呢？"说得肇受一下子跳起，拍掌道："上策，上策！娘子军……我先要投降了。"

次日，肇受果然托记室做个降书，又遣人私送北帅许多财物。后来奉到谕旨，着授淮北提督，改名荩忠。碧桃竟自得了一品夫人的诰命。正是：

> 羽镣凤凰，语通吉了；
>
> 腐草为萤，道在屎尿。

欲知后事如何，且听下回分解。

第四十六回 求直言梅翰林应诏
复浔郡欧节度策勋

话说这年秋间，长星见在西北方，光有数十丈，直射东南。逆贼四眼狗，势大猖獗。看官，你道这四眼狗是谁？原来便是秋心院的班长李狗头。当时，痴珠说他会做强盗，人都不信，不想他却真做悍贼。他自正定括了牛氏箱笼，便与他结盟的几个兄弟，跑到淮北。适值金陵屠杀之后，员逆委任荣合、荣法主挂号令，出榜招贤。狗头贪缘献策，破了乌衣官军，又破了防守七年之六合。三河大捷之义师。员逆大喜，以为奇才，将淮北悉归管辖。其实，怀远一带，吕肇受早反正了。狗头领着数万人马，只飘泊太湖，来往潜山。

当下朝廷为着东南糜烂，天象告警，诏中外文武及军民人等，直言时务。这梅、欧两个晋京，得着了试差。小岑却转个御史。想起痴珠临行送的序文，是教他勘破了七品官，将天下所有积弊和盘托出，做个轰轰烈烈的男子，就也鼓动小岑胸中几多块垒，几多热血，只是乘不出机会。这会言路大开，他又得了御史，便悄悄做起一折，不但不与剑秋商量，便是丹翠也不知道，径自递了。略云：

臣梅山奏，为主尖诏直陈、仰祈圣鉴事：臣闻古三公有因水旱策免，有不待策免而行引退者，何况天象示警于上，人事舛忤于下；而内阁大臣犹循常袭故，旅进旅退于唯唯诺诺之间，清夜扪心，其能自慰乎？夫用人行政，其将用未用、将行未行之际，差之毫厘，失之千里。天颜咫尺，呼吸可通，惟有内阁而已。身居密勿之地，苟怀缄默之内，则宰相亦何，常之有？一节凡人，皆可为之，又何藉梦卜以求也。东南军务，稽今二十有余年矣。民生颠沛，国帑空虚，尽人能言，其实尽人不敢言其所以然之故。臣私自愤懑，急欲明目张胆，为我皇上陈之。封疆坏于各道节度。各道节度非有唐末之横也，而平居汇沓，临事张皇，有表师者，有辱国者，有闻风光遁者，有激变

内溃者,有奉熊文灿为祖师而以抚误事者,有蹈杨嗣昌之覆辙
而以邻为壑者,有拥兵自重而游弋以避贼锋、废饷自娱而高居
以养贼势者。凡此种种纰缪,内阁岂不知之? 有遇事严参,以
重封疆者乎? 自倭逆内犯,勾结水陆巨盗以及回疆西藏,朝廷
命将出师,不惜捐万万帑金,为民除害,德洋恩普,该将帅宜何
如努力戎行? 乃老成凋谢,既无继起之才,结习相沿,动有偾
军之将。往者金陵沦陷,设南北二帅:北帅逍遥河上,南帅偶
负钟山。转瞬数年,终于覆没,为宵旰忧。方其示败,锦衣玉
食,倡优歌舞,其厮养贱纨绮,吸洋烟,莫不有桑中之喜,志溺
气惰;贼氛一动,如以菌受斧。害于而家,凶于而国,覆辙相
寻,曾不知戒。内阁耳目犹人,有先机议处,以肃戎行者乎?
封疆如此,戎行如此! 此何时哉? 此何势哉? 该大臣等相顾
不发一策,事事仰劳神算,已属全无心肝,乃犹徇情掩饰,淆乱
是非,致令外议沸腾。或曰受贿容奸,或曰潜踪通贼。圣明之
世,臣不敢谓然。第念该大臣世国恩,身膺隆遇,何以坐视时
艰,悍然于天人之交迫,曾无所动于中也? 今日之事,必先激
浊扬清,如医治疾,扶正气始可御外邪。伏唯圣鉴,俯纳刍荛,
特伸乾断,则民生自复,国计自纾,臣不胜感激之至。谨奏。
次日,内阁传旨:御史梅山,忠说可嘉,着赏人参二斤,原折该大臣阅之,
各明白回奏。小岑谢恩下来,满朝公卿,无不改容。

当下回寓,剑秋已早来了,接着,笑道:"士别三日,当刮目相待。"小
岑也笑道:"这是痴珠抬举我,得了两斤大参。"随即坐下,谈了朝中情
事。剑秋便说道:"痴珠议论,多是行不去呢。就如这折议论,也是乘此
机会,才用得着。"小岑叹道:"虽有智慧,不如乘势,虽有此基,不如待
时,自古是这般呢。"剑秋道:"前两天,荷生寄来痴珠诗文集副本,诗倒
罢了,那文集中议论,都骇人听闻得很。我略瞧两篇拟疏,一是请裁汰:
一曰,汰大员而增设州县,一曰,汰士子而慎重师儒;一曰,裁营伍而力
行屯政;一曰,裁胥吏而参用士人。一是请废罢:一曰,罢边防而仍设土
司;一曰,罢厘金而大开海禁;一曰,废金银而更造官钱;一曰,废科举而
责成荐主。一篇都有数万字,读之令我小儒舌挢。"

小岑道："行原是行不去呢，只这议论，都是认真担当天下事的文字，人存政举，便自易易。你道他迂阔么？就如他说用兵大略，是：先和倭夷，听其自生自灭；再清内寇，上保蜀，下复武汉，做个南北枢纽，然后从上游分路剿办，水陆并进，力厄贼吭。你道是不是呢？现在什么人能了此一局呢？"

剑秋道："这一付议论，我也听他说过，荷生、谡如都将此做个账中秘本，其实一个人是做不来呢。"小岑笑道："天下事那里有一个人办得出呢？起檣椎牛，挂席集众……"

正待说下，门上报："有客来。"你道是什么客呢？原来就是谢小林、郑促池。前个月小林以御史放了淮海道，促池以理少放了淮北节度。两个俱因地方残破，无处张罗，不能出京。这日从内城出来，得个明经略入阁的信，以此同访小岑。到得靠晚，见过上谕，是"首辅予告，朝廷以西北萧清，诏经略入阁，所有未了事件，着交韩彝守护帅印办理。"

到得第三日，内阁传旨：湖北汉阳府着梅山补授。小岑叫苦连天。丹翠便埋怨他："上得好折。如今得了这个去处，上不着村，下不着店，又是不能不走的。"倒是剑秋替他张罗出京，说是"朝廷因你肯说话，才叫你一人出守，不久就有好处。"劝他走了。

却说仲池节度淮北，与肇受恰是同官。肇受此刻拥了淮海千余里钱粮盐课，奉诏讨贼，自庐江以至和、含，连营百余座，旌旗耀日，人马堆云。仲池主仆琼琼，依具破庙。

一日，提督府兵丁抢人妇女，士团不依，闹出事来。幕中朋友说须地方官弹压，肇受便往拜仲池。仲池饬该管官两边和解，就也前往回拜。这肇受高兴，开起夜宴。于是万炬齐明，百花沓出，罗郐公厨中之美膳，舞文寒宫里之羽衣。酒行数巡，夫人出见，珠光侧聚，佩响流葩。肇受却小袖秃襟，笑向仲池道："我不惯穿着大衣。"仲池一面招呼夫人，一面说道："我们兄弟，尽可脱略形迹。"肇受就指左边一座，教夫人坐下，向仲池说道："他文雅，不比我卤莽武夫，着他奉陪，我就在这炕上烧烟罢。"于是弁者环者，流目于灯光烟气之中；歌人舞人，摩肩于丰酒繁肴之地。仲池起辞再三，无奈肇受夫妇礼意殷勤，迟至一下钟才得散席。临行，肇受取个沉沉的包裹，纳入仲范袖里，笑吟吟地道："聊以志

别。"仲池不解，无可答应，只得收了。抵寓，检开包裹，竟是灿灿金条。

次日天明，忽报："提督挂印走了。所有百余座壁垒，俱是空营。"原来肇受军令，俱是暗号，那日黄昏，这多兵俱已陆续登舟。席散后，肇受、碧桃各奉老母，就也出城，万帆竞挂，说是向海门而去。如许重累，竟一夕拔宅，

奇不奇呢？这里仲池诧异一番，将提督的印，暂行护理。方招募乡勇，联络士团，想为自强之计，不想诸事办未得手，狗头却来了。空空一城，如何可守？听说宝山营兵强马壮，便向宝山投奔。坐此淮北千余里，竟为狗头窃踞。

再说小岑那一折利害不过，参倒了几个大老，正法了几个节度，这是小岑想不出呢。为着小岑奏准，大家依嘴学舌，都说起话来，便扯葛不清。还是明经略到京，慢慢的回转圣意，才得归结，救活了多少人；只日日接见朝士，延揽人才，总不得个担当全局的人，实在十分烦恼。

一日，想起李谟如，恰好出了肇肥提督的缺，便极力保荐，得了谕旨。过了数日，门上递了一封书，拆阅，是侍进欧冶言事的书，约有一千余字，大意是说那：楚北淮南形势及扼贼要害之处"，又说："封疆大吏，推诿素不知兵，这是无志者借口之辞。试问各道节度，共带枢部之衔，且有标兵之掌，如何说得不知兵？请以各道军务俱归各道节度督办，勿庸另派大臣。"又说是"今天下虽多事，然诚得志节磊落、通知古今之人，颁中外要路，一以灭盗贼、安元元为念，功效未必不可渐致。"大喜道："这等议论，与荷生一般通达，可以大用。"

次日，便呈御览，奉旨召见。剑秋口才本是好的，是日奏对，洋洋洒

洒,大称圣旨,就放个岳鄂节度。陛辞这日,保了小岑与游鹤仙。不数日,鹤仙放了楚北提督,小岑摧了荆宜观察。

此时楚南完固,虽宝庆、武冈均有贼踪,安化、益阳均当堵剿,而大局是个安静。楚北武昌失守三次,汉阳失守四次,自荆宜以下,千余里瓦砾之场,贼尚盘踞,以为出入孔道。可怜小岑挈了丹翠,羁旅樊城,无可着手。后来抉了荆宜道,才造起战船,招些水勇。值着剑秋也到,带得宜府精兵二千,驻扎荆州,会合小岑募的水勇一千及游鹤仙带来太原精锐三千,共成六千人,择日出师。高屋建瓴,挂帆东下,克了石首,又克嘉鱼,直薄武昌城下。城贼负隅自固。剑秋拨一枝兵,力扼安陆、德安援贼。小岑水师,复了汉口镇,汉阳贼便也不敢离城半步。于是城贼岌岌。

再说小岑近日收个少年,姓包名起,这包起是个卖甘蔗为生的。剑秋也收个少年,姓黄名如心,这如心是个割马草出身的。两人俱生得面如满月,目如流星,骁健多力。包起缘恋个妇人,因此投了小岑,充个亲兵。如心也恋个女人,替他养马。一日,雪里割草,剑秋瞧见他单衣来去,挥汗如雨,大相诧异。后又见他驾驭生马,矫捷异常,就提拔他充个亲兵。那包起、如心恋的女人,你道是谁? 原来就是那年秋华堂搬马解的柳青、胭脂。他姑嫂二人,由太原走了大同、宣化,便自直隶转到河南,小岑住樊城。柳青却结识了包起,胭脂就也结识了如心。这两对少年夫妇,感着痴珠诗意,便向军营中人投靠。包起是应小岑招募,如心算是剑秋提拔出来。每逢出队,这两人都有个娘子帮手,冲锋陷阵,极为得力;以此积功,都得了前程。营中人将包起、如心唤做"飞虎",柳青、胭脂唤做"雌熊。"

这夜攻打武昌,如心夫妇带了百余人,伺至三更,觑个空,飞跃而上,放火大呼。城贼心胆俱寒,黑夜里自行屠杀,胭脂已拔锁,招大军入城了。

次日,小岑克复汉阳,也是包起、柳青之力。剑秋大喜,都拔补了营官。乘胜攻走安陆、德安等贼,楚北一起肃清。

只武汉两城,公廨已空,人物如鬼,鹤仙因劝剑秋移驻岳州,剑秋笑道:"'如冒蓝缕,以启山林。'不就是这地方? 苟此而不能守,去之他处何益? 昔周室征淮,师出江汉;晋代平吴,谋在荆襄;王濬造船,循江

而下;陶侃之勋,镇守武昌;宋岳武穆、李忠定谋画岳、鄂,均以此地为要图。我们要想控制长江,平定东南,岂容弃去此地?而且要守此地,还要攻破九江呢。"

看官听说:九江系大江左右一个枢纽,贼以金陵为腹心,倚九江为门户,设官科粮。九江之贼,又恃小池口、湖口为犄角。九江有贼,鄂州守不住,金陵亦克复不来。以此剑秋、小岑急于募水勇,造船舰。有志事成,不上两月,便增水勇三千人年纪都是三十以下的,战舰八九百号,大小炮位二千尊。小岑督率克复了小池口伪城,进围湖口。此时鹤仙带二千陆师,下援南昌,留下一千陆师,剑秋就令包起、如心两夫妇管带,营小池口城里。

到了次年,湖口仍难得手。一日,小岑唤过包起,附耳数语。包起归营,便传令陆师,拔营进剿宿松、太湖。

次日,湖口出队,内湖外江,炮火四合。水陆悍贼无数,悉力抗拒。方血战间,忽然一队步军,从山后边连臂大呼,突入县城。船贼岸贼相顾骇愕,不知此支兵从何而至,攘攘扰扰之中,械不能举,枪不能发。我军乘势追逐,因风纵火,把两岸夹守的伪城,一起克复。贼船数百号,焚夺一空,片帆不返。此时火声,水声,人马喧腾声,震天动地。船贼也有死于水的,也有死于火的,岸贼也有落荒跑的,也有受刀伤的,也有砍倒头,也有践踏死的,真杀得满江皆尸,满湖是血。

看官,你道那一队步军,是那里来呢?原来包起扬言进剿宿、太,却于夜间将一千人潜自小池口,便入战船,绕出湖口十里,天甫黎明,这一千人,尽数登岸,高踞湖口县城后山巅埋伏。到得城贼会合水贼,这一队便杀下来了,以此大捷。

当下水勇扼在江上,陆师围了浔城。城贼粮草有余,逃窜无路。我军四面环轰,塌倒城垣百余丈,便擒了伪贞天侯凌紫茸等,磔于市。自是鄱阳数百里,遂无贼踪。剑秋论功,以小岑为最,奉旨抉了湖南节度,鹤仙加了头品顶戴,包起、如心都升了参将。正是:

　　激浊扬清,人才辈起。

　　独有虬冉,抟翼万里。

欲知后事如何,后听下回分解。

第四十七回　李谡如匹马捉狗头
颜卓然单刀盟倭目

话说李谡如定计屯田，与至俊务农讲武，把海边都垦就腴田，蛋户都变成劲旅；又开了几处学堂，教二十岁下兵丁，都要读些史书，熟些核算，工些楷法，因慨然道："痴珠尝吸'今之武官，都有轻衣缓带、雅歌投壶之意，恐非所宜；'此自正论。然太卤莽，直是磨牛，吾亦为汗颜哩。大抵做人，总要懂点道理，有个器量，难道武夫不吃饭么？"至俊深服其论。

辗转之间，便是夏五。忽然得了李夫人凶信，自是哀痛。嗣后又知痴珠赴召玉楼，秋痕身殉，更添一番伤感。接着荷生差弁也到，谡如因作一缄，另委干员，交给千金，偕并州差弁同去东越，替痴珠赡家，并接痴珠长男蓉哥北来，搬取灵木。这蓉哥现年十七岁，早已入学，学名宝树，字小珠，一表人才，英气勃勃，却不像痴珠有那孤僻，下文另表。

当下死友之哀才减，新亭之泪重挥，却是仲池到了。说起四眼狗穷凶极恶，谡如道："这绰号很熟，我好像先前见过这人。"仲池道："见说他是并州什么院里掌班。"谡如恍然道："是，是，我见过这人。咳！这奴才也要作贼么？"当下就答应仲池，替他出兵。

不一日，恰好得报，是擢了淮北提督。谡如上折谢恩，就请将所部肃清淮甸，所有军饷，即由宝山屯田转运，无事另粜；将该镇印务，垦恩交给奏加三品衔危至俊署理，以资熟手。朝议就也依了。于是谡如挑选精兵三千，由海溯淮，请仲池督率先行，自挈一千人，由陆路随后进发。

再说狗头踞了枞阳，就住肇受的提督府，立定章程，每月要排门钱，每月要捐大户。排门钱怎样呢？每五百家立个旅帅，每日排门输钱二十二文，以二文为旅师令俸，以二十文为兵饷。捐大户呢？有田宅及铺面者是为大户，每月按户捐钱十千文，以二千为监军司马等食俸，以八千为兵饷。又有那五里关、三里船之税，又有那派工匠、轮妇女之图，又

第四十七回　李谡如匹马捉狗头　颜卓然单刀盟倭目

有那斩墓木、放火堆、捉船户、打先锋之令，真是一网打尽，不放分毫。不上一月，将淮北千里，扫荡个渺无人烟。谡如此来是要救民水火，不想无民可救，只有贼可杀哩。

当下谡如自宝山轻赍入东坝，克复了巢县、合肥。探报：狗头带马队三千，步贼三十万，距于寿州。谡如想道："寿春为古重镇，争淮者守此则得淮，并可得江。不想狗头竟有此才略。"又想道："我兵才有一千，贼如聚蚁，我兵就一个打得百个，也敌不过。而且马队又有许多，怎好呢？现在鹤仙又援南昌去了！……"

这日，到了芍坡，离寿州不上三十里，才有两下钟，传令将饷银尽数排列，传齐营官哨长，叹口气道："咳！咱们深入贼地，退没有路，只有散罢。这饷银无所用之，你们分取，做个盘川，能够有命回到宝山，清明除夕，烧张纸钱，也不枉咱们两年相处。"一面说，一面号啕大哭起来。这营官哨长以及兵丁，就也大哭。

一会，谡如停住哭，含泪说道："哭也无益，你们散罢。"大家停住哭，也含泪齐声道："大家不愿走，死便死一块。"谡如又哭起来，说道："何苦呢？你们试想：咱们只有一千，贼却三十万，又有马队，怎抵得过呢？"说完，又哭。大家齐声道："大家要死，也杀个快意死，难道束手给贼杀么？"谡如说道："我做朝廷命官，是该死的，你们有点生路，怎不跑哩？"大家说道："散了，死更快，我们将这一千的人，合作一气，并作一心，或者还拚得数个不死！"

谡如不哭，叹口气道："你们果能如此，我却有个计。就是今夜，你们下锅造饭，饱餐一顿；以二十人作一队，只望贼营灯火旺处，一队扑贼一营；二十人中，放火的放火，杀人的杀人，人自为战，不要相顾。我亦只要二十人作一队走，天明相见寿州城下。"大家齐声答应。

这一夜是九月向尽，天气还暖，却阴得沉沉的黑，数十里并无一个乡庄。大家守着将令，一队一队的疾走，鬼火星星，阴风冷冷。将至寿州，望着贼营灯火，如一天繁星，刁斗之声，络绎不绝，万帐接连，严整得很。一会，静了，于是大家悄悄逾堑，俟各队到齐，一齐拔栅而入。恰恰是三更三点，各营贼正在睡梦中，忽觉得火焰飙起，呼声震天，就如千军万马，排山倒海而来。摸刀的不得刀，摸枪的不得枪，也有钻出头而头

已落,也有伸起脚而脚已断,也有掣出刀却杀了自己头目,点起铳却打了自己的亲兵。

一会,火光遍野,火药发作起来,更打得尸飞江外,骨落河中,那各队的人转抽身四处,瞧那火焰冲霄,好像风雨中电光驰骤。谡如骑着那匹天马,带二十个人,自成一队,扑入中营,却是空的。那马东奔西撞,不可押勒,要寻人相杀。不想中营的人,都跟着狗头落在城中,抱妇女睡去了。直到城外二十多万人杀死烧死,要死得干净,逃去散去,要去得无踪,才都上城,瞧着烛天的余焰,煞尾的余声,你道可笑不可笑呢?这时天要发亮,晓风羽,狗头正在顿足诧异,不料谡如暗处觑得真切,从马上飕的一声响,狗头从垛上落下地来,三十人抢上,捉住背缚。城上的贼瞪着眼,握着拳,竟没一人敢开门出来搭救。这各队人扑灭中营四边残火,见上面贼帐修整得十分华丽,是未曾烧的,便请谡如下骑驻扎。

天大亮了,从人推上狗头,谡如哈哈大笑道:"好,好,你这狗头,也配得上我来提你!"传令磔死,将头高挂城下。查各队的人,只失一个,伤一个,却收了无数旌旗甲仗,千余匹好马。漂尸蔽淮而下,那城里七八万残贼,毛骨皆耸,都站垛上,掷落器械火药,说是愿降。谡如传令开城,唤为首的人出来。这数人出城,见得官军寥寥,便有些翻悔。谡如却将好语安慰,令他约束部众,安静住在城中。这数人诺诺连声,进城去了。谡如这日,就在城外歇息,吩咐营官,轮流而睡。

是夕,天也阴沉沉的,定更后,密传营官,八百人分作四面埋伏,自骑上马,带上二百人,转向城根树林中而去。到得三更多天,城里四门洞开,每门准有万余人蜂拥而出。谡如伺贼众走远了,便骑上马,从城缺处一跃而上,二百人也跟上来,却冷静之至,只有守门数人,守垛数

人,半在睡梦中,吃了二百人的快刀。这四五万出城的贼,鼓躁踏入营中,知是走了,大惊失色。正欲转身,忽听得四面黑暗中高呼杀贼,城贼自恃人多,也不惧怕,便狠狠的四面兜围。不想这四面的人,都是近不得身的,围得这一面,这一面人杀条血路,围得那一面,那一面人又杀条血路。围得几围,城贼见自己的人死伤大半,便发一声喊,向城走了。这里的人就也不追,那贼远远望见城上灯火辉煌,心里大慌,到得城下,遥望灯火中坐的是个谡如。这一惊,脚也软了,便都跪下万口同声道:"小人该死,小人该死!"谡如传令,教他自杀那起先为首的数人及贼中头目,仍准入城,大家一齐动手,各杀头目及那为首数人。天也明了,谡如就驻扎寿州,挑选降贼精壮者二千人,每百人各以亲兵一人管带,挑着狗头的首级,四下招抚。

一路风声传播,群贼破胆,走者走,降者降,到得仲池水师驶到皖江,早一律肃清。谡如却归功仲池,复任淮北节度,谢小林便擢了淮南节度。此时剑秋、小岑已复楚北,闻信喜道:"水道大纲,江淮河汉为最要,以正阳为淮水中流砥柱,寿州又正阳之屏藩,皖不肃清,我能高枕么?卧榻之旁,不容鼾睡,今鼾睡是个谡如,实在得力。想荷生见我们有些展布,定恨痴珠不能眼见呢!"

却说荷生守护帅印,办理善后事宜,小住太原,控侦红卿父母俱亡,就差人接来,将那竹坞收拾与红卿居住。红卿不特与采秋意泯尹邢,就与瑶华也情如鹣鲽。

此时红豆配了青萍,仍随侍采秋左右。到了次年己未正月,疏请凯撤,南边军饷统归曹节度调度,奉旨俞允,就于二月初进京。

采秋、红卿送至城外。春雪扑衣,长亭赋别,荷生与约,面圣后辞官归隐,连会试也不愿应。不想到京,召见七次,擢用京卿,荷生表辞。明相见面,皇上根究韩彝辞官缘故,明相只得对以"伊系举人底子,会试在即,见猎心喜,因此不愿就官。"皇上面谕,着令入场,十名内进呈卷子,自然有了韩彝。到了殿试,大家意中都以第一人相待,荷生只是微笑。此时明相充了读卷官,首阅韩彝的卷,书法是好,不用说了。奈汩汩万言,指陈时事,全不合应制体裁,如何进呈?只得搁起。无如圣眷隆重,传旨索取,竟破格列在一甲第三,探花及第,这也是荷生意想不到之事。

花月痕

接着，津门逆倭凶悖，重臣赐帛，诏各道勤王。荷生引见后，特旨召问剿抚机宜，荷生对以"剿然后抚"，允合圣意。次日奉旨：

> 韩彝着以兵科给事中赏加建威，将军职衔，带领帅印、上方剑，马往津门，相机进剿倭寇。兵马钱粮，悉凭调用；各道援师，悉听节制。钦此。

旨下，荷生陛见，奏调并州太原镇总兵颜超、雁门镇总兵林勇，各率所部从征。又奏保大同秀才洪海，仍给五品衔，挂先锋印。皇上俞允。启节驻扎保定，传令各道援师，固垒大小直沽，不准轻动。

不一月，紫沧以子弟兵二千人报到，旧幕爱山、翙甫、雨农也来了，随后卓然、果斋各率所部四千人，遵檄抵津。遂择日祭旗，连营海口，诱贼上岸，三战三捷，沉了火轮船二十七座，擒了倭鬼万有余人。荷生传令各营，倭鬼悉数纵回，只留倭目数人，押送保定看守，以俟勘问。这是本年秋间事。荷生赏了黄绫马褂，颜、林二将加了提督衔，紫沧擢了游击，文案爱山等各得了五品衔，就是青萍，也得了守备。

到了次年庚申秋，逆倭又自粤东驶船百余只，游弋海口，欲谋报复，却不敢上岸，荷生复行申讨。贼正轰炮，忽倒了炮手三人，执旗大头目一人。你道为何呢？原来卓然百步射，果斋连珠箭，都展出神技来，以此贼不敢战而去。

逾年辛酉，钦天监奏：日月合璧，五星连珠；凤翔节度奏：凤鸣岐山；豫河监督奏：河清三日；东越节度奏：田粟两岐。于是逆倭遣人赍书津门，说是"讲和"。荷生笑向卓然等道："这两字却要一争，不该说是讲和。"便将原书掷还不阅。

转瞬之间，又是秋风八月了。倭目自粤东以一舶赍了无数珍奇宝玩，分致津门将领，荷生又笑向卓然等道："我们零雨三年，就是为此贿嘱么？"传令倭目谒见。此时各道援师早撤防了，颜、林二将部下，各留千人，半年更换一班，就是紫沧子弟兵，也只是践更而已。当下颜、林二将戎服，整队辕门，紫沧挂刀，领子弟兵排列帐下。升炮三声，青萍捧上方剑，服侍荷生升帐，传呼倭目进见。荷生笑吟吟地道："我们不是那先前蓟门节度、粤东节度，你国若说讲和这两字，我们是不依呢？若说悔罪投诚，吁求招抚，我们便为转奏，再看圣意如何。你不想中国三十年

兵燹，是那个开端？前前后后，蹂躏几许生灵？你还装聋作哑么？"倭目俯伏当面，汗流浃体，说道："以前曲直，我也不敢深辩，事到如今，就是遵元帅教训，悔罪投诚，吁求招抚罢！"荷生正色道："这八字不是我教你说呢，要你国王有个求抚降表说了才算。我是论道理，不准你们说个讲和两字哩！"倭目将手抹了额汗，说道："那要我回国才办得来，只要耽搁元帅班师日子呢。"荷生笑道："皇上不惜亿万万钱粮，为百姓除害，我们怎敢惜些辛苦？你总要取得国王降表，这事才得了结，我们也才敢替你奏闻。"倭目只得答应下来，荷生便于帐前排一席宴，宴了倭目。

不两月，倭目跟个国师费事来赍表而来。荷生奏闻，奉旨准了。一面班师，一面檄卓然赍诏宣谕香山，定盟通市。这卓然奉檄，便单刀登舟，飘然航海而东。到了港口，天待黑了，卓然横刀危坐，唤费事来进见，取出宣谕仪注，通市条约，说道："我这来是个诏使，你们要跪接呢！怎的进港不见一人？"费事来不敢答应，卓然就将仪注、条约两个册个付给费事来道："你们瞧去。"又目注大刀，说道："差我一节，我饶得你，我这刀是不饶人呢。"费事来唯唯而出。

看官听说，这倭夷远隔重洋，国王是个女主，先首嗣位，年纪尚轻，听信喜事的人，闹了二十余年，所费不赀，渐渐追悔。近见西藏回疆俱不足恃，那员逆更是个没中用的人，就深怪从前倭目不是，都贬了。这番来中国的头目，是新换的。费事来是女主胞叔，老成练达，上表之先，已将广州城池退出。只是向来倭目轻视中国官吏，费事来不敢侮慢荷生，却想挫辱卓然一番，以折粤东官吏后来之气。当下给卓然抢白数语，知他也是难惹的，便将仪注、条约属遵，不敢驳回一字。

次日，筑起高坛，率香山办事大小倭目，都到港口挂刀跪接，迎入馆

舍，一日三宴。

次日黎明，坛上排列香案，赞唱诏使升坛，倭目等俯伏坛下，只听宣读云：

"奉天承运皇帝诏曰：天地生成，温肃并行之谓道；皇王敷化，神武不杀之谓功。咨尔倭人，远来海岛，以贸迁为绝伎，以货殖为资生。市舶虽入其征，理藩未登其赆。乃侵东南，遂窥西北，庇我巨盗，辱我疆臣，尔诈尔虞，如鬼如蜮。梗两朝之文化，劳九伐之天威。夷汉相安，则撤孔明之旅；化离不正，则屯充国之田。张弛异宜，熏刑并用，亦以事机有待，夷性难驯故也。今天诱其衷，地藏其热，两两皆败，一舶来归。朕早识此房于目中，姑轩远方于度外。风云何定，有天命者任自为：雷雨之屯，建非常者民所惧。在诸臣以为兽将入槛，虽摇尾而法无可怜；在朕以为鸟已衔环，既投怀而情皆可惊。止戈为武，穷寇勿追，罢符竹之专征，准甘松之互市。廷臣集议，钦定颁行。愿吐谷之率循，听舌人之胪列。

准以江南上海，浙江舟山，福建闽安镇、厦门，广东濠镜，为倭船停泊埠头。

倭船进口，由封疆大吏派员验明有无夹带禁物。如有携带，一经察出，货半没官，半奖查验之员，人即照例惩办。

倭船出口，由封疆大吏派员验明有无夹带纹银。如有携带，一经察出，银半没官，半奖查验之员，人即照例惩办。

天主教虽劝人为善，而汉人自有圣教，不准引诱传习。如其有之，经地方查出，授受均行正法。

教堂准立倭馆以内，不准另建别处。有犯者照例惩办。

税务统归于各道监督，倭目不准干预。有犯者以不应论。

茶叶大黄，准以洋货洋钱交易，惟不准偷漏。如有偷漏，货半没官，半奖查验之员，原船着回本国，不准贸易。

各埠头办事头目谒见官吏，悉照部颁仪注，不准分庭抗礼。有犯者以不应论。

倭船不准携带妇女入口，亦不准携带中国男妇出口。有

犯埂照例惩办。

　　倭馆不准雇倩汉人办事，及一节佣工。有犯者以不应论。

　　凡兹新例，究属旧章。於乎！我中原百产丰盈，并不借资夷货。尔各国重洋服贾，亦当自惜身家。王者之兵，原不得已而后用；下民之巷，孽子皆由自作而非天。所期盟府书存，长质诸皇天后王；从此南人不反，庶化为孝子须孙。人各有心，朕言不再，钦此。"

读毕，赞唱"谢恩"，费事来等九叩；赞唱"牵牲"，执事牵牲而入；赞唱"宰牲"，执事趋就牲前；赞唱"捧盆"，执事捧金盆入就牲前，取血注盆；赞唱"插血定盟"，于是倭目一人，接受金盆，随费事来登坛北面；赞唱"诏使南面莅盟"，倭目将金盆向诏使跪下，诏使蘸以拇指，转向费事来蘸过，兴，退；赞唱"跪，三叩首"，于是费事来拜于坛上，大小倭目拜于坛下，诏使南面答拜。赞唱礼毕，又高宴一次，费事来率各倭目陪宴。从此倭人守法，且从各道节度收复海口城池，有没于王事者。正是：

　　气为义激，暴以理驯。

　　枢机在我，祸福惟人。

欲知后事如何，且听下回分解。

第四十八回 桃叶渡萧三娘排阵
雨花台朱九妹显灵

话说皖、鄂肃清,鹤仙又解了建昌之围,区区金陵,四面兜围,便当扫穴犁庭才是,何以转盼三年,依然隅负呢? 看官须知,天下事理有一定,数不可知,就是鼠辈,也有个数不该尽时候。

当下谡如淮北功成,便乘胜擒了姚荟琳,扫除北稔。零星残股,窜入河南,又合为南稔,北扰燕齐,西侵秦晋。接着滇南回匪,钩连关陇,江东败寇,窥伺黔巫。朝廷因此颁给谡如威远将军关防,经略西北,以鹤仙为太原提督副之。

金陵这边,是令剑秋、小岑、仲池,小林四节度,会合江左右提督,相机围剿。剑秋、小岑原是锐意洗甲长江,无奈金陵气数未尽,却钻出五个妖妇来。五妖以萧三娘为首,是个道装,自称公主,据说系萧梁汀东王率三女,江陵破后,入山修道,迄今千有余年,却收了两个二形的妖尼,带了两个同面的妖婢,出来辅佐员逆。三娘两鬓垂肩,好像画的麻姑一般。两个妖尼,约有二十来岁的人,他自说是百余岁,其实就是那年痴珠生日弄把戏的两个女尼。一个名唤月印,一个名唤云栖。一个上半月成男、下半月成女,一个上半月成女、下半月成男,以此两个自为夫妇。两个妖婢如花似玉,同一面庞,一个唤做灵箫,一个唤做灵素,都是古服劲装。

剑秋、小岑起先道是妖妇有些邪术,包起、如心出队,令他带了喷筒,将污秽先行喷泼,然后交兵。不想悍贼在后,妖妇当先,只喝声"住!"我军便如土塑木雕,连眼睛都不动了。悍贼拥出,一个个捆去了。再用水师攻剿,这妖妇率妖尼等挺立水面,将拂子一挥,那战舰都倒转了,炮火一个自打起来。水陆两阵,折了无数兵马,又失了包起、如心两个猛将。剑秋、小岑气得发昏,自此胆寒,不敢出队,只遍访异才,想要破他的法。倏忽逾年。此时荷生正在津门申讨倭逆,来往书札,辄笑剑秋、小岑正不胜邪,唾手大功,竟被一个妇人弄杀。这妖妇得志,便遣灵

萧领兵佐助荣合,陷了两浙,伪封越王;灵素领兵佐助荣法,陷了三吴,伪封吴王。四节度两提督连营三年,实是束手无策。

却说采秋自荷生太原凯撤以后,迎了藕斋夫妇,住了愉园,以便来往。到了紫沧从征海口,便将红卿、瑶华都搬入摩云楼第一层居住,采秋自住第二层。草虫雄雌,时与二美酬唱,邮寄津门。奈一别三年,真有杨柳楼头,悔觅封侯之恨。

忽一日,老苍头贾忠回说:"外有老道姑带一美貌女子,说是要见二位夫人。"适俱红卿疟疾,采秋与瑶华只得接入。见那道姑年纪约有六十多岁,眉宇间道气盎然;跟个女子,年纪不上二十,生得妩媚之中棱棱露爽,手捧如意一枝。当下道姑合掌,向着采秋道:"这是韩家三夫人么?"采秋想道:"你怎的叫我三夫人么?"瑶华也还一福。采秋便问道:"炼师何来?"道姑笑道:"贫道云游的人,脚跟无定,是从来处来。"一面说,一面招那女子,将如意接过,教向二人稽首,说道:"这妮子名唤春纤,却有些来历,是韦痴珠的人。听他说罢。"

于是二人还了春纤的拜,延道姑上座,就与春纤分坐,细问颠末。春纤便将答应谡如的话,述了一遍,又将宝山海边遇见谡如,也述与二人听,就说道:"我们从那一天起便来此地,就住在东门外玉华宫三年哩。"二人起敬一番,吩咐红豆传话厨房,备下斋筵。春纤笑道:"我师父是不吃烟火久了。我也不吃酒菜,逢着什么吃什么,便可数日。"瑶华道:"这真省事,所以秦皇、汉武都要求仙。"慧如笑道:"那是他呆想。他们富贵中人,要像我们服气做什么? 我与两位说个真话,生死者人之常事,就像那草木春荣秋落一般,成仙的尸解,成佛的坐化,总是一死。仙佛不死,何不日日骑鹤,日日跨狮,以与你们相见呢? 大抵人中有仙有佛,也似草中有个万年青,木中有个万年松。草木是得气之厚,仙佛是得气之精,这气原万古不坏的,但那气要培养得十分,愿力充足,非心长生才算仙佛。你们富贵中人,能做了孝子忠臣,义夫节妇,便也成了正果,便也做了仙佛。你不看痴珠一生郁郁,他却有他的精气团结,不是做了青心岛一个地仙么? 毋论痴珠,就是长安的娟娘,你们这里秋心院的秋痕,不也在那青心岛么? 我这来却也是宏个愿力。你们是晓得,金陵妖妇,法术利害,抗拒大兵。我把春纤送来了,一则与他一正果,一则助你们平妖灭贼,好享荣华。"

　　说毕,将那一枝如意递给采秋道:"这算是春纤赆敬罢。"采秋接过手来看,是个木的,却光润如红玉一般。这道姑又向袖中检出锦册,递给瑶华道:"这算是贫道传授你的。"瑶华接过手看,锦册中间篆书《缥缈宫秘录》五字,展开与采秋同看,见是云离五色绫写蝌蚪录文,幸是旁有真书释文。才待细阅,忽听春纤笑道:"师父走了。"二人转身,只见轻云冉冉,拥着老道姑,已在半天,向二人合掌道:"后会有期。"二人不知不觉的自会稽首下去。春纤挽起二人,说道:"师父为着我留滞此地,今遨游海上去了。"

　　自此春纤就也住在寒云楼,指教采秋、瑶华篆书中符录,练习起来。红卿是个多病的人,不善烦劳,略略解得,就丢开了。采秋高兴,募了大同健妇三千人,春纤接了掌珠、宝书,一同传授符录兵法。把轩轩草堂做个演武堂,把小蓬瀛做个昆明池,演习水战。把采秋署个"缥缈宫真妃",瑶华等皆署个"待史"。此时捐例大开,钱同秀做了太原守,胡孝做了阳曲县,竟把柳巷这些事禀到节度衙门,说是潜谋不轨。曹节度查明大笑,密折陈请,赏给杜梦仙女提督职衔,柳春纤、薛瑶华女总兵职衔,北所募健妇,前往金陵平贼。奉旨准了。

　　恰好荷生正自津门班师,奉旨洪海记名提督,颜超补授江北提督,林勇补授江南提督,韩彝着予太子少傅衔,实授建威将军,赏假半年,仍带帅印上方剑,督北颜超、林勇、洪海、女提督杜梦仙等,经略东南。此旨一下,那太原守、阳曲县,俱是参革,不待言了。这里荷生、采秋、红卿,英雄气概,儿女情肠,靡相见以蓬飞,亦有敦之瓜苦,我员聊乐,既见则降,就是紫沧、瑶华、青萍、红豆,

也是久旱逢甘，融融泄泄。做书的人，也只得叙个大概而已。此时卓然见宝书精熟符录兵法，就认他做个干女，掌珠就也拜果斋做个干父。

到了出师这一日，大家意气飞扬，只采秋远别父母，依依难释，红卿重离夫婿，踽踽旋归，转觉兴会之中，也成寂寞。

再说妖妇萧三娘魅了包起、如心，两人迷却真性，夜夜在他帐中轮班直宿，不上三个月，便似枯柴，就也放回。累得柳青、胭脂百计延医。还是逢个国手，医了一年，才把两人还个旧样。只可怜那两浙佳子弟，三吴美少年，给这妖妇害了无数。还可笑者，所有掳去大小官吏，他竟不杀，只教他经管马桶虎子及一切厕筹等事。那淮南北江左右官军，被那妖妇驾云踏水，叫住就住，放行就行，伺似线抽傀儡一般，你道可笑不可笑呢。

这年癸亥，妖妇又将战船千余艘，就桃叶渡结个小寨，名为虚牝阵；有人入阵，将两翼皮筏一包，又名含元阵；有人破到阵心，将阵腹战舰分开一穴，又为洞天阵。凭你英雄好汉，总要全军覆没。喜是荷生大兵从上游万艘并下，两个女总兵挂了先锋印，颜、林二将做了左右翼。荷生主掌陆路旗鼓。采秋自将水师。紫沧坐镇楚南，会同剑秋、小岑、仲池、小林筹办军饷，包起、黄如心轮流转运。爱山等仍掌文案。三月间，女先锋破芜湖、无为、东西梁山、太平关，收复了江宁各属邑，大旗真达江宁，连营青溪、劳劳山一带。采秋就领女先锋来破水寨虚牝阵。

原来这阵，要先破左右两翼，左翼是个铜墙，右翼是个铁壁。当下春纤领一千健妇，鼓桌杀入铜墙；瑶华领一千健妇，鼓桌杀入铁壁。采秋领一千健妇，分乘大战舰三支，直攻阵心。那铜墙铁壁的皮筏，早被两个健妇捣个稀烂，包不过来。春纤、瑶华已会在阵心，偕采秋摩荡阵腹小穴，穴内一股一股热气香气，逢逢冲出，却没有一艇出来挡拒。只那热气香气透人脑，沁人脾，注入丹田，令人手足软将起来。幸喜他们都有符录藏在髻中，还撑得住这些妖气。一会，小穴觉得渐大起来，里边唱起《蝶恋花》小调，呖呖百啭，实实可听。采秋传令，大家高唱《破阵乐》。那小穴便洞开了，却是个小瓜皮艇子，并无一人，只供三轴女菩萨：一为罗刹，一为摩登，一为天女，并是裸体。采秋、春纤、瑶华登上小瓜皮，人一扯碎一轴，阵后贼舰四散。我军内外欢声震天地，女兵乘胜

收复了九伏洲,歌凯回营。

这妖妇见破了阵,就向雨花台筑起一坛,要与女提督斗法。递封战书。荷生、采秋一笑,也就长干寺故扯筑起一坛,与雨花台的坛相对。这日颜、林二将将水师左右翼,远远的结成阵势。采秋仿春疑、瑶华顶胃亮甲,将健妇三千排列坛下,建起"缥缈宫真妃"大旗。采秋内衣软甲,外戴顶观音兜,穿件竹叶对襟道袍,手执如意。掌珠捧剑,宝书提刀。擂鼓三通,红豆、香雪领着健婢二十人,一色箭袄,手挟强弓硬弩,簇拥采秋登坛。

只见那边妖妇妖尼,笑吟吟地将拂子东摇西摆。采秋坐下,掌珠、宝书侍立左右,万籁无声。采秋向妖妇举起如意,说道:"请了!"妖妇也举拂子相笑。采秋道:"闻你法力高强,试展手段给本帅看罢!"妖妇笑道:"元帅!汝坛下两妮子,昨日破了我阵,我只教他归结了罢。"采秋道:"如何归结? 唯命是听!"只见妖妇口里念念有词,将拂子向坛下一指,喝声:"疾!"悍贼数百涌出,要捉春纤、瑶华二人。二人屹然不动,将枪一举,也喝声:"疾!"那悍贼便望风倒地了。妖妇失色,口里念念有词,只见一阵风起,空中无数虎豹犀象,展牙舞爪而来,水中无数鼋鼍蛟龙,摆尾摇头而至。采秋将木如意一挥,那鼋鼍蛟龙,一起向贼船扑去,那虎豹犀象,便一起向妖妇坛上扑来。妖妇妖尼腾身一耸,急上云端。采秋将如意付给红豆,把弓接过,不慌不忙,扣上狼牙箭,一连三箭,云里早落下两个妖尼来。春纤、瑶华一人活捉一人。瑶华笑道:"这两个怪东西,我五年前就晓得他有今日。"

此时水陆官军,贼众,不知有几多人,都出来看两下斗法。这恶兽从坛前扑到坛后,数十万悍贼壁垒帐房,一起踏倒,蹂躏了无数人马;就是贼船,也为孽虫冲作数队。两个奔突起来,好似天倾地塌,海倒河倾。水陆官军喜跃,尽力鼓噪。陆兵纵马,水师鼓槌,也如急浪怒涛,乘着风猛雨骤,不费分毫之力,将雨花台克复,扎起营来。那恶兽孽虫,却无影无踪了。

采秋下坛,荷生迎入舟中,笑道:"我道是如何斗法,只消静坐片时,我也会斗了。"采秋也笑道:"我不是妖,又不是仙,实在无法,只好如此胡弄局,掩饰耳目,你莫先笑。"一会,推上两个妖尼。荷生略问数语,知

道做了无数淫孽，传令磔死，枭首示众。

当下官军拨了雨花台，乘胜复了钟山石垒，金陵唾手可行。荷生得意之至，就在采秋雨花台帐中，高开夜宴。香雪、秋英弹起琵琶三弦，唱些小曲。采秋道："妇人在军中，兵气恐不扬。你想这样取乐，是个大将军举动么？"荷生笑道："偶一为之。"正举大杯要采秋喝干，只见四面灯光忽然碧澄澄绿阴阴的，腥风起处，一女子赤身浴血，将一领衣衫向两个头上蒙来。空中嗖的一声，女鬼就不见了。鼻中觉得腥臊得很，耳边隐隐听得说道："你们须认得我是朱九妹！"吓得四个人只是发噤，红喜、香雪缩做一团。采秋、荷生将衣衫挣开，是件污湿湿的血衣。此时灯光复亮，瞧地下有两片雪白的刀。荷生道："怎的有这怪事？"采秋道："是有人暗害我们，那女鬼不是出来救护么？"正待说下，忽四边人声汹汹，万马齐奔，又像白天斗法时欢呶。两人出帐，青萍回道："台下江水忽涌起十余丈，漂没数营，柳总兵奔出，将剑一挥，水便退了。现在薛总兵查点人马，安插去了。"说得荷生、采秋愕然，都说道："祸是今日捉不了妖妇。"正待入帐，四边人声又汹汹起来，说是"一片山峰盘旋天降，要向中军打落，是柳总兵驾云，挥往钟山去了。"荷生烦恼，携着采秋说道："这般怎好？我同你性命只在顷刻。咳！不值哩！"采秋笑道："不要怕，凭他天翻地覆，我同你还是金身不坏。譬如该死，此刻已是个刀头之鬼哩。"荷生正要回答，瞥见春纤站在跟前说道："妖妇压死了，原来是萧湘东爱的一个大锦鸡。他中了箭，闪入钟山，又做起法来，想要报仇，我将山石打回，就把他压死了。明日叫人抬来看罢。"于是，大家安心。

看官，你道这朱九妹是何人呢？九妹，楚北人，年二十岁，有国色之目，能诗能文。前十年为贼掳来，依个女百长。百长怜爱他聪明伶俐，凡贼挑选识字民女，充个女簿书，把他隐匿不报。后来萧三娘挟了两个妖尼，挑选有姿色的妇女，百长隐匿不住。九妹见是选去为尼，也自甘心，便与同伴姓傅的，名唤善祥，一起出来。云栖得了善祥，月印得了九妹。适逢月印这半月是个男身，欢喜极了，携到桃叶渡船中，就要开荤。不想九妹心如铁石，凭他刀割火烧，总不依从。幸是月印意中人多了，将九妹赤身锁在后舱，恰好舱中有把尖刀，到了半夜，九妹便自勒死。月印将尸弃在雨花台下，不准人埋。这夜显灵，救了荷生、采秋性命。

花月痕

虽是二人数该有人救护，终算是九妹功劳。荷生后来查出履历，就替他请旌，又建个祠在雨花台下，题曰"朱贞女祠"。后人有传其《贼中哀难妇》诗云：

晨光隐红上檐端，绛帻鸡人促晓餐。顾影自怜风侧侧，回头应惜步珊珊。虾蟆堆上听新法，蟋蟀堂前忆旧欢。明日鸿沟还有约，大家努力莫偷安。

看官听说，贼以杀戮为事，其荼毒之惨，衣冠涂炭，固不待言，那妇女尤其荼毒。起先男入男馆，女入女馆。相传江宁城中，有一妇背负婴儿，被驱入馆，这妇人迟回不行，贼骂，妇也回骂，将刀砍倒，儿压肩下，呼娘不绝，呱呱乱啼，惨不惨呢？又有一妇，怀绷数月孩儿，走到街上，忽袖出一剪，将欲自刺，后以泪眼熟视抱中儿，遂大哭，掷剪地上，仍向前走，惨不惨呢？六逆妻妾，唤做王娘，黄绢盖头，骑马跣足，这全是粤西西峒村媪。故为伪令，妇女不准裹足，违者斩首。已缠之足，忽去束练，怎样走得动呢？而且叫这女人挑砖，背盐，浚濠，削竹签，开煤炭。相传有美妇背盐行烈日中，汗卤交流，肩背无皮，如着红衫一般，惨不惨呢？后来六逆相屠，男馆女馆之禁既开，五妖为虐，男色女色之风尤炽。妖尼部下，有受污的女子，仇恨不堪，尼令绣帽，这女子就把污秽的东西来作帽衬，冀得压制妖法，同伴挟嫌出首，尼怒，令点天灯。你道天灯怎样呢？将帛裹四体，渍油，绑于杆上点着，叫唤数日而死，惨不惨呢？正是：

人心有欲，制之为难。

涓涓横决，万丈狂澜。

欲知后事如何，且听下回分解。

第四十九回　舍金报母担粥赈饥　聚宝夺门借兵证果

话说这年甲子元旦癸卯,逆计岁一百八十三元,周而复始,为上元甲子。荷生大兵,原是颜、林部的八千,紫沧子弟兵二千,后来又调了淮南北陆师四千,水师四千。这年正月,紫沧、包起、黄如心又带来湖南北精锐三千,连战皆捷。紫沧夺了

江东桥,包起、如心夺了七瓮桥,连营江宁东门外。二月,卓然以所部克复镇江、常州诸郡县,直薄浒墅关。果斋以所部从广德、祁门一带复金、衢、严,直薄钱塘江口。金陵孤立,淮南北胜兵星罗棋布。大同健妇,就如狼顾鹰疾,四下巡绰,颗粒茎草,无从入城。

伪王府供给,葱、韭、莱菔、白菜,价与黄金同称。始而米尽,继之以豆;嗣而豆尽,继之以曲;既而曲尽,继以熟地、薏米、黄精;复尽,继以牛、羊、猪、鸭;复尽,继以海参、鱼翅、枣、栗;复尽,继以苎根、草根,调糖蒸食;复尽,继以皮箱,水泡细切,调蜜煮糜。伪官贼众,奄然一息,肩摩于路,内外城饿殍,日以万计。有人捞得浮萍,煮成一盂,伪官抢夺,至相格杀。于是有食人的事。后人诗云:

上天降丧乱,兵饥仍存臻。遗民何所食?树皮与草根。
二者亦既尽,相率人食人。弱者强之肉,股膊味之珍。有子不
肯易,骨肉原一身。或云食人者,其睛圜且殷。杀人还遭杀,

利害仍相因。亦有良懦辈,忍饥丸泥吞。枉羸死尤易,未死罹烹燔。上苍胡不仁,驯致人食人!

后来扫荡伪王府,每府厨房扫出男人阳物、妇人阴户,约有十余担。大凡做人,无论是邪是正,总要有个纪纲,着点精神,才办得事。便是做贼,也要有贼的纪纲,有贼的精神。员逆自五逆相屠之后,便宠用了三个宝贝。一个蒙得天,凡搜掠良家子女,这个便先意筹划,始为伪指挥,继得大用。一个罗际隆,他把个妹进员逆为妃,又将自己妻妾也献与员逆奸宿,始为伪侍卫,继加伸后二字,做个侍卫头目,得役使众侍收。一个黄开元,系女旦出身,员逆嬖之,性极刻毒,贼用火铬火锥、剥皮抽肠、点天灯诸刑,就是这人开端,始为伪监督,继为伪天官丞相。这三个宝贝,贼党背后都唤他做三尸。未几又尊信了五妖。你道这个材料,做个鼠贼,还算不得一个好汉,那里能守城池呢?

更可笑者,员逆以算命拆字的穷民,起而为贼,借口扫除贪官污吏,救民水火,却奉个天主教,得一处城池,男的呼作兄弟,女的呼作姊妹,便将兄弟姊妹,男归男馆,女归女馆,养活起来。你想巨贼掳抢得几多米粒,能够供得这多人口眷?就使东南各道都占踞完了,这不顺人情,不顾全局,也怎样守得一日呢?至如贼的政令,是无天地宗庙社稷之祭,无父子君臣之教,无天时人事婚丧吉凶之道。其所改之年,则曰太平兴国,其所定昌时,则改丑为好,改卯为荣,改亥为开,以三百六十六日为一年。其所改之这,则国为国,华为花,火为亮,老为考。蜂衙蚁队,还算什么?当下饥民嗷嗷,员逆方将伪王府所蒸的苎根草根,将蔗浆蜂蜜调匀,炼成药丸一般,名为甘露疗饥丸,颁给伪官,令民间如法炮制。不想民间苎根啮完,草根掘尽,更从何处找出蔗浆蜂蜜呢?天下饥,何不食肉糜,自古是有此笑话。起先饥民尚是夜里偷自爬城出来,以后贼令不行,竟白日数十队吊城而出。

到得五月,员逆挨不得苦,服毒死了。伪王娘与伪丞相等,拥立伪太子弗田为王,便每日黎明,大开北门一次,放出饥民。于是城外饥民,如恒河沙般。荷生自三月起,增设粥厂百余座,抚恤难民,尚自痪死大半。

却说藕斋夫妇自与采秋别后,便染些寒疾,乍起乍倒,延及一年,竟

成老病。这年春间，贾氏过世了。采秋闻讣，自然大恸。这会荷生扎营钟山，采秋扎营聚宝门，相去约有十里路。因采秋有母之哀，荷生便进进匹马驰来。就是春纤、瑶华等，也时时往来慰问。只见一路粥厂，倒毙极多。又见那粥厂门前，饥民四集，每厂约有整万，人多路狭，推排积压，老弱困惫的，不得半碗入口，尽多跌倒，爬不起来。而且道路矢秽，人气熏蒸，远远的不堪入鼻。采秋听说，向荷生："我闻古人赈饥，合要使分。你说那担粥的法最好，我三年提督的俸银，留着何用？这会兵荒马乱，也不是斋僧侫绅时候，我便将这担粥的法，行一个月，借此作我娘的冥福。"语毕，珠泪双垂。

　　荷生忙道："好极。明天我就替你效劳罢。"采秋道："不忙。从来办赈最怕中饱，壮哉雀鼠，哀此独吞，我们不犯着吃这亏。你的权重事多，这琐屑也不合大将军斤斤计较，我专派红豆办此事罢。"春纤、瑶华也道："极是。"

　　于是聚宝门边，特设个熬粥所在。红豆管带二百健妇熬粥，四百个健妇担粥，四百个健妇押送。每厂担粥三担，专给那老弱困惫的人，每日就也照粥厂卯申两次开锅。以此采秋也时时单骑出来，或就在钟山营中宿歇。

　　一夕，钟山营中，天色靠晚，采秋来了。荷生正携入帐中，春纤提剑突入，采秋就要闪出，春纤举剑便砍。荷生惊慌无措，急行拦住。采秋竟变个白雌兔，窜出帐外。春纤一剑掷去，兔遂两断。弄得荷生迷迷惑惑，说道："怎的？怎的？"春纤笑道："你道是采姊妹么？这便是那妖婢灵素。我再叫你去看一枝箫。"便挈着荷生驾起云来。不转瞬已到聚宝门。遥见瑶华、掌珠、宝书，都拥着采秋在帐前，瞧个似兽非兽鲜血淋漓的东西。采秋一见荷生，便说道："不是春妹妹，我们又落了妖人的套。"春纤笑道："采姊姊，你要仔细，这也是个假的。"采秋笑道："是你带来，我只问你。"春纤笑道："便我也是个山魈。"指着地下东西道："再几日，你看我，不就是这样去么？"采秋笑道："你去那里？"春纤道："我从去处去。"荷生见他们说话，愈不明白，便向采秋道："到底怎说？"春纤笑道："这何难猜？你杀了采秋，采秋就也杀了你。"采秋向着荷生道："你不要听他捣鬼，我两人的命，都是他杀哩！"瑶华也笑道："这样看来，你两个

竟是个魂魄。"说得采秋、春纤和大家都笑了。

荷生愈急起来，红豆只得指着地下东西，从实告道："这是山魈，就是金陵的妖婢灵箫。他幻了老爷的形，来魅夫人，柳姑娘望见，把他杀了。柳姑娘晓得他还有一个叫什么灵素，是去老爷营中，便驾云寻老爷来，想是也杀了。"便向春纤问道："柳姑娘，到底也是这个模样不是？"春纤笑道："那个却俊。"瑶华因笑道："他假你夫人，怎的不俊？"荷生将靴尖向地下的山魈踢两踢道："就这般糟蹋我，教我铁室铁城，都防备不来。"吩咐抬去剥皮，号令起来。大家答应。随叫人到钟山营中，将那只白兔也剥皮，号令起来。因向采秋大家说道："这才了妖妇一宗公案，如今干净，真个多谢女镇军。"一面说，一面携着采秋就拜。慌得春纤还礼不迭，说道："折杀了！"

这夜又在采秋帐中开起高宴，延春纤高坐，瑶华、掌珠、宝书分陪。荷生领着采秋，斟了三盏酒，都要春纤喝干；又传一班女戏伺候，自己却归钟山去了。

这里点唱鲁智深出家，唱那《寄生草》一支。春纤喝了一盏酒，便微唱道："俺赤条条，来去无牵挂。"

一会，点唱嫦娥奔月，春纤笑向掌珠、宝书道："碧海青天夜夜心，自古女仙未能免此。兰香来无定处。绿华去未移时。想你二人禅絮沾泥，当不痕悔偷灵药。"掌珠、宝书微微一笑。瑶华笑道："这也未必。谢自然既要还家，昙阳子更多疑窦哩。"采秋也笑道："八骏往来穆满，七夕共坐刘彻，西王母不是个女仙领袖么？以我看来，嫦娥还是天上共姜。"瑶华道："嫦娥也算不得共姜，他霓裳羽衣，怎样也接了唐明皇？"采秋笑道："这般看来，天上神仙也和我们一样呢。"大家一笑。

春纤向瑶华说道："你说昙阳子，昙阳子原有一真一假。去年并州不有个假秋痕么？"瑶华道："这是他同乡姓顾的，弄出来笑话。你想，秋痕那样一个脾气，什么人假得？偏这姓顾的要借重他大名射利，没有三天，就给人道破了。哄传出来，倒害痴珠的跟人唤做什么秃头，寄圆的佃客叫做什么蠜太岁，淘气几天。这假秋痕，并州的饭就吃不上，这会不晓得跑到那里？"采秋笑道："不就在这里？我要认是秋痕，便是秋痕；荷生要认得痴珠，便是痴珠。你们不见今天，山魈也要假荷生，白兔也

要假采秋么?"说得大家大笑起来,就也散席了。

却说谡如、鹤仙经略南北。鹤仙是首办南稔,继办蜀寇,马步齐进。他在蒲东,又练个车战。恰好来剿南稔,数月之间,便已得手。倒是蜀寇费力,鞠蔓东西川,出没无定,又踞的石寨,都系丰草长林,山岩叠嶂,好容易扫除十股,又分出一股。谡如专办回匪苗匪,黔苗渠魁,不数月就也杀除干净。其余酋长,都受了约束,不敢为非作歹。回匪自滇南蔓及秦陇,以及关外,势大猖獗。谡如由黔入滇,驻扎曲靖,先将滇南回汉,分出是非曲直,做个榜文,布示各郡。然后用兵,复了昆明,以次剿抚,大兵直趋大理。鏖战一年,才把回首士文绣擒了。仿着武侯七擒七纵意思,请旨赦了文绣,赏给世袭总兵衔,镇守永北、开化二郡,提督回部。文绣于是率所部三千,先驱开道,自滇及秦,自秦及陇,以至关外,所有回众,无不洗心涤虑,黥面刻肌,誓与汉人和辑。

竣如入关,鹤仙也将蜀事告竣了,就约于长安会议善后机宜。这二人自我不见,于今三年,把前前后后公事私事,说个十日,还不得尽。此时鹤仙系居太原提督衙署,阿宝娶亲了,阿珍、靓儿也已长大。谡如只想娶个妾,以为娱老之计。不想无意之中,却说起一个亲事:是江南叶姓的女儿,避乱随母,依个胞叔,远宦长安,并无兄弟,年纪十八。经鹤仙说合,聘为继室。入门挈开盖帕,竟与李夫人面庞一毫无二,已自诧异;细细体认,连言谈举止,体态性情,都觉得一模一样,就把谡如狂喜极了。鹤仙自然也乐,说道:"这番回到太原,阿宝还认是他娘重生哩。"转盼之间,善后诸事也得手了。奉旨:"李乔松给予宫傅衔,并轻车都尉世袭。游长龄给予宫保衔,并骑都尉世袭。均赏假三个月,仍帅所部驰往金陵,会同韩彝商办东南军务。署宝山镇总兵危至俊,督办海边屯田,接济西北军饷,著有成绩,着予提督衔,补授宝山镇总兵。"

谡如得旨,就将原部四千人委一裨将管领,先赴金陵。鹤仙也将原部三千人,陆续遣往。谡如又檄宝山营,发兵三千助剿。

这会金陵大兵云集,水陆约有三万多人。荷生、采秋督率诸军,把金陵十二门日夜轮流环攻。这夜六月十五,包起、柳青领湖兵攻打西三门,如心、胭脂领淮兵攻打东三门,紫沧、瑶华领太原兵攻打北三门,春纤、掌珠、宝书领健妇三千及宝山精锐二千攻打南三门。

十六黎明，聚宝门陷一角，春纤跃入，健妇踵接。披发悍贼数千抢不撑拒，悉放鸟枪。掌珠、宝书也乘空而上，烟雾迷漫之中，前后不能相见，只听两边喊杀。三千健妇及宝山精锐二千，逢人乱截乱杀。一会，贼的火药尽了，天地开朗，披发贼死了无数，其余也有散的，也有自戕的，于是各门洞开。紫沧传令，不准乱杀。四队官军，招集一处，进趋内城。一路尽是难民，长跪道边，也有男的，也有女的，也有老的，也有少的。紫沧等驰入伪王府及各伪官衙署搜捕，也有吊死的，也有跳井跳池死的，也有吊不死跳不死给兵擒来的，也有就擒跑走的，也有跑走就擒的。纷纷扰扰，他他藉藉，闹到黄昏。大家只是不见春纤、掌珠、宝书三人，十分惊讶，瑶华尽在内城派人找寻。

先是午刻，大营委青萍入城，四下里分贴安民榜，忽见秦纤倒在秦淮河边，面色如土，只额角有血水涌出；随后又见掌珠、宝书死在一处，也是额角一伤。赶回报明，已是天黑了。荷生太息，采秋垂泪道："这是他们借兵尸解，不然，春妹妹是会驾云的，有什么枪火炮火跑不脱呢？"就令青萍厚备棺殓。是夕，紫沧等也晓得三人阵亡，瑶华连夜便奔出城看视，大哭一场，将尸移入就近伪署内停放。

紫沧大家派各路兵丁打扫街道，收拾伪王府正屋。次日黎明，荷生、采秋双双的按辔入城，先来秦淮河，看了春纤三人殡殓。采秋忆起前前后后的事，觉得春纤这回是专为保护他而来，就与瑶华哭得日色无光；荷生大家力劝一番，然后竖起大旗，排队升炮，双双换了八人抬的凉轿，万骑先后，蝶团蜂拥，入内城去了。后来卓然、果斋见说宝书、掌珠都已阵亡，掀髯叹息。瑶华也对人说道："我一生没有掉过眼泪，五年前为痴珠、秋痕，却伤心了数

次,这会又为春纤三人哭了一日一夜,其实他们都是脱屣红尘去了。"正是:

> 沐日浴月,妖氛尽豁。
> 脱屣人间,天高地阔。

欲知后事如何,且听下回分解。

第五十回　一枝画戟破越沼吴
　　　　　八面威风江不镇海

　　话说谡如、鹤仙得假三个月，谡如将眷口携到并州，与阿宝们相聚，一时悲喜交集，不用说了。次日，便同鹤仙、阿宝到了玉华宫李夫人灵前一哭，就也到痴珠坟前洒泪一拜。转盼假满，已是六月。荷生是十七进了金陵城，十八谡如、鹤仙也到，荷生大喜，把伪东府扫除，与二人驻扎。这二人与荷生八载分襟，一朝捧裾，伤秋华之宿草，喜春镜之罗花，真个说不了别后心事。谡如又以迟到一旬，不及见春纤为憾，便往秦淮河停灵之所，剑奠一番。

　　一日，大家谈起吴越用兵，谡如道："东南地执，旷原的马队、良笏兵，都用不着，还是我宝山镇兵及湖淮兵得力。"因向荷生道："你的才大如海，怎么平了十年巨寇，复了千里名都，竟不草个露布，耸人听闻哩？"荷生道："这算什么巨寇？此数十年中，士人终日咿唔章句，就是功名显达之人，也是研精欧、赵书法，以博声誉，济之以脂韦之习，苞苴之谋，韬略经济偶有谈及，群相哗笑，以为不经。吏治营规，一切废弛，徒剥民脂膏，侈以自奉。坐此国势如飘风，人心如骇浪，事且岌岌。可笑当事的人，尚复唯唯诺诺，粉饰升平，袖手作壁上观。间有名公巨卿，气魄资望卓越寻常，奈处升卿之错节，才识不及，学渤海之乱绳，德量无闻。是以大局愈烂，这釜底游魂，因得多延岁月。对村婆而自絮生平，获小窃而大书露布，我不怕别人，我只怕痴珠在那青心岛会拊掌大笑哩。"说得谡如也笑起来。荷生因说道："自此以往，司牧之官，必能扫除一切苟政，猾吏奸胥，悉设个法钳制之，使无舞弊。慢慢的采风问俗，去害马以安驯良，泯雀角鼠牙之衅，绝狼吞虎噬之端，不惊不扰，民得宽然。各尽地力，学你宝山开垦的工夫，与这些人课勤警惰，讲信修睦，有教有养，使天下元气完复，不枉我们劳碌这七八年才好呢。"谡如道："这真忠言至计，中兴硕辅之言。"荷生笑道："我算什么！明相国不动声色，却出斯民于火热水深，措天下于泰山磐石；韦痴珠不绾半缓，却相时度势，建策于

颠沛流离,硕画老谋,寄意于文章诗酒,这才算个人哩。"

　　谡如叹一口气道:"不是你这阔大的胸襟,也不和盘托出。我们不是相国,那里能如此发挥?不是痴珠,那里便有此成算?只相国以人事君,自然誉流竹帛,绩纪太常。痴珠一生屈抑,我们侥幸会合风云,也该特摺阐扬,或请予谥,或请专祠,使天下后世有这个人才好。"荷生笑道:"这却不必。以柳下惠之贤,而谥以一惠,出自其妻;以曾南丰之地望,而一瓣之香,竞传师道。可见人世荣华,举不足为我痴珠增重。异日有心人,总能发潜德之幽光,底事我们阐扬,转成门户之见。你不看杜少陵,历数百年而忽谥文贞,苏东坡不得冷猎蹄,而明官至今尚为做生日么?是非之心,人皆有之,不烦我们为痴珠早计哩。"谡如拊掌道:"古人相见,开口便有到心语,你今日议论,语语沁入我心。"正待说下,紫沧带个女子进来,说道:"这女子姓傅,名唤善祥,是个女簿书。据说洪逆就埋在府里空地,那时入坎,掘得极深,甚是秘密。"荷生听说,传令开了后宰门,派五百名人夫,前往发掘。接着包起回说:"搜捕遗孽,佛田渺无下落,却擒了著名几个贼目。"于是荷生邀着谡如,一同升帐,问供去了。

　　再说荣合、荣法部下,却有两人伪将,一名翁岂阳,一名吕寿臣,武艺也不在颜、林之下。荣法、荣合百事糊涂,却晓得收买两将的心,以为护卫。起先灵箫、灵素主持号令,人人都受这妖婢磨折,只有两将,他却不敢一毫凌侮。后来妖婢听见妖妇兵败,赶赴金陵,这里号便旭在两人。这会一个紧守浒墅,一个紧守钱塘,环营三沟,撑拒颜、林,倒也是将逢敌手。此数日,果斋正与岂阳约定,两边不用炮火,不用队伍,只单骑对战,输的退兵。战了两日,不分胜负。这日,又是两下酣战,都脱了鏊甲,去了兵器,下马较起拳来。两边士卒,看到入神。不想包起、黄如心二人,奉了荷生将令,带了四千湖兵,前来助战,恰恰到了。两人私议:将金陵贼衣,悉令湖兵二千穿了。如收赚个贼的令箭,往赚钱塘城池,包起却赶来助战。到了贼垒,擂鼓摇旗,自后面逾沟扑入。

　　当下贼众忽见营后人马破空而来,岂阳只得放松果斋,大骂道:"捉狭鬼,不是英雄,算我上你当罢。"上马走了。其实,这支兵来路,果斋也自茫然。岂阳正驰回冲杀,将包起的兵团团围住,城贼无数奔出,说是官军挂起金陵旗号,赚开城池,擒了三大王。岂阳及贼众,心都慌了。

一会，果斋也到，与包起两边夹攻，一枝画戟，东驰西突，所向披靡，力将江口以及城隍山贼营百余座，尽数踏平了。岂阳落荒而走。果斋与包起入城，将擒来伪越荣合打入囚笼，解往金陵，其余贼众，一起准予投降。住了一日，乘胜领兵，杀上塘西，收复嘉兴去了。包起、如心俟着浙东西两个节度到了，就也驰来。果斋早已是只戟单盾，冒矢复了姑苏，擒了伪吴荣法。于是合兵一处，全同卓然，来攻浒墅关。三日破了。两人用计，射倒了岂阳、寿臣。忽报大将军、女提督带健妇五百人过江，现在驻扎常州。包起、如心就将荣合解往常州营前。卓然仍扎浒墅关，伺候大将军。果斋便带兵扫荡吴越诸郡县残匪。

看官，你道荷生怎的过江呢？他是富川人，想借此游历江南一番风景。不想到了扬州，遥见那灌莽栖乎薨栋，平沙抗乎睥睨，烟火无墟，四望靡际，与采秋低徊凭吊，因说道："昔日繁华鼎盛之处，今皆成瓦砾场矣。"次日过江，风静波平，也自欣然。望见金焦一片邱垤，赤云峥嵘，兔葵燕麦，倍受骄阳。因想起遭时不祥，见此芜乱，回首故乡，数遭兵燹，烂柯山畔，家竟何如，梦草池边，同声浩叹，于是浩然有归与的意思。

又想道："虎豹居在深山，人人闻声便自惴惴，以游五都之市，贩夫孺子皆得持着瓦砾，哗然相逐。麟出大野，足折商锄，龙入鱼群，豫且见困。而况炎炎者灭，隆重者绝，高明鬼瞰，自古为然。我断不可宠利居或哩。"这日，到了常州，晓得果斋业经破越沼吴，惟好荣合解到，问过口供，传令磔死枭首，会同金陵洪逆戮尸的首级及荣法首级，传示各道滋事地方。就想道："自来贼平，遣散兵勇最是费手。我幸驰逐七年，不曾募得一勇，只大同健妇三千，都是有夫之妇，且有室女，不怕滋事。外此，颜林所部四千，是并州额兵，淮南北陆师水师湖南北精锐，亦是平定后新设额兵。至如谡如带的是宝山屯兵，紫沧带的是冯姓子弟兵，更无可虑。最可笑者，以前用，呸于各道额兵练出转向市井中募来，既糜国帑，又滋弊端。我如今只作个书，嘱稷如陆续奏撤，便无甚事。"

次日，到了浒墅关，接见卓然，即令撤回部兵一千，留一千协同果斋搜捕余匪。于是放舟于三万六千顷之太湖，挹取其风雨波涛出没之理趣；舆轿于三十六峰之天台，七十七峰之雁荡，开豁其金戈铁马扰攘之烟尘。凡郡县供给，一起拒绝。水向荒墟停泊，陆抄小路来往。

到得八月，驻扎杭州。卓然、果斋都来檄令。便与采秋游了一日西湖。秃树支离，寒波渺漠，荒草低天，丛芦冷岸，满野阴云浊潦中颓墙废垣，残毁驳裂，野店无烟，远峰数点。兵火后光景，翰可叹息，账然而返。觉得一路秋风衰

柳，门巷无人，昏雾归鸦，荻花众唯中。荷生既苦唤奈何，采秋亦心惊老大。将到行营，遥见无数倭人，刀如霜白，枪似林苍，又觉陡然。青萍接着回道："倭人解来金陵遗孽冯弗田，前来请令。"荷生神定，轿子软步如飞，倭目数十辈，亮甲挂刀，一字儿跪拉。荷生轿中点首示意。辕门下营官扶入，传令升帐。于是卓然、果斋招呼整队，杭城大小官员也来站班。帅旗一展，升炮三声，荷生衣冠升帐，中军传呼，倭目一人进见。倭目报门，巡捕官领跪阶下。

荷生问道："哈巴里就是你么？"哈巴里答应了。荷生道："你们从何处擒来冯弗田？"哈巴里道："元帅克复金陵，弗田随着伪王娘马氏、伪丞相邓际盛、又伪官等数十人，窜上清凉山洞。洞里原有储偫，经历两个月，食也尽了，将金宝航海，投奔香山，恳求我们带他回国，保全这数十条性命。我们窃念元帅号令威严，小国新受皇上天恩，不敢护庇叛孽，计诱登岛，悉数擒获，押解前来。探得元帅行营，特由粤洋驶着轮船，清晨到了，就来辕门伺候。"荷生欣然道："你等恭顺可嘉，静待本帅奏闻奖赏罢。"哈巴里磕头称谢。就吩咐杭守，延入行馆，优待去了。此时天已靠晚，自辕门以至帐中，灯张百合，炬列万行，火焰中刀矛林立，各将领明盔亮甲，奕奕有光，将那分明别队五色的战袄、五色的旗帜，愈显得对对分门。荷生高坐帐中，披件团龙黄绫马褂，帐里旁列捧剑捧令两侍儿，如花似玉，帐前雁翅般武巡捕数十人，俱是鱼鳞文战袍，团花马褂，

一呼百跪，一诺千声，真显得大将军威重如山。当下哈巴里随着杭守，逡巡而出。上面接叠连声传呼："抓进冯弗田！"下面答应如雷鸣一般，将冯弗田跪在当面。荷生问道："你是冯弗田么？"这孩子已荒得说不出话，一响才应道："是。"以后问他，都不能答应。还是推上伪王娘和那伪丞相，才一一画了招词。荷生吩咐："打上囚笼。"只听得高唱掩门，早炮响鼓鸣，荷生进去了。

次日传令，卓然、果斋带了囚笼先行。第二日，荷生与采秋起马。这回却走了官站，各道节度迎送供帐，交错道路，这不用说。荷生登舟，却一天走不了三五十里路，慢慢的召见爷老，抚循难民，给发赏酬。采秋也逐处见有妇孺，便召来询问一番，与些银裸子，老赢的人，更加厚遗。以此十里一泊，五里一停，自八月十五杭州起马，直至十月初一才到金陵。恰好钦使韦小珠也到了。

你道小珠怎充钦使呢？小珠自十七岁入学后，便奉讳了。为是江南道弗，老夫人就不准他出门，只作书谢了谡如。后来谡如经略西北，小珠却力学五年，壬戌登了乡榜第三名，航海会试，又高高中了第十名进士，朝考一等第二，殿试一甲第三。谡如、荷生时常均有音问往来，早为痴珠欣慰。本年各道乡试，小珠得了陕西试差。此番进京复命，奉旨前往江东，册封诸将，酬劳大军，抚恤难民。荷生、谡如大喜，差员远接，凡供给护卫，大家晓得是痴珠儿子，个个尽心。舟次石头，荷生、谡如带领文武各官，排队奉迎。请过圣安，与小珠见面，真有虎贲重逢，苏瑰有子之感，不觉睫泪盈盈。小珠更觉衔哀欲涕，奈系公座，不便私谈。进入行馆，荷生、谡如便与小珠执手一恸。是夜三人开宴，招及鹤仙，款款情话，更深才散。次日黎明读诏，大家俯伏坛下，只听念道：

奉天承运皇帝诏曰：维金陵之小丑，敢黑子之负隅，抗颜行者十一年，延腹疾于十三道。怨深卧庶，愤结鬼神，自外生成，久留苞蘖。往者游氛不戒，大帅无功，爰撤儿戏之兵，特拔忠荩之彦。雷符星斗，光颜自有旌旗；文画葩瓜，贺齐列成干橹。结李摩云之垒，成算在胸；焚卢明月之屯，奇兵拔帜。如太阳之沃雪，所过皆销；譬大旱之望云，崇朝而雨。于是功成扫穴，捷奏甘泉，当南风解愠于薰琴，正秋露垂珠于盾墨。陈

牲告庙,慰列祖在天之灵;晋册承欢,加慈母深宫之膳。无可宽者元恶,伫送槛车;有必报者丰功,远稽彝典。敬奉两宫懿训,式颁五等崇封。於乎?臣为主生,功因将立。伐吴定策,惟羊祜无愧张华;平蔡刊碑,在昌黎何私裴度。金钗阿杜,艳贵妾于盘龙;铁戟崔家,施郎君之行马。赏荣于室,荫远其门。溯不获已而用兵,天其临汝;有非常功而介赉,礼亦宜之。钦此。

读毕谢恩。大小延小珠行礼,小珠俱以父执相见。此时明相晋了公爵,荷生封侯,谡如、鹤仙封伯,卓然等俱得爵有差。采秋、瑶华均受一品夫人封典,赏食提督总兵全俸。柳青、胭脂也得二品封。春纤赐号卢慧仙妃,建祠钟山,以掌珠、宝书从祀。小岑携了丹翠,剑秋携了曼云,都到金陵,与采秋、瑶华相聚。大营调着安徽男班、姑苏女班各十部,演戏高宴三日。自大将军以至走卒,无不雀忭。小珠传旨,犒劳胜兵,每名十两,抚恤难民,每名三两,大抵在二百万以上。

过了数日,荷生进京献俘,小珠进京复命。谡如大家,或回原任,或赴新任,都分手了。当下并州余翙,擢了江左节度,也是故人,延个大著作撰起平定金陵碑文,将上石了,荷生取阅,笑向谡如道:"韦痴珠已死,谁能挥斥丰碑与你纪勋呢。"临行,自作六个大字付给谡如,说道:"只此六字,抵得铺张扬厉一千余言,就那块石镌上,做个亭子盖覆罢。"大家看是"靖江镇海之碑"六字。正是:

　　一片燕然石,词芜义不尊。

　　西京遗响寂,风雨忆文园。

欲知后事如何,且听下回分解。

第五十一回　无人无我一衲西归
是色是空双棺南下

话说荷生班师，与小珠一路同行，极其款洽，就是采秋，也自十分敬礼。荷生到京，皇上御门，大赦天下，行效劳礼，行受俘礼，召见七次，谕令入阁办事。荷生面求赏假一年，归省坟墓，就也准了。此时幕僚如爱山、翊甫、雨农辈，各得了官，或留京或留江左。小珠缘散馆在即，不得同行。

荷生只带采秋与青萍，别了小珠，及到太原，恰是乙丑端节。红卿喜出望外。这夜寨云楼排上高宴，寄园里灯彩辉煌，钗髻杂沓，就如蓬莱仙岛一般，也不用说了。接着鹤仙回任太原，谡如、紫沧假归。这几家银鞍骏马，绣伞锦衣，奕奕往来，真个楞严聚十种之仙，车骑咽宣阳之里。荷生却深居简出，只访了心印，略询别后起居，便袖出一束，说道："戎马风涛，此事遂废，但宿愿十年，扪心负负，遂不敢不自献其丑，上人瞧罢。"心印接过，展开朗诵道：

　　并门韦公祠碑记

　　呜呼！天下之人伙矣，委琐龌龊，鲜不足道。有豪杰者出，天辄抑之，使之不得正是非，核名实，以行其志于天下，卒抑郁祭而置之死，是可哀了。虽然，哀莫大于心死。彼其心光方聚于天为星辰，散于地为珠玉。呜呼！余死友东越韦公莹，字痴珠，弱冠登贤书，值时多故，每读朝廷忧民之诏、选将之书，辄咨嗟累月，愤不欲食。会酒酣耳热，则尽其足之所素经，口之所欲言，倾囊倒箧而出之。尝慨然曰："国家版图寥阔，譬诸上农大贾之家，食指累累，安坐而食，而货财之所由生，耕稼之所由事，主人翁并不颐指而使之，田连阡陌，钱叠邱山，宁有济乎？"又谓："贤才国家之宝，以鹰犬奴隶往之，将遁世名高；况令其卑躬屈节，启口以求一荐达？是不肖鄙夫之所为，而谓贤者为之乎！"迄今诵其言，犹觉须眉间勃勃有生气焉。丁巳，

公游并门,年四十矣。鹓书刘梧仙者,侍酒座,倾心事之。明年戊午立秋日,公死,梧仙遂殉。佛说因缘,此殆有因有缘乎?或曰:"太原竹竿岭,有夫妻庙,相传有夫妇推车至此,力尽而毙,虎守其尸,里人异之,祠为山神。请以此例祠公。"余曰:"名不正,则言不顺。"或曰:"浙西湖有双烈祠。故老言京师少年崔升,偕妻陈氏至杭州,投亲不遇,饥不得食,一绳并命。钱塘令为葬万松岭侧,有驱虎逐疫诸灵迹,里人以其功德在民,祠之。请以此例祠公。"余曰:"此匹夫匹妇之为谅,不足以况公。"或曰;"公之游山右也,宿草凉驿,梦入双鸳祠。然则援夫妻庙、双烈祠以祀公,犹梦也夫!'"余曰:"有是哉,妖梦是践。"或曰:"苏文忠侍妾朝云,从公谪惠州,死,公葬之栖禅塔下。今丰湖苏公祠,有朝云像,是可仿以祠公。"余曰:"诺哉。"余与公订交并门,始终与梧仙同。梧仙能以身殉,余请以柳巷寄园为公祠,侍梧仙于其则,题曰韦公祠,是则余殉公之义也。呜呼!公不死矣。时岁次乙丑,秋八月上浣,富川韩佽撰文,雁门杜梦仙书丹。

诵毕,又覆阅一过,说道:"大人高词磊落,痴珠真个不死。贫僧既受大人付托,便俟此文上石,算做功行圆满罢。"荷生就订明日,偕到竹竿岭坟上一别,心印也答应了。

次日,荷生仍来汾神庙,与心印共坐一车,一瓣心香,数行情泪,因吟锦秋墩旧作,向心印道:"痴珠赏识我,就是这首诗。"心印道:"这不就是'寂寞独怜冢在'么?"两人黯然一会。荷生说道:"痴珠虽死,却有个好儿子出来,不日就到,这也算得寂寞中热闹。我却怎好哩?百年以后,不是个'寂寞荒冢'么!"心印笑道:"儿孙自是儿孙的事,大人晚子罢了。"说毕,随取出一个锦袱,包件东西,递给荷生道:"大人检点,自然明白。"遂骑驴而去。

看官,你道他给荷生啥东西?原来就是九龙佩。痴珠临终时,就赠给心印,后来询知这佩来历,这会交还荷生。荷生回来搴云楼检开,中附一笺,写有一词,便与红卿、采秋同看。词云:

愁从想处归,爱向缘边起。色相空空,何处寻蒙翳?人生

过隙驹，苦守着断雨零风不自知。还只道秦关百二是千年业，那里有不散的华筵，不了的棋？

看毕，三人感叹。荷生就将九龙佩交还红卿，道："十五年前，你与我灞桥分手，解佩赠我，我后来就给了秋痕。不想秋痕却倾身事了痴珠，将这佩赠给他，如今又还在我两人手里。可见天下事一动不如一静。"

红卿道："痴珠由川再至长安，我就没见，说是住了一夜，匆匆去了，却原来有这里一段因果。我那年来时，长安很有人托我购他诗文集哩。"荷生道："你不说，我却忘了。这板后来当交心印留在祠内，我们印出数百部带去罢。"采秋道："小珠说是散馆后便来，怎的又延阁一个月哩？"荷生道："怕是又有什么差使。"当下三人说些闲话，也与红卿说那蕴空一签一偈的灵异，就各自安寝。荷生与采秋并枕，却梦见痴珠做了大将军，秋痕护印，督兵二十万，申讨回疆。荷生觉得自己是替他掌文案，谡如、卓然、果斋等人都做他偏裨，春纤、掌珠、宝书也做先锋。正看着皇上亲行拜将推毂等礼，何等热闹，却给大炮震醒。搓开睡眼，天已亮了，是曹节度衙门亮炮。历将梦境记忆，说与采秋听。采秋却也是一样的梦，这也算奇。

此时藕斋也死了，采秋亲送父母灵柩，回转雁门。荷生便把愉园收整，做个柳贞慧仙妃祠，附祀掌珠、宝书。忽得小珠都中来书，说是病了。荷生虽为关怀，却急于言归，遂令老苍头贾忠及穆升等，将衣装装骡三千余口，带着二百名精兵，先行押解回家。自己俟着采秋雁门转身，便领红卿带一百名健妇，也自东归。到家，拜摺谢恩，就告了病，吁请开缺。构一座园亭，比寄园小些，却有愉园三四倍大，也有一楼，恍佛

柳巷,就也唤做春镜楼,与采秋居住。隔院是个薜荔仙馆,便给红卿居住。红卿、采秋敬事正夫人柳氏,极其相得。荷生低回往事,追忆旧梦,恍惚如烟,迷离似梦,编出十二出传奇,名为《花月痕》。第二出是个《菊宴》,赶着重阳节,令家伶开场演唱。

这并州寄园,荷生托谡如改做韦公祠,不数日就也竣工。心印早将碑文上石,竖在轩轩草堂右庑。这日谡如迎主入祠,是夜心印沐浴更衣,召集徒子徒孙,念个偈道:

　　人相我相,一切俱无。是大解脱,是古真如。

　　安身一榻,代步一驴。驴归造化,榻赠吾徒。

便坐化了。次日,心印那匹黑驴竟自倒闭。

再说小珠晋京复命,接着春闱,又得房差,闱后散馆,得授编修,便陈情乞假。皇上特恩给与封典,驰驿奉枢回南,赏假一年,择婚完娶。小珠谢恩回寓,却病了两个月,以此挨至九月,才素服匍匐入晋。秃头迎上,小珠一见秃头,便自恸哭。秃头叩头下去,就也哭出声来。小珠含哀扶起,抚慰一番,问起竹竿岭邱垄,两人又自大哭。是日进城,就在汾神庙西院卸装。心印已是坐化了。次日清晨,秃头引至竹竿坟上,小珠抢地呼天,与秃头哭个泪尽声干。继而巡视四周,哀哀而哭。旷野风高,哭声酸楚,善人村男男女女,老老少少,围集观看,也自泪落不止,都说道:"有这样一个好儿子前来搬取灵枢,韦老爷地下也喜欢了。"便有老年男妇前来劝止秃头,转令劝止小珠。时已亭午,小珠跌坐坟下,哭个不住。未后秃头与跟人劝止,大众百口同声,小珠方停了哭,谢了善人村父老,就到秃头家来。此时跛脚已生一男一女,都出来叩见。傍晚,秃头将痴珠、秋痕两幅遗照,检奉小珠。小珠起身,惨然展视,又自痛哭一番,着秃头打扫净室供上,磕了三个头,就在净室住下了。在小珠原意,便不进城。次日,谡如知道,驰马而来,再三劝阻,迎回自家行馆,十分款接。

第二日,小珠便随谡如来谒柳巷祠堂。见轩轩草堂正面一座沉香雕花的龛,约有九尺多高,内奉先人坐像,龛前主题云"故东越孝廉韦公痴珠神座"。东边立一女像,也有小主,题云"故秋心院校书刘秋痕之位"。小珠含泪磕了三个头,便与谡如商量,搬住搴云楼,洒泪说道:"先

君远游日多，小子稚弱，生既未侍晨昏，没复未亲含殓，奉讳以后，大母以道弗不许奔丧，通籍以还，小子复以王事驰驱，不能得闲，扪心在疚，以迄于今。昨宿坟山，老伯谆谆垂诲，促令进城。此地有祠有像，小子再图安逸，不想朝夕侍奉，这不孝之罪，真是擢发难数了。"说罢，便嚎啕大哭起来。谡如也自伤心，只得曲从其意，吩咐跟人，将汾神庙行装及秃头眷口，一起移入，谆嘱小珠道："你病初愈，孤身万里外，上有重闱，岂容不自珍重，转恫先灵？"小珠收泪答应，遂分手而去。此时留子善升守，调补太原，晏子秀升县，调署阳曲，都是旧交。就是曹节度以下，知道小珠到了，也来慰问。小珠免不得要出来官场应酬。当经子善、子秀说合，小珠与靓儿结姻，阿珍与小珠庶出一妹，名唤淑婉结姻。随差干弁，持信前往东越，请送婆媳两夫人示下准了。择吉两边互行纳聘。

转盼之间，便是冬天，摄哀告灵，择吉启殡。先一日，就在轩轩草堂开了一天吊，并州大小官员及绅衿，无一不到。次日，小珠徒步出城，临穴抚棺，擗踊哀嚎。遂奉两枢，蒙以绣花大红呢，加以锦幄，暂驻东门玉华宫，自行跟入住宿，朝夕二奠。谡如要与小珠同行，就也择日挈眷因南，将玉华宫李夫人灵枢收整，却是要先二日，谡如便缩了两站，等候小珠。这日，痴珠丹旐启行，一路俱是官绅及小珠同年祖送祭席，自玉华宫起，排有数里。小珠一一磕头谢了，赶上谡如大队人马。及到樊城登舟，该地官场及故旧，又是一番路祭，十分热闹。一日，到得金陵，谡如就祖坟安葬了李夫人，将家事交付阿宝夫妇，然后偕叶夫人，带着阿珍、靓儿，与小珠向东越来。

已是丙寅二月，二舸两棺，安抵红桥下。郭夫人率小郎以及族姻，迎入小西湖家祠开吊。寻将秋痕遗挂展玩，叹道："以此韶龄，甘心从死，我怎忍薄视之？"卜吉安葬，奉老夫人命，将秋痕灵木随茜雯附入左圹，奉主于家。

窀穸都毕，小珠才释素服，办起喜事。小珠是个玉堂归娶，在东越只算得第三人，那风华典丽，可不必言。就淑婉招赘阿珍，也是富艳无比。这年八月，谡如挈了叶夫人、阿珍夫妇，赶任淮北。

小珠直俟老夫人百年以后，才奉了郭夫人挈靓儿，入都供职。不一年，赏加头品顶戴，册封倭国新女主踏里采。朝议令挈妻室同行，靓儿

也得女提督衔，持节赍皇太后、皇后恩旨，副以紫沧夫妇，由长江登火轮船，湾入粤东香山岛。放洋遇风，吹入香海洋玉宇琼数中，父子重逢，翁媳再见。瑶华缘与靓儿同舟，也得与秋痕相见。世外三人，都得岛中人赠的珍宝。一夜海风大起，瞬息之间便到倭国，与紫沧轮船相会。追忆其地，历历在目。奈海山苍苍，海水茫茫，无从重访。这也是一则实事，并非做书的人画蛇添足，为此奇谈。正是：

　　　言必有物，不类齐谐。

　　　丝抽乙乙，杼轴予怀。

诸君中小子讲书，不必就散，尚有一回袅袅余音哩。

中国古典名著百部

第五十二回　秋心院遗迹话故人
花月痕戏场醒幻梦

话说西安王漱玉，帮了四十余年孝廉，进京候选，得了教官。归路迂道太原，寓在菜市街至诚堂饭店。时值八月十五，饭店隔壁邵家扶乩，漱玉也来。只见乩上斜斜的两行，写得甚草。邵家的人认得，誊了出来，是首词号。漱玉念道：

> 炉香茗碗，消受闲庭院。镜里蛾眉天样远，画帘外雨丝风
> 片。一声落叶，莫问秋深浅。便何处，寻排遣？前尘后事思量
> 遍。

念毕跪下，欲有所问。只见乩上运动，写道："起来。故人别来无恙？"随又写了两三行。漱玉站在邵家的人背后，见誊出是两首七绝，道：

> 镜合钗分事有无，浮生踪迹太模糊。
> 黄尘白骨都成梦，回首全枰劫已枯。
> 海上鲸鱼气吐吞，蓬瀛深浅阻昆仑。
> 谁知十斛鲛人泪，不化明珠化血痕。

又见誊出一首七律，道：

> 战垒经春草又生，风烟惨澹古台城。
> 故人麟阁千秋重，遗蜕蝉吟一壳轻。
> 劫后山川秋有色，月高弦索夜无声。
> 荻花瑟瑟江天冷，缕缕诗魂结不成。

誊完，众人正要观看，忽见乩上又写道："吾韦痴珠也。奉敕赴缥缈宫撰文，不能久留，去矣！"写完，寂然不动。众人一齐拜送，焚符酹酒，只不解诗意，也不识是何仙降坛。独漱玉凄惶半响，倚在那院子梧桐树，呆呆地出神。

一会，大家都散了下来，漱玉便问这屋子来历。邵家的人说道："这是有名的秋心院，如今做我家别业。"漱玉道："秋心院，可是前二十年教坊刘梧仙住宅么？"邵家的人道："不错。"漱玉道："难怪痴珠降坛。"内中

闪出一人,年纪约有七十余岁,粗胖汉子,一簇胡须,问道:"你这位老哥,怎的认得痴珠?"漱玉道:"你不见乩上写的'故人别来无恙'?"那人道:"我认不得字。"漱玉道:"老汉高姓?"那人道:"姓管。"原来漱玉住的至诚堂,就是聂云住宅开拓出来。荷生抬举士宽,管理柳巷宅里田园树木,历有数年,便发起财,也娶了亲,与秃头做个儿女亲家。后来秃头夫妇跟小珠回南去了,他又管了韦公祠钱粮。这至诚堂就是他开的饭店,他只叫他侄儿照管,长远不到店中,故此漱玉不曾认得。秋心院是痴珠寄漱玉的书常常说及,故此知道。当下士宽就将痴珠、秋痕始末略述,漱玉叹息,说道:"他的枢就回去了,他的祠还在,明日你领我去拜一拜罢。"士宽欣然答应。

　　这一夜,士宽得了一梦,梦见一家园亭,皓月当空,人影灯光,清华无比,戏台上正演夜戏。只听手锣一响——(旦淡妆上)

　　〔一剪梅〕秋来无事不伤情,花也飘零,叶也飘零。夜长无梦数残更,风也凄清。雨也凄清。(坐介)万点秋光上画屏,隔花环佩响东丁,今生自有伤心事,漫道前身是小青。奴家姓刘,小字梧仙,本系河南人氏。只因父母早亡,流落在烟花行院,歌衫舞扇,也学些袅袅婷婷,月夕花晨,总不免凄凄楚楚。今春韩参军遍选名花,把奴家取了榜首。咳!奴家倒也不争此虚名,只要早离苦海。所幸七月,在秋华堂内,得遇东越韦郎,三月绸缪,十分怜惜。将来终身之托,就在此君了。今日重阳佳节,韦郎请了韩参军并采秋姊姊在此赏菊,此时敢待来了。保儿!(杂应介)背生鳖甲,名唤狗头。姑娘有何吩咐?(旦)今日赏菊筵席,可曾完备?(杂)完备多时。(旦)可将上品各色菊花搬过来。(杂)是。(场上设菊花八盆)

（旦随意指点介）（生巾服上）萧疏云树接高城,满院秋声,满地秋阴。闲寻秋色访佳人,花好同心,酒好同斟。小生韦痴珠。今日重阳佳节,请了好友韩荷生,在秋心院赏菊,来此已是,不免竟入。（入介）（见旦介）（旦）韦老爷。（生）梧姬。（各揖福介）（生笑介）好呀,一院秋色,雅人深致,毕竟不同。梧姬呀!〔不是路〕看你袅袅婷婷,对着这露叶风枝更可人。真侥幸,偎香倚玉,得与相厮并。点缀秋光到十分,谁能称?慵妆淡抹多风韵,好似桃花扇底人。（旦叹介）秋花萧瑟,也似奴家薄命飘零!多谢郎君要外垂青了。无端恨佳人福薄花无命,只恐催花信急,卸花风紧。（泪介）（生）呀!怎么又触起卿的心事来了?且在房中少坐,韩参军就该到了。（同下）（小生携小旦艳妆上）〔红纳袄合〕一步步下妆楼,拽罗裙,度过了小院门,苍苔径。握住你嫩春纤,缓缓行。我和你并香肩,莲步稳。看疏疏红叶满枫林,染裙腰,才记得寻芳黄蝶双双也,又只听寒虫儿悲又鸣。到了。（扣门介）（内应介）（开门相见介）（生、旦、小生、小旦各揖福介）（生）小酌不恭,有劳芳步。（小生）岂敢!佳辰雅集,得领清谈,对此冷艳孤芳,正好领教梧卿一声"晓风残月"哩。（旦）采秋姊姊在此,奴家岂敢献丑?只好求姊姊指教罢。（小旦）妹妹过谦了。（坐介）（生）看酒来。（杂排桌儿。对坐介）（菊花横列场前介）（生）你看幽丛绕合,冷香袭人,何不浮一大白?请。（各饮介）（生）〔前腔〕这几枝白冷冷玉无痕,那一丝黄澄澄金簌紧。这好似醉朱颜羞晕生,这好似褪红妆残梦醒。（小生叹介）叹光阴一瞬儿去不停,我与你旧日潘郎鬓已星。回念那家山万里遥遥也,到今朝插茱萸少一人。（各叹介）（旦唱）〔前腔〕不多时,杏花天,艳阳辰。转眼是,菊花秋,霜做冷。说甚么为重阳冒雨开,我只怕送西风成断梗。（小生）呀!梧卿,为甚么这般伤感?（小旦唱）莫怪他对华筵珠泪倾,触动了老去秋娘无限情。我也是飞花落絮飘飘也,又谁知随流水化浮萍。（同泪介）（生）言至于此,益复无聊,也无心再饮酒了。（撤席介）（揖介）（小生）小弟就此告辞。（小生、小旦各折菊簪鬓介）（小生）人世难逢开口笑。（小旦）菊花须插满头归。（携手下）（生向旦介）梧姬,你看他二人密意缠绵,柔情宛转,好不令人可羡!我与卿呀!〔尾声〕今生今世花同命,漫只说鸳鸯交颈,好与你割臂同盟一寸心。（生）偶然相见便勾留,

（旦）身世茫茫万斛愁。

（生）同是飘零同是客，

（旦）青衫红袖两分头。（同下）

醒来想道："痴珠、秋痕，竟有人编出戏来。"又想道："咳！我是做梦，如何认真？"因坐起来，只见枕边有部书，大书《花月痕》三字，傍题一联云：

岂为蛾眉修艳史？

权将兔颖写牢骚。

便当作一件宝贝。他又认不得字，也不肯给人看。后来要死，便将书埋在地下。

不知今年今月，该是此书出世，所以遇见小说了出来。看官，你看这时候是什么时候？宇宙清平，人民寿考，蛮夷归化，五谷丰登，万顷情波都成觉岸，千重苦海尽泛慈航。要知此事的真假是非，自然百年后有一个定论出来。正是：

身世茫茫，情怀渺渺。

若要空空，除非了了。

中国古典名著百部

蝴蝶缘

清·南岳道人 编

原　序

　　夫情也者，发乎性、中乎礼者也，故推情即可以见性。抑能好礼，乃可与言情，情之为用，大矣哉。蒋生以不羁之才，目空一世，几疑粉妆绣裹中，俱同此阁嬷娃女也。乃湖山面试闺阁，投诚篱畔，联吟兰舟，矢信不诚，令才人短气耶！何其情之不能自禁也。然使当日所遇，不有柔玉之贞静、碧烟之艰苦，则偌大部书，不将为狎亵传乎？但知《蝴蝶缘》为稗官小说，而不知隐有人情世风在，即如杨、臧二人，一则挟势求美，一则闭门拒宾，迨夫春风送暖、喜霭门楣，忽焉而嘉礼盈庭，忽焉而明珠还椟，其人情之反复可知。彼脱邦三两辈，操其幻术，既愚其主，复侮其仆，世风诈伪，不尤愈乎谚有之"家有浪荡子，不知门外事"？然则是书谓为齐之《南北史》，可谓为晋之《史乘》、楚之《梼杌》，而亦无不可！

浪迹生题识

目　　录

第一回　灵隐寺禅僧贻宝偈
苎萝山蝴蝶作冰人

词曰：

　　世事伤心甚，天公难借问。奇才不值半文钱，困！困！困！闲检遗闻，忽惊佳遇，试编新听。　　富贵今非命，成败何须论。一春长莫向花前，恨！恨！恨！当日隋皇，后来唐主，异时同尽。

——右调《醉春风》

　　话说隋朝仁寿年间，江南建康府有一秀才，姓蒋名岩，表字青岩。父亲蒋国士，曾为陈朝大司马，隋文帝屡辟不起，移家西子湖边，丘壑自娱，竟以寿终。母亲叶氏，相继而卒。单生蒋青岩，

当临生之夜，蒋夫人梦孔子抱麒麟投于怀中。因此，这蒋青岩生得身长七尺，美如冠玉，倜傥风流，聪明绝世，真个一目十行，子史经书，般般精熟，诗词歌赋，件件惊人。正是：

　　才如子建人难及，貌过潘安世莫双。

　　这蒋青岩每入城市，那城市中人就如墙似壁，挤塞不通，都来观看，人人称羡，个个惊奇。都道是"神仙谪世，便是蒋青岩也。"蒋青岩顾影自爱，想着自己才品不群，立心要做一世之第一等的人。他常念及父亲曾受陈朝大恩，虽不能杀身报国，却也不曾屈膝二君。因此，蒋青岩也

敬守父志，无意功名，终日与二三好友讲究古今，读书学道，不求闻达。且他父亲在生，为官清正，所遗的家产也不算十分富厚，家人仆婢，足供使唤，在蒋青岩也不为不足。只有一件，他年已二十，尚未娶妻。

这杭城乡绅大族，都要将女儿嫁他，情愿厚赔妆奁，只要图他这个乘龙佳婿。众媒婆络绎不绝的反来求着蒋青岩。蒋青岩只是不允，向那众媒人说道："你们众人不必常来烦恼。料这些粉妆细帛、俗女凡胎，哪里是我蒋青岩的配偶？则除非是色如西子、才似文姬、德比孟光的方才可允。"众媒人闻言，胸中暗想道："题目虽难，只是蒋相公这样有品，也须西子、王嫱才配得他过。"众媒人从此不复再来，蒋青岩也全不以此为念。

一日，正值三月初旬，天气晴和，柳肥花绽，蒋青岩不觉动了游春之兴。写了两个简帖儿，唤过随身一个书童，名叫伴云的，来到跟前，吩咐道："你可速将两个帖子送到城内张、顾二位相公处，说我在家专候，即来回报。"伴云领命前去。

却说那张、顾两人。一个是张吏部之子，名平，字澄江；一个是顾司徒之子，名成龙，字跃仙。两人是文章魁首、风雅班头、青年妙品，也都未曾娶妻。与蒋青岩为八拜之交，心同道合。

这日，他两人都在家里。见守门人传进蒋青岩的帖子，两处即忙唤肩舆，前后望蒋青岩宅中而来。蒋青岩立在门外迎住。三人携手，同到内书房中坐下。伴云忙去捧茶。蒋青岩向张澄江、顾跃仙说道："连日春光明媚，湖山可人，两兄何以不一见顾？"张澄江答道："连日因老母抱恙，不敢少离。今日小安，正欲过访，而尊简适至。别无他故。"蒋青岩道："小弟不知老伯母贵体欠和，有失问候。不知跃仙兄亦有何事？"顾跃仙道："小弟连日为检点先君遗稿，发刻编次方完，正欲拜求大序，以光卷首。"蒋青岩道："老伯从前功业文章，素为儒林推服，急宜付梓，以为后辈典型，兼见吾兄大孝。此举甚当，撰序义不容辞。但恐后生才浅，不免佛头着粪之诮。"

三人说了一会。蒋青岩道："今日天色甚佳，小弟已备下一樽，与两兄同游韬光、灵隐，一览花柳之胜，晚间便宿小斋，同过湖心亭看月何如？"张澄江、顾跃仙齐声答道："使得，使得！自古以来我杭人游湖多是

白昼，从不曾月下领略。"蒋青岩道："两兄不知那月下湖光的妙处，真个难以形容。于今且去游山，到晚间试看便知。"正说间，伴云走来禀道："轿已齐备，酒席已先去了。请相公起身。"蒋青岩闻言，便同张澄江、顾跃仙一齐到门外上轿。三乘轿子缓缓而行。只见那一路上，游人如蚁，车马成行，柳肥花绽，山青水绿，好生可爱。有诗为证：

柳肥花绽暮春天，水绿山青满目前。

今古游人将不去，年年载酒醉山巅。

三乘轿子行不多时，已望见灵隐。三人一齐下轿，携手而行。但见那些游女如云，一个个都下了轿子，杂在男子队里游玩。这蒋青岩、张澄江、顾跃仙三人，看那些妇女都是粉妆脂补的物事，绝无一人入得他三人眼里。他三人同到冷泉亭上，坐了一回，又到飞来峰下。游玩半晌，串了一回洞，然后才进灵隐寺中去随喜。这年，寺中到了一位善知识，唤做自观和尚，在寺中谈禅，因此，比往年更觉热闹。蒋青岩等三人素厌和尚，怕去相见，只就在大殿上随喜了一会，便从后路竟望韬光而来。未至半山，早见众家人捡了一块平地面，铺下毡子，摆了酒肴。见蒋青岩到了，一齐垂手侍立。澄江道："我们既要登顶，何不竟将酒席移到山顶上去？"蒋青岩道："小弟愚意也正是如此。"忙吩咐家人，移席上山。同了张澄江、顾跃仙随后缓缓而行，一步步来到韬光绝顶。

此时，日已过午。三人俯仰四顾，只见天无片云，空翠欲滴，青山万叠，古树千章，真有振衣千仞岗，跃足万里流之势。这韬光顶上，还有一件大观。顾跃仙用手指着，向青岩、澄江二人道："二位兄长，你看那绿沉沉的是湖，黄滚滚的是江，白茫茫的是海。那江湖之间，人烟攘攘的一个大圈子，便是杭城。真好大观也！"蒋青岩和张澄江二人看了一会，都道："壮哉！壮哉！如此好光景，须各赋一诗，庶不负此游览！若默然而归，岂不令山灵笑人乎！"顾跃仙便向蒋青岩道："今日吾兄是主人，就请吾兄限韵。"蒋青岩道："眼前光景甚佳，若限韵拘体，便受其缚。这都是近日那些读日记故事的朋友时与骚人词客出丑的圈子，我们还是任情纵笔为妙。"张澄江、顾跃仙都道："此论最是。"蒋青岩便吩咐家人，将樽前一个罚杯满筛一杯熟酒，向张澄江、顾跃仙二人道："此酒寒而诗不成者，罚跪饮三大杯。"

中国古典名著百部

说罢,三人或仰面、或俯视、或举杯不语。不半晌,蒋青岩唤伴云取随身纸笔过来。那伴云忙去捧过一个拜盒,安在坛上,取出端砚、紫颖古墨、名笺,摆得停停当当。蒋青岩不慌不忙展开笺纸,提起笔来,写上一首诗道:

> 春光携手上韬光,仰探虚空俯大荒。
> 半勺西湖沉翠黛,无边东海浴扶桑。
> 人烟城郭团团里,江水涣龙淼淼长。
> 多少兴亡多少恨,一杯同与吊斜阳。

蒋青岩写罢,随即便是顾跃仙接过笔去,写诗一首道:

> 绝顶天风细,低头海气浮。
> 江声流日夜,湖水历春秋。
> 共此一樽酒,真同万里游。
> 杭城刚片土,仿佛系孤舟。

顾跃仙刚刚写完,张澄江的诗也做完了,提笔写来一首绝句道:

> 江流一线海茫茫,潮水西来落日黄。
> 报道湖中歌舞歇,几年车马入钱塘。

三人题罢,一齐拿到樽前,大家轮看,互相赞赏。蒋青岩命伴云试那杯中,酒气尚温,笑道:"我辈恨不与曹家郎同时,令彼《七步诗》独传千古。"三人大笑。张澄江道:"小弟这二十八字太讨便宜了。"顾跃仙道:"不朽之句,正不在多。"三人又痛饮了一回,然后携手下山,仍从灵隐旧路而回。刚到山门,只见一个小沙弥前来迎住,道:"老和尚知三位居士今日在山上,美酒佳肴,十分醉饱,又有题咏,未免劳神,备有

苦茗一壶,替三位居士解渴消烦,遣小僧在此迎候。请到方丈一叙。"蒋青岩闻言,向张澄江和顾跃仙笑道:"那自观和尚想亦是趣人。我们同进去会会如何?"张澄江和顾跃仙依言,一齐同了那沙弥来到方丈门首。那小沙弥先进去启过那自观和尚,然后蒋青岩等三人方才同进方丈。且看那和尚怎生模样:

　　褊袒右肩,双瞳如电,须眉似雪,稳坐蒲团。棱棱头骨如拳,隐隐毫光满面。若非罗汉重生,定是菩萨出现。

蒋青岩、张澄江、顾跃仙齐向自观和尚作礼。自观和尚立起身来,打了个问讯,笑嘻嘻道:"居士们好潇洒也。老僧备下一瓶苦茶,要与三位居士润润诗肠,清清醉眼。"吩咐沙弥筛了三盅茶,送到蒋青岩和张澄江、顾跃仙三人手中。三人吃罢,都觉口舌生香,眼清神爽,将先前的酒气都消归大海中去了。

自观和尚问他三人的出处行藏,张澄江和顾跃仙大略说了几句,只有蒋青岩长叹不语。

自观和尚笑道:"居士,心中敢是有甚不足处么?老僧已看破多时了,居士岂不知那龙逢、比干,一堆荒草;伯夷、叔齐,两个饿夫!便是那秦皇汉武,至今已见几度兴亡了。这段公案且须放过一边。于今老僧有个商量,非老僧杜撰,本是三位居士的前数,老僧写得明白,封在此间。三位居士带回去,细细观看。此后前半段的事,件件都在上面,后半段却由得居士们自家主张了。"说罢,自观和尚便向袖中取出一个封儿,封得十分坚固,递与蒋青岩收了。蒋青岩见自观和尚语言不凡,相貌奇异,料其中必有缘故,不好当面轻拆。三人作谢而别。小沙弥送他三人到方丈门外,拱手道:"小僧不及远送了。封内事,居士们细细及早求谋,休辜负家师这段婆心。"三人唯唯而别。此时,日已西沉。蒋青岩因那封儿都怀了一肚猜疑,要拆开观看,又因途中不便,只得上轿回家。

到了家中,已是上灯时候了。蒋青岩也不待吃茶,赶忙吩咐点上灯来,取出封儿,同张澄江、顾跃仙等开拆。拆了两层纸,里面才出一个柬帖儿来。蒋青岩取出那帖儿看时,上面却是一首四言八句的诗。那诗道:

　　三凤东飞,皆得其凰。

恶风吹水，散我鸳行。

奋身而前，头角廊庙。

破镜重圆，明月光辉。

蒋青岩和张澄江、顾跃仙三人都理会不出来。蒋青岩道："这头两句，像是为我等婚姻之事。'东飞'，是要我们东去。后六句着何解说？"张澄江道："小弟近日内正要拉两兄同渡钱塘，共游东浙，访山阴之胜。今日看来，正合了这个帖儿。何不明日即便起身，试走一遭？兄竟何如？"蒋青岩和顾跃仙都喜道："弟辈亦有此兴，久矣。倘得吾兄相携，诚为快事。明早各去束装，午间便渡江如何？"三人商议已定，蒋青岩吩咐家中安排酒肴，送在湖船上看月。正说间，乌云陡起，雷电交作。蒋青岩向张澄江、顾跃仙叹道："天道莫测。即一饮一酌，皆不有预定。古人云：'行乐当及时。'此语良可念哉！"张澄江和顾跃仙都为之浩叹。蒋青岩便教将酒席摆在厅上，三人同饮。饮至二鼓，三人同榻而卧。

次日黎明，张澄江和顾跃仙各自回家收拾行李。午饭后，蒋青岩和顾跃仙都到了。三家各带二三个家人、书童，押了行李，一同出城，上了渡船。这日风顺，不上一餐饭时，已到了萧山县。次日早起到绍兴城外，觅了一所洁净僧房住下。蒋青岩和张澄江、顾跃仙议定，先游会稽。隔夜，吩咐家人雇下三乘轿、三头驴。次早，各带了一个僮仆及随身铺盖，其余的家人看守行李，一齐起身，望会稽山来。

这会稽山是海内名山，奇秀甲于天下。道书所谓"第十一洞天"者，是也。这山内所有古往今来的胜迹，不可枚举。蒋青岩同了张澄江、顾跃仙一路行来，到了山下，寻了一个幽静的下处，安了铺陈。他主仆六人便一齐入山访古问胜，穷幽极奥。一连游了数日，或登高、或眺远、或饮酒、或赋诗、或悲歌长啸，无所不至。

游玩了会稽，又到诸暨县游苎萝山，访西子故居、浣纱遗址，各处皆有题咏。他三人一路上你唱我和，真个有兴。正是：

山灵有幸降才子，彩笔题诗在上头。

三人一连又在苎萝山玩游了两日。大家都觉困倦，回到下处休息。这下处也是一个隐者之居。依山枕石，松柏参差，水云缭绕。正是：

山静似太古，日长如小年。

这日，蒋青岩偶然到门外闲步，只见一群蝴蝶，将近数十，其大如掌，五色灿烂，自西飞来，直望着东边山内翩翩而去。蒋青岩见了，十分惊羡，心中想道："吾闻蝴蝶所向，必有奇葩异卉，我不免跟着它同去看看，也是一件奇事。"一边想，一边望着那群蝴蝶儿走去。你道可是作怪！那群蝴蝶儿飞了一会，见蒋青岩走不上，它又歇在树上草间，就像等待之状，见蒋青岩走近，它又飞起，恰如引路一般。直过了四个山岗。

到了第五个山岗之内，有一块平坦地面，约百余亩宽阔，中间高槐大柳、茂林修竹，四周峰峦层叠、春禽满耳，恍然仙境。蒋青岩也无心观看景致，直跟定那群蝴蝶儿走去。走了十数步，只见那茂林中露出一角青粉高墙来，再转数步，见一座门楼，两扇竹扉，半开半掩，却不像人家的大门。蒋青岩抬头一看，见那门上钉着一个匾，匾上写着"后桃园"三个大字，并不曾落款。蒋青岩方知是个大家的园子。那群蝶儿竟往园内飞去，蒋青岩欲待跟那蝶儿前去，又恐怕被人盘问。欲待不进去，想那群蝶儿飞来的光景，却像有些缘故。心中左思右想，只得让那群蝶儿先去。蒋青岩在门外想了半晌，道："无妨，无妨！便是大家园亭，也是容人进去游玩的，便有人撞见，我自有话对他。"算计已定，放开脚步，竟往园中走去。行过一带短墙，转过茉香棚、荼蘼架，却是一池流水。两岸桃花真个可看，蒋青岩看了半晌远远望见楼阁缥缈，欲待过去，奈无舟可渡，只得沿岸行来。忽见几株深柳，笼住一条板桥。蒋青岩见了，心中甚欢喜，便分开柳枝，轻轻走上桥来。

你道可又作怪！那群蝶儿见蒋青岩到了，也就往前飞去。蒋青岩想道："这群蝶儿颇似有因，我于今到底直跟定他，讨个下落。"又随着蝶儿轻弯抹角，过了几处亭台池馆，隐隐见朱扉半启。蒋青岩走到门边，听得里面有妇女声音，恐是人家内宅，只得闷在湖山石边，听那里边说话。不防内里走出一个青衣女子来，年可十三四岁，朱唇皓齿，鬓发齐眉，打扮不恶，手中拿了一把团扇。见了那一群蝶儿，忙忙用扇去扑，口中叫道："韩姐，你看，好一群大蝶儿，快来扑住，它要飞了！"蒋青岩连忙躲到一座牡丹台下，偷眼觑着门内，看还有甚人出来。不半晌，那门内果然又走出一个女子来，年可十八九岁，生得十分俏丽。怎见得：

体态轻柔,容颜秀雅;湘裙下三寸金莲,云鬟中两行翠风。腰似杨柳小弯,素口赛过樱桃。

那女子身穿了一件绿色春衫,手拿了一把葵花宫扇,望着那青衣女子问道:"蝶儿在哪里?"青衣女子道:"方才一群蝶儿,都被我扑散了。止扑得一个在此,我拿与小姐看去!"那绿衣女子道:"小姐更衣去了。"只听得门内步摇声响,走出一位绝世佳人来。怎见得:

二九芳年,三春美景,黑发如云,红颜似玉,蛾眉露两行新月,朱唇含一点丹砂。不长不矮,不瘦不肥;宜喜宜嗔,宜颦宜笑。薄罗衣新裁,燕子凌波袜,浅衬湘裙。真是王嫱再世,宛如西子重生。

蒋青岩偷眼觑见那位佳人,不觉魂飞天外,暗暗称羡,道:"我蒋青岩痴生二十岁,不信世间有这等绝色的女子。莫不此处是神仙境界么?"又想道:"我方才听得那两个女子称她做小姐,想必是缙绅之女。如今我躲在此间,万一闯见她家人院子,岂不弄了事来!"又想道:"我蒋青岩这般人品,便上前与那小姐见个礼,道声万福,她亦未必见拒!"

正踌躇间,只见那青衣女子将手中的蝶儿送到小姐跟前,道:"小姐,你看这个蝶儿,生得这般大,如此灿烂,真个好耍。"小姐接到手中,细细观看,说道:"果然这样蝶儿,从来罕有,你却不该扑散了它的伴侣。它一片爱花情性,寻春至此,只该听它在花间飞舞,点缀春光,扑它则甚!"那绿衣女子在旁说道:"小姐这篇议论,真可谓指迷说法。这蝶儿也须感戴!"小姐

微微笑了一笑道："韩香姐,你可将这蝶儿到百花深处放了,令它早去寻群逐队,不可耽误它良辰!"

绿衣女子随即接到手中,轻移莲步,走到一株碧桃花下,抬起头来,正待放那蝶儿,忽然倒退几步,口中道:"呀! 你是甚人? 因何到我内宅来?"那青衣女子在后面听得,连忙跑来观看。

不知后事如何,且听下回分解。

第二回　华柔玉命题亲考试
　　　　蒋青岩出像拟娇娆

词曰：

　　春如此，蝶也要寻俦侣，勾引书生来不去，自夸才旷世。

　　拈得阴阳两字，就着湖山考试，多少温柔难比喻，归来闲自拟。

——右调《谒金门》

话说那绿衣女子因去放那蝶儿，恰好与蒋青岩撞个满怀。蒋青岩躲闪不及，正要上前见礼，只见那个青衣女子跑将来，一眼看见蒋青岩，高声叫道："小姐，小姐，一个戴巾的贼！"那绿衣女子道："且莫高声，待我们问他一问来历，可唤院子拿他也不为迟。"蒋青岩闻言，知这绿衣女子是个在行的，便大摇大摆走上前来。正要向那绿衣女子作揖，不料那小姐听得园中有贼，也就走到那太湖石边来了。见蒋青岩走出来，一时回避不及，忙将手中的扇儿遮住那吹得通弹得破的娇脸儿。

这蒋青岩便大着胆，上前向那小姐深深一个唱诺，道："小生一时误入桃园，惊动仙娥，望乞恕罪。"小姐欲退不能，只得站住，向那绿衣女子道："韩姐，你可问那生姓甚名谁，何外人氏，为甚大胆撞入我内宅，是何人领他进来？问个明白，唤院子来扭他去见老夫人，以便送官究治！"蒋青岩闻言，也不待她来问，竟将身一揖道："小生姓蒋名岩，字青岩，家住西子湖边。因慕浙东山水之胜，同了两个知己一路寻春，到苎萝山下，访西子故居，求浣纱遗址。早间偶尔间行，看见一群蝶儿可爱，因跟定那群蝶儿走来。不料那蝶儿竟飞入尊园，小生亦信步相随至此，非敢冒犯妆台。小姐若要小生去见老夫人，顺带那群蝶儿同去。"

那绿衣女子不觉失笑道："痴秀才！那蝶儿是无知之物，不过闻得花香，寻花至此。你是个读书之人，岂不知内外！怎敢擅自到此！"蒋青岩道："小娘子差矣，那无知蝶儿尚晓得寻花，我蒋青岩难道反不会寻花么？且适间闻得小姐怜那蝶儿失了伴侣，已令小娘子放入花丛，难道我

蒋青岩这等旷世才子,独不蒙小姐之怜乎!"那绿衣女子道:"那秀才,你休出大言,怎见得你便是个旷世才子! 俺小姐也是一个女中的苏李哩!"蒋青岩道:"如此,小生失敬了。"绿衣女子向小姐道:"小姐,那秀才像是个书呆子,望小姐饶了他的罪名,放他出去罢。"

却说这一会,那小姐在扇儿旁边偷看,见蒋青岩风流倜傥、神清品俊,心中暗暗称羡道:"世间有这等男子,岂非神仙中人乎?"更听得蒋青岩以才子自任,又想道:"这生如此人品,料非白丁俗子,待我试他一试。"因向那绿衣女子道:"我闻那生适才自称才子,不知可会吟诗?"蒋青岩连声答应道:"颇来得,颇来得。请小姐命题限韵。"那小姐向绿衣女子道:"便将适间我放蝶为题。此时,日已西坠,便用西子为韵,立刻要七言律诗一首;做得出时,放他出去,做不出时,便是个假斯文,即便扭去见老夫人。"蒋青岩闻言,笑了一笑,望着小姐一揖道:"小生领题了。只恐贻笑大方。"

蒋青岩此时要显他的手段,真个神速。不上一盅茶时,便道:"诗已成了,借纸笔过来。"只见那青衣女子早已捧得文房四宝来到。绿衣女子叫她安在石上,让蒋青岩书写。蒋青岩看那文房四宝,件件精良,只那笔尖儿上,还放口脂香哩。蒋青岩将一张锦笺拂开,提起笔来,恍如云龙跃海之势,一挥而就。小姐和绿衣女子在背后看了,已暗暗惊羡。蒋青岩放了笔,将诗笺高高捧了,走到小姐跟前,双手呈上,道:"小生偶尔狂言,几被小姐考杀,于今胡乱写完,望小姐改正。"

那旁边青衣女子忙来接上去,递与小姐。小姐展开一看,那诗道:

作队寻春画阁西,舞衣新剪学深闺。

侍儿岂为伤春老,团扇几教失伴啼。

何幸掌中怜只影,重令花底觅双栖。

慈悲金屋人难到,从此天台路不迷。

小姐看了这诗,不觉惊倒。悄悄向绿衣女子道:"好诗,好诗! 真个字字珠玉、笔笔龙蛇,自负高才,良非虚语。此生料不是鼠窃之辈,放他去罢。"绿衣女子道:"小姐见得极是! 我看那生,人物风流,才情高旷。世间哪有这等贼子? 可惜是个男子,若是个女人,岂不做得小姐一个对手! 于今趁早放他回去,恐怕院子们来撞见,将他凌辱。"说罢,问蒋青

蝴蝶缘

岩道："那秀才，小姐见你的诗好，念你是个斯文人，不拿你去见老夫人，着你速速回去，不得再来。"蒋青岩闻言，遂向小姐深深一揖，谢道："小生下里巴音，蒙小姐重嘉，殊觉怕恐，敢求小姐尊作一观。"绿衣女子道："俺小姐的著作从来不肯示人，你休得只管胡缠！"青衣女子在旁道："要看便与他看了，也吓他一吓，莫让他说嘴。"说罢，便将手中团扇向蒋青岩面前一掷，道："这扇上面便是小姐的佳作，你快快看了去！"

蒋青岩连忙拾起那扇儿，细细观看。原来就是咏这团扇的五言古诗。那诗道：

> 团扇复团扇，莫近秋风面。
>
> 秋风动抛掷，眼前珠照乱。
>
> 怀古忆班姬，良时易迁换。
>
> 譬如明月光，三五难常见。

蒋青岩看了一遍，将那团扇端端正正放在太湖石上，把衣冠整了一整，恭恭敬敬向那团扇拜了四拜，说道："奇才，奇才！真可与曹大家、蔡文姬并驾争先，真令小生愧死矣！"

正说话间，忽听得树林影里有人走动，把小姐和那两个女子都吓痴了，忙忙两步做一步走将进去，将门儿闭了。正是：

> 闭门不管窗前月，分付梅花自主张。

蒋青岩也惊得战兢兢的，躲向一个石洞里边去，坐着听了半晌，不见有人来。只见一个白猫儿，衔了一尾金鱼，后面一个黑猫儿赶来争夺，却非人走。蒋青岩方才心定，闪出身子来。将那门儿一望，正闭得紧紧的，里面悄无人声，心下十分惆怅。欲待去敲那门儿，又恐惹出事来；欲待回去，又觉难舍。独自一个立在那门外，自言自语道："世间有这等标致女子，我蒋青岩今日好佳遇也。那小姐几番在扇儿旁边将我偷觑，十分垂盼于我。便是那两个女子，也都是妙人！我想那自观和尚之言，莫非就在此处！若在此处，便不该有这番惊吓了。"又转想道："差矣，差矣！世间哪得有一见便成的事？从来佳人才子要想成就姻缘，也不知费多少精神、耽几多岁月！况我今日，也可谓受用了。所恨不曾问得她的姓名。我于今直等一等她，或者那两个女伴出来之时，问她一个详细。"

正痴疑间，只听得墙头上有人低低说道："蒋秀才，蒋秀才！老夫人来了，你可速速回去。"蒋青岩抬起头来，倒不见人转，却心慌意乱，只得长叹一声，寻路而回。刚走不上三五步，忽然住了脚，看见那苍苔之上，有三双小脚印儿。蒋青岩认得她三人先时站的地方，忙忙低下头去，将那小姐一双小脚印儿量了又量，如痴如醉，低低说道："俺的小姐，爱杀人也。我蒋青岩不知几时才得亲手捏一捏儿！"留连半晌，及抬起头来，见日已沉西，不得已讪答答来寻归路，转却一时忘了。

正在左右顾盼之间，刚刚遇着一白头老翁，倚仗而来。蒋青岩忙上前迎住，拱手问道："老丈，这里到苧萝山，从哪一条路去？"那老翁用杖指着道："一直西去，过了五个山岗，便是苧萝山了。老夫也有一半路同行。"蒋青岩闻言甚喜，让老翁前行，自己随后。一面行一面问那老翁道："方才那个后桃园是谁家的园子？"那老翁道："秀才，你原来不知？这便是陈朝湖州刺史华中葵老先生的隐居！他因陈亡，不肯仕隋，造这所园子，隐居于此，十余年不入城市了。半月前，约了敝山两个老友，同去游雁荡山去了。"蒋青岩闻言，惊道："原来就是我家葵姑父。我幼时闻得先人常说他襟怀旷达，虽少年青紫，绝不矜夸。自陈亡之后，杳无消息，谁知隐居在此？"心中十分欢喜，想道："方才那女子不是我表妹，便是他的妹子，我不免再问那老翁一问！"说道："如此看来，那华老先生真是一个高人了。可知他有几个儿子？"那老翁道："问起这件事来，真是天道无知。那华老先生为人极其仁厚，他夫妇今年都是望六的年纪，房中虽有几个姬妾侍儿，都不生育，竟做了伯道无儿。且喜中郎有女，夫人蒋氏一连生了三个女儿，长

蝴蝶缘

的名唤柔玉,第二掌珠,第三步莲。闻得这三个女儿都是天姿绝世,才学惊人的。大女儿柔玉,又是这三人中的白眉,才色更胜。那华老先生爱之如宝,誓要选天下绝顶的才子,方才嫁她。因此至今尚未许聘。"

蒋青岩闻言,喜得心花都开了。想道:"方才我撞见的定是柔玉小姐了!怎么就有三个?那自观和尚的诗,头两句有些影响了。且世上除了我蒋青岩、张澄江、顾跃仙三人的才品,哪里还寻得第四个出来?若明日见了姑父姑母,管教送上门来。"正说话间,那老翁拱手道:"老夫从此南去,秀才可望西走,再过两个山岗,便是苧萝山了。"蒋青岩闻言作谢,别了老丈。

此时,正是三月十五日,日已沉西,月明如昼。蒋青岩趁着月光,找到下处。张澄江、顾跃仙二人见了,忙来接住道:"青岩兄,你到何处去了?这一日,小弟二人差人四下里寻觅,恐怕这山中有虎狼,十分担心。"蒋青岩笑盈盈道:"虎狼倒没有,却有婵娟。"张、顾二人闻言笑道:"青岩兄欺我如此。深山哪得有甚婵娟?"蒋青岩道:"两兄曾闻西子、王嫱生在哪个城市中的?且待小弟坐定了,想象一想象,再述与两兄知道便了。"张澄江、顾跃仙都道蒋青岩与他们取笑。不料,蒋青岩坐在一边,将眼睛闭了一回,又开了一回。那伴云捧过晚饭来,他也不吃,口中自言自语道:"好一群蝶儿呀!好一湾桃花流水也!敢是天台么?这座桥儿好生帮衬!你看丹楼画阁、绣幕珠帘,敢是金屋瑶台么?呀!仙女来也,怎么生得这般娇媚,莫不是杜兰香、董双成?我蒋青岩的魂灵,想必飞到焰摩天上了。"张澄江和顾跃仙二人,看了大惊,只疑蒋青岩在山中遇了鬼魅,害了疯狂病。二人忙走上前,向蒋青岩道:"青岩兄,你平日极老成的,怎么今日做出这样举止来?敢是遇了甚山妖才怪么?放正经些,去睡吧!"蒋青岩道:"两兄,你去坐在一边,待我想象完了,与两兄细讲。只怕两兄听见我讲,比我还要想得狠哩!"

二人听见蒋青岩的言语清醒,料是有些缘故,只管走过一边,看他做作。蒋青岩立起身来,抖抖衣服,深深一揖道:"小姐!"又拜揖一揖道:"小娘子见礼。好难题目,幸得遇了我蒋青岩是个不怕难题的,若是别人,怎生是了?"说罢,将自己作的《放蝶》诗吟了一遍,道:"承赞了!"随后,又将华小姐的团扇诗朗吟一遍,道:"仙才,仙才!我不如也!你

看那小姐在扇儿底下戏着小生哩！好一双俊眼儿，小生怎生消受得起！"又忽然将手中一条汗巾儿连打几下道："我这孽障，我只道是人，原来是你，将我吓了！这一惊呀，怎生将门儿紧紧闭上了呀？老夫人来也，你看这三寸莲钩儿，印在苍苔，留此妙迹，真万两黄金买不来也！"说罢，向张澄江和顾跃仙道："两兄，适才小弟想象的这种情事，可么？"张、顾二人道："好则好甚，只恐世间无此佳遇！听吾兄说来，则除非是桃源、洛水，若道人间有此，小弟们终不敢尽信！"蒋青岩道："两兄不信么？请静坐一边，听小弟细呈始末。"蒋青岩便将这段佳遇，直从跟那群蝶儿去及后来同那老翁转来，一字不遗向张澄江、顾跃仙说了。便道："这等情事，岂非遇仙？"

张、顾二人听了，不觉拍案狂呼道："奇哉怪事！怎生我们今日便没缘法？且又恭喜吾兄遇了骨肉，吾兄须急急去拜认令姑母。那位小姐将来一定属吾兄了！"蒋青岩道："依小弟看来，那自观和尚的诗，头两句将来有些光景。"顾跃仙道："正是，正是！令表妹恰好是三位，但恐小弟们无此艳福耳！"蒋青岩道："此事只恐小弟无缘，若小弟得遂，少不得替两兄作伐，必不负言！"张、顾二人忙立起身来，向蒋青岩一揖道："多承高谊，但望吾兄勿忘今日之言。"蒋青岩笑道："两兄方才笑小弟做作，两兄于今为甚也做作起来？"说罢，三人大笑。

当夜，备了酒肴，三人在月下把盏。怎奈蒋青岩怀着满腹相思，便是张、顾二人，也做了相思陪客，勉强饮了几杯，各人都去就枕。

蒋青岩在枕上辗转反侧，将日间情事从头至尾的做成四首七言律诗，起来趁着月光，写在纸上。那诗道：

其一

偶随蝴蝶探春风，何幸仙源有路通。
水映绛桃西子面，花沾白鹭雪儿红。
蓝桥险被垂杨误，绣阁真将阆苑同。
云里双成环佩近，此身端拟在天宫。

其二

笑指双环放蝶归，惜花情性见人稀。
月裁团扇难遮面，霞染轻绡巧制衣。

中国古典名著百部

更有才华如谢女，若经图尽即明妃。

诗成浪许为才子，可否云霄并翅飞。

其三

何意金闺得此人，诗题团扇胜阳春。

女中苏李言非谬，字里钟黄笔有神。

正喜秋波才顾客，忽惊风影却潜身。

苍苔独剩金莲印，满地余香不染尘。

其四

苧萝山下月明时，苧想桃源入梦迟。

修竹似看人袅袅，绿杨如见影施施。

愿为绣被频沾体，敢羡霜毫学画眉！

谁把个中消息透，怜才应惜枕支离。

蒋青岩披了衣裳，拿了这诗稿，在房中走来走去，细细吟哦，向着月光道："月老、月老，我蒋青岩做了这等好诗，若不得与华柔玉成就姻缘，

你便无灵了。"说罢，从新去睡。天微明即便起来梳洗。

张澄江、顾跃仙一齐笑嘻嘻走到蒋青岩房里，问道："青岩兄，夜来曾入襄王梦否？"蒋青岩也笑道："曾入梦来，见两兄也在那里观望哩！"三人相视而笑。

蒋青岩遂将昨夜的诗稿递与张、顾二人观看，他二人看了一遍，大叫道："妙绝，妙绝！真可与《高唐赋》并传不朽，使我两人神游其间。小弟两人昨夜也各有一首绝句，特来请教。"张、顾二人向袖中取出一张诗稿来，递与蒋青岩。蒋青岩从头细看。头一首是张澄江的，诗道：

有客寻春喜遇仙,花争婀娜玉婵娟。

老僧诗句如能验,愿得明珠塔上悬。

第二首是顾跃仙和韵的,诗道:

蒋子今天一谪仙,却从花底语婵娟。

重游好带丹青去,为写从容座上悬。

蒋青岩看了,赞道:"两作甚佳,真是情种! 老和尚决然不谬,两兄但坐而待之。"顾跃仙道:"吾兄也好备办去见令姑母了。"蒋青岩道"小弟正在此间打点礼物,奈客中不曾带得有,所有不过三四色,不知两兄可有甚礼物带在身边否?"顾跃仙连忙答应道:"有、有,小弟带得十六色一份厚礼,打算转到绍兴,送一个年伯,于今吾兄只须换一个礼帖儿了。"蒋青岩道:"如此妙极、妙极!"忙去取了一个红柬来,照依顾跃仙礼单上开写,只后面换了一柄诗扇,在内拜帖上竟写回"内侄蒋青岩百拜。"打点完备,吩咐雇了一乘山轿坐了,院子捧了礼物,伴云拿了拜帖,蒋青岩向轿夫说明了去路,竟望华刺史宅中来。

要知蒋青岩怎生认亲,且听下回分解。

中国古典名著百部

第三回　认姑娘中堂叙旧　留表侄东院筵宾

词曰：

　　绿杨芳草山中路，访旧寻亲去，相逢执手话兴亡，惟有昔年双燕语雕梁。　　怜才特地留将住，可是姻缘处，轩名三凤验僧言，拼着时光耽搁不空还。

　　　　　　　　　　——右调《虞美人》

话说蒋青岩坐了轿子，不一会到了华宅大门首。那华宅大门是朝南开的，门外一带竹篱高树，进了竹篱，才是正经墙门。只见大门紧闭，门上写着一副对联道：

　　避人如处子　　　　不死愧忠臣

蒋青岩下了轿子，一个老院子拿着帖子，一个院子上前打门。打了半晌，方才走出一个白头院子来。开了门，看见蒋青岩主仆多人，那院子问道："相公是哪里来的？我家老爷抱病多年，隐居山中，久不接见尊客。半月前，往雁荡山养病去了。不敢领帖。"说罢，就要关门。蒋青岩道："你且住了。我不是外客，我便是你家蒋舅老爷的大相公，多年不知姑老爷、姑奶奶的消息，今日特访问至此，决要一见。若姑老爷公出，便要见姑奶奶，你可进去禀知。"那院子听了惊讶道："原来是舅老爷的公子，请到厅堂坐了，待小人进去传禀。"

蒋青岩便走到厅上坐下，那院子忙走到中门边。那中门都是落锁的，院子击了一声云板，里面方才走出一个老婢子，问道："有甚话说？"那院子道："你可去禀知老夫人，说蒋舅老爷的公子在外候见夫人，有拜老爷的名帖在此，你带进去与夫人看。"那老婢闻言，连忙走将进去。

不半晌，又同了三四个丫头养娘一齐出来，将钥匙开了门，向那老院子道："快请蒋官人到内堂相见，老夫人专等。"那白头院子忙跑过来，向蒋青岩道："公子，老夫人有请。"蒋青岩忙整衣服，恭恭敬敬走将进去，伴云捧了礼物相随。众丫头养娘依旧将中门锁好了。

　　蒋青岩将到中堂，华夫人走近前来，一把搀住道："侄儿，我与你一别十有六年，怎生得这等长成？不想你还记得我做姑姑的了。"蒋青岩且不回言，纳头便拜道："久违姑母大人尊范，负罪良多，今得相见，喜出望外。"华夫人再三将蒋青岩扯起。蒋青岩随将礼单呈上，华夫人道："你我至亲，不须行这套礼，留待你姑父回来璧谢罢。"将礼单递与手下丫头收过，然后让蒋青岩坐了。蒋青岩看华夫人虽然年已望六。却还十分精健，因想起自己的父母，不觉惨然。华夫人问及哥嫂，闻得已经亡过多年，十分伤痛。

　　茶过三巡，姑侄两人各将亡国以来十五六年中行藏出处说了一遍，彼此叹息一回。蒋青岩故意问道："十六年来，不知姑姑曾生过几位表弟？"华夫人闻言，不觉长叹一声道："侄儿，你休提这话。你姑父生平无甚过恶，不料上天竟不肯赐他一个后代，仅生得三个妹子。"蒋青岩闻言道："原来如此。既有三位妹子，何不请出来相见？"华夫人道："她少不得出来拜见哥哥，只怕梳妆尚未完哩！"当时吩咐手下一个丫头道："你去看三位小姐梳洗完备未？道蒋官人在此，请三位小姐出来相见。"丫头领命去了。华夫人即吩咐厨下收拾酒饭。不一会，那丫头来回复道："三位小姐都晓得了，待梳洗完备，同来拜见。"这蒋青岩听得满心欢喜，单候相见。

　　却说昨日园中的那位佳人，便是华刺史的长女柔玉小姐。那绿衣女子是华家的家生女，幼失父母，华夫人爱她生得清秀聪明，养在身边，如同骨肉，名唤韩香，一家上下都叫她做韩姐。华刺史几番要收她，华夫人不肯，要将她嫁一个单夫独妻。这韩姐和柔玉小姐极好，每日只在华夫人前走一走，便来和柔玉小姐一处行往，坐卧不离。因此，也识字能文。柔玉小姐凡有甚心事，都不瞒她。那青衣女子，名唤绛雪，是从小服侍柔玉小姐的婢子。这韩香、绛雪和小姐三人都同心合意的。昨日，柔玉小姐见蒋青岩的人品才学，心下十分爱慕，不好说出，韩香也看破几分。这日韩香听得夫人有个侄儿到了，忙到屏门后张了一张，见是蒋青岩，心下着了一惊道："奇怪，奇怪！这生原来是夫人的侄儿。"忙向后面妆楼上来，向柔玉小姐道："小姐，你道奇也不奇？蒋家官人就是昨日园中的那蒋秀才。"

柔玉小姐闻言,惊喜道:"昨日说他姓蒋,彼时我不曾留心问得,原来就是蒋家表兄。倒是我们昨日不曾有甚行径落在他眼里,不然,被他笑杀!"韩香笑道:"早知是自己兄妹,便留他多做几首诗也不妨。"柔玉小姐道:"于今既是兄妹,后面请教他的日子正多哩!"绛雪在旁笑道:"韩姐,只怕他要告诉夫人,说我昨日拿他当贼哩!"柔玉小姐也笑道:"休得乱说,恐人听见。"

正说话间,一个丫头走来说道:"二小姐、三小姐都在浣霞亭上,待小姐同去见蒋官人。"柔玉闻言,忙去换衣服,打扮得沉鱼落雁,比昨日又胜几分。绛雪相随,韩香也在后同行,竟往亭子上来。只见掌珠、步莲二位小姐也打扮得如花似玉,一齐上前接住,说道:"姐姐,我们今日得了一个哥哥,大家同去看是个怎么模样的人。"柔玉小姐道:"他是大家子弟,幼时又有舅舅的教训,料不俗恶!"说罢,同到屏门背后,先着绛雪去向华夫人说知。华夫人道:"我儿,你们快走出来,见见你蒋家哥哥。"

这三位小姐都低了头,一步一步,就如仙子乘云一般,香风渐渐,轻轻走到堂层中间。三人朝上并肩站了。蒋青岩忙立起身来,向她姊妹三人深深作了三个揖,她姊妹三人一齐答礼。左右搬了三张椅子安在夫人下首坐了。

华夫人指着三个女儿向蒋青岩道:"这是大孩儿柔玉,这是二孩儿掌珠,这是三孩儿步莲。"蒋青岩道:"姑娘虽是无子,有这般三个妹妹,何愁晚景!"华夫人道:"侄儿,你不知你这三个妹子,都十分聪明好学,若是男子,倒也都是功名中人。"又指着柔玉小姐道:"你这大妹子的笔下,着实来得的,便是你姑父还要让她三分哩!于今贤侄到此,她正好请教了。"蒋青岩道:"小侄生性愚鲁,幸有这等高才的三位妹子,小侄从今指示有人矣!但不知三位妹子所许何人?"华夫人道:"还未许哩!你姑父爱她三人如珍似宝,定要选天下第一等才品兼全的方才许他,因此迟迟。"蒋青岩道:"有理,有理。于今世上多半是村儿俗子,若一误听人言,不但可惜,且令才女抱恨!"

这三位小姐听得说到这事上,一个个都面红耳赤。夫人知她心事,只得止了。

蒋青岩看那柔玉小姐，正是昨日园中相遇的那位佳人。柔玉小姐偷看蒋青岩，也正是昨日那秀才，彼此心中暗喜，只不好说出。蒋青岩又看那掌珠、步莲，二小姐都生得容颜绝世，比着柔玉小姐相去不过毫厘。譬如春兰秋菊，各有其妙，正不必分其优劣也。

闲话之间，丫头养娘摆出早膳来。正待举箸，忽闻云板声响，外面传道："老父回了。"话犹未了，见华刺史早已走进中门，口中问道："蒋大官人在哪里？"这蒋青岩连道："侄儿在此，特来拜望姑父！"忙起身迎住。彼此让进中堂，从新待茶，各叙寒温。华夫人在旁说道："侄儿早到，尚未用饭。你且陪他吃了饭再叙。"华刺史闻言，忙叫抬过饭来。至亲六人同吃。

饭罢，三位小姐各回绣房去了，只剩华刺史夫妇同蒋青岩三人，坐谈往事，各感叹悲伤。华刺史道："老夫只因读书一场，少忝科甲，受了前朝大恩，不能身殉国难；苟全性命，避祸山林。几欲遣人探取

令尊令堂消息，又恐被人知我行藏，所以中止。不料令尊令堂竟作古人，可叹可伤！我也只待你三个妹子出嫁之后，我便同令姑母结个小庵，参禅学道，不复问人间事矣！敢问贤侄，曾有家室否？"蒋青岩道："国破亲亡，此事尚未提起。且婚姻一事，不但女子择人，即男子亦未可苟就！若浪听媒妁之言，则误人多矣！杭城内外，也有许多贵家大族，反累累与愚侄说亲，愚侄坚辞不允。只因愚侄无意功名，若一入贵显之门，恐未免随波逐流，有负先人明德，所以迁延至今。"华刺史连连点头，道："此论最高，吾侄可谓孝子矣！但夫妇一伦，亦非小可，也不宜过缓。"华夫人笑道："只恐世上要寻一个配得贤侄这样才品的也少哩！"

正说间，一个丫头拿了蒋青岩的礼单，双手递与华夫人道："这是先前蒋官人的礼帖。"华夫人道："倒是我忙了。"忙接过来，递与华刺史。华刺史看了，说道："吾侄何以客气至此！自家至亲，相承远顾，已觉可感，这厚礼决不敢领！"蒋青岩道："一芹之敬，望姑父姑母莞存！"华刺史见礼单上有诗扇一柄，说道："老夫正要请教佳咏，谨领诗扇足矣，其余谨璧还！"蒋青岩再三相强，又收了绵纱四端。蒋青岩吩咐伴云去取礼进来。伴云领命，不一会，将纱取到。华刺史忙将诗扇展开观看。那诗道：

> 国亡中表散他乡，满目春山惹恨长。
> 君父大恩俱草草，亲朋高谊久茫茫。
> 人情共望刘皇叔，丘壑深藏张子房。
> 今日登堂须细认，儿时相见恐相忘。

华刺史看罢，称赞道："淋漓感慨，令我悲恨交集。吾侄品既超群，才复绝世，只可惜生非其时。虽然吾侄年方弱冠，异日定是黄金台上人，只恨老夫不及见矣。"三人深谈忘倦。

厨下人来禀道："酒席齐备，不知是摆在园中还是内宅？"华刺史道："就在这内堂罢！"青岩道："既有盛席，又有名园，何不携去一游？"华刺史："荒园久未洒扫，迟日再当奉屈。"

说罢，众丫头仆婢一齐走来，抬过两张桌子、六张座位。华刺史吩咐众丫头婢子道："蒋官人是至亲，此后家中大小，却不须回避。"此时，众侍妾们都立在屏后，不好出来，听见这一句话，大家一齐走到左右立了，都偷眼去看蒋青岩。连韩香也来看了几次。此时，蒋青岩身在红粉丛中，真个健脾。只望那三位小姐到来，他拼了痛饮。

不一时酒到，华夫人着婢子去请三位小姐。那婢子去了半响，走来向华夫人耳边暗暗说了几句。华夫人笑道："我晓得她三人从不饮酒的，不来也罢。"蒋青岩闻言，把十分高兴减去九分。华刺史起身安了席，三人坐下，侍妾筛上酒来，饮过几巡。蒋青岩渐觉精神困倦，又见日已西斜，再饮数杯，便起身告辞。华刺史道："老夫倒不曾奉问，难道吾侄的行李不曾带到舍间来么？"蒋青岩道："小侄来时，有两个相契的朋友，要同小侄来游览山水，行李同在一处，因此，尚未携来。待小侄今夜

回去,与那两个朋友说了,明日搬过来罢!"华刺史道:"既是吾侄的朋友,何不同到舍间盘桓几时,也带拿老夫开开笑口?"蒋青岩道:"那两个朋友今日也要求进谒,因恐姑父谢客,所以迟疑未至。姑父若肯推爱,须写两个名帖,着一人同小侄去请他们。他两人一个姓张,是张吏部之子,名平字澄江;一个姓顾,是顾司徒之子,名成龙字跃仙,都是高才妙品,少年意气之人。"华刺史道:"既然是高才年少的人,老夫一发要会了。"即忙传进一个院子来,吩咐:"快去写两个眷弟的名帖,同蒋官人到下处,去请那张、顾二位相公,明日同搬行李到宅里来住。"院子领命去将名帖写了,在外伺候。华刺史携了蒋青岩的手,送到大门外。

蒋青岩作别而去。一路上,想那三位小姐不出来陪他饮酒,甚不快意。又转想道:"她是女孩子家,从不曾见生客。我虽至亲,却是初会,便不出来,也难怪她。于今姑父既约我到他宅中去住,后面日子正长。俗语道'日近日亲',自然渐渐亲热,我看姑父姑母待我的意思甚厚,十分爱我,将来若得个人儿从中说合,待我与柔玉小姐成就百年之好,我蒋青岩愿拜他八拜。"又想道:"不难,不难。姑父和柔玉妹子都是擅风雅、有眼目的人,只须我做些诗文,惊她一惊,也自然着我的道儿哩!"说时迟,走时快,那轿子儿已到下处了。

张澄江和顾跃仙一齐接住,问他认亲的事如何。蒋青岩欢天喜地细细向两人说知,又道:"家姑父闻两兄在此,嘱小弟致意,道他多年不出门拜谒,差院子敬持名帖,前来叩请,约两兄明早同小弟移行李到他宅中,盘桓几时,一同回去。"那华家的院子忙将名帖呈上。张澄江和顾跃仙向蒋青岩道:"令姑父小弟素未谋面,何敢唐突相扰?"蒋青岩道:"两兄与小弟情同骨肉,吾亲即若亲,况小弟已替两兄道意了,去有何妨!"张、顾二人都因那自观和尚诗在心头,巴不得同去,及闻蒋青岩之言,忙忙转口道:"既是长者见爱,何敢固辞?明早同行便了。"当下向华家院子道:"多拜上你老爷,我们明早和蒋相公同来便了。"那院子领了回话去了,不题。

却说青岩和张澄江、顾跃仙三人同吃了夜饭,张澄江低低问蒋青岩道:"吾兄今日见那两位小令妹,生得如何?"蒋青岩道:"皆绝代人也。"顾跃仙闻言笑道:"若此处无甚光景,回去拿住自观和尚,打碎他的光骷

髅。"彼此谈笑至二鼓,方才就寝。

次早起来,收拾行李。张、顾二人各写一个眷晚生的名帖并礼单,吩咐院子,叫了脚夫,挑了行李。他三个主人也不乘轿,一路携手而行。一路上的人,见了他三人,都是潘安再世、宋玉重生。行了不一会,到了华府门首。华家的院子先去通报,华刺史整衣出迎。走进大厅,叙礼已毕,张、顾二人呈上礼单。华刺史接过,递与院子,叫写两个璧谢帖,然后看座。张澄江首座,顾跃仙次之,蒋青岩又次之,华刺史北面陪着。

茶过三巡。华刺史道:"昨闻舍内侄道两兄才品、门第,急欲一晤。且是旧日通家,不知两位令尊健在么?"张、顾二人一齐打恭道:"先君去世多年了。"华刺史叹道:"国亡世乱,故旧亲朋凋零殆尽,令人可悲可叹!两兄如此英年妙品,指日定成大器。老夫何幸,得观芝宇。"张、顾二人齐声道:"后生失学,今幸因青岩兄之缘,得拜阶下,惟老先生进而教之!"四人叙了半晌。

华刺史细看蒋青岩和张澄江、顾跃仙三人,浑如三座玉山,朗然照映,暗暗称羡道:"不意世间有此等俊人!"当下吩咐将他三家的行李安在东边书院里。又唤过一切院子书童来,吩咐道:"蒋官人是至亲,张相公、顾相公是尊客,你们都要敬谨,不得放肆。"又派了三个书童、三个院子轮班在书院中传递茶水,听候使唤。吩咐完备,蒋青岩立起身来道:"小侄们也要到书院中走走。"华刺史即便相陪,前边书童引道。

四人一齐走过天井,进了东边一个竹门,又行过两条竹径,才到书院。只见书院中门径曲折,洒扫得一尘不染;中庭两边,种有十来株绝大桐树。此时正是深春,那桐叶新发,把纸窗儿映得碧绿。那窗前的芍药初开,香风扑面;那几榻之精、书画之富,不可言尽。怎见得,有词为证:

> 阶下梧桐滴翠,庭前芍药流香,牙签万轴拥胡床,几榻炉瓶雪亮。　　隔树莺声宛转,衔泥燕子匆忙。文房四宝最精良,卿相神仙不让。
>
> ——右调《西江月》

蒋青岩和张澄江、顾跃仙三人看了,都道是高人之居,与众不同。再到后面,又有一个亭子,四围修竹,亭面临水,亭上钉了一匾,写着"栖

凤轩"三个大字。蒋青岩和张、顾三人见了，暗暗着了一惊道："'三凤'之说应矣！"三人相视大喜。华刺史看见他三人爱这亭子，便吩咐院子移座，俱到亭上坐谈。

少顷，饭至，摆在亭上。饭后，蒋青岩独自进去候过华夫人，出来相与闲话，书童在旁焚香煮茗。他少长四人谈今论古，畅叙幽怀。华刺史见他三人口似悬河、腹如武库，心中惊羡非常。当夜盛席相娱，又下了请启，请明日游园。蒋青岩心下甚喜，暗暗打算明日到园中偷空去寻前日的旧事。酒散后，一夜睡不着。

不知后事如何，且听下回分解。

第四回　楼下潜身听私语
　　　　灯前遣闷谱琵琶

词曰：

　　花影疏疏，人悄悄，画楼灯火辉煌。院门偷启探娇娘，关心无限意，私语对韩香。　　多少新愁驱不去，琵琶几代兴亡。《后庭》一曲更凄怆，赠诗题白练，绝伎许谁行？

　　　　　　　　　　　——右调《临江仙》

话说蒋青岩见华刺史请他到园中游赏，一夜打算重寻旧事，并未合眼。次日午间，华刺史亲来约他三人同到园中。蒋青岩千方百计要脱个空儿到小姐的妆楼下望望，怎奈华刺史到处相陪，再不得抽身，因口占一绝道：

　　往事依稀在目前，百花深处有婵娟。
　　重来不许刘郎见，绣幕珠帘尽悄然。

　　这日，从下午上席，直饮到起更方散。

　　从此，华刺史日间陪他三人谈笑，夜间陪着饮酒，乐此不疲。不料，老人家的精神有限，一连数日，便累起一个劳碌病来。食少睡多，不能到外面相陪，凡事都是蒋青岩代劳。

一日,蒋青岩想道:"我此来之意,专为那柔玉小姐。于今住已多日,终朝闷坐,没得一个法儿和那小姐一诉衷肠,大非本意。"想来想去,全没计较。因到那书院后面去闲步,见旁边有一所高楼,蒋青岩便走上那楼去。推窗四望,只见这楼与那花园仅隔一墙,那柔玉小姐的妆楼也隐隐在目中。蒋青岩见了,忙下楼来到墙边,四下观看。见那西边墙角头有一个门儿,锁在那里。蒋青岩便寻着一个书童问道:"这门儿通着甚么所在?"那书童道:"这门外便是后园。"蒋青岩道:"既通后园,为甚么却锁了?"书童道:"因与内宅相通,故此闭锁。"蒋青岩闻言,口中不语,心下暗暗喜道:"有计较了。"

当夜,将张澄江和顾跃仙两人劝醉了,打发去睡。待众书童院子都睡尽了,蒋青岩携了自己箱上两钥匙,轻轻走到那后门边,去套那门上的锁。却也作怪,这钥匙就像原是这门上的一般,一套便开了。青岩喜不自胜,忙将那锁儿虚锁在门上,闪出后门,反手将门掩了。

只见门外昏黑如漆,摸不着路径。定眼半晌,望着灯光亮处一步高一步低走上前来。打从厨房边经过,听得绛雪的声音。蒋青岩住了脚,听她说甚言语。那绛雪道:"快些,快些。小姐不吃夜饭,要汤静手哩!"灶下一个老婢忙起身来,舀了一盆汤,绛雪手拿了一个纸灯出了厨房门,竟望南去。

青岩捱着影儿随了她两人转过一带竹篱,才是柔玉小姐的妆楼。里面灯光闪烁,蒋青岩不敢进去,闪在黑影里立住,让绛雪和那老婢先进去了,他才到门背后站着,望着绛雪忙忙将汤倾在一个铜盆里面,捧上楼去。那老婢自回厨房去了。蒋青岩听着柔玉小姐在楼上净了手,又听得一个女子净手。那女子的声音却是韩香。韩香一边净手一边向柔玉小姐说道:"小姐,我昨夜替三位小姐得了一个佳兆!"柔玉小姐道:"是梦见我姊妹们做了官么?"韩香道:"我梦见三位小姐各跨了一只彩凤,齐齐飞向云中。我醒来细想,这梦甚佳,三位小姐指日定得佳婿。"柔玉小姐长叹不语。韩香道:"我看前日那蒋家官人的人品,真个世上罕有,且又负大才,若三位小姐得婿如此,也便足了。昨闻老爷说,那同来的张、顾二人,也是风前玉树哩!"柔玉小姐住了半晌,说道:"老爷连日身子欠安,蒋家哥哥在此,不知早晚茶饭及时否?"韩香道:"夫人时刻

查看,谅无人敢怠慢他。只他年已二十,为甚不寻个佳偶?想多因才大眼高之故。"柔玉小姐闻言,低头不语。

却说蒋青岩自绛雪捧汤上楼之时,老婢已去,便轻轻走上楼门暗处,侧着身子儿站立一旁,将柔玉小姐和韩香两人说的话句句听得明明白白,心中喜道:"不料小姐这般念我,那韩香也这等着意于我,真个难得。"再偷眼细看小姐房中,好生齐整。怎见得:

> 锦帐罗帏,象床鸳枕。衣香逐炉,烟而氲氤,火树映容,光而逸韵。图书万卷,围绕着一个佳人;花柳三春,耽误了千金娇女。灯儿下悄语多情,门儿外相思几许。

此时,蒋青岩魂消魄荡。再看那柔玉小姐坐在灯光之下,浓妆尽卸,越显得千娇百媚。便是那韩香,也觉娉婷可喜。

蒋青岩欲待上前和柔玉小姐说几句衷肠话儿,又碍着韩香在侧,千思万想。只见小姐愁眉不展,情绪萧条。韩香道:"妾观小姐连日情绪不快,不知有甚心事?"小姐道:"偶尔不畅,连我自己也解不出,不知为甚?"韩香笑道:"小姐的心事,妾猜着几分。于今小姐便愁烦也难济事,况凡事俱有定数,待妾与小姐宽解宽解如何?"柔玉小姐道:"你有甚法儿宽解我的愁肠?"韩香道:"妾近日新谱得几曲琵琶,前日曾弹与老爷听,蒙老爷赏鉴,尚未请教小姐。此时夜深人静,待妾去取来弹一曲,与小姐遣闷,或者遣得些儿也未可知。"小姐道:"此事甚妙!只恐母亲一时唤你,不大稳便。"韩香道:"不妨!妾来时已见夫人安寝了。"

柔玉小姐闻言,忙唤绛雪点火。叫了数声,绛雪方从梦中惊醒,走到跟前道:"适才可是小姐唤我?"小姐笑道:"你这妮子,怎么一些心事也没有,怎般好睡?快些点火,跟韩香姐去取琵琶来。"绛雪走去燃了一个纸灯,同韩香下楼。蒋青岩早已躲往楼下去了,让韩香和绛雪过去,大着胆子竟上楼来。柔玉小姐正背着身子在香几边添香,忽听得脚步响,忙忙转回头来,见是蒋青岩,一时回避不及。蒋青岩恭恭敬敬望着柔玉小姐一揖道:"贤妹,拜揖了。"柔玉小姐正色道:"夜阑人静,哥哥却从何处混入我卧室?哥哥即不避嫌疑,独不畏礼法乎?"青岩道:"客枕无聊,偶尔闲行,望见灯光,不觉信步至此,听得贤妹声音,特来相访,并谢前日园中宽纵之恩与适间关念之德,兼有独作请正。不知贤妹如此

相拒之深，即嫌疑礼法，亦当为多情人恕耳！乞客少坐，略诉衷肠。"青岩口中说着，身子便要坐下。柔玉小姐慌忙道："哥哥快去。婢子从人即刻到来，倘被她们撞见，不但有损于哥哥，亦且遗冤于小妹。如再迟延，小妹即去禀知爹娘，哥哥那时休要见怪！"正说间，远远听见韩香和绛雪的笑声。

蒋青岩忙向袖中取出一张诗稿，放在桌上，飞奔下楼去了。吓得柔玉小姐心中突突的跳，忙将诗稿藏过。韩香和绛雪早已来到。蒋青岩躲在暗中，看着韩香双手把着一张精致仿古的琵琶，笑盈盈和绛雪同上楼去。歇了半会，然后才听得调弦定响，渐渐弹入正调。弹得指尖儿飞舞，纷纷攘攘，恍如金戈铁马之声。

柔玉小姐道："此非项王垓下之战乎？不然，胡为壮然以悲，凄然以怒耶？"再一转其声，将断不断，欲离不离；儿啼母泣，风高马嘶。小姐道："此非《十八拍》之遗音乎？不然，何以夷犹不决，相恋将离耶！"又一转其声，如思如慕，如寄如诉；悄然而深，神情飞度。柔玉小姐闻之，不觉长叹道："此《凤求凰》减调也。请止勿弹！"韩香道："小姐真神人哉！昔日文姬辨琴，至今传为美谈。今日小姐似又过之。小姐既不乐听此曲，妾尚有新曲一套，请小姐静听。待妾细弹。"此时，天已将三鼓了。

那韩香再整冰弦，冷弹慢拨。这一曲比前三曲更觉难听，其中声响，有似兵败将死、君亡臣窜者；有似老监呼天、宫娃泣夜者。这一弹连那窗棂儿都弹得摇战，灯影儿都拨得昏黄。怨恨悲伤，万端交集。柔玉小姐不觉声音哽咽，说道："此曲何以伤心至此？岂雍门之琴，渐离之筑乎！我不忍听。"此时，蒋青岩在楼下听得此曲，亦忍不住潸然泪下。

那韩香弹了一会，停了手，问道："小姐知此曲乎？此前朝《后庭花》也！"柔玉小姐道："原来是亡国之音。若一再弹，令我心碎。姐姐，你这一手琵琶，真可谓千秋绝技！"韩香笑道："妾本意欲与小姐遣闷，不料倒添小姐的感伤了。今日既承小姐鉴赏，敢求不吝珠玉，见赠一诗，也不枉了妾年来学习的苦心。"柔玉小姐道："诗却容易，只恐赞叹不尽。今夜夜已深了，料难成寐，我们作个竟夜闲谈，你一边啜茗焚香，我一边做诗，你意下如何？"韩香喜道："如此韵事，有何不可！妾替小姐捧砚，求小姐多做几首。"柔玉小姐道："你但说要几首，我便作几首赠你。"韩香

笑道:"妾虽然是这般说,也不敢十分苦劳小姐的心。适间止弹得四曲,只求四首便够了。"柔玉小姐听了,也笑道:"斫望不奢,也好打发。"韩香忙来磨墨。

这柔玉小姐真个才情敏捷,一壶香茗才熟,四首新诗早完。向韩香说道:"诗已成了,待我去寻一幅松绫写来相赠。"韩香惊道:"小姐,你敢是曹子建的后身么?怎生神速乃尔?"柔玉小姐轻移莲步,到箱中取了一幅白绫,约有二尺来长,放在桌上,拂得平平的,将那玉笋般的纤指拈着霜毫,一会写完,却是四首七言绝句。那字儿写得宛如簪花美女、步月婵娟,好生可爱。韩香接到手中,将这诗一句句娇声朗诵。头一首道:

> 聪明端是女中豪,学得琵琶绝世高。
> 一曲项王垓下战,悲歌叱咤响弓刀。

其二

> 谁遣文姬去复归,曹公高谊古今稀。
> 闺中妙手弹偏苦,母泣儿啼泪满衣。

其三

> 绣阁宵深影不孤,琵琶如诉绕庭梧。
> 弦中且止求凰曲,惭愧文君已二夫。

其四

> 一曲新声不可闻,喝残金镂泪纷纷。
> 君王旧宠风流甚,辇道闲花怨夕曛。

韩香诵罢,喜不自禁,走向柔玉小姐跟前,深深拜谢道:"儿女小使,蒙小姐赐以珠玉,感荷良深!"柔玉小姐笑道:"巴音俚句,尚恐不能尽其万一,何足言谢!"

此时,蒋青岩尚在楼下,将这小诗一句句都听得明白,记得清楚,暗暗称羡不已。却见夜已深沉,只得东转西撞,回到书院中去了。这夜,韩香与柔玉小姐同榻。

青岩回到书院中,将后门依旧锁了,轻轻摸到自己榻上睡下,细想这夜的光景,也依了那柔玉小姐的韵,和了四首。又想到:"我适才听那小姐想念之意,甚觉关切,只是她为人正气,不是个可以苟合的。我于

今直索想一个法儿，打动我姑父方是上策。"千思万想，在枕上反复不寐，直到天明起来梳洗完备，将夜间和韵的诗写了一斗方，自己拿着，细细观看。那诗道：

其一

　　自负风流气本豪，
　　仙娥遇后眼偏高。
　　相思远甚吴江水，
　　不畏并州快剪刀。

其二

　　苧萝山畔欲忘归，
　　谁道夷光旷代稀？
　　夜向妆楼偷半面，
　　似多春恨不胜衣。

其三

　　女伴挑灯兴不孤，可怜孤凤立庭梧。
　　琵琶拨尽伤心事，羡汝知音胜丈夫。

其四

　　细语关心我恰闻，相思从此更纷纷。
　　月明春老缘犹寒，辜负朝光与夕曛。

　　蒋青岩自己看了一回，将斗方藏在一边，然后换了衣服，竟进内堂，来向华刺史问安。恰好遇着柔玉小姐姊妹三人走出华夫人的卧房来。蒋青岩忙忙上前作揖。那姊妹三人也不回避，都道了一声："哥哥，万福。"只有柔玉小姐因夜间的缘故，羞得哪白玉般的脸儿从耳根边直红到面门。两个妹子不知就里，只认作是姐姐怕羞，也低着头一齐去了。

　　众丫头侍妾看见蒋青岩，忙去报知华夫人和华刺史。华刺史吩咐"请进卧房"。蒋青岩到卧房中问候了一回，知华刺史病体已愈，用了茶，便回到书院中来。张澄江和顾跃仙闻得华刺史的病体好了，都甚是欢喜，向蒋青岩道："小弟等待令姑父出来，观其动静，却要回去，恐家母

悬望。"蒋青岩道:"小弟的意思也正如此。我们同来,还须同返。"按下不题。

且说柔玉小姐因早间撞见蒋青岩,坐在绣房想道:"那蒋郎昨夜虽然唐突,却也是个情种。只是将我华柔玉看差了。我岂是私期苟合之人?他若能央一个媒妁向我二亲道意,也未必不成。我要递一个口气与他。"奈又无人可托,且是女孩儿家,羞答答不好意思,想了又想。忽然想起道:"他临夜有诗在此,要我和他的,我取出来看看。"立起身来,先将楼门儿关了,然后向箱中取出蒋青岩的诗来展开,从头细细看来,再三吟哦,不觉低声赞道:"绝妙好诗!我华柔玉若得配此人,也不辜负了我的才学。我不免将他这诗和了,里面微露此意,教他竭力图谋。得便递与他,却也无妨。"

当下,拈起笔来,也不思索,一首一首将去。不多一会,将那四首都和完了,取过一方花笺,写得端端楷楷,也不落款,自己拿在手中,低低吟诵。那诗道:

其一

几年庭院闭东风,自信人间路不通。
芳草浑将衣带绿,山花闲映玉钗红。
莺儿隔树传音巧,燕子窥帘语路同。
谁遣寻春来此地,题诗错拟蕊珠宫?

其二

高楼计日怕春归,满目春花已渐稀。
蝶梦有情常恋树,蛛丝无力故牵衣。
堂前旧识来双燕,竹上新斑想二妃。
静卷珠帘无个事,夕阳山顶慕云飞。

其三

聪明未敢拟前人,学得吟诗暗惜春。
团扇偶题工尚浅,霜毫无法笔难伸。
怜才喜遇风雷手,问字惭为闺阁身。
白雪调中休见狎,红裙着地不沾尘。

其四

三春花月几多时,蝶使蜂媒怪尔迟。

每以私奔轻卓女,频将自荐笑西施。

怜君客枕应含恨,念妾深闺亦锁眉。

不见东风桃李树,回头花落子迟迟。

柔玉小姐将诗吟咏了一遍,低声唤道:"蒋郎、蒋郎,天若使我是个男子,与你并驱中原,也不知鹿死谁手?"

说罢,正要封了,以待便中致与蒋青岩。忽闻楼梯响,知有人上楼,柔玉小姐忙将诗稿藏过一边。只见韩香急忙忙走到跟前说道:"小姐,不好了,祸事到了!"柔玉小姐闻言,吓得面如土色。

不知是何祸事,且听下回分解。

中国古典名著百部

第五回　假女婿成真女婿
　　　　　　　恶姻缘变好姻缘

词曰：

　　春事多阑，相思不断，权门忽地求姻缘。暂将才子认东床，哪知竟遂东床愿！　　彩笔惊人，珠帘隔面，浙东三凤同羡。想应瑞为此人来，一龙绣虎筵前献。

　　　　　　　　　　　　　　——右调《踏莎行》

　　话说那柔玉小姐听得韩香之言，一惊不小。忙忙问道："我家隐居深山，有甚祸事？"韩香道："小姐还不知么？这件祸事却是从三位小姐身上来的。朝中有个权臣越〔国〕公杨素，他是隋家开国元勋，权倾中外，性极刚戾。不知他怎生知道我家有三位小姐，于今特差一个官儿赍了聘礼来到，说他越公闻得三位小姐皆是倾国倾城之貌，要求一位与他儿子做亲。若肯依允，便无他说；倘若不允，他便要下手我家哩！"

　　柔玉小姐道："天呀！此事如何是好？"韩香道："小姐莫恼。于今却又恭喜小姐了。"柔玉小姐道："你敢发痴么？既是这般祸事到了，安有喜事？难道老爷将我许了杨家不成？"韩香道："不是，不是。老爷见杨家人到，一时无计推脱，只得权将蒋官人假作大女婿、张官人假作二女婿、顾官人假作三女婿。我想别事都数假得，这些事可是权假得的？三位小姐定属他三人，恰好小姐许了蒋官人，岂不可喜？"柔玉小姐闻言不语。韩香道："待妾再去打听，看老爷怎生打发那差官起身，再来报与小姐。"

　　话分两头。再说华刺史备了千金厚礼送那差官，托他婉辞。又请出蒋青岩和张、澄江、顾跃仙三人来与差官相会。那差官见了他三人，心中想道："闻他三个女儿都是国色，这三个女婿也都是天人。若比俺那杨公子，比得他们哪一件来？于今这华老既送我恁般厚礼，我自当替他婉辞，倘越公不信，也只索由他。"

　　当夜，华刺史盛席待那差官，蒋青岩和张、顾三人相陪。他三人此

时欢喜非常,尽情痛饮,料想这段姻缘一定是要弄假成真了。胸中倒觉感激那杨素老儿。次日,打发差官回头去了。

　　华刺史进到中堂,与夫人愁眉对道:"我们隐居深山,只道可以全生远害,不料那权臣还放我不过哩。于今虽是暂时回他去了,不知后事如何?我想三个女孩儿都已长成,蒋家郎君和那张澄江、顾跃仙三人,品格不凡,门第相敌,只不曾面试其才。我昨日既将他三人抵答那差官去了,他三人未必不信以为真,我倒不好处得。我的意思,今夜备一个酒席到书房中,与他三人作谢,席间便考他们一考。若是才学超群,我便认真将女儿许他们,不知夫人意下如何?"华夫人喜道:"老爷所见极是。妾身初见蒋官人儿的人品,闻他未曾娶妻,妾身就要与老爷商议,要将柔玉孩儿许他。因老爷抱恙,未暇及此。后来又闻得那张澄江和顾跃仙两人的人品都出类超群,若使三个孩儿得嫁了他三人,真是快事。料他三人定有真才实学,也未必便考得倒他。妾身即刻就去吩咐厨下备酒便了。"华刺史听罢,起身走出书院中来。

　　却说蒋青岩和张澄江、顾跃仙三人也正在那里商量。蒋青岩道:"我们三人在此,原无他望,单为想着这段姻缘。小弟细观察姑父昨日的举动,多半是借我们行权,其实未决。他夜间必出来陪我们饮酒,两兄都要着实恭敬,认真翁婿,看他怎生说话?万一他口气不改,我们便各寻一物为定。"张澄江道:"我有琥珀鸳鸯扇坠一枚。"顾跃仙道:"我有碧玉镇纸一方。"蒋青岩道:"我有秦时官镜一面。"

　　正说间,伴云走来报道:"姑老爷来了。"蒋青岩和张、顾三人一齐来迎住,果然比往日加倍谦恭。张澄江定不肯与华刺史对坐,华刺史道:

"今日何以过谦至此?"张澄江道:"往日是通家子侄,还可假借,今日仍翁婿至亲,名分有在,岂敢僭越?"华刺史闻言,笑而不答。彼此谦之再四,华刺史也无可奈何,只得说道:"老夫昨日授权,借两兄作退兵之计,婚姻之约,尚容思议!两兄何以这般认真?"顾跃仙道:"老先生何出此言?天下事皆可以行权,曾未闻权作夫妇之礼。令爱小姐虽是千金艳质,晚生辈亦非碌碌庸人。若恐胸中抱负疏浅,听凭老先生当面考试便了!"华刺史道:"老夫所以疑侯之故,正为此耳!观两兄人品气概,自是高才饱学,老夫信之久矣!但小女病在略知文墨,都要老夫当面请教一番,她才深信。"张澄江道:"如此极妙!且择人而事,自古贤女皆然。请老先生即刻命题限韵,限以时刻。"华刺史道:"如此,请坐了,待老夫进去就来。"

华刺史忙进内宅。向华夫人道:"那张、顾两生,十分将婚姻之事认真,情愿面试。夫人,你可速去吩咐厨子将酒席摆在大厅上,将屏门边都挂了帘子,你领三个女孩儿坐在帘内,观他吟咏。"夫人闻言,一面唤过韩香到跟前,与她说其缘由,叫她去请三位小姐整妆,到前厅去看三个才子作诗;一面催厨下摆酒。华刺史自己走到房中,向书架上取了三张锦笺,笺上都写的诗题,题下限了韵,一样折得方方的笼在袖中。又唤韩香来吩咐道:"外面上席之时,你可携了琵琶,在帘内听我挥使。"韩香领命。

外面书童进来禀道:"厅上酒席已摆设齐备了,屏门上的湘帘已挂了,请老爷安席。"华刺史随即起身,走到厅上,着院子去请蒋青岩、张澄江、顾跃仙三人上席。他三人忙整衣冠,喜孜孜前来听考,一齐来到厅上。华刺史笑脸相迎,一个个打拱安席。四人坐定。

蒋青岩和张澄江、顾跃仙见帘内隐隐约约,那香气一阵阵飞透出来,知道是三位小姐在内看他三人吟咏,三人一发添了许多诗兴。酒过三巡。华刺史向袖中取出那三张锦笺,捏在手中,向张澄江、顾跃仙二人说道:"老夫放肆了。拈有三个题目在此,连青岩舍内侄也要请教一二。"蒋青岩笑道:"如此方见姑父公道。"华刺史道:"老夫还有一说,舍下有一义女,善弹琵琶。于今老夫请她在帘内,待三位题目到手,会她弹一曲来陪,如曲终而诗不成者,听罚。"蒋青岩和张澄江、顾跃仙三人

中
国
古
典
名
著
百
部

一齐道："此事极妙,可作将来一段佳话。"华刺史然后将那三张锦笺放在一个大花瓶内,向他三人问道："三位年齿孰长？长者可先阄一题。"蒋青岩闻言,便向张澄江、顾跃仙拱手道："小弟告僭了。"说罢,伸手向瓶中取出一张锦笺来,笺上写着题目"西子采莲图得子"字,五言古诗一首。蒋青岩尚未看完,只听得琵琶已响,一个书童捧了文房四宝,立在蒋青岩身边。蒋青岩喜孜孜提起笔来,浑如凤构,一挥而就,呈到华刺史面前道："草率完备,幸赐涂抹!"华刺史连忙双手接过,细细观看。那诗道：

　　　　昔日有佳人,芳名号西子。
　　　　清晨自浣纱,暮作采莲女。
　　　　游鱼各惊散,鸳鸯复高骞。
　　　　同伴愧不如,持花谬相比。
　　　　花质本婷婷,斯人妙容止。
　　　　莫采并头花,双双照溪水。

　　华刺史看了一遍,击节连声,称赞不已,随即收入袖中。听那琵琶才弹得半曲,华刺史一发敬服。那掌珠、步莲二位小姐在帘内观见,十分骇然,只有柔玉小姐是见过的,虽不惊讶,也暗暗欢喜。

　　第二个是张澄江,向瓶中取出一笺,展开看时,上写着题"天台采药图得来"字,要七言短歌一章、拟柏梁台体。这里刚刚看完题目,那帘内的琵琶再响。张澄江也不思索,信笔挥成。听帘内的琵琶正弹得热闹哩。张澄江将诗双手送到华刺史面前。华刺史恭恭敬敬接到手中。那诗道：

　　　　刘生阮子本仙才,春风采药游天台。
　　　　路迷忽见桃花开,洞口仙人带笑来。
　　　　云锦衣裳芙蓉腮,问君何日离尘埃？
　　　　纤纤手内黄金罍,劝君痛饮休徘徊。
　　　　归来七世人相猜,旧时城郭半蒿莱。
　　　　胡麻一饭真奇哉,何不学仙空沉埋？

　　华刺史看罢,高声赞道："秀逸高古,允称绝调。老夫何幸,得遇仙才!"

蝴蝶缘

说罢,轮到顾跃仙起身向瓶中取出那一张笺纸来,捏在手中,让那琵琶弹完了,方才看题。那题是"题子卿归汉图"字,要五言绝句四首,即用'子卿归汉',四字为韵。那帘内的琵琶早已相催。这顾跃仙不慌不忙,一首一首,写得风行雷动,顷刻间四诗挥就,也送到华刺史面前。华刺史起身接住。

此时,三位小姐及华夫人与那些内外大小男女,知与不知,见他三人下笔如此神速,无不喝彩。那韩香反受他三人的促迫,一时指法错乱。这华刺史也被他三人惊倒。再看顾跃仙这四首诗。第一首道:

自信无不期,入关如梦里。

茫茫十九年,秃节报天子。

其二

故旧半凋谢,重伤去日情。

春风吹白发,后起尽公卿。

其三

攘攘长安城,家家不掩扉。

黄童与白叟,邀看老臣归。

其四

单于感忠□,远送还乡县。

哀哉律与陵,望子若霄汉。

华刺史看罢,赞叹不已,喜得手舞足蹈,忙忙走下席来,亲到蒋青岩和张澄江、顾跃仙三人面前,各奉酒一大杯道:"老夫不知三位乃旷世奇才,险些儿当面错过,百年之约,敬遵命矣。"

蒋青岩和张澄江、顾跃仙三人一齐出席拜谢道:"后学小子,谬蒙称许东床之选,实愧王郎。但客中苦无厚聘,各有微物一种,聊伐荆钗。"说罢,三人随即同到书院中,去取了那三件宝物来到。各人手捧一物递与华刺史。

华刺史看蒋青岩的是菱花宫镜,澄江的是一枚琥珀鸳鸯坠,跃仙的是一方碧玉镇纸,都是罕有之物。华刺史一一记明,吩咐一个书童去取了一面雕漆方盘来,将那菱花镜压了西子采莲图、琥珀鸳鸯坠压了天台采药歌、碧玉镇纸压了子卿归汉诗。安排停当,唤出韩香到屏门口,吩

咐道："你可将这盘内三年宝物和诗稿送与夫人，教夫人将这菱花镜和西子采莲诗送大小姐、琥珀鸳鸯坠和天台采药歌付与二小姐、碧玉镇纸和子卿归汉诗与三小姐。要三位小姐各以宝物为题赋诗一首来回答。"韩香一边答应，一边将身子往帘内缩将去了。

　　此时，三位小姐虽在帘内，因听他父亲受了蒋青岩和张、顾三人的聘礼，含羞入内去了。华夫人乃同韩香进去。只见三位小姐还坐在中堂哩。韩香望着她姊妹三人，恭喜道："这三位小姐，恭喜，贺喜，聘礼在此，请三位小姐收起。"这三位小姐都将脸儿背过一边，低头不语。华夫人道："我儿，这是你们终身大事。况那三个才子也是世间难逢难遇的，配着你姊妹三人，正是郎才女貌。我做娘的和你爹爹都十分快意。我儿，你们快快收了去。"

　　三位小姐只是不动。华夫人只得将那三件宝物照依华刺史的吩咐，替三个女儿按在袖中，说道："你父亲要你三人各将这宝物赋诗一首回答。此乃父命，你们不可违他，且你们聪明素著，若不作时，那三人只当你们不会作。"三位小姐被华夫人一激，真个一齐回房作诗去了，韩香也随后跟去。按下不题。

　　却说外面张澄江和顾跃仙向华刺史道："小婿们于今不是外客了，须要请见岳母老夫人，以便日后来往。"华刺史道："这也无妨！"便走进里面，向华夫人道："那张家女婿和顾家女婿要请你出去拜见，我想于今既是至亲，便出去见见无妨！"华夫人闻言，即忙整衣服，唤四个丫头相随，同华刺史一齐走出厅来。

　　张澄江和顾跃仙忙忙下席，整衣下拜。蒋青岩也在内同拜。华夫

人道:"青岩侄儿是曾见过多遭,不须又拜。"蒋青岩道:"往日是拜姑姑,今日是拜岳母。"华刺史闻言,不觉失笑。

华夫人只受了他们两礼。他三人起来,一并站在下手。华夫人细看这三个女婿,个个都是人中麟凤,不觉喜笑颜开,向蒋、张、顾三人道:"三位贤婿请坐,宽饮几杯。老身有事,不及相陪。"说罢,进内去了。华刺史在外相陪,翁婿四人尽兴痛饮。

饮到中间,韩香捧了一个盘儿,盘内捧了三张彩笺,写了三首诗,站在帘内说道:"三位小姐的诗在此。"华刺史道:"你只管捧过来。这是三位姑爷,此后不须回避。"韩香只得低了头,捧到席前。华刺史先取柔玉小姐咏菱花宫镜诗付与蒋青岩等三人同看。那诗道:

> 皎皎凌秋月,菱花两黍成。
>
> 秦宫与汉代,成败尔分明。

蒋青岩等三人看罢,一齐喝彩。华刺史向蒋青岩道:"这首诗贤婿就收下罢。"蒋青岩连忙收在袖中。

再取过掌珠小姐咏那琥珀鸳鸯坠的诗,到席上同看。那诗道:

> 千年松柏精,镂成鸳与鸯。
>
> 松柏耐岁寒,鸳鸯会双翔。

看罢,也连声喝彩。华刺史便交与张澄江收下。

再看那步莲小姐咏碧玉镇纸的诗,那诗道:

> 玉体本坚贞,好静观书卷。
>
> 天风吹不移,色映苔痕浅。

三人读了一遍,亦复赞叹不已。只见顾跃仙亦不待华刺史开口,他便将这诗放在袖中去了。蒋青岩等三人又齐起身向华刺史称谢,又各奉华刺史三大杯酒,说道:"三位令爱高才博学,皆岳父岳母两大人家教,今日岂可不痛饮几杯?"华刺史也不推辞,翁婿四人饮至更深方散。

不说华刺史回入内宅。且说蒋青岩和张澄江、顾跃仙三人心中万千喜庆,知道那自观和尚是活佛出现。转到书院中,各人取出小姐的诗来,拿在灯儿下,细细吟诵,比读《四书》经传还恭敬百倍。又彼此换看一番,然后各人收藏了,方才去睡。

这蒋青岩和衣睡在枕上,想道:"我今夜这般快意,不知俺那柔玉小

姐此时怎生快意哩!"又道:"这时节敢还未睡,我不免再偷步到她那里看她是怎生动静。"便轻轻地走下床来,侧耳四听,只闻酣睡之声,满耳惟有张澄江和那顾跃仙二人在床上吟哦赞叹,喜而不寐。蒋青岩也不管他,自己竟走到房中取了前日和韵的四首绝句斗方,笼在袖里,又悄悄套开后门,竟往柔玉小姐妆楼下来。远远望见,楼上楼下灯光照耀,笑语喧阗。蒋青岩不敢从正路去,却从旁边乱草中转到妆楼后面。只见后面的门儿半掩,蒋青岩将身闪到门边,向那壁缝里细细张看。原来是柔玉小姐姊妹同韩香共四人围坐在一张桌子边斗叶子;那绛雪同了两个丫头在阶檐下煎茶。蒋青岩看着灯光之下,恍如四朵名花,好生可爱。

却说柔玉小姐正是临生之时,面前已是顺风旗,得了三捉,再过两巡,及是空汤得了一捉。到临了,柔玉小姐手中剩了一张二十子,那三家俱无捉牌。柔玉小姐大笑道:"又成了一个色样。"大家看时,却是王矮虎遇着一丈青正是夫妻相会。韩香笑道:"这矮物事好造化也。"柔玉小姐也笑道:"他虽矮,那一丈青也太长些。此真可谓过犹不及。"那掌珠和步莲二位小姐闻言,都一齐发笑。柔玉说道:"莫笑,快算将筹码来。"那三家算算顺风旗、现百子及夫妻相会又是一吊,三家每家各输筹码三十余副。柔玉小姐共赢筹码一百余副。柔玉小姐将筹码向韩香面前一放道:"夜已深了,明日再开。韩姐,你可将筹码收下,明日做个东道,到园中去看牡丹。"掌珠和步莲二位小姐一齐说道:"此事最妙!只苦了韩姐跑足。"韩香笑道:"明日的东道,总让妾一人独做,只当替三位小姐恭喜,如何?"

正说间,忽然听得楼梯上就像一个人滚将下来一般,把众人吓了一惊,众丫头连忙一齐点火去看。不知是人是鬼,且听下回分解。

第六回　小姐防嫌托心腹
韩香乘便换诗词

词曰：

　　　妆楼不让黄金屋，有女持身似冰玉。休作寻常花柳看，婚姻有定归须速。　　诗词题和频相嘱，偷向碧桃花下侯。终朝不见阮郎来，别有奇缘致衷曲。

　　　　　　　　——右调《玉楼春》

话说众人听得楼梯上滚的响，吃了一惊，一齐点火去看，绝无影响。又同上楼去看了一回，那楼上的门窗都关得好好的，并未曾开动，众皆惊讶不已。绛雪在旁说道："是鬼、是鬼。我前夜同韩姐去取琵琶，回来之时，在灯影下远远望见一个白脸后生，鬼一闪就不见了。只怕如今就是那鬼！"

　　柔玉小姐骂道："休得胡说！"这柔玉小姐口中不便说出，心中却也想道："这一定又是蒋郎来窃听我们的话。这痴人，于今姻缘已定，佳期有日，怎生只管到此搅扰？倘若被人看破，岂非白圭之玷？此事怎的方好？"心上十分踌躇。那掌珠和步莲两小姐都一齐告别回房去了。韩香也要动身，柔玉小姐道："韩姐，你今夜在此和我相伴罢。"韩香哄道："我却是胆小的，要在床里睡，恐有鬼来时，我好躲到床背后去。"柔玉小姐也不觉失笑，便携了韩香的手一同上楼。那绛雪到楼下取了汤水，收拾茶具，不住的高声咳嗽，忙忙收拾完了，持了一壶香茗，两步并做一步，奔上楼去闭了楼门，服侍小姐安寝。不题。

　　却说适才在楼上滚下来的，正是蒋青岩。他因见众人都在楼下，思量要上楼去看看小姐的衾枕。不料，一时失足，滚将下来，跌得巾歪骨痛，把额角上跌破了铜钱大的一块肉皮，抱着头忙忙躲入树林之中，又好笑，又好恼。暗想道："我额角上跌了这一块肉皮，倘明日张、顾两人和岳父看见，一时却怎生答应？"想了一会道："我只说是昨夜吃醉，倒在床上滚下来跌破的。"自己一人站在树林中，只待众人查看过了，再去打

探,闻得柔玉小姐留下韩香相伴,只得学个鸳鸯搏鱼之势,一步一步在那黑影里步回书院中来。从新脱了衣服上床去睡。心中打算明日瞒过了张澄江和顾跃仙两人,私到园中看那三位小姐赏牡丹。他一边打算,一边昏昏睡去。

　　再说柔玉小姐留住韩香的意思,原非要她相伴,只因蒋青岩一事在心,恐他将来做出话柄,损了她的节。故留韩香在此,要和她商议一个计策,善止蒋青岩的来往。两人在楼上,对坐在灯下,只碍着绛雪在跟前,不好开口,只得吩咐绛雪道:"我与韩姐还欲作诗闲谈,你可将灯儿添上了油,你自去和衣睡睡。我这里有事之时,再来唤你。"绛雪闻得小姐放她去睡,就如逢赦一般,忙来添满了灯油,将茶壶暖在茶包内,她自去和衣睡了。

　　韩香见柔玉小姐这般动静,体念不出,欲问又止。柔玉小姐侧耳细听,那绛雪早已睡着,柔玉小姐方才立起身来,望着韩香深深一拜。那韩香不知就里,忙忙答礼,惊讶道:"小姐,却是为着何事?却不怕折杀我?"柔玉小姐道:"姐姐,我有一言与你商议,望你千万不可泄漏。"韩香道:"小姐说哪里话?贱妾本一下人,蒙小姐爱同骨肉,形影相依,自恨图报无地,倘有可用之处,贱妾自当尽心竭力,怎敢泄漏?"柔玉小姐答道:"我非不知姐姐待我之厚,故先试之耳!"

　　说罢,遂携了韩香的手轻轻走到楼下。暗中坐了,就将前日她取琵琶之时,蒋青岩怎生上楼来,她怎样正言厉色相拒而去,今夜在楼上滚下去的多应又是他说了一遍。又道:"我想当初婚姻未定之时,男女相念之情,彼此不免。于今婚姻既定,此心各安,且夫妇大伦,岂可视作等

闲花柳。他只该急急回去打点完来娶，怎生还在此搅扰？万一使父母得知，怎生是好？今夜特与姐姐商议。他方才料必听得我们说明日到园中赏牡丹，他明日定也要到园中来闲耍。烦姐姐留心待他，到时指他到一边，与他说知此意。况杨素老儿，恐未必便肯干休，万一再有甚风波，岂不悔之晚矣？姐姐千万替我劝他回去，做他的正事要紧。"韩香道："蒋官人原来这等不老成，若非小姐说，贱妾竟一毫不知。小姐之言，可谓老成之至。只有一件，此事必须小姐或写一书、或作一诗词，内中含着此意，待我致与他。若只是我口说，恐他疑我是知音故阻！且妾虽是下人，也觉羞答答不好十分脱口。"柔玉小姐道："姐姐见得有理。只是书札，我却不便写。他前夜留得有诗四首在我处，我已和了，于今待我再做一首词儿，一起封与他便好。"韩香道："如此极妥！"柔玉小姐连忙同上楼来，信笔写了一首词儿道：

> 椿萱许结凤鸾俦，喜从头，两恨收。漫似当年，花下旧风流。好买归帆收拾早，人再至，免悬俸。　欢娱百岁待悠悠，夜深游，劝须休！怎把寻常花柳觑妆楼？侧耳权门还可虑，心上事，莫淹留。

——右调《江城子》

柔玉小姐写完，取出前日和韵的那四首诗来，一齐封了。正待交与韩香，又复中止。韩香道："小姐，莫不疑妾有异心么？妾便向灯前发誓：'若我韩香异日走漏小姐的心事，便随着这灯儿促灭！'"柔玉小姐忙忙止着道："姐姐如此用情，令人感戴不尽。"当下将词交与韩香收了。

却说韩香初闻柔玉小姐之言，心疑小姐与蒋青岩有染。及至见了诗词，方才信柔玉小姐是个有操持的女子，心中甚是器重。此时，夜已三鼓。柔玉小姐和韩香方才就枕。从此，两人更觉亲切。

次日，韩香早起，就在柔玉小姐楼上梳洗了，到华夫人房中伺候了一回，转到自己房中。只见掌珠和步莲二位小姐处早差了两个丫头，送将东道银子来了。韩香再三不收，送了几次，然后收了。韩香一面备办酒肴果茗，一面去禀知华夫人。这华夫人是最爱三个女儿的，又是韩香来说，不好违她之意，只得说道："她们既要去，你可吩咐园公，紧闭园门，不可令老爷得知。"韩香应诺去了。

却说蒋青岩绝早起来，打扮得异样风流，只候吃过早饭，便要抽身去园中偷看。不料，这日早饭独迟，直到小午方才饭到，华刺史亲出相陪。吃过了饭，华刺史坐了谈笑，竟不动身。蒋青岩胸中十分着急，却没个法儿遣得他去。

华刺史谈了一会，又向蒋青岩、张澄江、顾跃仙三人道："我想杨素那老贼，未必便肯罢手。老夫自那差官去后，魂梦不宁，又怕还有甚风波到来！夜间与老妻商议道：要三位贤婿作急回府料理，到秋初一齐来此，或赘或娶，早完大事。那时，老夫的责任便轻了。不知贤婿们意下如何？"张澄江和顾跃仙两人连忙答应道："小婿们出外多时，定省久缺，连日正要请命于岳父，以便整装。今既蒙岳父许以初秋完娶，小婿们明日即当返舍料理。至于杨家那厮，他心中虽然不悦，料无处可以发端，不须深虑！青岩兄或者还可少住。"蒋青岩道："小弟与两兄同有大事在身，自当同返。"蒋青岩口中虽是这等，心中觉道："明日便行，未免太速了些！"没奈何，只得听他二人的行止。只恨华刺史不动身，他不得到园中与柔玉小姐一会。直等到下午，华刺史方才起身入内，吩咐备筵与三个女婿饯行。

这蒋青岩忙忙抽身到园中去。又被张澄江和顾跃仙缠住了，又挨了一会子，日已西向，才脱了身，急急忙忙走到花园门首。只见园门反闭，里面有人说话。蒋青岩恐怕他院子们在内，不便敲门，只得在门外站住。站了一会儿，见那园门忽开，一个弯腰曲臂的老儿同着两个黄头发的小厮，各挑了一担枯枝乱草。及至出来，反手将园门带上。那小厮道："阿爹，锁了门去。衙内小姐在亭子上看花，恐有外人混了入去！"那老儿道："此地哪讨外人？我们挑去就来，锁它做甚？"说罢，挑了便走。蒋青岩站在一边，让两个老小走过了身，正要进那园中去，忽听得张澄江和顾跃仙二人在那里喊道："青岩兄，青岩兄！"蒋青岩吃了一惊，只得转身迎上前来。张澄江和顾跃仙二人说道："青岩兄，有甚好去处，何不携我两人同游一游？"蒋青岩道："偶尔闲步，无甚好处可游！"顾跃仙道："我们何不同到后桃园一游？"蒋青岩道："恐他园内有人，不便进去。"张澄江道："我们于今都是自家人，便是岳父晓得何妨？"一边说一边竟大跨步走到园门边，一手将园门推开，便往内走。蒋青岩不得已，一同进

去,转弯抹角,来到溪边。只见两岸的桃花尽随流水,一片绿荫,数声黄鸟。因口占一词儿道:

　　声老黄鹂怨,满园征逐桃花片。玉人不见,日近兰房远。
　　好事多违愿,几时偎倚芙蓉面?穿针无线,云锁巫峰敛!

　　三人正在观看之际,不料那个挑柴的老儿忙忙从后赶来,叫道:"官人们,官人们,后面是内宅,今日又值夫人们、小姐们在亭子上看花,不要乱走。"蒋青岩原意不肯同张澄江、顾跃仙进来,恰好听得此言,忙忙扯住他二人道:"正是,正是。我们快回去,莫待岳父知道,说我们不避嫌疑。"张澄江和顾跃仙笑道:"青岩兄是前度刘郎,落得做好人。也罢,我们且回去,少不得重来有日。"说罢,三人携手一路走出园来。那老儿连忙将门闭了。此时,日已将暮。蒋青岩只得闷闷而归。

　　再说那三位小姐和韩香,早饭后便同到园中,坐在牡丹亭上着了一会围棋,然后赏花。那花果然开得茂盛。大家赏玩了半日,韩香起身倒向放蝶的所在去观望了几次,绝无人影。直到天暮,听得有人说话,韩香和柔玉小姐心虚,恐怕是蒋青岩被人撞,不好看象,心中不安。

　　大家散了,各自归房去。柔玉小姐又托韩香到前边去打听消息。韩香去了一会,来回复道:"前边无甚话说。只听得厨下备酒,道是替三位姑爷饯行。"柔玉小姐喜道:"他若回去,我便无忧了!只不知何时起身?韩香姐,你可到前面去,若听得行时,再来和我说声。"

　　韩香唯唯而去。才到中堂,只见蒋青岩和夫人坐在堂屋中间讲话,韩香在旁细听。那华夫人道:"本该相留多住几时,既为此大事,只索早去料理功名前程。老身在此相望,万不可久迟音信。"蒋青岩连声应诺。华夫人道:"恐你姑父在外等你上席,你且出去。明早去时再进来走走。"蒋青岩便起身前去。华夫人见蒋青岩身上的长衣后面绽了一条线路,忙道:"侄儿且住!你这身上绽了线缝,可脱下来缝好。"蒋青岩忙忙脱将下来,自己一看,笑道:"早是姑姑看见,不然定会令人取笑!"

　　此时,韩香恰好在旁。华夫人接过与韩香道:"你可拿去替蒋官人缝一缝。"韩香接到手上,忙忙走到自己房内,将衣服缝了。心中想道:"我何不将小姐的诗词安在他袖里?"

　　韩香竟取了诗词,正要放入袖中之时,听得那袖中也有纸响,取出

来看时，也是一个斗方儿，上面写着四首绝句，后面写到：枕上次韵。韩香展开那诗，却是和柔玉小姐赠她弹琵琶的原韵，也不及细看，收过一边，忙将柔玉小姐的诗词放在衣袖中。拿到中堂，交与蒋青岩穿了。出去不题。

　　却说韩香转到自己房中，取了适才蒋青岩袖中的诗稿，锁了门，竟到柔玉小姐身边来。柔玉小姐望见韩香，便问道："可知他行期何日？"韩香走到跟前，低低说道："适才撞见蒋官人在夫人里边，说是明日就行。"柔玉小姐道："怎生如此急速？"韩香笑道："蒋官人早去一日，小姐的佳期早一日可知，越速越好！小姐，你可晓方才有一件极凑巧的事。适蒋官人的衣服绽了一条线缝，夫人命妾替他缝好，不料他袖中有一张诗篇，是和小姐前日赠妾弹琵琶的四韵。彼时妾将小姐昨日的词抵换出来，岂非凑巧之事？"柔玉小姐道："事虽凑巧，万一他在人前失落出来，怎生是好？"韩香道："此事无妨！蒋官人只当是自己的诗稿，必然留心。"柔玉小姐又问："他的和韵诗做得如何？"韩香忙向袖中取出奉上。小姐道："你念与我听罢。"韩香便展开那诗稿，从头念起，念到"相思远甚吴〔江〕水，不畏并州快剪刀"，柔玉小姐赞道："深情绝调，我弗如也。"再念到"夜向妆楼偷半面，似多春恨不胜衣"，又赞道："此一联真可谓画中诗矣！"再念至那"可怜孤凤立〔庭〕梧"及"辜负朝光与夕曛"等句，又赞道："怨恨凄戚，无不交至。只可惜不曾赞到琵琶。"韩香道："下人小技，先蒙小姐赐以金玉，已觉消受不起，安再望大君子之赠乎？异日小姐恭喜之后，或能转求片言，亦未可知。"说罢，这韩香不觉凄然泪下。

　　柔玉小姐问道："韩姐有甚心事，何不向我说知？"韩香长叹一声说道："小姐，妾有一段苦衷，大要向小姐诉说。妾蒙老爷并夫人大恩，爱养亚于骨肉，又蒙小姐过爱，待以心腹，此恩此德，没齿难忘。但三位小姐将来于飞远去；夫人老爷年高，妾上无父母，下无兄弟，将靠何人？且妾年已二九，老爷虽不久留，妾身料不过嫁一村夫小人，至高不过一商贾耳！且小姐知妾心事，妾虽下贱，颇有向上之志，偶尔念及，不觉伤心。"

　　柔玉小姐闻言道："若说此情，真觉可念。万一他日我若远去，我少不得向夫人老爷说，与尔送一个读书人，遂尔之愿，必不负了你我相爱

之情。"韩香道："此亦非妾所望。妾之本意愿终身相随小姐，朝暮得见才子佳人唱和吟咏。妾便老作婢妾，亦所甘心。但望小姐垂怜。"柔玉小姐点头道："我亦有此心。只不知上天可肯遂我两人心愿否？待临时再作道理。"

看官，你道韩香这一节话，因何说起？只因她自己有几分才色，且又乖巧伶俐，常恐他日嫁了庸俗之人，反为百年恨事。今见青岩这等少年人品，胸中其实羡爱。若不是华家规矩森严，她已和蒋青岩早占春光了。故闻柔玉问及不却之言，随心说出；及闻小姐与己同心，早已眉飞目舞。此后，凡柔玉小姐一言一动，更加预意承迎。闲话休提。

再说蒋青岩在前厅饮酒，翁婿深谈，三鼓方散。蒋青岩回到书院中，和张澄江、顾跃仙一齐吩咐家人院子，明日早到山外去催轿马人夫。众家人院子答应："一切轿马人夫，都是华老爷催备停留了。只待明日早行。"三人闻言，各去安寝。

蒋青岩走到房中，除了巾帻，解衣就枕。忽然想道："我前日有一个诗稿在袖内，今日那韩香替我缝绽，不知可曾看见？"忙向袖中摸索，觉那诗的卷儿大了些，取出来向灯下看时，吃了一惊。只见那诗稿却是封着的，再折开里面看时，变作两张，全不是自己的诗稿，口中暗暗称奇。细看那诗稿的字迹，认得是柔玉小姐的；再看那诗，却是柔玉小姐和他纪遇的四首。那诗中的意思还是未结亲以前的话。语语正气，字字关情。那首词儿是既结亲以后，劝他早归，莫误大事，叫他不可再近妆楼，恐被人看见的意思。

　　蒋青岩看了,喜道:"俺那柔玉小姐,真果是个冰清玉洁之人。想我这衣服一定是她亲手缝的了。"忙拿起那衣服到灯下看,对那新缝之处香了一香,悄悄叫了几声亲亲热热的小姐,又想道:"我那诗稿,此时一定落在小姐那玉纤纤的手儿、黑溜溜的眼儿里了。"自言自语,直到漏声四下方睡。

　　次日绝早起来,同张澄江、顾跃仙三人一齐进内,谢别华刺史和华夫人。不多时,华刺史送他三人出来,后面跟了三个院子,捧了三个拜盒,每个程仪二十四两,门外轿马人夫俱已齐备。蒋青岩、张澄江和顾跃仙三人一齐别了华刺史起程。

　　不知后事如何,且听下回分解。

第七回　拂权臣竟遭枉祸　嘱佳婿同上长安

词曰：

　　说到人情剑欲鸣，偶因却聘恼权臣。重来底事非非想，怨粉愁香静掩门。　　无妙计，急登程，明珠金钏语谆谆。长安有路须同住，看取奇谋为脱身。

　　　　　　　　　　　　——右调《鹧鸪天》

　　话说蒋青岩、张澄江、顾跃仙三人，当日起身，行了四日才到钱塘江口。一齐渡江，各自归家料理。光阴迅速，忙忙就过了两个来月，他三家的六礼都备了，整整齐齐。青岩亲自到张澄江、顾跃仙两家来定起身的日期。三人同议七月初三，一同启程。到了初二日，三家都将行李收拾停当，各家派了几房家人仆婢相随。初三日早饭后，一同到银杏树前渡江前去。不数日子，到了苎萝山下。三家共寻了一所大家庄院歇住行李家人。

　　蒋青岩和张澄江、顾跃仙三人见天气尚早，便商着一个老成院子先去报知华刺史，观其动静。商议已定，当下唤了一个老成院子来，吩咐他道："你可到华刺史宅中去禀道，三家的相公俱已到了，先着小人来禀知。讨了回话，即来复我。"蒋青岩又恐那院子不认得这山路，着伴云同去。伴云领命，同那院子忙忙走到华宅门首。只见门内悄无人影，院子和伴云打门甚久，里面才走出一个院子来开了门。认得伴云，忙问道："你几时来的？"伴云和那院子答道："我家相公和张相公、顾相公同来完婚，今日才到，住在山下，先差我两人禀知你老爷。"华家的院子道："二位还不知我家老爷被祸么？"伴云和院子惊道："被甚祸事？"华家院子道："只因前日杨越公来求亲，我家老爷不曾允他，他怀恨在心，平白地上了一本，说我家老爷是前朝废绅，躲居深山，谋为不轨。半月前奉旨将我家老爷扭解进京去了，不知可能保全性命否哩？婚姻之事何能说起？"伴云和那院子大惊道："怎生有这等变异的事？我们相公岂不空来

了！借重你进去禀知夫人，讨了回信罢。"华家院子道："我家夫人因见老爷年高路远，放心不下，也同去了。止有三位小姐在家，留下韩香陪伴，门户封锁，开闭有时。"伴云和那院子闻言，沉吟半响，只得告别。一齐回到下处，将华家这一节事情细细说与蒋青岩、张澄江、顾跃仙三人知道。他三人听了，惊得目瞪口呆，半响无语。

蒋青岩向张、顾二人说道："奇哉，奇哉！那自观和尚的诗文应验了。此事怎生是好？我们三人须索要替他出一臂之力，他年老无子，将三个如花似玉的女儿慨然许我三人，知我三人非碌碌辈，可以娱他夫妇之老。于今他既遭此祸，我们若不作个计策救他，不但半子之道有愧，并知遇之德全虚矣！"张澄江和顾跃仙齐声答道："兄长之言，讲得最是。倘有可以用力之处，我们三个自当同心合意前去，但恨一时没个计较。"三个沉吟半响。

张澄江道："我想岳父母进京时，料我三人必来完娶，定有甚言语说在家中。明日须差一人前去，问个明白，再作商量。"顾跃仙道："此言有理。但闻他宅内不容男人出入，若差院子去，终是无用。须着一个停当的家人媳妇直入他的内宅，一则去看看三位小姐，二则讨个下落。倘岳父母有甚话说，三位小姐定知。"蒋青岩道："有理，有理！小弟有个奶娘在此，她极其精细停当，兼且华家人多半都认得她，待小弟吩咐她即刻前去。"蒋青岩随即起身到后面庄房边，唤过他奶娘到跟前。那奶娘姓方，年纪有五十来岁，果然生得精细。蒋青岩细细吩咐她一遍，叫她即刻换了簪环衣服，前往华宅去问候，又悄悄说道："你见他家大小姐之时，可悄悄说道：'大官人多多拜上小姐，因人眼众多，不便写出，叫小姐宽心等待。老爷在京，吉人自有天相，料无甚事，小姐莫要忧坏了身体。'不要忘了。"那方奶娘牢记在心，忙去换了一身新衣服，蒋青岩着伴云领了她前去。不题。

却说那华家的三位小姐，自父母入京之后，终日提心吊胆，虑着京中，不知怎生发落？废寝忘食，朝啼暮哭，一时之花容瘦损，昏昏眠睡，间或起来坐坐，又未免对景伤情。幸亏韩香在旁劝解。

这日，三位小姐闻得外面传说蒋青岩和张澄江、顾跃仙三人都到了，都不觉长叹。忽然，又听得一个丫头进去说道："中门外传说，蒋家

差了一个奶娘在外,要进来问候三位小姐,要取钥匙开门。"柔玉小姐闻言,踌躇了一会,方才取出钥匙,递与一个当事的家人媳妇,道:"你将着钥匙去开了门,放那奶娘进来。倘有甚书童院子,不得放入。"那家人媳妇领命,前来将中门开了。见了奶娘说道:"原来是方奶娘,多日不见。"一面说,一面锁上中门,竟领了方奶娘到柔玉小姐房中来。

此时,柔玉小姐因父母入京,园中不便,却移在华夫人房内同韩香安歇。见方奶娘到了,柔玉小姐含悲忍泪,起身迎住,低声说道:"劳尔远来,请坐。看茶。"绛雪闻言,忙去捧茶。韩香走来相陪。

方奶娘看着柔玉小姐,恰如捧心西子,出塞明妃,容光憔悴,精神凄楚。方奶娘不好便开口,恐怕提起她心上苦来。直到茶罢,方才从从容容说道:"我家官人和张家、顾家两位官人不知姑老爷遭此风波,有事来迟。将着老身前来问候三位小姐,兼问姑老爷、姑奶奶临行可有甚话留在三位小姐口中,吩咐老身问过明白,以便替姑老爷作个计较。"柔玉小姐闻言,不觉硬着呜咽说道:"我家老爷不幸,生我姊妹三人,致有此大祸。临行时,止说道他无子侄可托,你家官人们来时,若念亲情,肯同到京中一会,好歹共作个商量。若不肯去时,请各自回家,静听消息。别无甚话。你回去对你家官人们说,我家老爷当初将我姊妹许他三人虽为免祸,实是怜才,万一不能替我老爷出力,异日有个山高水低,我姊妹三人那时惟有一死以报勋劳。你官人们年少才高,将来前程远大,佳配甚多,料不似我们姊妹这般的命。"柔玉小姐说到其间,将衫袖儿掩着脸儿呜呜痛哭。韩香也哭将起来。连那方奶娘也着实凄惨,待柔玉小姐哭罢,欲将蒋青岩叫她致意的一节私语与柔玉小姐说,又碍了韩香在前,欲说又止。

柔玉小姐会意,低低说道:"这韩姐是我心腹之人,有话但说无妨!"方奶娘方才说出。小姐听罢,长叹一声道:"你可回去替我悄悄拜上你家官人,道你家官人比张官人和顾官人不同,须要尽心竭力才是豪杰。"说罢,向妆盒取出金钏一双、明珠十颗,将一方汗巾包了,悄悄付与方奶娘,说道:"内有金钏,明珠二事,烦你送与你官人,叫他将此二物变些路费,急急进京。至嘱、至嘱。"方奶娘接了,暗暗收入身边,再去见掌珠、步莲二位小姐。那二位小姐言语也与柔玉小姐的一样。此时,天色已

晚,方奶娘起身告辞,韩香及家人媳妇都道:"天气晚了,山路多险,明早回去罢!"方奶娘不得已,只得住下。

这夜,柔玉小姐在床上,听秋风铁马之声,愈增悲苦,因口占一词道:

风波恶,秋声碎碎秋云薄。秋云薄,双亲去后,寸肠如割。

佳期不遂今时约,梧桐铁马魂消索。魂消索,孤灯双泪,把人耽搁。

——右调《忆秦娥》

次日,方奶娘绝早回来。蒋青岩和张澄江、顾跃仙一齐来问消息。方奶娘将柔玉小姐的话说了,道:"三位小姐都是一般说话。"蒋青岩等三人听得十分感叹:"三位小姐不但才色过人,且知孝道,可敬、可敬。断然岳父要我们进京商议,我三人义不容辞。况三位小姐的说话,又这等激烈,我们虽蹈汤赴火,亦难回避。"三人商议已定。次日着人去回复三位小姐,道三人即刻入京,叫她三位宽心。那三位小姐闻言,都着实欢喜,写了一封平安家信,寄与父母。

那方奶娘拿着柔玉小姐的明珠、金钗,直到众人少散,悄悄递与

蒋青岩,更把小姐致意的言语细细说了。蒋青岩接过珠钗在手,暗暗拆开,仔细观看,想道:"这两件东西,料是小姐亲用之物件,蒋生虽贫,也断不肯废了。留在身边,时时把玩,只当见俺那小姐一般,料小姐的本意,也未必不然。"因成绝句二首,就题在汗巾之上。诗道:

其一

忽地风波吹断魂,重来含泪掩朱门。

黄金宝钗遥相赠,把玩依稀玉腕痕。

其二

十颗明珠土内藏，开缄犹作鬓云香。

今宵枕上权同梦，留取他时助晓妆。

蒋青岩写罢，仍旧将汗巾儿包了藏在身边。

当日，同张澄江、顾跃仙一同收拾行李起身，转到家中。张澄江和顾跃仙两人各去禀知母亲，同了蒋青岩星夜望京中进发。行了一月，方才到京。

三家主仆先将行李安在一个洁净饭店中，然后到四处找问华刺史的下处。闻知华刺史到京尚未审结，权发羁候厅听查，华夫人就寓在羁候厅左边。蒋青岩和澄江、跃仙等三人闻知，连忙就寻到华夫人寓所来。华夫人见他三人到了，放声痛哭道："三位贤婿，来得极好。你丈人时时相望，只恐三位未必肯来，于今足见高情。只不知你丈人这祸事后来怎生发落？三位贤婿可速到厅中相会，同他商议一个全生之计。"

蒋青岩等三人闻言，不及细说寒温，便唤了华家一个院子引道前来。华刺史见这三个女婿到了，悲喜交集，说道："我华某只因不曾死得周难，上天见怒，故有今日之祸。料难逃避，专望三位贤婿来此一叙，死有余荣。"蒋青岩和张澄江、顾跃仙三人齐声道："岳父平生忠孝，自有天相。今日之事，不过是那权臣怀恨而起，又无一丝反形恶迹，料不足忧！小婿们此来，倘有可图，定当齐心竭力以报岳父知遇之恩。"华刺史忙忙摇手道："禁声。恐外边耳目众多，闻知不便。"因扯他三人近身，附耳低言道："老夫带得金珠古玩颇多，贤婿们可悄去访觅，趁此未审之时，尚有门路可通。听凭三位贤婿主张。"跃仙道："小婿有个年伯，姓臧，闻他现冢宰。小婿一向见薄其人，今不得已，待小婿明日去候他，探他与那杨素交情如何，再作计议。"蒋青岩又取出三位小姐的平安信递与华刺史看了，仍带回与华夫人观看。当下他三人一齐别了华刺史，转到华夫人下处回复过了，吃了酒饭，同回饭店。当夜不题。

次日，顾跃仙写了一个年伯的名帖，又开了极厚一个礼单，带两个院子相随，坐了轿，前往冢宰衙门前来。行不半晌，早已到了，只见那冢宰衙门好生热闹。怎见得，有词为证：

滚滚乌纱满道，纷纷紫袖排衙。文卿之长势谁加，职掌周

官最大。

　　有贿奸贪高擢，无钱清正严拿。陈隋两代脸儿花，不畏千秋唾骂。

——右调《西江月》

　　顾跃仙见那门首官僚壅塞，只得吩咐："且将轿子歇在一边，待其稍散，再去投帖。"候了半晌，直到傍午，那些官僚才略有散去。顾家的院子拿了名帖，带一个传帖的赏封，到门上来投递。那把门官儿半晌不睬，这院子将门包送与他，再三相烦，他然后才去传禀。又等了半晌，只见一个听事官儿出来回道："老爷说，近日公令森严，不比前朝。一切年家世好都能相谅。着小官出来，多多拜上，原帖璧还。"顾跃仙闻言，长叹道："世事至此，令人发指。这老畜生，他只道他官尊势大，尚不知愧，不知将来地狱中何处着他哩！假使我顾跃仙若是来做秋风客的，岂不做了失路之人？"忙忙坐轿回寓。蒋青岩和张澄江忙来相问，听得恁般说话，两人都齐声唾骂。只得去回复了华刺史，再做道理。

　　又过了两三日，蒋青岩等三人坐寓中，千思万想，没个计策。张澄江偶到门前间望，只见远远一乘轿子，后面跟着三四个小厮到前来。张澄江细看那轿内坐的，却是一个鬼眼愁眉、白发短项的老头儿，看那轿子竟进间壁三四家一个大曹门里去了。张澄江问店主人道："客店隔壁那个大曹门是个甚么样人家？"那店家道："说起他们的门第来，倒也好笑。只是他一时的造化到了，遇着贵人，十分炫耀。"张澄江道："他是个甚么人？遇着哪个贵人眷顾？"店主人道："张相公，你道他是个甚样的人？他本是一个风鉴，姓李，道号半仙。他年少时曾许杨越公老爷位极人臣，于今果应其言。因此，越公老爷信他如神，请他到俺京中，买房子与他居住。这京中大小事，凡在越公老爷案下的，有他去说了，便依行了。便是他也肯替人方便，人都感激他。那越公一刻也离不得他，每日早去晚归，赚的银钱也看得过哩！只是无妻无子，自己受用。"张澄江闻言，口中不语，心下想道："此人既是杨素的心腹，我们何不将岳翁的事托他？或者是个机缘也未可知！"故意又和店主说了几句闲话，然后走将进去，将这一节事和蒋青岩、顾跃仙商议。顾跃仙道："既然有这个好门路，何不竟去拜那相士，与他当面商议？"蒋青岩道："此事不是可

中国古典名著百部

轻向人说的,且去请那店主人进来,待小弟再细细问他一问,自有处治。"当下伴云去请了那店主人到房中,大家起身请他坐下,奉茶。蒋青岩问道:"老丈适间向张舍亲说的那李半仙,老丈平素可与他相识么?"店主人道:"不敢相瞒,在下平年来极承他照看。凡是到小店中来的客,有甚事求他,都是在下去讲。倒时常赚他几两银子用用。"

蒋青岩闻言,便拉了那店家的手,低着声音将华刺史这节事的始末根由细细向店主人说了一遍。又道:"华老爷无子,止生三位小姐,十年前便许了我们三人。那杨越公不知,只道是华老爷推托,故下此手。奈家岳父当年为官清正,宦囊如洗,无力谋为。于今我们三人各替他设法,些段寻个省便的门路救他,以见我们半子之情。既然这李半仙是杨老的腹心,敢烦老丈晚间无事,到他那里将此情与他说知,探他口气如何?可肯担当做好?"店主人道:"此事不难。待在下少迟就去,晚间便有的信奉复。"说罢起身,蒋青岩等三人齐齐送他出房。转到房中,着院子去买了些酒肴,三人共饮,候李半仙的回话。

直到上灯时候,那店主人方才走来,向他三人说道:"在下方才走见过李半仙。他道令岳华老爷这节事,他都细细晓得。他道三位相公若果真要救令岳之事,先送他三千两银子,他有句话儿对三位相公说了:事休便妥。若三位相公得便,今夜便同在下去会他一会,当面讲讲如何?恐他明早不闲,要进越公府中去哩!"蒋青岩道:"这也有理,只恐夜晚不是拜客之时。"店主人道:"他与人说话议事,都是晚间,这有何妨?"蒋青岩、张澄江和顾跃仙三人听了,欣然一同起身,吩咐院子,带了三个侍教生帖子,竟来拜那李半仙。

不知李半仙怎生计议,且听下回分解。

第八回　李半仙灯下漏灵机
蒋青岩客中遇神骗

词曰：

　　怪怪与奇奇，美色黄金两更危。就里奸邪难遇料，堪悲。指出根由叹魑魅。　　到处恐栖迟，不是舟行即马驰。踏上风霜浑不怨，因遥念谁。娉婷望父归。

　　　　　　　　　　　　——右调《南乡子》

话说蒋青岩和张澄江、顾跃仙及店主人一同来到李半仙门首，守门人传了名帖，李半仙忙忙出迎。厅上的灯烛点得雪亮，宾主五人见礼已毕，依次坐下。那李半仙定睛把蒋青岩、张澄江和顾跃仙三人一看，不觉大

惊，忙忙立起身来，向他三人从新一揖道："老拙不知三位贵人来至，失敬了。"蒋青岩三人也忙答礼道："学生们不过一介书生，非其时得保无祸足矣，何敢望贵？"李半仙道："三位先生休得过谦，老拙这双眼睛，四十年来从不曾错过一人。三位先生的尊相，只在这半年之内都要位列玉堂，名登金马。"说着，又向他三人身上细细摸索一会，又惊道："三位通身仙骨，前世若非神仙，日后定当羽化。蒋先生喜气重叠，一年之内都要效验，要谨防拐骗。适才王店官所云令岳之事，于今老拙一文不要，一切事都在老拙竭力。只待三位先生得意之时，再当领谢便了。"蒋青岩道："我们三人虽少有才学，实无志功名，平白地谁送将功名来？"李

半仙道："三位不去寻功名,那功名自然来寻你;你若不做时,不但有祸,兼且受损。三位先生切莫以老拙之言为谬。"

蒋青岩和张澄江、顾跃仙三人半信半疑,说道："既承过许,异日自当图报。若家岳之事,岂敢白劳!"李半仙道："老拙虽是俗人,却是砭砭不移的。三位先生不必多心,令岳之事,内中有个缘故,三位请入内堂,待老拙细讲。"蒋青岩和张澄江、顾跃仙三人一齐同李半仙走进里面一个堂屋内,促膝而坐。李半仙道："先生可晓得向年越公府中,有个侍儿唤做红拂的么?"三人都道："不知。"李半仙道："红拂生得天姿国色,越公极爱她,朝夕在越公左右。老拙曾相她不是凡人。不料,前日竟私奔了那李药师去了。这空儿至今无人补得。不知何人说令岳翁有三位小姐,容颜绝世。他故托名儿妇,实欲自取。后来见令岳不依,心中怀恨,故有今日。老拙悉知始末,连日观越公的念头,必不可已。若依老拙,替三位先生细想,必须是有一个指鹿为马之计,方能了事。"蒋青岩道："怎生叫做指鹿为马?请先生指教。"李半仙道："三位须从速回到本处地方,不惜多金寻觅一个出色的女子,教她认作小姐,将来送与越公。待老拙在内,多方磨灭了他的念头。那时,令岳便可以无恙了。"蒋青岩道："世间别的还多,独有那出色的女子,最为难得的。便寻得有时,也须觅了几时的功夫,万一杨公等不得,将家岳处治起来,那时怎生是好?"半仙道："这却不难。老拙有一计在此,待老拙明日会见越公之时,无意中露风儿,道令岳昨日差人来求我,说他三个女儿惟有一个颜色最好,于今病重在家,待调理好了,情愿送来侍奉左右。他听了此言,自然不肯难为令岳。三位先生但放心前去。"蒋青岩、张澄江、顾跃仙三人闻得,一齐下拜道："学生辈不知先生乃当世豪杰,此恩此德,不但家岳举家顶戴,即学生辈亦没齿难忘。"李半仙连忙答礼。当时盛席相待,蒋青岩三人饮至三更方散。

次日,蒋青岩、张澄江、顾跃仙三人绝早起来,一齐去报知华刺史夫妇。华刺史夫妇喜出望外。大家商量一会,留张澄江、顾跃仙在京,早晚排遣计议,只托蒋青岩一人南归,寻觅绝色女子。蒋青岩也不推辞,领了华刺史的家书。华刺史又与他八百两银子带在身边,说道："倘有绝色的佳人,贤婿切莫吝价,或千金数百金,俱到舍下去取。"蒋青岩领

命。

　　次日，蒋青岩便起身南发。一路上想道："绝色女子，天也不肯多生，便有，也一时难遇。眼下事体甚急，这难题叫我怎生去做才好？"想了一会，忽悟道："差矣！古人云：'有志者，事竟成。'我既受托而来，况又为着小姐大事，便是上天下地也辞不得辛苦，少不得替她寻一个替身来。我闻得从来的绝色惟有吴门与维扬。我于今先到吴门寻觅一回去，再到维扬，如那两处俱不可得，再到金陵及各处访求，料必然不脱空。"算计已定，一路上风雪奔驰，行了一月有零，已是十月下旬了。

　　到了苏州，蒋青岩吩咐船家将船摇到虎丘寺前。到寺前看了下处，安置了行李。这日天色已晚，不便就进城去寻媒婆，只得且住下。吃了茶饭，着院子看了行李，唤伴云相随，到千人石上及生公讲堂前随喜了一回，又到回廊下来瞻眺。只见暮烟如霭，返照蒸霞，那间门内外灯火连绵，好一片夜景。再回头时，见一弯新月，早挂峰台，蒋青岩不觉动了客中之感，又念着柔玉小姐，信口作了一首词儿，道：

　　　　峰头月，暮烟如海溪光白。溪光白，寒鸦古水，雁声悲切。

　　　　只因有情人难撇，驱驰不避风和雪。风和雪，几时偎依，
共成温热。

　　　　　　　　　　　　　　——右调《忆秦娥》

　　蒋青岩作了这首词儿，自己吟咏了几遍，转到大雄宝殿上来随喜。见那殿上摆得香茶灯烛、齐齐楚楚，四壁满挂佛像，梁上绣幡缥缈。一二十众禅僧在那里打点开经。见蒋青岩进殿，大家都来问讯。蒋青岩问道："宝刹做甚么法事？"那众和尚答道："只因明日是城内陆学士的夫人七十大寿，他三位公子在敝寺做三旦夕报恩延寿水陆道场，故此今夜开经。明日这寺内甚是热闹好看，早些来随喜。"蒋青岩听了，也不在意，竟别了众和尚回到寓所。当夜不题。

　　次日，未及五鼓，便听得人声嘈杂，殿上钟鼓齐鸣，吵得青岩不能安睡。没奈何，在枕上支吾了半夜，将及天明便起来梳洗。院子收拾早茶来吃了，蒋青岩也无心去看做道场，着伴云守下处，自己带了院子从人空里挤出山门，叫了一只小船，望间门而来。到了城中，也去拜了几个相知，又去托了几个媒婆。混了半日，方才回来。

却说那些媒婆，当下就悄悄向院子问了蒋青岩的角色，听得是司马的公子，心中都想要赚一个大包儿，便各人争先去访问。却早有许多小人知道了，到第二日就有来请蒋青岩去相亲的。蒋青岩也不怕烦琐，听说便去看，看其人都甚中平。

第三日是陆学士家道场圆满之日。这虎丘寺中人山人海，男女混杂，都来随喜烧香，其中也有大家的宅眷。蒋青岩坐在房中，听得伴云和院子在厨房中说道："那一个女眷年少，生得标致，那一个婢子生得风骚，那一个妆扮得齐整，那一个的脚有一尺来长。"蒋青岩听了，不觉心动，走出房来，也不到大殿上去，却立在金刚殿门首台坡上看那来来往往的男女。不料，那些男女们见蒋青岩生得风流年少，人人反要看蒋青岩几眼，过了半晌，绝不见一个好妇女。

蒋青岩正看得没兴，只见一个带笑的老妇人领了一个十六七岁的女子，身穿缟素，从殿上走出来。那女子果然生得袅娜。怎见得，有词为证：

> 艳质偏宜缟素，天质不屑铅华。才披短发学堆鸦，两道春山如画。　　对众深怀腼腆，向人便道喧哗。婷婷娉娉一娇娃，料得芳年二八。

——右调《西江月》

蒋青岩看了甚觉动心，便随着那女子走下台坡来。只听得后面有人低低道："原来就是她的女儿。果然生得好，便是数百金也值。"蒋青岩听得正打着自己的心事，忙转过头来，往后一看，却有两个已老学少、似文实俗的人。一个头戴二寸高的方巾，直贴着头皮；一个头戴五尺长的披片巾，直盖着眉毛和鼻子。都穿的是水田值裰。蒋青岩便住了脚，有意要向那两人问那女子的根底。那两人也便立住不动，看着蒋青岩拱手道："蒋先生像是看动了火了，何不娶她回去做个宠夫人？"蒋青岩道："学生与二位从未识荆，何以得知贱姓？"那两人道："蒋司马的公子，何人不知！"蒋青岩："请问二位贵姓尊表？"那戴方巾的道："小弟贱姓脱，小字太虚。小弟二人正要到尊处奉拜，因贱名在小价身边，小价一时走散，不意倒先与先生相遇于此。"蒋青岩道："既恭神交，何须用柬？便同小弟到小寓一谈，如何？"脱太虚闻言，看着邦子玄道："久闻蒋先生

为人四海，果然名不虚传。我两人竟同到蒋先生尊寓认认，也好时会常去领教。"邦子玄道："言之有理。"二人竟携了手，同蒋青岩到寓中。

蒋青岩与他二人施礼，宾主三人坐下。蒋青岩问道："适才同见的那女子，果然有几分姿色。听得二位背后的说话，像是晓得她的根底，不知肯见教否？"脱太虚道："那女子是敝府第一人。她父亲姓马，与小弟们相知，也是个妙人，琴棋书画皆能，止生这一女儿。见此女人品出色，资性聪明，便把自己所能的事都教与她。这马朋友不幸，去春故了。此女与寡母相依度日，尚未许人。"蒋青岩道："可知她要嫁何等之人？"邦子玄道："那样聪明绝色的女子，自然要嫁个风流儒雅的男人。只她母亲，却有些可笑，也不管做大做小，是村是俗，她只要五百两银子，一边对银，一边上轿。所以，一时没得这样大老官。"蒋青岩闻言，心中暗喜，便向脱、邦两人道："她若果肯与人做小时，学生此来，特为此事。敢求二位作伐，倘得成就，自当重谢。"脱、邦二人道："此事不难。那女子若见了先生这样风流人品，料应欢喜，只是五百两银子却少不得她的。"蒋青岩道："她若允时，便依她的数目也使得。"脱、邦二人道："既然如此，小弟二人即刻就去与她讲，明早便有回音。"蒋青岩答道："如此极感盛情，千万明早与学生一信。"脱、邦二人齐声应诺，告别而去。

蒋青岩坐在寓中，想道："这两人像是这苏州的老白相，单替人管这些闲事的，料非无影之谈。且那女子虽不及柔玉小姐，却也看得过了。若得成就，也不负我这番奔走。"当日不题。

次日饭后，果然脱太虚、邦子玄二人吃得醉醺醺的来了。蒋青岩忙接住问道："那事可有些妥局么？"脱、邦二人道："恭喜、恭喜！一说便妥了。明日便可行事。蒋先生可将五百之数备办停当，银色要高。小弟二人明早午刻同在三塘左首浪船上奉候，先生带了银子，一齐到马家成事，如何？"蒋青岩闻言甚喜，吩咐院子去买酒肴，留他二人饮酒。他二人也不推辞，豪食痛饮一会，方才起身。

蒋青岩关上房门，去查点身边银子，共存七百五十两，当下，将两个皮拜盒盛了五百两，又将一个红封封了二十两，打点停当。次日饭后，叫了一艘小船，并伴云和院子各捧了一个拜盒，一同上船，到三塘上来找那脱太虚的浪船。正找间，只见脱太虚他已站在一只船头上相迎。

蒋青岩同进舱内，那舱内满满坐了一二十人，脱太虚遂叫蒋家院子和伴云将拜盒安在旁边一张桌上。那些人个个恭恭敬敬到来向蒋青岩见礼，每人作下揖，口中便有许多久仰、渴慕，说个不了。刚刚这个作完了，那个又上，弄得蒋青岩抬不起头来，作了二十多个揖，足足有两个多时辰，然后安坐。只听得院子与伴云也在前舱同几个小厮谦逊唱诺哩！蒋青岩正要开口，那脱太虚便说道："昨约先生今日来成事，不料那女子又有母舅在内作噪，不肯将甥女远嫁。正要来奉复，恰好先生到了。"蒋青岩道："她母舅既然不肯，学生也不好勉强她。"邦子玄道："正是。先生且将白物带回，待小弟们再去问她。若得她母舅肯了，即来报命。"蒋青岩闻言，仍旧叫院子和伴云捧了拜盒，快快而归。

　　过了两三日，不见一个回信。蒋青岩也只道是那女子的母舅不肯，也便丢下了。又过了两日，一起媒婆来说有个女子，要请蒋青岩去看。蒋青岩留众媒婆吃茶。众媒婆问道："连日可曾相看几家么？"蒋青岩即便将前日脱太虚、邦子玄说那马家女子的一件事与众媒婆说了。众媒婆惊道："相公，你遇了个骗子了！我们这城内哪有甚马家女子？那脱太虚和邦子玄是两个大骗子的绰号。这两个单在城外伙同地棍拐骗来往的公子客商，他的骗法鬼神莫测。本地方官要拿他之时，他不是一溜，便是用钱买嘱。因此，再不得除害。蒋相公，你可曾有银子落他的手、过他的眼么？"蒋青岩听了这篇话，心中大惊，说道："原来他两人是骗子。我倒不曾留心，幸得我前日的五百两银子，只拿到他说话的船上放了一会，还不曾过他的手。"众媒婆道："不好了，中他的计了！相公，你回来可曾打开银子看看？"蒋青岩道："不曾开看。"众媒婆道："蒋相公，你快打开看看，只怕已被他脱骗去了。"蒋青岩忙去开了拜盒，看时，不觉失声道："呀！好怔事，怎生却是两拜盒鹅卵石了？"众媒婆听了道："如何？已被他骗了去了。"蒋青岩道："奇哉，奇哉！银子事小，我倒不信那骗是个甚么法儿，便会抵换得去？我前日拜盒放在桌上，并不曾转身，不过只作得几个揖，那两个骗子又不曾近我的拜盒，怎得到手？此事真叫我解不出。"众媒婆笑道："是了，是了，前日同相公作揖，可有许多人么？"蒋青岩道："正是。"众媒婆道："可是那些人同相公作揖之时，一个未完、一个又上，口中唠唠叨叨，一个揖作到底下半晌不肯起来

么?"蒋青岩道:"你说得不差。"众媒婆道:"相公,你作揖之时,便着了他的手了。那就叫'地皮遮眼'之计。只怕那时连盛管家也被他弄到一边作揖唱诺哩!"蒋青岩不觉笑道:"你一发说着了。这苏州的人心怎生这般奸险?于今料无追寻之处,且去看你们说的这个女子如何,再作道理。"

却说那院子和伴云在旁听了这一响,又见银子被人骗去了,两人气得眼睛睁得灯盏般大。院子道:"相公,难道白晃晃的五百两银子被人拐去,就罢了?小人们从少跟随老爷,哪一样事体没有见过?只有我们骗人,何尝被人骗我?于今这两个骗子,他既在这苏州做这把道儿,料不能远行,待小人去访一访;若拿住他时,也替后来人除了一个大害。"蒋青岩道:"这苏州地方广大,你一个人到哪里去缉访?料那五百两银子也坑我不了,我于今便鸣之官府,拿那骗子也非难事。但事有缓急,且丢下,干正经事要紧。"院子道:"相公虽然量大,小人却气他不过。待小人去城里城外去缉访,伴云跟了相公相亲。"蒋青岩道:"这也使得,只不可胡乱赖人!"院子领命,摩拳擦掌去了。众媒婆也催了蒋青岩同去相看女子。伴云随轿出门。半日,相了几家,都不中意。回到寓中,吩咐伴云将两个拜盒的石头倒了,自己在房中闷坐,想道:"我前日带来的银子,所余不多,眼下便有看得中意的,也没有银子买他。我临出京之时,岳父曾向我说:若要银子用时,可到家中去取。我于今须急急到家中去。一则送家信与三位小姐,二则取些银子再往维扬去寻觅佳人。"

不说蒋青岩在寓中闲坐,踌躇算计。且说那院子自早间离了虎丘,到城内城外放眼并耳,细细缉访。不时却走得肚中饥了,到一个饭店内吃饭。那店官听得这院子的声音不是本地,因问道:"客官,人从哪里来的?"院子道:"我们是建康人,住在荆州。前日从京中回来,从此经过,被你们这边的骗子骗了许多银子去了,于今只得来城内缉访。"店官道:"我这敝地的骗子最好。既被他骗去,你一个外路人往哪里去缉访得着?"院子道:"不难,不难!那骗子的姓名我都知道,我四处去问,也要问着他。"店官道:"那骗子叫甚名字?"院子道:"一个叫做邦子玄,一个叫做脱太虚。"店官闻言,把舌头一伸道:"呀!这两个是有名的神骗,他此时也不知往哪里去了?客人,倒不如回去罢!"院子只是摇头。将饭

吃完，到柜上会钞，向腰间取出一个银袱。银袱内约有十余两散碎银子，平了饭钱，走出店门。只见旁边立着一个人，头戴旧毡帽，身穿纳袄，脚踏草鞋，望着院子悄悄说道："大叔，可是要缉拿那脱太虚和邦子玄的么？"院子道："正是，正是。你敢是知道那骗子在哪里么？"那人道："我闻得那两个骗子在一个所在，只是那骗子利害，大叔肯谢我几两银子，我才同去。"院子那里肯放他脱身，忙忙扯住道："不要去，我买饭奉请便了。"那人也不推辞，便同院子到一个荤饭店中，尽吃了一饱，一同起身。这院子跟了那人转弯抹角，不知要往哪里去？

要知后事如何，且听下回分解。

第九回 赠寒衣义女博新欢
看花灯佳人遗密约

词曰：

　　生怕风霜劳远客。特拣寒衣，捎去添温热。相见有情辞不得。楼头共绾同心结。　　此去暂时成间别，几日扬州，正值观灯节。灯下忽逢前世孽，佳期暗约同欢悦。

——右调《蝶恋花》

　　话说蒋家那院子同着那人转弯抹角走了许多路，将到盘门，那人指着一个浴堂说道："大叔，这个浴堂今日新开，里面绝精的香水，我做个小东，请大叔洗过浴去。"院子道："恐那骗子去了。我们且去拿住他，改日再来。"那人道："不妨，不妨！那骗子今日饮酒，此时尚未到哩！"院子闻言，便放心同那人走进浴堂。

　　那浴堂内果然洁净。每人一个衣柜，衣柜上都编成号数，又有一根二寸长的号筹拴在手巾上面。凡洗了浴出来的，那掌柜的验筹开柜，再不得差错。当下，他二人脱了衣服，拿了手巾和号筹，同进浴池。那浴池内香水初热。两人洗了半响，那人道："大叔，我替你洗洗脊背。"院子道："这是极妙的事。只恐太动劳你。"那人道："这有何妨？只等拿住骗子之时，酬谢重些便有了。我这手巾不知是谁人洗过的，有些狐臭。"那院子听得，忙将自己的手巾递与那道："我这条手巾还干净，着实替我

洗洗。"那人接过手巾,替他洗了一会。院子口中不住的说道:"有趣,有趣!"不料,那人早已将自己的手巾与号筹换了院子的去了。这院子那里留心。只见那人捏着手巾号筹,故意说道:"好水。我去小解来,再洗他一个尽情。"说罢,忙忙走出来,把号筹与掌柜的验过。开了衣柜,将院子的衣服急急披在身上,拖了鞋子,其余的零碎卷在一处,挟在胁下,急急忙忙打发了浴钱,飞奔往外去了。然后,这院子消消停停走将出来,看那人已不见了,连忙问道:"掌柜的,那个戴破毡帽的到哪里去了?"掌柜道:"我这里来往人多,倒不曾留心。"院子心中急躁,骂道:"受这狗肏的骗了去。"回头看自己的衣柜,已大开在那里,里面空空的,惊得目瞪口呆,望着掌柜的嚷道:"不好了,你错开了我的衣柜与别人,我的衣服银钱都被拐去了。"那掌柜道:"客人,你这话是哪里说起?我这衣柜上都是有号数的,又有号筹拴在手巾上,验筹开柜,认筹不认人,自来不错。除非是你不小心,在浴池内被人换了号筹,与我柜上无干!"院子闻言,忙看自己手中的号筹,却是先前那人的。方才晓得是洗脊背之时被他换去,急得捶胸跌脚,又不好对人说得,只得叫掌柜开了那人衣柜,将那人的破毡帽、破纳袄与烂草鞋和一条虮虱成群、有裆没腰的裤子穿了,长吁短叹。刚要走出浴室,那掌柜的赶上一把扯住,问他要浴钱。这院子此时腰中那有一文,被那掌柜的啐了几口,推出浴堂。

这院子好生气恼,走出浴堂门外,四下张望一回,不见那人的影响,只得回虎丘寺去。一路想道:"自己积了许久积得几两银子,都被他骗去了。身上的衣服又臭气熏天,浑身虮虱走动。"心中越想越苦。到了半塘寺前一块空地上坐着,伤心痛哭了一场。又想道:"我在主人跟前说得响当当的,要拿骗子。于今骗子不曾拿得,自己倒变作一个花子了,怎生回去见主人?"踌躇了一会,天色已晚,刚到虎丘寺门前,正撞着伴云。伴云从头至足看了半晌,问道:"阿叔,你为甚出门半日,弄得这般嘴脸?"院子忙将伴云扯过一边,悄悄将遇骗子的话说了一遍,把个伴云笑得满面通红。这院子一发气得把肚皮来抓。伴云笑了一会,同着院子转到寓所。院子也不好去见蒋青岩,倒是伴云先去禀知。蒋青岩闻言,也忍笑不住,忙唤院子进去,见这院子的打扮,不觉哈哈大笑道:"神骗,神骗。那人想必也是脱太虚的支派。"蒋青岩只得去取二两银子

与他，叫他去买两件衣服穿了，明日好催船同往华宅去。院子接了银子，便去买了几件衣服，穿在身上。

次日，雇了一只船，主仆三人同往杭州进发。行了四日，到了湖上。至家中吩咐管账的院子，急将秋收的米稻发卖，回来便要银子凑用。

次日绝早，收拾渡江。不上三日，便到苧萝山下。先着人去通知过三位小姐，然后将行李搬到后园停云阁中住下，将华刺史的家报及李半仙之言传与三位小姐知道。三位小姐甚喜。当夜，备了酒席，送到阁中款待蒋青岩。

蒋青岩要到柔玉小姐处通个问候，奈无人可托。那柔玉小姐见蒋青岩为她父亲，不惮奔驰、不畏寒冷，心中着实感激，也要着人到蒋青岩身边来谢谢，又碍着两个妹子及家中众人的耳目，只得悄悄与韩香商议。韩香道："此事不难。那停云阁与小姐旧时的妆楼相去不远，小姐到夜间开了后门，到妆楼上坐了，待妾去接蒋官人到跟前面谢一番，如何？"柔玉小姐道："这个使不得。我与他不比当时兄妹，不便相见。只烦你替我一行罢。"韩香道："小姐之言有理。等夜静时妾替小姐去致谢便了。"柔玉小姐道："今夜且莫去。我想他出外已久，天气寒冷，未必多带寒衣。我有水红衣一件，烦你同我在灯下改做长领，送与他路上御寒。"韩香道："这个当得。足见小姐关切之情！"

正说间，一个丫头走来问道："二小姐、三小姐着我来问大小姐，不知明日可打发蒋官人起身？"柔玉小姐道："明日是腊月初五日，是个月忌之期，到后日罢。"那个丫头去回复了。

到晚间人静，柔玉小姐叫绛雪关上房门，向箱中取出那件水红绵衣来，同韩香两人将女领拆了，换上一条长领，拆得停停当当，放过一边。又做了两首诗，以待面谢。诗道：

　　　　感君高谊海同深，一袭寒香表寸心。
　　　　此去早须寻国色，闺中侧耳听佳音。

又：

　　　　舟车来往雪霜中，客路迢遥尚未穷。
　　　　薄命累君君不怨，始知才子即英雄。

柔玉小姐将绵衣和诗都封好了，只待明晚送与蒋青岩，按下不题。

且说蒋青岩看见小姐的妆楼与他的寓阁相近，想起旧事，也作了一首词儿道：

> 从来无计睹容光。朔风吹冷，斜阳晚妆。楼下漏声长，意绪茫茫。　　蝴蝶不知，何处佩环？声隔纱窗，岁寒游子独凄凉。行方断望。

——右调《画堂春》

蒋青岩将这首词儿写了，放在桌上，要设法致与小姐。等了两日，再没个计策。

到第三日二更时分，将欲就枕，只听得那妆楼上有人走动。蒋青岩也不管是人是鬼，竟往楼下走来。刚走到楼梯边，听得暗中有人唤道："蒋官人、蒋官人。"青岩听见是女子声音，忙忙上楼来问道："何人呼唤小生？"那女子道："是贱妾韩香，奉大小姐之命，特来问候官人。"蒋青岩道："原来是韩香姐姐！"忙忙在暗中作了一个肥诺，道："小生一向承姐姐关念，又曾在小姐楼下听弹琵琶，真可千秋绝技。想慕之心除了小姐就到姐姐了。正恨不得与姐姐一言，今夜来得甚好，小生有一段久阔之情要烦姐姐转达小姐。只是夜深风冷，何不到小生那阁上坐了细讲？"韩香听了，心中有些怯惧，不肯下楼，说道："贱妾何等之人，敢劳官人想念？琵琶贱技，偶尔替小姐遣闷，不料被官人窃听，方恐污耳，怎当得'绝技'二字？贱妾此来，因小姐感官人为老爷之事不惮风霜，奔驰南北，小姐要亲来面谢官人，一则宅中人众，二则于礼有碍。特着贱妾前来代谢。外有寒衣一领、绝句二首送与官人。小姐立候回音，官人有甚话说，便在此讲，不到阁上去罢。"蒋青岩道："小生与你老爷，翁婿至亲，恩同父子，奔走微劳，何足言谢？今蒙小姐如此眷爱，小生虽肝脑涂地，亦所不辞！既有寒衣佳句在此，小生自当拜领。"韩香便双手将那寒衣和诗笺捧了，递与蒋青岩。蒋青岩在黑暗处，看不明白，双手接了一个空。不觉失笑。蒋青岩听得，方才摸到韩香身边，接将过来。早被韩香身上那些鬓云口脂之香钻入肺腑，况且又是久旷之人，今见了韩香这般温柔和顺，又是柔玉小姐的知己，一时按捺不住，乃长揖道："姐姐，夜深人静，令赐垂怜。"韩香道："贵人尊重。妾虽贱质，素闻夫人小姐之教，桑中之约，自好者不为。小姐立等复命。"说罢，转身要走。蒋青岩道：

"姐姐既肯替小姐到此，与小姐只当一体。小生既配得过小姐，料不辱没了姐姐。"一边说，一边就捻着韩香的手。韩香是个女子，哪里摆拨得开？况且平日早已看上蒋生，只因贵贱不敌，情理难通，今夜乃天假之缘，心内已难自主，低首无言。早被蒋青岩携到无人之处，罗裙乍解，酥乳新尝，为所欲为而已。正是：

> 天缘有分成欢会，夜静无人悄定盟。

事毕，韩香泣道："贱妾此身一旦托之君子，誓不再侍他人。望官人想个妙策，早晚讽使夫人，俾妾得随小姐共侍官人，妾愿足矣。"蒋青岩道："此事小生筹之熟矣，子姑待之！小生断不学无义王魁有负今宵恩爱。小生前日到此，念着小姐，也作了一首词儿，无人寄呈小姐，于今待小生到阁上去取来，烦姐姐带去。"韩香道："官人快去快来，贱妾不能久候。"蒋青岩忙到阁上，将那词儿封了拿来，递与韩香道："烦姐姐拜上小姐道：'寒衣佳句，足见多情。老爷之事，都在小生身上，请小姐宽心自爱，佳期不远，面谢有时。'此外别无甚话，望姐姐牢记。"韩香应诺，说道："官人前途保重，贱妾不及相送。那件寒衣切莫使夫人和老爷看见。"二人携手，直到内宅后门边，方才作别。

不料，柔玉小姐见韩香去了一个更次，不见回转，心中也有几分猜疑。且韩香一向在小姐跟前夸奖蒋青岩的人品，小姐此时见家中人睡熟，绛雪也在梦中，只得走到后门边张望。恰好看见蒋生和韩香二人亲亲热热，携手而来。小姐暗暗点头道："韩香已占我的先筹了。"忙忙走到前边卧房中来。

这韩香虽不知小姐在暗中见她和蒋生的行径，自己心上却十分不

安。且发松鬓乱，胸中突突的跳，走到小姐跟前，气喘喘的，面红耳赤，半晌还说不出话来。小姐只是暗笑，问道："蒋官人可有甚回话么？"韩香道："蒋官人多多拜谢小姐。他也有一首词儿在此。"忙向袖中去摸，那词儿也失落了。小姐道："韩姐，你为甚这等着忙？快点点火去寻，莫被别人明日拾去，做出话柄来。"韩香忙忙点火，到后园去寻了一会，在楼梯边拾着了，拿来递与小姐。小姐看罢，然后二人齐齐同去，将后门照旧封锁了，同到房中。韩香只觉语言羞涩，神情恍惚。小姐笑道："韩姐，你的心为我看破了。你我两人，情同骨肉，何必瞒我？但愿天从人愿，异日夫人若肯将你随我同侍蒋郎，我绝不将以下之人待你！"韩香闻言，忙向柔玉小姐双膝跪下，道："贱妾今夜之事，实该万死！蒙小姐宽宥，铭刻难忘。只望小姐替贱妾做个计较。"柔玉小姐道："此事夫人料必肯从，我却不便启齿。须是临时你自己向夫人求恳。夫人问我之时，我自有道理。"话分两头。

再说蒋青岩别了韩香，转到停云阁上，将柔玉小姐赠他的寒衣和诗句拿出来，细看一番，将诗笺收起，把寒衣穿在贴肉；只待明日起身。当夜不提。

次日清晨，只见华家四个院子抬了两个小皮箱走上阁来，向蒋青岩道："三位小姐拜上蒋官人。这箱内有纹银一千两，托官人带去使用。若不够之时，可再着人来取。"当下，蒋青岩查明收了，吩咐院子和伴云将这银子做几处收起，随即起身。

行不数日，到了自己家中。又带了二三百两银子，再带两个老成院子相随，雇了一只扬州的回头大划船，主仆五人，星夜进发。七日之间过了镇江，进了瓜州闸。次日绝早，到了扬州钞关。

此时，已是腊月往后。这扬州本来繁华热闹，又兼年节逼近，家家忙办岁事。因此，那街市上一发挤塞不通。蒋青岩到城内琼花观中住下，着两三个院子分头去寻那些媒婆，叫一些媒婆到城内城外养瘦马的人家去访问，要顶尖出色的女子，若是中等的都不要来说。众媒婆都应承了。怎奈年底无日，各家婚娶又忙，竟没一个来说起。蒋青岩没奈何，只得换过年节。直到正月初六日，是个吉日，街市店面都开齐了，众媒婆才略有几个上街走动。

　　蒋家的院子又去寻那些媒婆。一连几日,也有好几家来请蒋青岩去相的,蒋青岩倒丢了几两银子的相钱和轿钱,绝没一个出色的。不觉已是十三灯节之夜了。

　　这扬州最喜赛灯,况且天下太平,人民富饶,大街小巷,都搭起灯棚;家家悬红结彩。自大门至中堂,门户洞开,花灯连络;锣鼓之声,喧天震地。各家都有赏灯的酒席,男女杂坐,灯楼上偎红倚翠,箫管凌云;烟火花炮,相继不绝。灯棚上悬各种珠灯罗丝、鱼骨羊皮,异样名灯。还有龙灯、走马、鳌山狮子。那来往看灯的王孙公子,都是鹤氅貂裘,街市上竟无立锥之地。怎见得,有词为证:

　　　　火树星桥夜不收,繁华独占古扬州。鳌山霁月光争胜,多少红妆倚翠楼。　　斟琥珀,劝醍醐,满城箫管兴悠悠。金鞍玉勒谁家子,争着鲜衣结队游。

　　　　　　　　　　　　　　　　——右调《鹧鸪天》

　　这夜,蒋青岩也带了伴云同到街上看灯。前前后后看了一回,被人挤塞住,不得回寓,立在一所楼之下。那楼上楼下,灯光如昼,上面坐了许多浓妆艳服的妇人,彼此谈笑,绝无一个男人在内。那妇女中有两个出色的。都是宫妆。一个穿红、一个穿紫,只都好二十内外。虽非绝色,却也算得是扬州魁首了。蒋青岩正在朝上观看,忽见那个穿紫的妇人起身到楼窗边,手托香腮,往下张望。蒋青岩正仰面望着楼上,那妇人在灯光之中瞥见蒋青岩人物风流,暗暗称羡。蒋青岩见那紫衣妇人向他目不转睛,却也神驰。不料,那一伙妇女都拥到楼窗边来。那紫衣妇人一声长叹,倒退后去了。蒋青岩还痴痴地站在楼下。站了一会,要取路回来,却不见了伴云,只得在此等候。心中还想那紫衣妇人复来。此时,灯也渐渐稀了,人也渐渐散了。只候伴云到来,一同回去。正等候间,忽然背后有一人扯他衣服。蒋青岩回头一看,只见一个青衣女子立在背后,悄悄说道:“相公,随我到巷内讲话。”那女子说罢,便进旁边一条小巷去了。蒋青岩忙赶到巷口,见那女子站在黑影里叫道:“相公,快来!”蒋青岩不知何故,只得走到那女子身边,问道:“女郎,你有甚话对我说?”那女子道:“相公,你只随我来,自有好处与你。”蒋青岩听了,竟大着胆子随了那女子走到一所大院墙边。那女子轻轻将两扇门儿开

了，领蒋青岩进去，仍旧将门关了，走到一间雪洞内道："相公，请坐在此，我去去便来。不可咳嗽！"说罢，竟自去了。

蒋青岩坐在雪洞中，心下想道："好奇怪！这是甚么缘故？难道是这个女子看上了我不成？"欲待撇了她回去，又恐撞见她家的男人，不当稳便。沉吟了半晌，只听得一个老者口中唠唠叨叨说道："你们去看灯吃酒，叫我老人家守了半夜，还要我来照看后门。"一边说，一边走到后门，摸了摸竟去了。蒋青岩吓得战兢兢，气也不敢吐。又等了一会，立起身来，走到雪洞门首张望。只见那青衣女子手中提了小灯笼前走，后面却是先前灯楼上的那紫衣妇人。两人踏着脚步儿向雪洞中走来。

蒋青岩又惊又喜。那青衣女子先走进来，向蒋青岩道："兰娘在外有请。"蒋青岩忙走出雪洞来。那紫衣妇人早已立在门外。蒋青岩向那紫衣妇人深深作揖道："小生何幸，蒙娘子垂盼？"那妇人也深深答礼，悄

悄说道："此处非说话之所，请郎君即到内室细讲。"便携了蒋青岩的手，竟往内室中来。蒋青岩此时如在梦中，随那妇人转弯抹角进了几层内宅，又过了两个天井，这才是那妇人的卧房。

却甚深僻，一连三间，中做堂屋，旁边是卧房；窗前几株梅树，斜靠着假山；卧房中点得灯烛辉煌。那妇人叫那青衣女子将前后的门户关了，然后携蒋青岩同到房中。那房中摆设得齐整异常，兰麝扑鼻；近床放了一张水磨花莉的八仙桌儿，桌上摆了许多佳肴美食；桌下笼了一盆炭火，左边一并放了两张株木藤椅。那紫衣妇人请蒋青岩在上首坐了，她自己便坐在下首，和蒋青岩肩头相并。那青衣女子忙来斟酒。蒋青岩道："酒且少停，敢问娘子贵姓芳名，夫主何人，尊庚几何？"那妇人道："贱妾

姓沈，小字兰英，今年二十岁。夫主姓皮，曾任川南别驾，只因老罢革职，于今又进京谋干去了。贱妾是他侧室。适在楼头望见郎君人品风流，真乃神仙中人，不觉心动，特着婢子相邀。不意郎君竟肯惠然见临，实是三生之幸！敢问郎君尊姓大名，仙乡何处？贵庚几何？"蒋青岩道："原来娘子是别驾的宠君，小生失敬了。小生蒋青岩，江南建康人氏，与娘子同庚。今夕何夕，得近芳容？但恐大夫人及宅中男女知觉，怎生是好？"兰英道："此事不妨！大夫人双瞽多年，不管闲事。家中一切都是贱妾掌管，其余众人俱不得知。房中这婢子宜春，是妾心腹，郎君但放心在此。倘蒙不弃，早去晚来，妾所欣望！"蒋青岩道："小生既蒙娘子过爱，自当与娘子极尽欢娱，何劳叮嘱？"说罢，斟上热酒，两人一第一杯，饮过数巡，情不能禁，二人携手入帏，成其好事。正是：

　　　　方雨巫山襟共联，鸳鸯被底薄神仙。

　　　　等闲莫使轻离别，搔首人间月又圆。

　　彼此恩爱，难以尽叙。及至五更，蒋青岩原从旧路出来，兰英送至门首，再三珍重道别。

　　不知后事如何，且听下回分解。

第十回　蒋青岩坚辞坦腹
袁太守强赘乘龙

词曰：

谁想这姻缘，陡地胡缠。金闺久已聘婵娟。任你唠叨心不转，与石同坚。　　计就假相攀，酒改如官。把人沉醉在樽前。扶入洞房如梦里，两不相干。

——右调《浪淘沙》

且说伴云那小厮因望见前街上跳狮子，便悄悄撇了蒋青岩，从人空里挤去观看。及至回来，不见主人，四下寻觅，绝无踪影，心中想道："莫不是丢下我，先回下处去了？"急急奔到下处，不见主人，伴云急得跌脚。只得拉了两个院子，一路同到前街后巷，高声大叫道："相公、相公。"叫了半响，没人答应。伴云向院子道："看灯的相公甚多，恐我家相公一时听不出，我们大家叫蒋相公才是。"说罢，一齐又叫道："蒋相公，蒋相公。"整整叫了一更天，哪里有半点影响？内中有一个院子道："相公又不是小孩子，难道这等大路就认不得回来？只怕弄出甚事来，被人拉去了。我们且回去，明早再作道理！"又一个院子埋怨伴云道："你这贪玩的孩子，满街上都有灯，跟着相公也看得，为甚撇了他？包你明日有三十个竹片打哩！"伴云闻言，急得哭将起来。

三人只得且回下处。各人和衣睡倒，到鸡鸣的时节，听得外面打门，院子忙忙起去开门，却是蒋青岩回来了。觉得满身香气，全无怒意，只问道："伴云可曾回来？"院子道："回来了，小的们又四处找寻相公，不知相公往哪里去了？"青岩也不作声，走到房中，从新脱了衣服去处。睡在枕上，想道："夜来这段姻缘，真是奇遇！只可惜我有大事在身，不能久留，不然竟可与兰英时常往来。"又想道："那妇人虽在我身上多情，却不是个正气的人。万一被她家晓得，岂不弄出丑来？倒不如做个一宿之缘，从此丢下了罢！"这蒋青岩虽是这等想，怎奈色能迷人，终是割舍不去。睡到日中才起来。又同媒婆去看了几家女子，回到下处。

第十回　蒋青岩坚辞坦腹　袁太守强赘乘龙

吃过晚饭，坐到一更时分，也不带伴云，竟自一个换了新衣，吩咐院子道："我在这不远一个人家闲谈，恐回来迟，你们在下处看守行李，不必跟随。"说罢，竟独自一个从黑影里望皮别驾后门首来。怎奈天气尚早，里面无人照应，蒋青岩只得又到前后街上混了一会。听得谯楼上已是一更尽了，然后转来。那青衣女子已站在后门外等候，见到蒋青岩，忙请进去，二人竟往兰英卧房中来。兰英接住，欢喜非常，迎着笑道："郎君，真信人也。"当夜，枕席之欢，更尽情态。兰英将紫玉凤钗一枝、玉砚二方赠与蒋青岩做表记。二人睡到鸡鸣，依旧送蒋青岩出来。

蒋青岩回到寓所，梳洗完毕，闲坐一会，又有几个媒婆来请去相亲。蒋青岩道："春光和暖，正好在街市上看看光景，不必催轿。"只叫伴云相随，同了媒婆步行到各家相了一会，都不中意，众媒婆各自散去。

蒋青岩主仆二人在街上闲步，忽听得鸣锣响道。各店一齐收了招牌，说道："太爷来了。"蒋青岩听得，走到一个古董店门首站了，让他过去。那职事过了半晌，方才是一把黄伞，罩了一乘四人显轿，轿上坐了太守。那太守在轿中，一双眼不转睛地将蒋青岩看了一回，忙唤一个皂隶，吩咐道："你可去问那古董店门首站的那位少年相公，姓甚么？住在哪里？即便赶上来回话。"那皂隶领命，忙走到古董店前，看着蒋青岩说道："小的奉本府太爷之命，来问相公尊姓、尊府何处？"蒋青岩不知为甚缘故，又不好欺他，只得照直答道："我姓蒋，是建康人。下在琼花观又玄房内。"那皂隶向古董店上借了纸笔，记写明白，飞奔去回复太守。不题。

却说蒋青岩见太守问他的姓名，心中着实疑惑。回到下处，正吩咐院子收拾早饭，只见先前那皂隶手中拿了一个名帖，忙忙走进下处来，向蒋青岩道："小的奉太爷之命，请蒋相公进衙一会，有名帖在此，还有小轿一乘在外伺候，求相公即便起身，太爷在后堂等候。"蒋青岩叫伴云接上名帖来看，那帖子上面写道："即刻候教"，下面写着："通家侍生袁直拜。"蒋青岩看了名帖，向那皂隶说道："我与你太爷素不相识，可知请我做甚？"那皂隶道："小的不知。相公自去相见便晓得了。"蒋青岩见那袁太守来请，料非恶意，便写了一个邻治晚生的帖子，吃罢饭，带了伴云和一个院子跟随，竟往太守衙中来。

中国古典名著百部

　　原来，袁直太守是隋朝上柱国韩擒虎的外甥，山西平阳府人。登第未久，借母舅的势力，不上数年便升到扬州太守。为官倒也清廉，只是性气刚直，他要行的事，别人也一毫违他不过。因此，这扬州人起他一个混名，叫做袁铁枪。话休饶舌。

　　却说蒋青岩到了太守衙门首，那皂隶请他到后衙门外下了轿。左右随即传报，忙忙开门请蒋青岩进去。那袁太守笑脸相迎，携着蒋青岩的手同到堂上叙礼。安坐毕，青岩打一恭道："晚生素不登龙，忽蒙台召，不审有何见谕？"袁太守道："学生日劳吏事，不知高贤辱临敝治，有失迎迓！适喜从中途望见芝宇，真如鹤立鸡群、吉光照目，特专刺奉迎，欲一领清谈，幸勿以俗吏见弃！"蒋青岩道："晚生一介书生，才疏学浅，谬蒙青盼，但恐有负老先生知人之明！"袁太守笑道："足下太谦了！敢请尊号？"蒋青岩道："贱字青岩。"袁太守又细问青岩的家世门第，蒋生一一说了。袁太守道："原来令尊就是陈朝大司马蒋公，学生失敬了。不知足下尊庚几何？曾有家室否？"蒋青岩道："贱庚今年二十，已曾聘下，尚未完娶。"袁太守又问："所聘何人？几时完娶？"蒋生道："家岳乃前朝湖州刺史华某，吉期约在春末夏初。"袁太守闻言不语，吩咐左右摆上酒席，宾主二人对饮。饮酒中间，谈了多少古今成败及眼前时政！

　　袁太守见蒋青岩少年博学，又且气度轩昂，语言清亮，心中甚是敬羡。即屏门内立了许多内养，一个个都偷眼看蒋生的人品。饮到更阑，蒋青岩起身告别。袁太守再三相留，蒋青岩只得又坐下。袁太守道："学生敝衙门，今日有一件讼事，甚是难断，要请足下替学生想个断法。"蒋青岩道："老祖台明比秋月，自能片言折狱，何以下问书生？"袁太守道："学生实实踟蹰不决。足下休说套话。"蒋青岩道："不知却是一件甚么事情？"袁太守道："本地方有一个书生，先曾聘了一个贫家之女为妻，未及完娶，后又聘了一个富家之女。于今那贫女之父告到学生案下，道那书生停婚再聘。那书生道是那富家势力逼为亲的；那富女之父也诉了一张词来，道他女儿情愿让贫女为正，她却甘做偏房，若不依从她，她便终身不嫁。大家争论，此事如何处治？"蒋青岩道："此事果费踟蹰。况断讼一事，从来为民上者，所当加意。贫女之方，固为有理；富女之言，亦觉可悯。依晚生的愚见，还是贫富两家之女都断归那书生，只以

受聘之先后分大小便了。不知老祖台意下如何？"袁太守道："有理、有理。学生本意也是如此，明日就依这主意审决便是！"又饮了一会，直到二鼓方散。袁太守仍旧吩咐先前的轿子送他回寓。按下不题。

再说袁太守有两儿一女，儿子尚幼，女儿年已十六，因是八月十五日生的，名唤秋蟾。这秋蟾小姐生得如花似玉，德性贤良，又且聪明伶俐，知书达礼。袁太守夫妇爱之如宝，几番要替她择婿，绝没个中意的。今日忽然撞见蒋青岩，满心欢喜，便是那袁夫人在屏门后张见，也十分中意，都要将秋蟾小姐招他为婿。今听得蒋青岩已经定了亲，夫妻二人着实踌躇不舍。袁太守道："不妨、不妨。我自有主意。"次日，唤了四个官媒到内衙，吩咐道："你四人可到那琼花观又玄房去见那建康蒋相公，说本府有位小姐，要招他为婿，一切财礼不须费得。他若依准之时，重重赏你；如若不准，也速速来回话。"四个官媒领命，飞奔来到琼花观找到蒋青岩下处。这蒋青岩此时真个是：

　　　　红鸾天喜齐临命，自有仙娥较合欢。

　　这四个官媒一齐向蒋青岩磕了头，便将袁太守着他四人来说亲的话说了一遍。蒋青岩道："我昨日已向太爷说，已聘了华老爷的小姐，只在目下完婚，怎生又有这番说话？你四人可去多多拜上太爷，道我已经有亲，此事断难从命。容日负荆请罪便了。"官媒道："蒋相公，莫要错了这头美亲。袁老爷是黄堂太守，又是当朝上柱国韩老爷的外甥；那袁小姐生得千娇百媚，真赛过蕊宫仙子、月殿嫦娥，德性又好，文才又高，寻常多少公子王孙要问她一声也不能够。于今太爷反来求相公，相公何以不允？且大人家两妻的甚多，这碍着甚事？求相公允了的好！"蒋生

中国古典名著百部

只是摇头道："做不得、做不得。"四个官媒又再四恳求，见蒋青岩再不转口，只得回复太守。袁太守闻言不悦，道："这痴子，难道我现任的太守倒不如林下的刺史么？"又吩咐四个官媒道："你们再去向蒋相公说，若是蒋相公不肯依从，便照依昨日那段官事的主意便了。"那官媒只得又到蒋青岩身边来，将袁太守方才之言说了。蒋青岩听了，暗暗惊道："原来他昨日说的那件官事，是借来套我口气的。"乃向官媒道："你和太守说道，太爷是巍巍太守，不能比那官事的人家。我已心感太爷之情，不必苦苦相强。"那四个官媒又来复命。袁太守怒道："你们去罢，我自有道理。"夫人在里面听得，连忙出来问。袁太守道："他竟不肯依从。于今我也不去求他。"又向夫人耳边道如此如此，说了一会，夫人点了一点头进去了。

　　袁太守吩咐左右打轿到琼花观，去拜蒋相公。左右连忙摆了职事，请太守上轿往琼花观来。那衙役先将拜帖投到蒋相公下处，众道士忙忙开了大殿，摆下两张椅子，一齐出来迎接。不半晌，袁太守到了。青岩走到门外迎住，一同到殿上见了礼。宾主二人坐下。袁太守故意笑道："适间冒渎尊听，抱罪良多，不意阁下心如铣石。可敬！可敬！"蒋青岩谢道："蒙老祖台高谊，晚生铭刻难忘，方命之罪，实不得已。正欲负荆阶下，不意大驾先临，望气宽宥。"袁太守道："只此一端，足见足下人品。学生方且自愧，何敢见怪？今日署中红梅正茂，学生恐足下寓中寂寞，特备一葩，欲屈足下同赏，幸即命驾。"蒋青岩心中因却婚一事，恐他有计，再三推辞有故。袁太守道："想是足下怪学生未庄启么？"随即吩咐身边的书吏补上一个六叶的请启来。蒋青岩见袁太守如此，只道他是真诚，不得已说道："既然老祖台决意相招，晚生即当趋赴便了。"袁太守喜道："如此方见我辈忘形之交。"又说了几句闲话，方才起身。临上轿时，又着一个门子在此候蒋相公同去。蒋青岩果吩咐院子雇了轿，起身到太守衙中去。不一会到了，那袁太守依旧欢天喜地相迎。

　　这日，衙中的酒席十分齐整，两班梨园合唱。青岩到未半晌，便吹打上席。席间，就是主客二人。那袁太守是山西人，酒量极大，和蒋青岩两人先还是小杯，到撤席之后，便换了大犀杯。袁太守也不看戏，将两席合做一席，守住蒋青岩，要杯杯见底。怎奈蒋青岩的量只中平，哪

里对得袁太守过？吃了半响，早已醺然大醉。袁太守又再三强劝，只得又吃几杯，把蒋青岩醉得如泥，睡在椅上。袁太守吩咐戏子回去，又叫过蒋家的院子来，说道："你主人醉了，不能坐轿，留在我衙中宿了。你们明日来接罢！"那院子只得回去。

　　袁太守见众人都散了，吩咐将宅门紧闭。衙内走出二三十个丫头养娘来，手中捧了新衣花红，走到蒋青岩身边，一齐动手，替蒋青岩换了一身新郎衣服，披红插花起来。又有两个官媒在旁唱礼撒帐，众丫头养娘七手八脚，扶的扶，抬的抬，竟把蒋青岩送到秋蟾小姐绣房中来。那秋蟾小姐也是浓妆艳服，新娘打扮。袁太守夫妇吩咐官媒，扶蒋青岩向秋蟾坐帐。此时，蒋青岩正在醉乡，哪里晓得人事，任他们撮合。坐帐已毕，两个官媒便先送青岩在小姐床上睡倒，将绣房倒扣，丫头们各自散去。只有小姐房中两个丫头轻绡和岫云在门外伺候。那秋蟾小姐终是个女孩儿，动也不动，坐在花烛之下。蒋青岩在床上呼呼熟睡，直到天明，人才清醒。口在叫道："伴云，递尿鱼来！"叫了几声，不见人答应，睁开醉眼一看，只见鹅衾绣枕，锦幔牙床，不觉大惊道："不好，中计了！"连忙掀开帐子，看见一位佳人，千娇百媚，端坐在床前。蒋青岩急急穿上鞋子，要往外走，怎奈门儿反扣，只得叫道："开门、开门。"外面轻绡和岫云答应道："天气尚早，姑爷请再睡睡。"蒋生听了，一发焦躁，如坐针毡。又过了一会，那官媒和养娘们才来开了门，捧进汤水来。蒋青岩便要往外走。那官媒道："蒋相公，前面是夫人及小夫人们卧房，出去不得。"蒋青岩不得计较，只得乱嚷。

　　此时，袁太守夫妇已梳洗完了，同到女儿房中来。蒋青岩见了，也不待袁太守开口，便嚷道："老祖台，为人公祖，怎陷人于不义？若决要强逼为婚，我便撞杀在此！"袁太守冷笑道："你真是个痴子！我本堂堂太守，情愿将千金小姐招你为婿，也不玷辱了你；你若依从，我与你便是翁婿。倘若固辞，我便叫人将你拿住，你的罪名却也不小，你还自己三思。"蒋青岩听说，哑口无言，心中想道："我此来原为柔玉小姐和岳丈的事，若不从他，似此光景，料他不肯轻轻放过。万一他将不义之名冤赖于我，那时我便说得明白，也耽迟了日子，岂不误了大事？于今只得应承于他，再作道理。"踌躇已定，向袁太守说道："既蒙老祖台决意见爱，待晚生权时定下，候晚生与华小姐成亲之后再来完娶，不知可否？"袁太守闻言道："此说也还通，不知异日华小姐与小女怎生相称？"青岩道："老祖台已有公案在前，只作姊妹相称便了。"袁太守哈哈笑道："这也使得，我便依你。你可将随身之物留一件在此作聘。"蒋青岩想一想，无甚物件，止有金簪一枝，乃是他父亲所遗，常戴在头上，只得除将下来，递与袁太守道："晚生身边并不曾带甚件，止有此簪，乃先君遗物，权留作聘，异日再备六礼，如何？"袁太守道："既是令先尊的遗物，一发妙了。"连忙接到手中，递与了秋蟾小姐。随后，便携了蒋青岩的手，同到厅上。吩咐官媒铺下毡子，袁太守夫妇每人受了蒋青岩两拜，夫人便进内去了，从新依翁婿礼坐下。此时，伴云和院子已在门外等候。袁太守留蒋青岩吃饭，饭罢，起身回到下处。

　　蒋生想起夜间之事，不觉好笑，唤一个老年院子到跟前，将袁太守昨夜的行止细细说了一遍。道："我偏生这般冤孽事多。我想扬州的女子也只中平，料没有绝色。我在此一刻难安，华老爷在京不知怎生悬望，我不如明日去辞袁太守，往建康去走一遭，再做商议。"院子道："相公之言虽是，但那华姑老爷处，须是相公写封书，差一个人先去安慰他一番，道此处有些光景，不久就到京。再修一封书去嘱李半仙，托他周全，如此方妥。"蒋青岩道："你言有理！我今日便修书，明日就打发人去。你可到外面伺候，若有媒婆到来，你们只管先去看，倘看得中意，再来请我。"那院子领命去了。

　　蒋生在房中收拾了一会，然后打点修书，备了一封厚礼去送李半仙。忙了半日，书、礼完备，就叫了一个院子过来，着他进京去看华刺史。吩咐明白，与他二十两银子作盘缠，叫他明早起身。天气已晚，伴云进上灯来。蒋青岩坐在床中，想起昨晚不曾到沈兰英那里去，今夜要去别她。正思想之间，只见伴云来说道："外面有个丫头要见相公。"蒋青岩知是兰英使宜春来了，忙道："悄悄唤她进来。"只见那女子轻轻走到跟前，果然是宜春那丫头。手中拿了许多东西，悄悄向蒋生道："蒋相公，俺家兰娘多多拜上，问相公昨夜为甚不去？兰娘真等到鸡鸣才睡。请相公今夜早些过去。这是兰娘送与相公用的沉香芥片、青果松子。"蒋青岩道："多谢你家兰娘厚惠。我昨夜因有事失约，今夜必来。"蒋青

岩取了一块银子,打发宜春说道:"你且先去,我随后就到。"那宜春去了。正是:

　　　　世间色是心头贼,男女相逢不肯休。

　　要知后事如何,且听下回分解。

中国古典名著百部

第十一回 柳碧烟扫雪吟诗
蒋青岩挑灯说誓

词曰：

　　谁遣仙娥亲扫雪，单衣不念肌肤冽。饮怨含凄何处说？
因悲切，新诗句句肝肠结。　　有个知音刚听得，夜深篱畔情
相接。欲仗卿卿权救挈。心头血，灯前共把山盟设。

　　　　　　　　　　　　　　——右调《渔家傲》

　　话说蒋青岩当夜到沈兰英那边。兰英接住，欢喜非常。二们相偎相倚，蒋青岩细将昨夜袁太守设计招亲之事向她说了一遍。兰英道："冤家，你这等人品，谁人不爱？这也莫怪那袁太守！"蒋青岩道："我明日要往建康。"兰英闻言，惊道："你好狠心！有甚要紧事，就忍心撇了我去？"不觉两泪如雨。蒋青岩只得将至情相告，说道："我今年少不得要到袁太守这里来完婚，那时再图欢会，不必过忧！"兰英道："既然郎君有此大事在心，妾也不能强留。但望郎君莫忘妾意，倘得便就来会会，不要教人想煞。"二人说得难舍难丢，这一夜，何曾合眼！说不尽离情别恨，直到五更，两人正欲就枕，只见宜春走进房来说道："天将明了，蒋相公趁早出去罢！"兰英听得心慌意乱，连忙脱下自己贴肉的一件大红绵袄，叫蒋青岩穿了，说道："去后见这衣服，只当见妾一般。"又取了黄金十锭，赠与蒋青岩作路费。蒋青岩深感

兰英之情,彼此垂泪而别。

蒋生走在路上,想起这段恩情,乃口吟一诗道:

> 莫漫夸情种,情多恨自多。
>
> 香偷矜异域,庙毁误齐娥。
>
> 默默长生殿,盈盈太乙波。
>
> 自今一回首,惆怅意如何?

青岩回到下处,催那进京院子起身,自己又去睡了一会。然后起来梳洗完备,坐了轿子亲自去辞袁太守。那日,太守因接上司,绝早出城,吩咐衙内人道:"蒋相公若来,请到内衙宽坐,候我回来。"众衙役和衙内的家人都一齐应诺。不一会,果然见蒋青岩到了,连忙请时衙中坐下。衙内登时摆出一桌茶果,家人小厮齐来服侍。吃过点心茶,随后又是早饭。蒋生略吃了些,即便立起身来,往后堂闲步。见左边有个花亭,亭上有个书童在那里扫。蒋青岩便到花亭上看了一会,又见花亭背后有一间书房门扇半开。蒋生问那书童道:"那边可是你老爷的书房么?"书童道:"正是。姑爷请里面坐坐。"蒋生真个走进那书房去。书房中摆设得齐整,只是书案上却没有甚正经书,内面有些文卷及京报缙绅而已。蒋青岩无心看,他再到旁边一个书架上翻看,头一部便是汉残帮府。蒋青岩信手抽出一本,到榻前一张小桌上开了观看,里面有彩笺一张,蒋青岩忙忙展看。那笺上却是一首咏新月的诗。诗道:

> 已别苦寒月,春宵见一钩。
>
> 照人犹漫漫,挂柳正柔柔。
>
> 半面初窥镜,全身未上楼。
>
> 广陵潮渐涨,梅影入帘浮。

蒋青岩看罢,称羡不已。不知是何人所作?再看那字法,端楷墨迹犹新,想那袁老爷未必有此才情。且这诗用笔老到,妩媚超群,颇似闺秀之作,难道是秋蟾小姐作的?

正猜疑间。那书童走近前,向蒋青岩道:"姑爷看完了,仍旧夹在书中,这是小姐咏月的诗,拿与老爷看。老爷因公事未暇,尚不曾批评哩!"蒋青岩惊喜道:"果然是你小姐的么?"书童道:"怎么不是?俺小姐从小儿就会吟诗作赋。老爷凡有应酬,都是小姐代笔。"蒋青岩闻言,口

中不语，心下得意道："我只道华小姐是当今才女第一，不料此处又有一个对手。我前日见那秋蟾小姐，容貌虽略有些不及柔玉小姐，却也可与掌珠、步莲二妹争先。我蒋青岩只怕要折福哩！我不免竟和她一首，写在这笺后与秋蟾小姐看看。"就借桌上笔墨和了一首诗道：

> 春晚妆初罢，遥天系玉钩。
> 细风吹影薄，流水弄花柔。
> 浅浅窥银汉，匆匆下翠楼。
> 团圆期不远，几树暗香浮。

蒋青岩将诗写在彩笺之后，仍旧夹在书内，送到架上放了，起身转向厅堂上来。那书童又奉上一盏香茗，递与蒋青岩吃了，方才听得喝道之声。

袁太守回来，看见蒋青岩在此，两人作了揖，便问蒋生可曾用饭，十分亲热。青岩让袁太守用过早膳，然后才将自己要往建康的话与袁太守说。袁太守说："贤婿既有正务，不佞也不好强留，只是小女终身之事须要在心。倘到华家完婚之后，望即到此，恐不佞任满，又不知升往何省？万不可迟缓。"青岩连声应诺。袁太守遂吩咐兵房书吏，差他拿一只齐整划船，送蒋姑爷到建康，明早伺候。吩咐已毕，又备了盛席替蒋生饯行。翁婿二人饮到更阑，蒋青岩起身作别。袁太守又到内衙去封了一百二十两程仪、八色大礼；夫人也送出几疋尺头鞋袜来与蒋青岩。蒋生皆拜谢收了。袁太守道："舟中一切食物都已备下，不必费心。"蒋青岩再三称谢。袁太守又叮嘱了许多言语，方才分手。

次日绝早，那兵部书吏领了船家来，见过蒋青岩，并又知照院子。蒋青岩当日起身上船。那船果然宽大齐整，船内的米菜食物堆了半舱，无所不备，竟像走长路的一般。蒋生看了暗笑道："这段姻亲是那里起的。"心中也甚觉难为那袁太守。饭后开船，次日晚便到建康。

蒋生寻了一个洁净禅庵住下，少不得又去寻媒婆，说他要娶妾。这建康府是历代建都之地，风俗繁华，江山锦绣，佳人才子往往出在这里。那些媒婆闻得蒋公子要娶妾，都害了赚钱病，一传十，十传百，把蒋青岩的下处几乎踏平了，弄得蒋青岩终日不得空闲。今日相张家，明日看李家，竟是苏扬一样，没个中意的。蒋青岩十分焦躁。此时，正是下旬，连

日甚是寒冷。

这日,忽然彤云密布,一场大雪从午间落到半夜,竟有六七寸深,从来春雪没有这般大的。次日,蒋青岩偶然到后院看雪,听得隔篱有扫雪之声,隐隐如闻叹息。蒋青岩移步到篱边张看,只见一个女子生得玉容云鬟,皓齿娥眉,娇艳窈窕,体态轻柔,若与柔玉小姐同行,难分上下。只可怜这女子如此严寒,体无兼衣,泪痕满面,一双小脚儿立在雪中,手内拿了一把笤帚,战抖撒在那边扫雪。蒋青岩见了大惊道:"世上既有俺柔玉小姐,哪里还有这个人? 怎生上天既生这般颜色,为甚又教她受这般苦楚? 真是可怜可恨! 但不知她是何人家,为甚忍心教她做这般苦事? 便是婢妾,生得如此艳冶,也该另眼看待。"蒋青岩正在猜疑叹息之际,忽见那女子将笤帚停下,四顾凄然,口中细细滔滔,吟道:

　　白雪红颜有夙因,红颜对雪更酸辛。

　　怜伊本是空中物,抛落今同地上尘。

蒋青岩听了大惊。那女子又吟道:

　　纤纤十指雪同寒,扫尽阶除泪未干。

　　薄命不如原上柳,春风无分暗摧残。

蒋生听罢,十分惨然,又惊又羡道:"这女子不但颜色过人,亦且才情高俊,料不是人下之人,其中必有缘故。我若突然便去问她,她定含羞不说。待我也作一首诗问她,看她怎生答我。"蒋青岩便信口吟道:

　　瞥见形容意已惊,

　　忽闻悲咏更凄清。

　　篱边有个知音客,

　　好把伤心事说明。

那女子听得,忙将脸儿掉转,向蒋青岩这边一张。见是一位超群出众的风流秀士,料必是个情种,或者他能救我也未可知。随即和韵一首,念道:

　　伤心薄命事堪惊,

　　何处知音听独清?

　　多少哀肠难共话,

　　夜深篱畔说分明。

蝴蝶缘

蒋青岩听了,知那女子要诉衷肠,恐人知觉,约夜间篱边相告。那女子答过蒋青岩的诗,也便向前边去了。

蒋青岩也转到前边,向那庵中的主僧道:"我前面那房朝北,风色甚冷,今夜却要移榻到后面去,特与长老说明。"那主僧道:"既然房中风冷,但听相公之便。"蒋青岩当下吩咐伴云,将行李搬到后房去。这后房到那篱边,止隔一个天井。蒋青岩到了夜间,仍旧叫伴云在前房歇宿,他独自一个在后边。等到二更时分,轻轻走过篱边。此时,雪消未尽,余光照人,蒋青岩细看竹篱,那边已站立着一个佳人。

蒋青岩走近竹篱边,低低叫一声:"小娘子,拜揖!"那女子在雪影中忙忙答礼道:"相公万福。"蒋青岩道:"早间承小娘子见约,特来领教。敢问小娘子贵姓芳名?为何有如此才貌受这般苦楚?望小娘子直言,倘有用力,定当相救。"那女子听问,不觉泪如泉涌,作声不出。过了半晌,答道:"早间偶尔悲吟,不期污耳,更蒙佳章赐问,料相公定是有心人,故相约至此,一叙衷肠。敢问相公尊姓大名?"蒋生道:"小生姓蒋,字青岩,祖籍金陵,近居西湖。"那女子道:"妾与相公正是同乡。妾姓柳名碧烟,妾父在陈朝时曾任金吾。陈亡后五年,父殁母违。父殁时妾甫三龄,寄养于舅氏。舅氏亦文士也。及八岁,妾随舅攻书识字。十二岁,舅亦亡;舅母不良,但爱己子,而以婢待妾。十五而舅母亦故,表兄以妾为奇货,利得多金,遂百计诱妾,嫁彼胡将。胡将固齷齪武夫也耳,其大娘悍妒无比,自妾入门以来,绝不许胡将与妾一面。妾身得此赖以不染。所苦者,大娘朝夕骂詈,又使妾供贱役,每欲卖妾而不得其人。今幸蒙相公见问,敢倾衷肠!倘蒙救援,使妾得出牢笼,妾当衔结以报。"

蒋青岩听了，又恨又叹，把自己一段偷香窃玉的念头都丢过一边。想道："我正在此寻觅佳人，她大娘既要卖她，且她还未破身，我何不将些银钱买了她去？一则救了岳翁，二则救这女子，岂非一举两得！"乃答道："小生闻小娘子之言，心诚恻悯。小生倒有救小娘子之力，但恐有屈尊体，未知娘子肯依否？"碧烟道："相公但说，若能救妾，妾自当敬从。"蒋青岩把救岳父的事从头至尾向她说了一遍。碧烟道："贱妾不幸，被人欺误，致受此苦！若再作侍儿，较今相去几何？"蒋生道："小娘子差矣！那杨越公，权倾中外，位压群僚。他的侍儿姬妾尽都珠围翠绕。若小娘子这般容貌才学，到他府中，自然专房擅宠。比之今日，岂非九天丸泥乎？"碧烟道："相公之言，虽是仁人，但妾本意实在相公，不意相公舍己从人，负妾初心矣！"蒋青岩道："小娘子之意，小生岂不知之！奈事有不得已，只求娘子前去以解其厄。昔西子入吴，后来仍归范蠡；今日娘子入越，安知异日不重归小生乎？请小娘子思之。"碧烟道："妾与相公邂逅，亦是前缘。今日之事，听其裁处！"蒋青岩向她一揖，谢道："蒙娘子见诺，感德多矣！便不知明日央媒相求，是求胡将还是求大娘？望娘子指教。"碧烟道："那胡将出征已久，主在大娘。只需向大娘说便了。"此时，夜已四鼓，寒气侵衣。蒋青岩恐碧烟衣裳单薄，说道："夜深露冷，请小娘子自便。明日自当竭力谋为，定不负小娘子之望。"碧烟此时也觉寒冷，闻蒋青岩之言，两人告别，各自归房安睡。

次早，蒋青岩便着院子去寻媒婆来。蒋青岩向媒婆道："我闻隔壁胡家有一妾，要打发出来。你可到他家问他大娘一声，休说是我央你去的，并不可使别人知道。如事成，重重谢你。"媒婆闻言，失惊道："呀！偏放着这一个佳人，老身却就忘了。相公放心，包你一说就成。还是个女孩儿哩！相公请坐，老身去去就来回信。"那媒婆当时便往胡家去说。

不半晌，喜孜孜来回道："相公，他奶奶肯倒肯了，只是价钱重哩！"蒋生道："曾问她多少身价？"媒婆道："胡奶奶说，他家老爷当日是六百两银子娶的，原封未动，于今仍旧要六百两。若肯依她这数，一边兑银子，一边便抬人。"蒋青岩闻言想道："那等一个佳人，便是六百两也不嫌多。"便向媒婆道："胡家说的数目，我便依她。你明早来，同去成事，只有一说，我却是要带往远处去的。要说之在先。"媒婆道："此事不须相

公虑得。那胡奶奶原要卖她到外路去的。"蒋青岩道:"如此却好!"媒婆又到胡家回复。不题。

蒋青岩见媒婆去了,遂叫院子到江口唤了一只大江船,撑到秦淮河下住了,将囊中银子兑出六百两,将皮箱盛了。次日清晨,媒婆到了。蒋生吩咐院子捧了银箱,自己和媒婆同到胡家来。那胡家总没有一个正经男人在家,只有两三个牛精一般的小厮站在厅旁。看见蒋青岩的人品,都道:"好个白脸相公!俺家柳娘子乃前生修到了哩!"那媒婆忙忙进去,与胡奶奶说了。那奶奶竟亲自走出来。蒋青岩抬头将那奶奶一看,好像恶煞一般。怎见得:

> 身长体肥,眼大眉粗,黄毛关丛簪花朵。尖额角,高耸双颧。又麻又黑的面皮,粉填脂补;一出一进的牙齿,铁打金镶。十指竟似钉钯,小脚浑如臭鳖。豺声虎视,壮士魂飞;狗脸蛇心,佳人胆丧。

蒋青岩没奈何,也只得作她一揖。她也深蹲了几蹲,便和蒋生对面坐了。叫左右抬过一张桌子,放在中间,拿过一架天平来,将银子兑了,写了纸三面,交付明白。那胡家老婆望着屋里边喊道:"柳家孩子,快出来。"只这一声,把蒋青岩吓了一惊。

不一会,柳碧烟袅袅走出来,向胡家老婆拜了一拜。此时,蒋家院子已有轿子在外伺候。碧烟上了轿,蒋青岩吩咐院子先送碧烟到船上。他随后转到庵中,谢了主僧,着伴云和院子唤了人夫将行李挑上船去。蒋青岩到了船上,请碧烟到前舱,作揖道:"娘子此后到内舱安置,小生趁此天早上街去,替娘子买几件衣服、器皿来。"碧烟感谢不尽。蒋青岩吩咐伴云在船备饭,他自唤了两个院子相随,上岸去了。这碧烟独自一个坐在船中,想道:"我看蒋郎这般人品才学,实实羡慕,谁料此身又属他人?这也难为蒋郎,他一则为结发之情,二则为翁婿之好。我有个道理,待到了越公府之后,相机而动,到底要遂了我的初心。但不知蒋郎之心如何,待他回来,试他一试。"

正思想间,伴云捧饭进来。碧烟吃罢,蒋青岩回来,买了许多衣服、被褥、毡毯、帐幔、盆桶、脂粉、梳篦之类,挑了一担上船。蒋青岩吩咐伴云搬到后舱,交与碧烟。碧烟十分感激。此时,日已将暮。蒋青岩吩咐

船家将船撑到城外住,以便明日早开。众船家闻言,一齐动手,将船撑到城外住了。

伴云上灯进舱,蒋青岩又叫伴云上盏灯送到碧烟舱中去。然后,院子和伴云替主人铺叠衾枕。及至吃过晚饭,蒋生着他们自去睡觉,独自一个倚着船舱,看那一天星斗、两岸明灯,心中想道:"如此良夜,又有这般佳人,依然寂寞。我若当日不遇柔玉小姐,今日这碧烟岂不属我!"又道:"一个碧烟换一个柔玉也不吃亏,只是这碧烟十分属意于我,若得那杨老儿早早死了,或者还有属我之日,亦未可知!"左思右想,只是忘情不下。忍不住脚,竟走到碧烟舱门外。

伸头一张,见那碧烟独自坐在灯下,手托香腮,如有所思。蒋青岩低声问道:"小娘子,此时还不安寝,得毋叹寂寞乎?"碧烟闻言,忙立起身答道:"贱妾既蒙救援,得离苦海,安敢更嫌寂寞?实有所思耳!"蒋青岩道:"小娘子所思何事?何不对小生说知?倘能效劳,顶踵非所爱惜。"只见碧烟停了半响,乃长叹一声道:"妾虽贱质,育自名门,毛遂之行,素所深耻。但以纤纤女子,遭家不造,而魔乡幻域历试多方,前承君子不以葑菲见遗,俾得登诸鼎俎,今尚有何隐衷不可共白?妾曩者与君邂逅,窃谓茑萝得施松柏白头,倘能相守,甘抱衾裯,不图君子别有用心。遂致耿耿之衷总成画饼,独不知今之为越人吴者,他日或可收功于万一,君亦能如范大夫之载我以扁舟否耳?"蒋青岩亦长叹道:"自睹芳容,已深绻缱。奈家岳父之难,非小娘子不能解。小生实是忍情割爱,为此不义之举。今闻小娘子之言,使小生感愧无地。小娘子此去,切莫忧虑致损花容。倘天假之缘,那杨素老儿早为物化,

则珠还剑合,未必可图之!异日岂特扁舟之载而已哉!"碧烟道:"相公之言,得毋诳妄否?"蒋青岩道:"小生素不失信于朋友,何敢食言于娘子?如不见谅不难,何如证之神明天诸皦日?"于是,二人焚香秉烛,各倾诚款,谓:"后如背盟,神天共殛。"誓毕,二人各赋诗一首,交相收敛,以后为日重逢之证。蒋青岩诗道:

记取兰舟语,相将乱寸心。

可怜分镜影,凄绝是知音。

碧烟诗道:

良夜寂无人,兰舟矢素心。

他年琴剑合,切莫负知音。

二人又谈了些诗文歌赋。听谯楼已交四鼓,恐为家人所见,彼此不便,蒋青岩始辞了碧烟,轻轻转过前舱安睡。碧烟亦因青岩许以后约故,亦安心就枕。

不知后事如何,且听下回分解。

中国古典名著百部

第十二回　李半仙把酒谈朝政
杨越公扶病受佳人

　　话说柳碧烟自此以后，将忧愁慢慢放开，一路上与蒋青岩不是观山就是玩水，不是品茗便是评诗。叠股并肩，愈形亲密，惟不及于乱耳！

　　一日，船至京城码头。蒋青岩忙吩咐伴云，先到下处知照了华夫人。然后，院子雇了轿夫人役，挑了行李，一同起身。华夫人早已着人在门前相接，一同入内。先是蒋青岩向华夫人叙礼，然后是碧烟上前认母，华夫人故意哭道："儿呀！只因你爹爹被难，致你奔波千里，受此苦楚，叫你娘心中怎生舍得？"碧烟且哭且拜道："养育之恩未报万一，反致爹爹危在旦夕，奔走微劳，何足言苦？但孩儿拼此残躯，进入越府，使爹爹早脱缧绁，则儿虽死犹生。"拜毕，起身，即在华夫人身旁坐下。华夫人偷眼看碧烟容貌，虽不及大女柔玉，比之掌珠、步莲两个女儿，则又过之，心甚欢喜。一面叫人去报知华刺史，一面叫收拾茶点出来，与二人食。教碧烟重新去梳洗妆扮。不一会，碧烟打扮得娇艳非常。华夫人吩咐家人雇了两乘轿子，自己同碧烟坐了，一同来望华刺史。

　　蒋青岩先向见了礼，然后碧烟走过来，向华刺史道："爹爹在上，孩儿拜见！"华刺史故意说道："孩儿远来辛苦，不消行礼罢！"碧烟拜了起来，走去坐在华夫人后面。华刺史同蒋青岩坐在一处，喜容满面，暗暗地向蒋青岩再三致谢。蒋青岩向华刺史附耳低言，说了一会，华刺史连连惊讶。

　　蒋青岩道："事不宜迟，岳父只得硬着肚肠，明日便将表妹送入杨府去罢。"华刺史故意做伤心之状，向碧烟道："我儿，你爹爹不幸，做官一场，不能使你早遂于归之愿，将你身子陷入权门。虽然事出不测，情非得已，我做爹爹的却怎生放心得下？"碧烟也故意掩面道："爹爹说哪里话？孩儿的身子都是爹娘的，昔日木兰从军缇萦诣阙，总因救父之难，况今日爹爹之祸都因孩儿身上起的。况且家中还有两个妹子可以承欢朝夕，爹爹不必过伤，孩儿请明日便去，令爹爹早脱缧绁。"华刺史道：

蝴蝶缘

"孩儿,足见大孝。明日便请你蒋家哥哥拿我的官衔帖子送你进去。"

正说间,张澄江、顾跃仙两人都到了,与蒋青岩见了礼,又向碧烟作了揖。两人细看碧烟,心下暗暗惊讶道:"蒋兄敢是从天上去来?不然,怎能得这一个仙子?杨素老畜生好造化也。"此时,同在所中的都在暗下偷看,都道:"华公有此美女,那杨素怎肯甘心?"话休饶舌。

再说华夫人坐了一会,自带碧烟回寓去了。蒋青岩和张、顾三人陪华刺史坐谈。只因那所中人众,绝不曾说起那苏维扬之事。况蒋青岩先有院子进京,华刺史夫妇及张、顾二人已都知道了,惟有张澄江向蒋青岩悄悄恭喜,倒是顾跃仙止住。蒋青岩笑道:"别后的话也长,事也多,待正经事妥了,再细细陈说。"翁婿四人谈了一会,蒋青岩便拉了张、顾二人一同回原日下处去。到晚间,三人同去会李半仙,谢他一向周旋之德。半仙忙问道:"可曾觅得美人来?"蒋青岩道:"已觅有美人来。现在岳母下处,拟明日送入越府,特来请教。"李半仙道:"恭喜、恭喜。越公连日抱恙,今早皇上遣官问安,尚未痊愈。三位不要管他闲事,明早先待老拙进去与他说声。三位随后便送那美人进去。"蒋青岩等三人一齐应诺,起身告辞。李半仙道:"蒋先生今日远来,老拙有一杯水酒替先生洗程,敢屈张先生和顾先生奉陪。"蒋青岩连连称谢。三人从新坐下。

不一会,佳肴罗列,美酒齐斟,宾主四人畅饮。饮过数巡,李半仙道:"老拙今早在越府报上见有吏部一本,为缺人才事。他本上道:'前朝的名宦旧绅都观望不出,并其子弟都拘阻不容应试,其中岂无抱王佐之才、怀经世之策者?当今中外一统,急宜选才守成,以求致治。伏乞陛下速下严旨,庶使矫名窃誉者无敢吠尧,怀瑾握瑜者终能用汉。奉圣旨:这本说的是。该各道节度使及守土官速查各地方所有陈朝旧绅,除年六十以外者准致仕,其未及六十者,俱勒令赴京,照职补用。如有冒推老病,故为观望者,以叛逆论。其旧绅子弟,亦该查明,令赴试,有违避高上者,亦以叛逆定罪。该各节度使及守土官知道。'闻这旨已下到各地方去了。依老拙看,这旨十分严厉,三位料难脱壳。老拙的相法就要应了。"

蒋青岩等三人听到此言,都着一惊,面面相视。李半仙知他三位不愿取功名,劝道:"三位先生,休得太迂!年轻才大,正是功名路上人耳!

尊相已定,违天不祥。况三位先生原只当是未嫁的女子,比那再婚不同。三位先生休要错过。"他三人道:"先生见教极是。只恐有见识的女子,宁甘终老深闺,不肯失身匪人,以辱父母。"

李半仙道:"老拙非敢相强,但恐有妨于三位耳!"蒋青岩等三人因这番议论都快快不乐。李半仙又道:"这些事且丢在一旁。敢问蒋先生此行,老拙看的气色可曾有些应验么?"蒋青岩道:"极验、极验,件件不差。若论先生的相法,真可谓神仙,岂但半仙而已!只是说来话长,待明日家岳之事妥后,大家相聚一处,待学生细细说与先生听。"四人又饮了一会,方才作别回寓。

蒋青岩、张澄江、顾跃仙同坐在厅中。蒋青岩道:"适间半仙之话,我们三人将来想个甚么脱身之计?"张澄江道:"这是奉圣旨的事。地方官必不肯轻视,我们又无多金买嘱,且法令之初,万一不济,岂不累及身家性命?不若依半仙之言,趁在京之便,我们三人拼了做一起罢。"蒋青岩道:"待明日再与岳父商量,看岳父主意如何?"三人说了一会,各自睡了。

天明起来,梳洗完备,打听李半仙已进越公府中去了,三人齐到华刺史身边。华刺史写了一个官衔帖付与蒋青岩,青岩连忙到华夫人下处,见过华夫人,再去看碧烟。只见碧烟打扮得描不成、画不就,坐在房中下泪。见蒋青岩到了,忙忙立起身来。蒋青岩心中甚是割舍不下,也不觉流泪,说道:"小娘子,于今日之事实不得已,望小娘子忍耐,作速前去,不用悲伤。"碧烟只得揩了眼泪。蒋青岩出来,问左右:"轿子可曾齐备?"左右道:"齐备多时。"青岩忙请碧烟上轿。此时,华夫人也舍她不得,当真掉下泪来,吩咐院子跟随蒋青岩和碧烟前去。碧烟没奈何,吞声上轿,竟望杨素府中来。不一会,到了杨府门中。蒋青岩看那门首,好生威武。怎见得:

　　剑戟森森,弓刀凛凛;金兽面耀日辉煌,帅字旗临风飞舞。
半掩朱门,上书开国元勋之第,遥连紫禁,同推一人以下之尊。
文官武将,锦玉联翩;骏马香车,风尘驰骤。适因抱病罢笙歌,
何事暮年贪美色?

蒋青岩吩咐将碧烟的轿子歇在一边,他自己走到门首来打探。只见门内一个官儿,锦衣乌帽,走上前来,向着蒋青岩道:"秀才可是替华

刺史送美人来的么？适间令公爷传谕，着小官在此伺候。秀才可有手本在此？待我去传禀。"蒋青岩忙将华刺史的官衔帖子递上。那官儿连忙进府去了。蒋青岩走到轿子边，向碧烟道："小娘子，那门官已进去传禀了，小娘子切记，好生答应舟中之言。切须再念。"碧烟道："相公放心。倘不如愿，请以死报。"话犹未完，那官儿同半仙已到轿前，说道："请美人到二门外下轿。令公有恙，蒋先生不须进见罢。"蒋青岩道："如此，学生只在左右候个回音便了。"

不说蒋青岩在外等候回音。且说柳碧烟的轿子同李半仙和那官儿到了二门，请碧烟下了轿。李半仙将柳碧烟一看，心中惊道："怎生又是一位夫人之相？"那府中的人看了碧烟，个个魂消。走到第五层门，那官儿转去了。门儿许多姬妾侍儿相迎，见了碧烟，个个后退。这李半仙年老，久作入幕之宾，竟领碧烟来到杨素榻前。那榻前说不尽的珠围翠绕，富丽非凡。李半仙指碧烟朝上拜了四拜，立起身来。那杨素看见碧烟的容貌，心下十分快乐，觉得病体好了几分，问道："你是那华刺史第几个女儿？唤甚名字？今年多少年纪？"碧烟道："妾乃华刺史的长女，名唤柔玉，今年一十八岁。"

杨素点头道："你就是华柔玉么？好！好！果然名不虚传。你可用心服侍我几年，待我百年将近，寻个才子配你。"叫左右侍儿去取旧日红拂房中的锁钥，付与碧烟道："房中一切俱有。"碧烟拜领。

杨素向半仙道："李丈，你可去对那华家的人说，我甚欢喜，明日便放他主人。叫他主人还在京多住几日，待我病体安痊，还要请他相会。"又吩咐左右去取黄金一百两与华刺史补作聘金，取白银一百两赏与来

人折酒饭。左右领命不多一会，黄金、白银摆列停当，着一个钦赐的内监捧了，随李半仙出来。李半仙又着先前那传帖的官儿去，邀了蒋青岩到二门边，将杨素吩咐的话及杨素欢喜之意细细与蒋青岩说了，然后将黄金、白银交与蒋青岩。蒋青岩接了，谢过李半仙，忙忙来回复华刺史夫妇。

华刺史夫妇甚喜，感激蒋青岩不尽。张澄江和顾跃仙两人也向蒋生作揖，谢道："我们三个之事，却累吾兄一人受劳。今日功成，小弟二人坐沾其德，此中耿耿，何以为报？"蒋青岩谦逊不已。华刺史要将杨素送的金子送与蒋青岩。蒋青岩道："今日之事，虽为岳父，实小婿自为。此金只可留谢李半仙，小婿要它何用？"华刺史道："贤婿既然如此推功让德，这金子就烦贤婿带去，送与李半仙，道老夫明日出来，再当登谢。"蒋青岩道："这却有理。待小婿晚间送去。"正说间，忽听得所门外边有人喧嚷。华刺史正欲问时，只见那个管所的官儿进来报道："杨令公差官在外堂，请华老爷相会。"华刺史听得，忙整衣冠出来相见。那差官见华刺史，深深作揖道："小官奉令公爷钧旨，请华老爷回寓，待令公爷病愈时，回旨便了。"华刺史向差官深谢，要留那个官待茶，那差官忙忙作别去了。华刺史欢天喜地，吩咐院子收拾行李，先挑到华夫人寓所。华刺史翁婿四人随后步行而来。华夫人见了，喜得手舞足蹈。

当日，三个女婿公同替丈人庆贺。席间，蒋青岩将昨夜李半仙对他说吏部本内的事情及圣旨批行一节告诉华刺史。华刺史道："怎又有这节事？这却是违背不得的。倒亏老夫多生几年，不然，也是这网中之人了。只有三位贤婿却逃避不去了。于今风波最大，祖宗血食、身家性命要紧，不可儿戏！"蒋青岩道："小婿们正要请教岳丈，似此怎生是好？"顾跃仙又将李半仙劝他三人的话述了一遍。华刺史道："此人之言，亦是正理。假令三位的令尊在时，老夫就不敢劝三位出仕了。"蒋青岩道："做便做了，只未免有负先人之志。"华刺史道："贤婿实忠孝之心，怎奈势不由己，且自古亦未有子孙高尚者。趁老夫同在京中，看三位贤婿取了金紫一路回去完婚，也是件快事。贤婿们不要迟疑。"

蒋青岩、张澄江和顾跃仙等听了华刺史之言，俱已心从。四人饮到日暮。华刺史吩咐雇了四乘轿子，四人坐了，带了拜帖和杨素送的一百

两金子，同来拜谢李半仙。正值李半仙回来，门上传了帖，李半仙连忙出迎。宾主五人同到厅上行礼，华刺史向李半仙拜谢。李半仙道："老先生休要折杀了老拙。今日之喜，实皆令婿蒋先生之力与老先生之福，老拙何功？"华刺史又将那黄金送与他，他再三不受，强之不已，李半仙只取了一锭，其余仍着华家院子收回。李半仙道："老拙早间见那美人，却又是一位贵相，恐将来又是一个红拂。"华刺史道："久闻老恩兄风鉴如神，不知老夫的相上将来可得老死丘壑否？"李半仙定睛将华刺史看了一会道："老先生无子而有子，将来乐比神仙、寿登大耋，凶无半点，且目下喜事重重，不过百日即见。"华刺史笑道："老病废人，得无祸以终天年，足矣。何敢望喜？"大家说了一会，同要起身。李半仙留住道："老先生且少坐，老拙要请教蒋先生前日在江南所遇之事，望蒋先生见教一遍如何？"

蒋青岩闻言，先将他在苏州主仆双双遇骗之事细说一遍，大家拍手大笑道："神骗、神骗！不知苏州何以出此奇人，岂风水所致乎？自后我们遇着此等人切要谨防。"蒋青岩又要说扬州之事，恐华刺史不喜，只得先对华刺史道："小婿在扬州之事，罪重难遣，奈彼时势不可转，不得已相从，想岳父定能原察。"华刺史道："贤婿说哪里话？你当日若不相从，我的大事坏矣！前日老妻到所中与老夫言及此事，我和她两人都道贤婿依从的最是。且小女最贤，这有何碍？贤婿不妨细细述与李恩兄听听，也见得天下事无奇不有。"

蒋青岩方才从头至尾向李半仙说知。李半仙惊讶道："奇哉、异事！不道权势中亦有这样会择婿、能爱才的人！只是太行霸道了，未免露出西人本相。恭喜、恭喜。老拙的相法自不差，果然有验。"这翁婿四人同赞了李半仙一会，然后起身。

走到半路，只见一丛人站了看那壁上的告示。华刺史同蒋青岩等立住轿子看时，就是前日吏部奉旨搜求人才的告示：限各处旧绅子弟俱以三月尽到京，四月应试。或有路远不及到京者，限下科取齐。各旧绅年未及六十者，限七月到齐，以便铨补。华刺史看着三个女婿，道："三位贤婿，你看这旨意甚严，须安心在此应试。"翁婿四人一齐回到寓所，华刺史遂吩咐院子到贡院口左边赁了一所大房子做下处，请三位女婿同寓攻书。一面打发院子回家报这信与三个女儿，又送信到蒋家、张

家、顾家去讫，专候三个女婿应试。按下不题。

却说那柳碧烟自入杨素府中去，且喜杨喜的病体缠绵不愈，因此尚未沾染。不过早晚走在杨素榻前看看，杨素也不甚教她随众服侍，倒也十分安稳快乐，比那扫雪之时真不啻天渊。只是碧烟胸中刻刻有个蒋青岩。蒋青岩心里也时时有个碧烟。

光阴易过，忽忽便是三月下旬了。果然，各处的旧绅子弟无论有才无才，通与不通，都到了京师，各赁了下处。奉旨改月不改日，即以四月初九头场。

到了这日，蒋青岩、张澄江、顾跃仙三人一齐进场。这年的大主考也是陈朝的旧臣，姓李名如陵。此人素有才名，只可惜晚节不美，却倒是有眼目的。见了蒋青岩和张澄江、顾跃仙三人的卷子，赞服不已道："世间安得还有此奇才？若不遇我老李谁人认得？"当下，就将这三个卷子从头圈起，圈上加圈，再三细看，批了又批，十分快心。蒋青岩等三人交了卷，早早走出场来。华家及他三家的家人院子一齐上前接住，他三人坐轿回寓。

华刺史在厅上等候，见他三个女婿出了场，连忙起身迎入。茶饭已毕，华刺史说道："三位贤婿，今日辛苦了，想应十分得意！"蒋青岩三人一齐答道："逼勒上钩，有甚得意？不过了事而已！"华刺史笑道："贤婿们便是了事也还胜人百倍，不知今日是甚么题目？"

蒋青岩道：《守成策》一道、《拟司马相如〈子赋〉》一篇、《玉阶春柳诗》一首。"华刺史道："好题、好题。三位贤婿，且将《春柳诗》写与老夫看看。"蒋青岩和张澄江、顾跃仙三人同将《春柳诗》写出递与华刺史观看。华刺史接到手中，依次看去。

蒋青岩的诗道：

　　紫禁春光早，垂杨拂面低。
　　两行金殿整，万树玉阶齐。
　　淡月临时浅，游丝着处迷。
　　官衣还借色，遮莫听黄鹂。

张澄江的诗道：

　　御道排高柳，春风树树黄。

新莺藏婉转，子燕共飘扬。
欲夺金铺色，争同绣带长。
千宫齐拜舞，影里见翱翔。
顾跃仙的诗道：
柳种近天颜，寻常未许攀。
色初分翠盖，阴渐护蓝班。
舞月腰争细，临风态更闲。
皇家春浩浩，官阙绿波间。

华刺史看罢，大喜道："三诗华丽秀雅，气吞云梦，压倒一切，真屠龙手也。定须高发无疑。"蒋青岩等三人齐道："此等诗哪得叫好？岳父可谓过奖矣。"三人全不以功名为意。

正是：

我本无心求富贵，谁识富贵逼人来？
要知何日放榜，且听下回分解。

第十三回　三才子同登鼎甲
众佳人共赏荷花

词曰：

　　谁有奇才天忍负？试看三君，把臂青云路。宴罢琼林嘶
马去，六宫粉黛色相顾。　　日暮归来看满袖。梦里佳人，也
在花开处。急整归装休更住，相思莫把佳期误。

　　　　　　　　　　　　　　　　——右调《蝶恋花》

　　话说华刺史见三个女婿的诗句惊人，料必高捷，专望揭晓。到了二
十二日，那龙虎榜高高挂出。果然，蒋青岩等三人都中了。榜名一连就
像华家招女婿的一般，一毫也不颠倒。头一名是蒋青岩，第二名是张
平，第三名是顾成龙。众报子一齐报到华刺史寓中来。华刺史夫妇满
心欢喜，替他三人打发了报子，然后向蒋青岩、张澄江、顾跃仙三人恭
喜。他三人也觉平常。及至殿试，他三人又中了鼎甲：蒋青岩是状元、
张澄江榜眼、顾跃仙探花。次日，同赴琼林大宴。

　　那隋文帝看见蒋青岩、张澄江、顾跃仙三人才品超群，年纪都不上
二十岁，心中大喜，深庆得人，敕谕穿宫太监打扫六宫街道，候他三人宴
罢，走马六宫。

　　这日，该杨素压班陪宴。因杨素病体未愈，是宰相代他。宴上的筵
席比往年加倍整齐。蒋青岩和张、顾三人宴罢，一齐宫花插帽，紫袍挂
体，乘了骏马，前面绣杖红旗，迎道游宫。那六宫的宫娥采才，看见三人
美如冠玉、风流年少，无不思量羡慕。三人游宫已毕，谢恩出朝，又去游
街。那长安街上看迎状元的人如山似海，都道："华刺史怎这般大的福
分，就得了这样三个女婿？一路竟中了三个鼎甲，真是从古以来未有之
事。"人人称赞，个个惊奇。一时传作美谈。

　　这蒋青岩、张澄江、顾跃仙三家向日的门生故吏、年家世好好久不
往来的，及京中大小文武官僚，纷纷地到华家下处来庆贺，把华刺史的
下处弄得就如吏部的衙门，连那藏冢宰此时也来送贺礼。蒋青岩等三

人游街已毕，少不得谢主考宰相与吏部及杨素各大臣。那杨素卧病，未及相见，藏冢宰抱愧推却不会，只见过主考及宰相乃其余大小文武，然后去拜谢李半仙。

李半仙迎入，拍手笑道："何如？何如？老拙的眼睛何曾看错？"三人向李半仙作了揖，齐齐说道："先生真神人也。虽麻衣鬼谷何以过之？容当厚报。"半仙又看着蒋青岩道："状元的气色，十日内又有一件喜事到了。"蒋青岩道："还有甚喜事？不过得官而已。"李半仙道："不是，不是。这种气色主有婚姻之喜。"蒋青岩笑道："这件事只恐先生相错了。学生的婚事极早也还有几月。"半仙道："不差，不差。自有应验。"张澄江、顾跃仙二人听了，也觉不信。又谈了一会，方才回去。

不数月，蒋青岩授了翰林修撰，张澄江、顾跃仙同授了翰林编修之职，一齐到任，好生荣耀。他三人到任未及三五日，便要告假，省亲归娶。华刺史劝他再缓几日，他三人只得听从。

却说那杨素，一日病体稍愈，偶看殿试录，见三个鼎甲姓名，想道："这三个的姓名我好像在哪里听得？却一时记忆不真。"恰好，李半仙在跟前，因问道："李丈，这三个鼎甲的姓名，你一向可曾听得人说么？"半仙笑道："老令公真是贵人多忘，那状元的娘子到在会公府中不多时候，令公倒就忘了。"杨素闻言惊道："原来就是华柔玉的丈夫。"李半仙道："那榜眼、探花，总是华刺史的第二、第三个女婿。"

杨素听了，默默无语，又惊又悔，心中想道："我当时只道是华刺史冒名却聘，谁知当真是他的女婿？那蒋青岩不中还可，于今恰又中了状元，与我同朝。我虽是他前辈元勋，他一时无计奈何，我异日却怎好与他相见？万一天子得知，亦非美名。我今若要将柔玉还他，将来要再寻一个柔玉却又难得；若不还他，又觉不便。且柔玉自入我府中，我因病并不曾幸她一幸。"又道："一不做，二不休。我怎肯到手的佳人又送还他？不如寻一件事，将他远远外调，以灭其口。"又想道："他初中状元，料无甚过恶可寻，于今天下太平，又无甚边防要紧。"左思右想，没有决断。

李半仙在旁，看见杨素的神情。料是为"柔玉"一事不好处治，也想道："我若将真心话向他说了，他又要恨蒋状元和华刺史，且那假柔玉相

貌不凡，又是大家女子，况他年老，我何不赞助几句，劝他送还华家，待那女子去寻一个年貌相当的嫁了，也不辜负她的青春，也算我老年一件功德。"因问道："那柔玉可在左右么？"杨素道："听说她偶有小病，我今日不曾要她服侍。李丈，你问她做甚么？"李半仙道："在下恐她在此，听得蒋青岩中状元，心下又要感伤哩！"杨素听了，沉吟半晌道："老丈，我有一言与你商议，不知哪一着妥当。"便将自己心下适间踟蹰未说的一节话向李半仙细说了一遍。李半仙道："还是将华柔玉送还他为是。今公位极人臣，何求不遂？哪在这一个女子？且那蒋状元的相貌，在下看他将来也是一个大位。令公若肯送他，不但他一人感令公大恩，天下人都服令公大德。在下的愚见如此。听凭上裁。"杨素闻言，将头点了几点，向旁边一个侍儿道："你看华柔玉可走得动？若走动，可与她出来，我有话问她。"侍儿领命，忙忙走到碧烟房中，说道："姐姐，令公爷问你，走得动时，叫你出去，有话问你哩！"

　　这碧烟并非真病，只因听得蒋青岩中了状元，心中十分欢喜，要想个脱身之计，故此托病在房，细细思想。忽闻杨素唤她，只得和那侍儿一同来到杨素榻前。杨素见碧烟到了，问道："闻你有病，可曾好些么？"碧烟道："贱妾偶触风寒，今已小愈。"杨素将一双眼定定地看了碧烟半晌，道："你可晓得你丈夫中状元么？"碧烟不知此问是好是歹，不敢答应。李半仙恐怕碧烟一时没主意，言语与他不合，连忙在旁说道："你丈夫蒋青岩中了状元，你可晓得么？"碧烟会意，方才答应道："贱妾不知，但见他才堪王佐、学贯古今，今日得中状元，也不负他平生大志。"说罢，泪流满面。

　　杨素见碧烟光景，料是思归之意，故意怒道："你这妮子，怎敢在我跟前作此苦态？果是想去跟随那蒋生么？"碧烟道："老爷请息雷霆，贱妾素闻老爷功盖天下，名震四方；秉日月之明，行圣贤之事，以义教天下。得新忘故，贱妾不敢为也。那蒋生与贱妾虽未遂伉俪之欢，实久有百年之约。向因老爷过求丑陋，不得已割舍前来。临别之时，他对天发誓道，他终身不娶。他今日虽中了状元，难免绝嗣之恨。这节事都是贱妾累他，贱妾为此不觉伤心。求老爷原谅。"

　　杨素听碧烟一段话，说得十分直接，十分可悯，料非虚语。因转嗔作喜道："我姑试你。你既有念故之心，我岂肯做夺婚之事！你可立在此间，我即刻差人将你送还你父母。待你仍旧去嫁蒋生，完你这段姻缘，你却不可忘我。"碧烟闻言，忙忙双膝跪下，向杨素拜谢道："若得慨发仁慈，贱妾此去，自当朝夕顶礼以祝千秋，安敢有忘天恩？"

杨素随即吩咐左右，预备小轿一乘，派差官一员，送碧烟回华刺史寓所去。不一会，传轿已齐备，碧烟重来叩谢杨素。仍旧是李半仙领她到二门外上轿，那差官骑马相随，同往华刺史寓中来。行不半晌，早已到了。

这日，蒋青岩、张澄江、顾跃仙三人都进过衙门，回得太早，正在寓所和华刺史商量告假之事。忽见门役进来禀道："杨令公爷差官送回小姐来。"华刺史闻言惊道："那杨老儿却送甚么小姐到来？"蒋青岩听得，想必是碧烟用计脱身回来，忙向华刺史附耳低言道："岳父不必惊讶。这一定是送碧烟还我。于今岳父须还要认作是柔玉小姐，不可令那差官看破。其中有个缘故，待那差官去后，小婿自当奉告。"华刺史听说，故意向那门役道："小姐在哪里？快请进来。"一边说，一边自己走到外面相迎。掀开轿帘，果然是碧烟。华刺史迎住，一同来到厅上。华刺史问道："我儿是怎生不在令公府中，却又回来为甚缘故？"碧烟答道："杨令公因闻蒋郎中了状元，不便相留，特遣孩儿回来，仍归蒋郎，别无缘故。"华刺史道："既然如此，可喜、可喜。你快进去见你母亲，待我与那差官相会。"说罢，碧烟进里面去了。

此时，蒋青岩和张澄江、顾跃仙因恐那差官看破，都避过一边。华刺史吩咐衙役，请差官相会。那差官走进厅来，望上便要行礼。华刺史

忙忙扶起，说道："有劳足下了！敢烦足下回去禀复令公，说明日老夫同蒋状元来登谢。"又谢那差官二十两银子。那差官去了。

华刺史从新请过蒋青岩、张澄江、顾跃仙三人来，说道："小人世界不可一日无功名高贵。那杨老儿认真碧烟是柔玉小姐，见青岩贤婿中了状元，他便恭恭敬敬将碧烟送回来，较向日举止，岂非天壤！便碧烟这女子是我们的恩人，且又生得容貌不凡，我们将来须要代她寻一个贤婿，以报其德。"张澄江、顾跃仙都答道："极该、极该。"只有蒋青岩默默无言。华刺史见蒋青岩神情，不知为甚，想道："他适才说那碧烟回来，其中必有缘故，要向我说。待我问他，看看是怎么缘故？"因问蒋青岩道："贤婿，先前说碧烟回来，有甚缘故？此时不妨与老夫说了。"青岩道："小婿方才沉吟，也正为这缘故。岳父倘不见责，小婿方敢禀知。"华刺史道："翁婿至亲，有甚话不可直说。"蒋青岩欲说又止，华刺史再三诘问，蒋青岩然后才说道："那柳碧烟当初与小婿邂逅之时，她本意实属小婿，小婿再三将实情告她，她方肯勉就。然向婿之心终不肯转。及到舟中，她又与小婿定盟说誓，欲重图配合，情愿与小婿做个侧室。小婿感其真诚，各题诗一首相换为质，不料，果有今日。"

华刺史闻言道："此事极好。正是天从人愿，莫道是做侧室，便要做正，小女也该让她。老夫向日和三个小女若不得此人，焉有今日？知恩不报，有约不完，岂可谓之人乎？此事在小女闻之，亦当欣喜！贤婿宽心，待回到故乡之日，经夫当与贤婿主婚完以定前约。"张澄江和顾跃仙听得这节事，心中都想道："蒋青岩好大福分，便得了两个绝代佳人！"十分羡慕。华刺史随即走进里面来，向华夫人说知。华夫人也毫不阻挠。碧烟听得满心欢喜。华夫人当下吩咐家中大小都称碧烟做"碧娘"。且碧烟性极温柔谨慎，华夫人十分爱她，待如亲女。

华刺史又讨当日定盟约诗看，蒋青岩向身边取出，递与华刺史。华刺史看罢赞道："此女德色才三事俱全，难得、难得。小女何幸，得此益友？"张澄江和顾跃仙亦从中称羡。大家坐了多时，又遇李半仙到来，道及杨素送还碧娘之故。华刺史翁婿都齐齐谢他之德，又将碧烟向日亦曾与蒋青岩订盟的话与他说知。李半仙笑道："蒋先生十日内的喜事也应验了。"蒋青岩惊道："正是、正是。先生何以神验至此？"大家又闲话

一会，李半仙作别去了。他翁婿四人同吃过午饭。吩咐门上人：凡有拜谒的官府，都回道出门赴席，不必通报，止将门簿开记明白，待迟日回拜便了。把门人领命而去。他三人却同到书房内，商议乞假的本稿。抵暮已修完，连夜唤写本人到寓所，照式写了。

次日，五更三点，蒋青岩、张澄江、顾跃仙三人一齐捧了本章同进朝房。候文武登殿朝见已毕，三人一齐将本章呈到文帝御前。文帝看了，当面批允。三人一同谢恩出朝，回到寓所。蒋青岩和华刺史同去谢了杨素，又同张澄江、顾跃仙到吏、礼两部去讨诰命封赠，到兵部去讨勘合。忙了几日，诸事完备。

此时，正是五月往后，看定起身吉日是本月二十四日。那些在京及各衙门各官，或公钱、或私钱，又忙了四五日，早已是二十一日了。蒋青岩等三人俱一副千金的厚礼来谢李半仙。

李半仙这日正在家中，见他三人到来，忙忙迎入中堂。叙礼已毕，三家的院子齐将礼单礼物呈上。李半仙再三推却道："三位贵人在此，老拙全无杯水之敬，反承厚惠，何以敢当？"蒋青岩道："学生辈三人蒙先生周旋照拂，感德良深，些须之敬，聊表微忱，异日再当图报，望先生莞存。"李半仙道："这盛仪断不敢领。老拙实非故意推却，另有一言奉恳。倘三位贵人见允，这便是万金之惠了。但不知三位贵人能慨然否？"蒋青岩等三人齐道："先生但说，自当领教。"李半仙道："老拙本一贫穷术士，蒙越公青目，年来衣食颇丰，却也不曾倚势借权，做一毫昧心害理之事。只因命相孤独，年已六十，无一男半女，那越公虽待我不薄，奈他年寿无多，冰山易倒，未可久留。老拙向遇一异人，传授养生秘诀，颇有效验，意欲觅一片清净之地，结一茅庵，以终余年。近闻令岳老先生隐居之处，远绝尘嚣，倘得三位贵人为老拙觅得一椽，感当不尽。"蒋青岩和张澄江、顾跃仙一齐答道："听先生之言，真是达人。此事最妙，何不就此同行？"李半仙道："杨越公处一时未曾却辞，既蒙台允，稍迟数月，定当相访。"蒋青岩等三人坐了一会，一齐起身。打从旧日饭店门首经过，又将五十两银子赏那店主人，谢他当日指引之功。然后回寓，将李半仙适才所恳之事说与华刺史。华刺史道："此事甚易。且老夫久有出世之念，若得此人相伴，真是快事。待他异日到我山中之时，自有道理。"说

罢,各自料理行事。

到了二十四日五鼓,华刺史和三位翰林女婿一齐起焉。那职事之盛,比一切京官不同。张澄江、顾跃仙两人轿前都是两对金字牌:一对是"钦假省亲",一对是"钦赐归娶"。只有蒋青岩轿前少一对省亲的御牌。蒋青岩看了,想起自己的父母,不觉凄然。又转想道:"这等功名也不是我父母快心之事。"不说这里荣归。

且说柔玉、掌珠、步莲三位小姐,在家闻华刺史之事已无恙了,又闻蒋青岩、张澄江、顾跃仙三人同在京中应试,十分欢喜。

一日,柔玉小姐对韩香道:"我们久不到园中去游赏,天气困人,你先同绛雪去看园中可有甚花儿,开得好时,来约我去看看,以消困倦。"韩香闻言,忙拉了绛雪同去,开了后门,到园中去了。去不多时,两人笑嘻嘻,各自摘了两袖杏子走将来,向柔玉小姐道:"园中光景甚好,那池中荷花开得比往年更好,中间一顺五色三枝,开得有团扇般大,小姐快去看来。"柔玉小姐道:"你可约二小姐、三小姐同去看看。"正说间,只见掌珠、步莲二位小姐来了。柔玉小姐道:"来得好。我正要来相约同到园中去看荷花。"掌珠、步莲齐答道:"我们也为日长难遣,要和姐姐同去游赏一游赏。既然如此,即便同行。"柔玉小姐吩咐绛雪锁上房门。姊妹三人随身三个丫环连韩香共是七人,一路儿来到园中,同到荷花池赏荷亭上来,看那荷花比往年更盛。中间一顺三枝,正中是一枝青莲,左边是一枝大红,右边是一枝锦边,比群花高一尺,大一围,香气氤氲。柔玉姊妹三人看了,惊讶不已,韩香在旁笑道:"依贱妾看来,定是三位姑爷的佳兆,此时,想已宴罢琼林矣!"三位小姐闻言不语。韩香又道:"三位小姐可记得去年赏牡丹时候,转瞬间一年多了,花儿都已开遍。"柔玉小姐不觉叹道:"人生几何时,都被只花儿草儿催老也,有情人能不慨然?"韩香也长叹道:"小姐,你此后见花儿草儿都是欢容笑口,只有俺韩香,此后见了这花儿草儿都是泪眼愁眉。"柔玉小姐道:"韩姐且自宽心,天下事未可遇料。"说话之间,忽见几个丫头养娘飞奔而来,不知为甚缘故? 要知后事如何,且听下回分解。

中国古典名著百部

第十四回　泥金报三捷临门　绾春楼双珠入手

词曰：

正有莲花瑞，泥金报已来，苍天真不负多才。况是荣归，指日雀屏开。　　皓月窥鸾镜，秋风绕凤台，双携神女梦中猜。分付凄凉，都去别安排。

——右调《南柯子》

话说三位小姐同韩香众人忽见养娘们飞奔前来，不知为甚事情，正要问时，几个丫头养娘跑得气喘喘的，向三位小姐说道："恭喜三位小姐，三位姑爷都高运了。"韩香笑道："想是都高中了。"养娘们道："正是、正是。大姑爷中了状元，二姑爷中了榜眼，三姑爷中了探花，都做了翰林，指日荣归。三位姑爷家都有泥金报，差人在外替三位小姐报喜哩！"这三位小姐闻言，不觉喜形于色。掌珠、步莲两位小姐向柔玉小姐道："姐姐，恭喜蒋家哥哥中了状元。"柔玉小说道："二位妹妹的喜也与我一样。"韩香道："三位小姐于今都是诰命夫人了。大家带挈俺韩香。"绛雪道："韩姐，你方才说那三枝荷花应在那三位姑爷身上，于今果然，敢是你身上有八卦么？"韩香骂道："小油嘴儿，你的好日近了，还在此说甚胡话？"大家欢笑一会，柔玉小姐吩咐管账的备酒饭，想待三家来人，都封了二十四两银赏他作路

费。家人媳妇领命去了。三位小姐转到中堂，各个欢喜回房。

柔玉小姐坐在房中，想象蒋青岩在京得意的光景及他两人当日的情儿，做了一首词儿。道：

> 花前忽地传消息，听说罢欢心醉。琼楼宴撒玉骢嘶，天子门生及第。依稀想象，紫袍金带，千里浑如对。愁肠尽付东流去。往日事，他应记，琵琶楼上夜沉沉，更有新诗申意。菱花镜里，容颜仍旧，从此相思遂。

——右调《御街行》

柔玉小姐将这首词儿写了，拿在手中，自吟自咏了一回。收过一边，拉了韩香同去寻两个妹子下棋。从此，姊妹三人同着韩香，或下棋，或赋诗，或品花，或斗茗，终日欢聚，把一向的愁都化成冰雪。按下不题。

却说华刺史夫妇同三个女婿，一路上轩轩昂昂，逢府过县的官儿都来迎接，送下程，请酒席，赠夫马，好生兴头。一日，到了扬州。蒋青岩吩咐船家不要声张，将船悄悄过了扬州，并不令袁太守知道。直到六月下旬，才到杭州。

那杭州的大小官员都来接见过了。蒋青岩、张澄江、顾跃仙三人都要留华刺史盘桓几日，华刺史道："贤婿们荣归，少不得要谒庙祭祖，各官来拜贺及竖旗送匾，一切事务繁冗，料没功夫盘桓。且老夫出门日久，小女们在家悬望，待三位公事完毕，到寒舍之日，那时盘桓的日子正多。老夫明早定要渡江。"蒋青岩道："既然岳父不肯少住，小婿也不敢强留。但明白渡江必须换船，岳父岳母今夜何不移到舍下草榻一宵？明早起身未迟。"华刺史道："这却使得。老夫正有一言要与贤婿商议。那柳碧烟本当就此送归贤婿，念她与老夫有恩，老夫意欲带她同到寒舍，待小女完婚之日，一同花烛，以见老夫报德之意。不知贤婿意下如何？"蒋青岩道："岳父之言甚是，世间从无先妾后妻之礼。"张澄江和顾跃仙也道华刺史此举极妥。

当日，华刺史将行李搬到蒋青岩宅中。张澄江和顾跃仙各自先入城去看过母亲，从新到湖上来陪华刺史夜饮。饮酒之间，蒋青岩等三人同问道："敢请岳父，不知小婿们该在何时到府，求岳父见教。"华刺史

道："目下天气炎热，路上难行。八月初旬时候便了。此番贤婿们若到山中，竟到小园居住，不必更寻下处。"三人应诺，直饮到三更方止。

次早，华刺史起身渡江。三个女婿全副职事，三乘大轿送华刺史夫妇上了渡船。作别而回，各自去料理公事。不题。

却说华刺史夫妇，行不数日，到了家中。三位小姐接住，悲喜交集，一家大小欢喜非常。三位小姐拜见已毕，华夫人背后走过一位美人，来向三位小姐见礼。三位小姐一齐惊讶，不知这美人是谁，只道是华刺史新讨的姬妾。三位小姐同看着华夫人，不知该怎生行礼。华夫人会意，说道："孩儿，这是你我的恩人柳碧烟，行宾客之礼便了。"三位小姐依言，和碧烟平拜了几拜。韩香也来见礼。华夫人向三个女儿笑道："孩儿，恭喜你们是三位诰命夫人了。"说罢，又扯柔玉小姐到一边，将碧烟代她到杨素府中作侍儿，解了一家祸事，后来杨素因蒋青岩中了状元，将碧烟送还，及向日碧烟在舟中曾与蒋青岩订盟、情愿为妾的一节话，向柔玉小姐细述一遍。柔玉小姐喜道："原来向日托名救我们的便是此人！她与我家有这等大恩，孩儿理应让她为正。但不知她多少年纪了？"华夫人道："她与你同庚，小你两月。"柔玉小姐道："如此，是孩儿的妹子行了。"华夫人又指着柔玉小姐向碧烟道："这是我家柔玉孩儿。你二人日后共侍蒋郎，从此便可同房歇宿罢。"碧烟闻言，从新向柔玉小姐一拜道："贱妾无状，望小姐宽容！"柔玉小姐忙忙答拜道："妾受妹妹大恩，恨无以报，何出此言？"韩香在旁，看着碧烟和三位小姐容颜争美，宛如一母所生，心下想道："蒋官人好造化也。既中了状元，又得了这样一妻一妾，真个占尽人间美事。"

当夜，碧烟果同柔玉小姐一房安歇。柔玉小姐和碧烟坐在灯下，细细问其根源，方知碧烟是执金吾的小姐；又见她言语有章，举止端雅，心下甚是爱之敬之。碧烟因向日在舟中曾闻蒋青岩道柔玉小姐之才，今见房中奇书满架，卷轴成堆，想青岩所言不差，因问道："妾闻小姐学同班女，才过文姬，今幸得侍左右，敢求佳作见教一二。"柔玉小姐道："闺阁中人，偶识数字，绝无佳作可观，妹妹想多吟咏，幸以教我。"彼此谦了一会。忽然韩香走来，见她二人彼此要请教，笑道："小姐，你也瞒不得碧娘，碧娘也瞒不得你，终究是要看见的，小姐何不先拿出几首来与碧

娘看？碧娘自然
要拿出来与小姐
看。"柔玉小姐道：
"实无甚著作，止
有前日赠你弹琵
琶的四首还有稿，
待我取来请教便
了。"说罢，起身去
拿来递与碧烟。
碧烟展看一会，连
声赞叹道："诗既

清新，字复劲秀，真女中曹刘也，贱妾当壮面事之矣。"韩香道："碧娘，你
此时却推托不去了，快将诗来。"碧烟笑道："俗语云：'丑媳妇少不得要
见公婆。'但我无囊箧，偶作一二首都忘却了。只有《扫雪诗》二首还记
得，待我写出请小姐涂抹。"韩香便去取了一笺纸递与碧烟。碧烟接在
手中，拈起笔来，如风卷云将两首《扫雪诗》写了，双手递与柔玉小姐观
看。柔玉小姐细看那诗意凄然，字法妩媚，十分敬服道："妹妹此诗，语
意情深，惨人心目，直可与明姬出塞曲并传。妾当远拜下风。"彼此谈至
三鼓方才就枕。

　　从此，柔玉小姐和碧烟两人亲爱非常，就如同娘共乳的一般，行坐
不离，唱酬不暇，便有好茶好香也要两人共赏，真是闺中管鲍、学堂快
友。便是那掌珠、步莲二位小姐，也和碧烟甚是亲密。话休烦琐。

　　再说华刺史自到家中，便忙忙替三个女儿备办嫁妆，上自金银翡
翠，下至箱笼桌椅器皿等项，无一件不出奇出色。独有柔玉小姐的是一
正一付。到八月初头，诸事已备。华刺史和夫人商议道："我两个老人
家单生这三个女儿，若个个都嫁出去，岂不寂寞煞了！若都要留在此
间，那张家、顾家还有母亲，料他未必依从。只有蒋家侄儿无父母之累，
一定要留他在此，替我支持家事，养生送老。便是张家、顾家两个女婿
要带女儿回去，也须要住三年两载，如此方可。"华夫人道："妾身也是这
般见识，正与老爷相合。待他三人来时，须说过在先。只恐老爷不便当

面讲得。"华刺史道:"这也容易。他三人来时,我约山中的那田老儿来,托他转说便了。于今还有一事,三个女儿身边,每人只有一个丫头,必得成双才好随嫁。"夫人道:"妾连日也思量此事。只此时没处寻买,便买得也未必中她三人之用。我房中除了韩香,其余的五个丫头捡三个好些送与她三人便了。"华刺史道:"此说到还极妥!吉期已近,今日是个好日子,便唤过众丫头来,我两人捡选一捡选,送与三个女儿罢。"夫人闻言,忙唤过自己的五个丫头来。华刺史捡了生香送与柔玉小姐、伴绣送与掌珠小姐、紫莺送与步莲小姐,皆命着几个养娘分头送到小姐房中去。

不一会,那送伴绣、紫莺的两个养娘回来道:"二小姐、三小姐都收了。"只有送生香与柔玉小姐的养娘去了半时,仍旧同生香走来,回复道:"大小姐不收。"华刺史夫妇都不知女儿为甚缘故?两人商议道:"想是柔玉孩儿不喜生香,此外却没有好的,怎生处治?"华刺史悄悄向华夫人道:"不然将韩香送与她罢!"华夫人道:"这也使得。只恐韩香倒未必肯做随房的丫头,待我去问她看。"此时,韩香正在跟前。华夫人便叫她过来,问道:"大小姐吉期在迩,随嫁无人,适将生香送与她,她又不要。我想大小姐平日最爱你,我意欲将你与她,异日叫她还替你寻一个好人家打发你,不知你肯去否?"韩香闻言,正合其意,心中十分欢喜,连忙答应道:"贱妾蒙老爷和夫人大恩,恨无可报,一向又承大小姐相爱,与众不同,贱婢连日也因大小姐将嫁,正难割舍,亦有此心,不敢禀知老爷和夫人。今日既蒙吩咐,敢不依从?"华刺史夫妇见韩香心肯,两人甚喜。从新将韩香送与柔玉小姐,却将生香送与碧烟。柔玉小姐果然收了,且是甚喜。碧烟也收了生香,出来谢了华刺史夫妇。华刺史夫妇见柔玉小姐收了韩香,方才心安。只有韩香此时心中欢喜,更觉不同。正是:

　　　　往往相思今已遂,天从人愿喜非常。

华刺史又出去吩咐院子,将后园的绾春楼打扫洁净。都用绛纱裱衬齐整,做柔玉小姐的洞房,东书院收拾做掌珠小姐的洞房,将西边的待月轩收拾做步莲小姐的洞房,都是华刺史亲自监看,细细收拾得像锦窝绣窟一般。

刚刚收拾完备,蒋青岩、张澄江、顾跃仙三人一齐到了。这番来比

前番大不相同。不但他三家的主人是翰林的体统，便是那些家人院子一个个鲜衣骏马，公然大叔的形状，往时称主做"相公"，于今都改做"老爷"了。华刺史见三个女婿到了，忙请到后园一起住下。当夜，大开筵宴，尽醉而散。

次日，华刺史因自己有事，着院子去请了这山中的几位老友来相陪。其中有一个因能富是这山中的老学究，为人极老成。华刺史便把前日华夫人商议之言托他向三个女婿说，三个女婿都一一听从他。

这日是八月初九日，华刺史择定本月十五、十六、十七，一连三个吉日。十五日替柔玉小姐完亲，十六、十七两日替掌珠和步莲二位小姐花烛。

到了十三日，华刺史夫妇带了几个能事的家人媳妇和养娘们，同到绾春楼上替柔玉小姐铺房。将那楼上左边房内铺下两张水磨花梨的象牙床，上面一张是柔玉小姐的，横头一张是碧烟的，都是锦幔珠帏、绣衾鸳枕，其余摆设之精，不可尽言。华夫人又替韩香备了许多衣服钗环衾枕帐褥，及一切箱笼之类，也竟像嫁女一般。这日，也在右边房内铺下两张独睡凉床，着她与绛雪同住。这也是华夫人恐屈了韩香些，所以加厚，又且从小时爱她，故与众不同。话休饶舌。

且说十五日早间，蒋青岩送进珠冠霞帔来，华刺史叫柔玉小姐拜受封诰。柔玉小姐再三让与碧烟，碧烟不受，然后才拜受了，戴上珠冠霞帔。

晚饭后，华刺史和华夫人同送小姐和碧烟先进洞房，然后花烛高烧，鼓乐齐奏。蒋青岩进房，他此时头戴乌纱、腰垂紫绶、金带红袍，愈加标致，走上楼来，进了洞房。青岩居中，左边是柔玉，右边是碧烟，同坐花烛。众人在花烛之下觑着他三人，真像是两朵名花夹着一株玉树，好生可羡。有词为证：

> 八月佳期当十五，绾春楼上春多。天香缥缈桂婆娑。两枝花映水，一片月临梭。　　及第檀郎年更少，风流才调谁过。双珠齐入凤凰窝。襄王归楚岫，乌鹊架银河。
>
> ——右调《临江仙》

花烛已毕，众人散去，将洞房门关了。蒋青岩向桌上取了一枝花烛

在手,拿到柔玉小姐身边,细细照了照,低声说道:"小姐,可记得放蝴蝶的时节? 小生要正看小姐的娇容一看,也不能够。今日却和盘到手,小生好侥幸也。想那夜在妆楼上被小姐正言见拒,不知小姐今夜还能拒小生否?"柔玉小姐含羞答道:"使妾无当日之拒,今日有何颜见相公乎?"蒋青岩笑了一笑,又到碧烟跟前来,向碧烟道:"娘子,今日剑合珠还,皆娘子真诚所感,但不知向日舟中的诗句还在否?"碧烟道:"贱妾蒙相公大恩,订盟一诗,谨秘怀中。"说罢,果向怀中取出,交与蒋青岩。蒋青岩也向怀中取出碧烟的诗来,递与碧烟,两人完了案。蒋青岩方才转到柔玉小姐身边,替柔玉小姐解衣松扣。柔玉小姐也不十分推拒,只道:"柳家妹妹是妾恩人,妾未可在先。"蒋青岩道:"大小先后,自有定分。小姐不必过谦。"于是,携手同入锦衾,成就了百年之好。正是:

芙蓉春暖鸳鸯稳,翡翠香浓蛱蝶迷。

两人完婚已毕,蒋青岩方走到碧烟那边来。碧烟原是和衣睡倒,恍闻步履之声,忽然惊醒,见是蒋青岩,不觉满面羞容。蒋青岩只道碧烟两度适人,已非完璧,不意还是处女,满心欢喜,自不待言。

次日,柔玉小姐和碧烟一齐起来。韩香和绛雪早打扮得花娇柳媚,同进洞房来服侍柔玉小姐梳妆,生香也随在后。蒋青岩不知就里,见了韩香,忙忙一揖道:"韩香姐为甚来得恁早?"柔玉小姐忍不住笑道:"这真是故人相见,分外亲热。相公,从此不要称姐了。她于今已做随房,只要相公另眼相看便够了。"蒋青岩惊讶道:"可是当真么?"柔玉小姐道:"怎么不真?"蒋青岩道:"世间不信有许多天从人愿之事。小生自然另眼看她,只要小姐也与小生同心。"柔玉小姐道:"妾与她分虽上下,情好最深。今日得做随房,实遂其愿。"蒋青岩心中又添一喜。

柔玉小姐当下对韩香道:"你此后不必同绛雪、生香一起来服侍,无人处你不妨与我同坐。待迟迟自有道理。"韩香闻言,忙向小姐拜谢,又向蒋青岩行了上下之礼。然后,小姐和碧烟一齐梳妆,绛雪、生香两边服侍。蒋青岩忽然想起柔玉小姐当时赠他的明珠、金钏,于今好去取来替小姐助妆。连忙走去取了,递与柔玉小姐道:"此小姐向日所赠,小生藏在身边,相伴许久,今日当奉还了。"柔玉小姐道:"些微之赠,不意相公珍重如此。"当下,仍将金钏带在手中,将明珠赠与碧烟,从此,柔玉小

姐和碧烟也不分房,夫妇妻妾四人,如鱼得水。正是:

> 恩情自信人间少,
> 欢乐应知天上无。

十六、十七两日,掌珠、步莲二位小姐花烛之期。那两个洞房也是一般整齐,那二位小姐也是珠冠霞帔,一样风光。成亲之后,夫妇也是一般恩爱。张澄江、顾跃仙两人都十分感激蒋青岩。联衿三人比向时更觉绸缪,姊妹三个较往常愈加亲热。华刺史和华夫人都十分快意。

却叹光阴易过,转眼就是满月。华刺史设了极盛的筵席,内外欢饮,如此三日。这山中远远近近都来庆贺。

一日,诸事打发完了,上下清闲。华刺史同三个女婿在厅上谈笑,华夫人也同三个女儿及碧烟五人在内堂闲话。华夫人偶然提起往事,说到蒋青岩在苏州被骗一节,大家笑了一会。柔玉小姐道:"这件事,孩儿曾听得些影响,却不知其详,原来是如此。这也算得一种奇闻。"华夫人笑道:"蒋大官人在扬州所遇的事还奇理!想必他对你说过了。"柔玉小姐道:"他在扬州又遇甚奇事?他并不曾向孩儿说。"华夫人将蒋青岩在扬州遇着扬州的袁太守,太守爱他的人品,要将女儿招他为婿,蒋青岩再三不肯,被他诱去将酒灌醉,强招他到女儿房中去,蒋青岩势不由己,勉强依从了却不曾成亲的话,细细对柔玉小姐说了一遍。柔玉小姐惊讶道:"这节事果然又奇,孩儿全然不知。倒亏他有见识,依允了那太守,不然一个孤客,那太守即不忍下手他,万一羁留他在衙中,岂不误了京中的大事!安得有今日之聚?"

华夫人听柔玉小姐的话,与他老夫妇当日的一般,绝无妒忌不悦之意,不觉赞道:"我儿,你真个贤良!我当日与你父亲在京,听得此事,也

是这般见识。若是人家女子，哪不想情哩？只道他薄幸，停婚再聘了。我想蒋大官人至今不对你说的意思，多应为此。"柔玉小姐道："这有何妨！他既与袁太守约定，在此成亲之后再去入赘，此时也该去了。他那里多应望着哩！"华夫人道："你少时间问他，看他是甚主意。"

刚说得话完，只见生香在后面走来。柔玉小姐问道："相公可曾到楼上来？"生香道："相公才到楼上来了。"柔玉小姐因听得袁太守这一节事在心，要去问蒋青岩，连忙起身，竟往绾春楼来。

要知后事如何，且听下回分解。

第十五回 华小姐催赴扬州约
袁太守重赘状元郎

词曰：

　　着急促郎行,有个悬眸处。难得倾城性更贤,今古稀奇事。　　为惜女如花,特选乘龙婿。依旧当年醉里人,想见欢滋味。

——右调《卜算子》

话说柔玉小姐正要将袁太守的一节事问蒋青岩,听得生香说蒋青岩在楼上,连忙起身望缩春楼来。将出后门,生香悄悄向柔玉小姐说道:"适间我同韩姐在楼上,撞见相公上楼来,叫我到楼下走走,说要和韩香说话。不知说什么? 小姐快走去听听看。"柔玉小姐闻言,笑了一笑。晓得蒋青岩要与韩香叙旧,自己倒不好上楼去;要转回前面,又恐华夫人问她,只得住了脚,坐在近楼一块太湖石上,让蒋青岩和韩香完事。一双眼却望着那缩春楼的前窗。直过了两顿饭时,才听得蒋青岩叫生香。柔玉小姐方才起身到楼上来,正撞着蒋青岩叫生香。青岩见柔玉小姐来了,疑是生香去请来的,不好意思,只得笑脸相迎道:"闻你在岳母处闲谈,不知谈些甚么? 我正要来窃听,不料你就来了。"柔玉小姐笑道:"我们谈的是扬州袁太守之事。"蒋青岩听了这句话,不觉面红耳赤,半晌无言,只得和柔玉上楼来,对面坐下说道:"那扬州之事实势不由己,连日正要相告,又恐怕见怪,所以迟延。"柔玉小姐道:"相公差矣,相公向日若不依从那袁太守之婚,妾与相公焉有今日? 妾非妒妇,颇达情理,相公不必多疑。那袁太守怜才择婿也非恶意,相公须及早去完姻,莫叫那袁小姐悬望。"

蒋青岩先时只道柔玉小姐见怪,听了这篇话,深服柔玉小姐之贤,连忙深深一揖道:"小姐之言,真是古今来未有的贤妇,倒是我无知人之明了。我与袁太守原约定在此完亲之后才去,此时也可去矣,正待要与小姐商议前去了。此一段心事,今既承慨许,我明日便与岳父说知,五

六日内动身便了。但我与小姐新婚未久，未忍遽别，奈何？"柔玉小姐道："相公，你乃豪杰丈夫，何出此言？虽新婚未久，此去亦是大事，又非万里之行，何离别之足道乎？望相公前途保重，余不足恋。"

蒋青岩闻柔玉之言，反觉自己多此一番儿女之态，柔玉小姐问道："那袁小姐多少年纪？唤甚名字？生得如何？"青岩道："她是八月十五日生，名唤秋蟾，今年十六岁了。人品在小姐和碧烟之下，在韩香之上，也曾读书，向在他父亲书房中见她作一首新月诗，大有才情。"柔玉道："既有才情，我又得一快友矣，可喜、可喜。相公可还记得她的新月诗么？"蒋青岩道："也还记得。"便念与柔玉小姐听。柔玉小姐听了，赞道："清新俊逸，真女中才子，我不及也。相公此去，须早些带她到山中来，大家唱和，万勿久留官署，使妾悬望。"这柔玉小姐真是难及，不但不妒，且是越说越喜，巴不得那秋蟾小姐立刻就到她跟前，和她相聚唱酬。

两人商议已定。柔玉小姐偷眼望着韩香房中，见韩香还在妆台前整鬟哩！柔玉小姐绝不提起，心下原要叫蒋青岩收她做个侧室，反虑着父母面上，恐怕看薄了蒋青岩，所以迟迟有待。

次早，蒋青岩梳洗完毕，便到前厅来，将他要往扬州完亲的话对华刺史说知。华刺史道："正是。此事也不宜太迟了。恐袁太守只道是小女不贤。"忙叫书童取日历过来，替蒋青岩看起身的日子。看了一会，说道："后日二十六日，是出行吉日，贤婿就起身罢。"蒋青岩连连应诺。张澄江和顾跃仙两人也道他要回去省母，华刺史也许了。当日，各人收拾行李，到二十六日饭后，各坐了大轿，一齐起身。

话分两头。且说那袁太守自蒋青岩别后，时时想念。一日，公事稍暇，坐在书房中看书，忽然掀出秋蟾小姐的新月诗来，见那诗后又添一首诗，字迹与小姐全不相同，再看那诗，却也做的和小姐的不相上下，就是和韵之作。袁太守甚是惊讶，忙唤书童来问道："我这书房中，曾有何人进来？"书童道："没有。"袁太守骂道："好胡说！小姐这诗笺上明明是甚人和一首诗在上面，怎说没有？"书童道："是了，是了，是向日蒋姑爷在衙中等候老爷之时偶然到此，他在书中看见，和在上面的。"袁太守方才释然，心中喜道："原来蒋生也有这等高才，真可谓才品两全了。便是我女孩儿，这般才学也该叫她晓得。"忙忙拿着这诗笺，走到秋蟾小姐房内,将诗笺递与她道:"孩儿,这是你的新月诗,后面不知是何人和了一首在上,你看他做得如何?"秋蟾小姐闻言道:"孩儿的诗夹在父亲书房中,怎得有人看见?"袁太守道:"你且看这诗作得可好?我再对你说这和诗的人便了。"秋蟾小姐将那诗细细看了,果作得好,说道:"此诗下笔风流,命词俊雅,句句是新月,非名手不能作。"袁太守笑道:"我儿好眼睛。这便是蒋家郎君做的。"夫人在旁问道:"蒋家郎君在哪里看见这诗,几时和的?"袁太守便将书童之言对夫人说知。夫人道:"我向见蒋家郎君人品不凡,也料他定有大才,不想果然。可喜、可喜。"秋蟾小姐听说,心中暗暗欢喜,将这诗笺收入袖中。

袁太守同夫人走到中堂,屈指一算,向夫人道:"蒋家郎君已去四个月,此时想已到了华家,完过亲了。我们也须备办妆奁,恐他来到。"夫人道:"老爷此言有理!何不取过笔砚来,将他所要的物

件开出一篇帐来,及早备办?至于一切金珠首饰之类,都是有的,不必费力。"

袁太守闻言,正要叫丫头去取笔砚,忽听得外面传梆书童拿进一本殿试录来,禀道:"这是京中来的一本殿试录,送报人送来的。"袁太守一时忘却了,忙惊道:"今岁又非大科年分,哪得有殿试录?"忽然想起道:"是了,是了。这是前日奉旨选用旧绅子弟的试录。"连忙开看,只见"一甲第一名蒋青岩,建康府人",袁太守大惊,向夫人道:"奇哉、奇哉!蒋家郎君竟中了状元!"夫人也惊讶道:"只怕未必是他,他向时不曾说他进京的话。"袁太守道:"怎么不是他?世上哪有同名同姓又同府的事?他当日在此起身之时,那要他们旧绅子弟进京应试的旨意还未下,想是

后来在建康见了旨意,起身去的。此时,料已入翰林,正在京中哩! 他就要告假归娶,也要到秋间。"

夫人闻言,喜出非常,忙去报与秋蟾小姐知道。秋蟾小姐闻知,暗暗庆幸,轻绡和烟云两个丫头及衙内大小都来向小姐庆贺。袁太守心中甚喜,当下走出后堂,传进那个送报的人来,当面说道:"适才那殿试录上的蒋状元是本府姑爷,你们报房中该先来恭喜。"那送报人闻言,忙忙叩头道:"小人们不知,容明日再来补报便了。"袁太守道:"你明日来报,本府自有赏钱。"那送报人领命去了。这是袁太守要人知道蒋状元是他的女婿,以防蒋青岩背盟之意。果然,次日一早,那报房人派了四个人,买了一张双红大纸,上写道:

捷　报

本府太爷:贵姑老爷蒋官印岩殿试一甲第一名,钦授翰林

院修撰。

京报人:高元　贺相　黄甲　宫保

这四人拿了这张报单,一齐报到府堂上来。正值袁太守早堂,见这四人来报喜,便吩咐将报单贴在大堂上,赏了报子十两喜钱。当时衙门中人及同寅各官都晓得了,齐来恭贺。不数日,扬州城内城外人人都说太守的女婿中了状元。那同寅各客官及扬州的绅士,因此在太守面上愈加趋奉。袁太守十分快意,竭力备办嫁妆,单候蒋青岩来完亲。

光阴荏苒,不觉暑退秋生,金风动树。早是八月下旬了。忽有杭州司李是袁太守的旧交,任满钦取进京,从扬州经过来拜望袁太守。袁太守偶然问道:"老年台在任时,可知有个蒋生字青岩的,在湖上住么?"那司李道:"晓得。此人是个少年,真名士也,今已中了状元。半月前奉旨归娶,在湖上住了几日,小弟去相会过,后来又到绍兴去了。"袁太守闻了此言,打发那司李去了。即便进衙与夫人说知,要差人去贺蒋青岩。商量已定,当下修了一封书,备了一份极丰厚整齐的贺礼。次日,差四个家人前往蒋青岩身边去。就将书札交付四人,赏他二十两盘缠,吩咐道:"你们四人星夜到西湖上蒋姑爷家去,我闻蒋姑爷已往绍兴,你四人可要他家下一个院子,引你四人同到绍兴寻蒋姑爷,将书札交明,候蒋姑爷同来。从速前去,不可有误。"四人领命,即刻起身去了。按下不

题。

再说蒋青岩和张澄江、顾跃仙三人自山中起身,四日便到杭州。张、顾二人各自回家去了。蒋青岩也回到家中,家中大小都来叩见。次日,府县各官闻他三人完亲回来,都来贺喜。第三日,蒋青岩早去问候张、顾两家的老夫人,便约了张澄江、顾跃仙两人一齐出城,同到灵隐寺去拜谢自观和尚。

到了寺中,众僧都来迎接。蒋青岩问道:"你自观大师一向安稳么?"众僧齐齐答应道:"自观大师已圆寂过了。"蒋青岩、张澄江、顾跃仙三人闻言,一齐惊讶道:"是几时圆寂的?谁人是他的付法?"众僧道:"是八月八日午时圆寂的。受付法的就是大师向日的那个沙弥。"蒋青岩道:"快请那沙弥相会。"内中一僧连忙去请。

不一会,那沙弥到来了。蒋青岩等三人细看那沙弥,就是向日在山门外邀他三人进去吃茶的。那沙弥也认得他三人,便上前问讯。蒋青岩等三人一齐起身见礼。那沙弥道:"先师限满西归,知三位居士功成名遂,必过荒山,留下十六字,吩咐小僧送上。"说罢,便向袖中取出一纸儿来,递与蒋青岩等三人。他三人接到手中,展开同看那纸条,上写着四言四句:

> 三凤重来,老僧西去。
> 后事人人,忽忘初志。

蒋青岩和张澄江、顾跃仙三人看罢,不胜惊叹,向那沙弥说道:"我辈三人,向蒙令先师指示,果然句句应验,事事完成。今日特来拜谢大德,不料竟尔西归,令人追感不尽。先师教言,自当佩诵,但不知令先师塔在何处?敢烦指引,前去一拜!"沙弥道:"先师塔院就在后山,三位请行,小僧引道。"蒋青岩等三人一齐起身,同着沙弥来到自观和尚塔前。三人一齐拜倒,那沙弥在旁答拜。

拜毕,转到大殿上来。那众僧早已摆设下一桌齐整茶果。那沙弥陪蒋青岩等三人吃了一会,蒋青岩叫沙弥取过缘簿来,他三人各写了一千布施修盖大殿,以报自观和尚之德。然后,三人作别,起身转回湖上。

蒋青岩拉了张、顾二人同到家中,摆出酒来,三人同饮。席间,将自观和尚的遗言取出细看,晓得其中的意思是教他三人拿定主意,不要做

官。三人又叹息感念一回。张澄江、顾跃仙因问蒋青岩何日往扬州。蒋青岩道："三日之内，也就要起身了。小弟还有一书，烦两兄回山中之时致与岳父。"张、顾二人道："吾兄行时，小弟二人还要奉饯，回来好吃喜酒。"说罢，又饮几杯，方才别去。

蒋青岩送他二人去了，转到厅上。始见外面走进四个人来，一齐向蒋青岩叩头道："家老爷多多拜上姑爷。闻姑爷中了状元，及第荣归，特差小人们前来恭喜。有书礼在此。"蒋青岩听这四个人口称姑爷，料是袁太守差来的，忙叫取书来看。这四个家人连忙将书礼一齐呈上。蒋青岩拆开书信看了，吩咐左右将礼物收下，说道："我正要到你老爷任上来完成大事，不料又劳你们远来。你们可到外面歇息，一二日和我同去。"又吩咐厨下备酒饭，待他四人。

此时，已是十月初二日。到初四日，杭州太守送了一只大座船来。蒋青岩吩咐打扫，将行李搬去。晚间，张澄江和顾跃仙同备了盛席，雇了一只大湖船，在湖中饯行。到半夜，同到蒋青岩家宿了。次早，蒋青岩忙写了一书留寄华刺史，他三人方才分别。

初六日绝早，蒋青岩上船。船头上依然打了状元及第、奉旨归娶四面金字牌。当日开船。一路上，吹吹打打，好生热闹。正是：

　　一路鼓吹惊水族，两牌金字感皇恩。

路上，因是船大，行了十二日才到扬州。

那袁家的四个家人齐去报与袁太守。袁太守甚喜，忙送酒席下程。只因吉期将近，翁婿间不便拜谒，蒋青岩座船就住在扬州钞关门外码头上。

此时，已是十月中旬了。择下二十二日行过大礼，到袁太守衙中去。袁太守已择下十月二十八日招亲，随将吉期报与蒋青岩。蒋青岩打点精神，专候入赘。到了二十八日午后，蒋青岩先在船上香汤沐浴，换了吉服，单等去做新郎。刚到上灯时候，只听得崖上鼓乐之声渐渐相近，爆竹连天，花灯映水，就像来娶亲的一般，一齐到座船上来迎接蒋青岩。蒋青岩随即上了大轿，轿前摆了全副职事，竟望袁太守衙中来。

这日，袁太守衙中有许多官绅接亲。从大门铺红结彩直接着内衙，两边灯光照耀，如同白昼。袁太守也是吉服，同各官坐在后堂等候。不

一会,蒋青岩的轿到了。袁太守忙走到轿前,请蒋青岩下了轿。旁边四个官媒挂红插花,将蒋青岩搀入衙内。众丫头养娘各持花烛相迎,竟送蒋青岩到秋蟾小姐洞房中来,成合卺之礼。袁太守在外面陪各官看戏饮酒,饮不多时,各官散去。

单话蒋青岩和秋蟾小姐,此时合卺已毕。这夜,蒋青岩清醒,不比向时沉醉。在花烛之下,细细看那秋蟾小姐,若无柔玉小姐和碧烟在上,她也算得世间有一无二的容貌了。心中之喜,真个说不出来。听得外面人静,便起身将洞房门儿拴了,拿出那软款温柔的手段、怜香惜玉的功夫,与秋蟾小姐成就百年之好。有诗作证:

新人仍是旧新人,曾到桃源未问津。

今日重来花正好,三山石上有前因。

二人恩情美满。

次日起来,双双出来拜了袁太守夫妇。那袁太守夫妇见女儿女婿才貌相当,喜得心花怒开。外面庆贺的乡绅士大夫及现任各官络绎不绝。一连几日,大开喜筵席。稍得闲暇,又去拜

谢这些官宦。翁婿二人一连忙了半月,方得一闲。此时,已是十一月中旬。

一日初雪,袁太守正同蒋青岩在衙中赏雪,外面忽然报进来,乃是袁太守升了京兆。蒋青岩忙向袁太守恭喜,袁太守反觉快快不乐。蒋青岩问道:"岳父高升,理当恭贺,何以不乐?"袁太守道:"不佞所以怅然之故,非为迁升,只因小女初事君子,料不能同去,一时难割舍耳!"蒋青岩道:"后面日子正长,相见有日,不必深虑!"第二日,又听得新太守是

苏州司马,不日就到,袁太守只得匆匆收拾,移到察院中居住,等候交代,让出衙门修理。不题。

却说蒋青岩偶然想起沈兰英,正要探望,他又碍着自己于今是一位官长,不比当日做书生之时,不便去得。只是悄悄唤了伴云,吩咐道:"你到晚间,可到我向时看灯的那楼下去站立,在左右探望,若遇着向日夜间到琼花观来请我的丫头,她名唤宜春,你可招她到无人之处道:'我是蒋相公家中来的,问你家兰娘近日安否?'她若问我在哪里? 你道我在苏州,特遣你来问候她的。讨个信来与我。"伴云领命,到晚间果然走到那楼下。只见门内有几个男妇站立,却不见那宜春丫头。等了半会,男妇都进去了,将门半掩。伴云心躁,欲回去又恐主人见责,只得坐在对门小酒店中,一边吃酒一边张望。忽见这酒店中当垆的一个妇人,正像宜春,那妇人也连连偷看伴云,伴云心中想道:"我们离扬州不上九个月,怎生这宜春便嫁了人? 只怕看错了。"再定睛细看,的确是宜春,一毫不错。伴云随即起身到柜上会钞,那妇人拿过戥来秤银子。伴云见左右无人,故意问道:"对门宅子里宜春姐怎生不见出来?"那妇人道:"客人,你问她做甚?"伴云假说道:"她家兰娘是我的表妹,我出外多年,今日回家,特来问她一个信息!"那妇人笑道:"客人,你休哄我! 我便是宜春。我认得你是向日建康府蒋相公家大叔,你果是蒋相公差来问候俺兰娘的么?"伴云也答道:"我看娘子也甚像宜春姐,原来正是。是几时恭喜嫁出来的? 于今兰娘安否?"宜春道:"可怜我与兰娘的事! 说来话长。俺兰娘自你家相公别后,时时想念,不多日子便得了个虚弱之症,刚刚一百日,正是六月初十,就夭殁了。连落气之时,还连连叫了几声蒋相公。那时俺家老爷已从京中回来,先见兰娘病危,十分伤痛,及至听得她叫蒋相公,家老爷便疑心起来,把兰娘草草殡殓。将我几番拷打,问蒋相公是谁? 说我一定晓得,幸我支吾得好。八月间,将我卖与这张杏官作填房。我只道你相公已忘却我家兰娘了,谁知还来问她,真是有情人。于今你相公在哪里?"伴云道:"我相公在苏州。特着我来问候,不料她已作古人。可叹、可叹!"当下,伴云秤了酒钱,别了宜春,忙来回复蒋青岩。蒋青岩闻言,暗暗感伤,吩咐伴云悄悄买了些纸钱,同自己到衙内空地上,低低唤着沈兰英的名儿烧化了。正是:

一陌纸钱双泪湿,低声细语唤兰英。

不数日,新太守到任,袁太守自去交待明白。未知何时进京,且听下回分解。

中国古典名著百部

第十六回　六美共归金马客
三贤同隐苧萝山

词曰：

　　记当年，桃李下，遇娉婷。立画桥，流水滢滢。多情蝴蝶，此时无计报深恩。玉堂金马尽都配，绝世倾城。　　喜知音，同携手，山中约，薄虚名。羡丹砂，服食长生。金鱼紫绶，由来辜负了初心，何如丘壑少尘事，扰乱无闻？

　　　　　　　　　　——右调《金人捧玉盘》

　　话说袁太守将一切旧事交代明白，打点陆路进京到任，上下各官都来相饯。袁太守也无心赴席，夫妇二人终日同女儿女婿踟蹰不舍。又迁延了几日，已是十二月了。此时，秋蟾小姐已做过满月。袁太守只得要起身，看了本月初十日是登程吉日。头两日驴轿夫马俱已齐备。初十日巳刻起马。蒋青岩和秋蟾小姐直送到三十里外方才洒泪而别。

　　不说袁太守进京。再表蒋青岩和秋蟾小姐转回到院中，随即雇了一只座船，行了十余日到了杭州。领秋蟾小姐到家中拜过家庙，因恐柔玉小姐和碧烟等悬望，刻不停留，带了几房家人媳妇，随即同秋蟾小姐起身往苧萝山去。行不数日，到了山中。

　　先行打发伴云和院子前去报知华刺史夫妇和柔玉小姐，随后缓缓来到华家。秋蟾小姐先拜过华刺史夫妇。次后与柔玉小姐及碧烟二人见礼。从此就分了次序：柔玉小姐第一，秋蟾小姐次之，碧烟又次之。见礼已毕，才是掌珠、步莲二位小姐过来，和秋蟾小姐行宾主之礼。

　　此时，张澄江和顾跃仙两人久已转回山中来了，都在外面与蒋青岩叙寒温、道恭喜。华刺史吩咐厨下备办喜筵，内外欢饮。

　　柔玉小姐在席间灯下，细看秋蟾小姐生得容貌超群，一向知她的才学，时常在家同碧烟、韩香两人谈说；碧烟和韩香也巴不得与秋蟾小姐相会，今日见了，大慰怀想。这秋蟾小姐见柔玉小姐姊妹及碧烟的姿色，自愧不如，也知柔玉小姐姊妹和碧烟都是女中才子，心中甚是欣羡。

当夜酒散，吩咐家人媳妇替韩香将床帐箱笼移到楼下房中安置，让右边房与秋蟾小姐。

这日，蒋青岩少不得在柔玉小姐房中歇宿，两人叙旧。正是新婚不如远归，两人尽合卺之礼。次夜，轮到碧烟，蒋生真个应接不暇。

次日，秋蟾小姐看见韩香举止与婢子不同，细问柔玉小姐，方知韩香也是蒋青岩要收做小星的。当日，也与韩香叙过大小之礼。果然，半月后，蒋青岩又收韩香做了第四。

从此，柔玉、秋蟾二位小姐和碧烟、韩香大小四人，就如一母所生的一般，同心合气，共侍蒋青岩，彼此绝无一毫嫌隙。蒋青岩也有大有小，绝不厚此薄彼。那秋蟾小姐感柔玉小姐待她情厚，她也十分敬重华刺史和华夫人，如同自己的父母一样；和掌珠、步莲二位小姐也往来得甚亲密。华刺史夫妇见秋蟾小姐有才有德，甚是爱她，视如己女，蒋青岩夫妇妻妾五人，时到花前月下，互相唱和，汇成卷帙，有诗一首，羡蒋青岩的快乐。诗曰：

名花簇拥玉堂人，月白花香笑语亲。

夫妇齐眉吟郢雪，小星携手赋阳春。

千秋想象谁能及，绝代风云孰与伦。

天上也应无此乐，蒋生端自有良因。

蒋青岩本来无意功名，不得已中了状元，于今受着这般快乐，一发把功名二字看做糟糠。又且见自观和尚遗训，教他"勿忘初志"，也是不要他做官的意思。因此，决意不仕。终日除了闺中之乐，便与华刺史、张澄江、顾跃仙三人究论古今，或寻幽觅胜，恍如世外神仙。张、顾二人也觉功名无味，便和蒋青岩订了同隐之盟。

一日，庭前腊梅盛开，华刺史备了酒席，约三个女婿同赏。正饮酒间，门上人来传道："门外有一个老翁，道他从京中来访老爷和三位姑老爷。"蒋青岩道："一定是李半仙来了。"华刺史和张澄江、顾跃仙一齐都道："料必是他。"翁婿四人连忙起身，迎将出来。果然是李半仙。后面跟了两个黄发村童，挑了两个行李，绝不似当年在京的气象。华刺史翁婿四人相见大喜，一齐携手进厅，叙礼看坐，献茶已毕。华刺史同三个女婿先向李半仙谢了一回旧德，又叙了一回间阔，然后，吩咐院子将李

半仙的行李送到园中"大士堂"安置。从新换了酒席,替李半仙接风。

饮酒中间,华刺史问道:"那杨老儿怎肯放先生远来?"李半仙道:"老拙与杨公虽是前缘,亦有定数。于今缘数将尽,老拙一辞再辞,他也就见允了。若待缘数已尽之后,令他辞我,便见羞愧了。"华刺史听李半仙这段话,着实敬服。又问及京中近事,李半仙道:"近事一发难问了。那老一辈的文武,虽还有几个,却渐渐都是退时的人了。杨公虽在朝,却又老迈颠倒;其余新得志的那一班文武,都是怕死爱财的,至于那些失节的前朝旧绅,一发无耻丧心。且东宫相貌凶淫,将来定非老成之主。这隋家天下,恐未必久长。"蒋青岩叹道:"得之易、失之亦易,自古皆然。只可恨我们一时失脚,堕入污泥之中,悔无及矣。"主客五人说了一会,又饮一会,直至二鼓。李半仙不胜酒力,华刺史叫院子打灯笼同三个女婿亲送李半仙到大士堂内去。这大士堂,是华刺史夫妇求子之所。堂内供的是白衣大士,在花园左角,绝不用一毫雕画粉饰,甚是洁净幽雅。他翁婿四人直候李半仙睡了,又派四个院子在此轮班上宿服侍。然后,同到厅上。

华刺史和三个女婿商议道:"李半仙到此,老夫心下甚喜,要替他盖一个茅庵,使他快心终老,以报其德。我想这山中人迹罕至,比静室还幽僻些,不若竟将那大士堂分作一边,另开一门,让他静养。一切薪水动用都在我家内供应,料也不让寻常庵院。三位贤婿以为何如?"蒋青岩等三人道:"此事甚妙!待小婿明日将岳父此意对他说,看他肯否?"当夜不题。

次早,华刺史梳洗完毕,同三位女婿齐齐来望李半仙。说话之间,蒋青岩却将华刺史之意达与李半仙知道。李半仙甚喜,道:"此处最妙!老拙曾有一个梦境,与此处无异,极当领受。但恐搅扰不便。"华刺史道:"恩兄说哪里话? 当日老夫在京中,若非恩兄相救,此处今日不知已属何人? 此皆恩兄所赐,何必多心? 老夫正要借此领教。"说罢,即吩咐院子叫匠人将大士堂砌隔一边,另开一门向西,不数日完成。华刺史题一匾在门上,曰:"报德隐居。"

从此,华刺史终日与李半仙讲究内养功夫。后来,连华夫人都拜了李半仙为师。果然,李半仙的内养功夫传自异人,真能延年祛病。蒋青

岩和张澄江、顾跃仙三人时常得他指示气色,事事俱验。李半仙道蒋青岩相中有五子、张澄江有两子两女、顾跃仙有三子。三位之中,蒋青岩先应验了。柔玉小姐,秋蟾小姐,碧烟各生一子,倒是韩香生两子,五子之中倒是韩香的居长。掌珠、步莲二位小姐后来的儿女都各如其数。蒋青岩、张澄江、顾跃仙三人愈服李半仙相法之神。

一日,蒋青岩和华刺史同过大士堂,与李半仙闲坐,谈及修养夫。蒋青岩所发议论中与李半仙多相符合,李半仙惊道:"先生幼读儒书,这节事何以得知?"蒋青岩笑道:"先生差矣! 从来宗正学者,三教九流、诸子百家,何书不读,何事不讲? 学生虽不及古人,然世间一切所有之书,未读者竟少。"李半仙道:"先生真天人也! 使遇汉文之主,又当在贾生之上矣!"华刺史听蒋青岩说及读书,因问道:"老夫向日见令先尊藏书最多,于今想都在湖上,何不着人取来,待老夫闲时看看?"蒋青岩道:"果然先君藏书颇多,变乱以来,独此幸未遭兵火之厄。小婿一向也有此意,明日即遣人去载来。"

次日,蒋青岩果然写了谕贴,差伴云和向日随身一个院子两人同到湖上去装载书籍,吩咐将谕帖把与家中管事的老仆,赏了盘缠。

伴云和院子领命,去不半月,便将书籍尽行装载入山来了。约有十余车,真个是:拥书万卷,不让南面百城。

这日,是张澄江生日,请华刺史、蒋青岩、顾跃仙、李半仙四人同在东书院饮酒,闻得书籍到了,正要起身到厅上去看。只见那装书籍来的院子将一条麻绳拴了两个人,伴云也拴了一个人。那拴的两人,一个头上歪戴破短方巾,一个反戴披风巾,身上各披着两块破席,赤脚烂鞋。伴云拴了一个人,身穿破衫破裤。华刺史和李半仙、张澄江、顾跃仙四人都不知就里,只有蒋青岩定眼将那两个人一看,惊讶道:"他是脱太虚和邦子玄那两个骗贼。你们在哪里捉获得来?"院子道:"经绍兴城外拿住的。闻得绍兴人说,他两个从在绍兴做骗局,不料反被他绍兴人将他行李衣物腰缠一骗精空。在城外讨饭,没有人舍与他。饥寒不能走动,却被小人捉住。"

蒋青岩闻言不觉大笑道:"好利害! 此等人比骗贼更狠!"华刺史等闻知,始知道这两人就是姑苏神骗手,因笑道:"久闻他二公大名,带上前来,待我们认认他的尊面。"院子果然带上来。华刺史等大家看那脱、邦二骗贼,面瘦如鬼,仅有一丝余气,不能言语。蒋青岩此时就动恻隐之心,向院子道:"既然如此形状,不拿他来也罢!只不曾问他向日在金刚殿下遇见的那女子,毕竟是谁?"院子道:"小人们曾问他来,他道是他两人在阊门聘来的一个小粉头。"蒋青岩道:"原来如此!"又问伴云拴着的甚人,院子道:"他是脱太虚的义子脱风,就是在浴堂内骗小人的。"蒋青岩道:"我原料他是此二骗的支派,果然不差!他三个骗贼于今既已恶贯满盈,天报已至,我也不处治他。你二人可送他到十里之外,让他们生死自去。速速回来收拾书籍,不可多事。"

华刺史、李半仙、张澄江、顾跃仙都道青岩处分得甚是。伴云和院子只得遵命,送那三个骗贼出山去。去不多时,转来回复。然后,同书童院子将书籍照单查明,搬到后园"集古轩"中安放。不数日,有人从山外来,说山外有三个人齐齐饿死。蒋青岩知是那三个骗贼,倒叹息了几声,丢过一边。

再说张澄江和顾跃仙两人,陡觉精神恍惚,梦寐不安。两人猜疑,不知主何吉凶,正要同去烦李半仙看气色,只见他两家家人道他两家老夫人都抱恙在身,请张澄江、顾跃仙回去。张澄江、顾跃仙二人闻言,心中发惧,都要急急回家,延医调治。蒋家的院子道:"袁老爷差一个管家到我家,说有要紧的书信寄与老爷,要小人领他来。管家在外。"蒋青岩就叫传那管家进来。那管家的院子走进来,向蒋青岩叩了头,双手将书信呈上。蒋青岩拆开细看,方知韩擒虎已死,东宫弑父自立,改元大业,任用奸邪。袁太守因母舅死了,失了墙壁,已经罢官。夫妇二人在京思念女儿,要托蒋青岩替他在这山中寻觅一所房屋,他也要到山中来居住,以便和女儿来往。

蒋青岩将这书信送与华刺史看。华刺史看了,叹道:"纲常伦理荡灭已尽,此是何等世界?真令人人自危。我们这般日子休要轻视了。"蒋青岩也叹息了一会,带这袁家的院子去见秋蟾小姐。小姐问过父母平安消息,又见书信上说要到这山中来住,心下甚喜,便催蒋青岩着急去寻觅房屋。蒋青岩道:"这山中除了华家岳父这所房子,此外,并无第二所。除非在山外寻觅。"秋蟾小姐道:"这也无妨!只要近些。"蒋青岩

便到前边来和华刺史商议。华刺史道："山外倒有一所大住院，倒也干净。只恐袁老先生要雕梁画栋，这却没有。"蒋青岩道："他们西人倒也不论，既有这所宅院，却也甚好！但不知是谁家的，要多少银子。"华刺史道："那所宅院是个姓刘的土豪家的，我一向听得他要八百两银子。离此处只有十里之遥，若要看时，我着人跟随贤婿去。"蒋青岩道："如此甚好！"华刺史即忙吩咐了院子，同蒋青岩坐了两人小轿，竟往刘家宅院上去。暂且按下。

再说张澄江、顾跃仙二人闻得母亲有恙，急急要回，又想："人家生儿娶妇，理当侍奉公婆的汤药。且自招亲以来，尚未庙见。当日岳父岳母曾说三年两载凭我们带去，于今已有三年了。"张、顾二人暗中商议一会，两人各自去与小姐说知。两位小姐都道："媳妇侍奉汤药，理所当然。相公既去，与我爷娘说明，我自当同去。"张、顾二人忙将此意来请教华刺史和华夫人。华刺史夫妇闻言，心下虽然舍不得女儿，见他二人说的是正礼，不好却他，且当日有言在先，只得道："既然二位老亲母有恙，小女理当同去侍奉汤药。我两人岂有他说？只望二位贤婿待两位亲母病愈之后，还同小女来住住。我两老人无子，所娱目前暮景者，仅此三女。"张澄江、顾跃仙两人道："此事何劳吩咐？若家母病愈之后，少不得带令爱来，同此居住。于今就回去时，也只各带些随身应用之物，其余都仍旧封锁在各房，以待重来。"华刺史和夫人都道："如此极好！"张澄江和顾跃仙二人正说话间，蒋青岩看过房子回来，向华刺史道："房子甚好！价钱实要八百两，明日便去成事。"说罢，听得张、顾二人要回去奉母，也道该得。此时，是大业元年三月初九日。

张、顾二人见丈人丈母都依允了，忙去择了本月十一日起身。当日便去收拾随身用物及雇备轿马。次日，蒋青岩亲自带了银子去将那房子买了。到晚间，华刺史备酒，替张、顾两位女婿饯行。华夫人也在内堂替掌珠、步莲二位小姐惜别，母女十分难舍。当夜无话。

次早，张澄江、顾跃仙二人一齐带家眷起身。华刺史夫妇及柔玉小姐掌珠、步莲二人洒泪而别。蒋青岩也写了回书打发袁家院子回京去了。

光阴似箭，转眼间便是四个月。袁太守果然挈家来了，便住在那所

宅院之内。蒋青岩和秋蟾小姐连忙同去省问。华刺史和袁太守也彼此拜望,请酒一番。柔玉小姐和碧烟、韩香都去拜见那袁太守夫妇,袁太守夫妇都极感谢柔玉小姐的贤德。自此,通家往来。秋蟾小姐时常到袁太守家中住。话分两头。

却说张澄江和顾跃仙两家的母亲,一个是本年七月殁了。一个是九月殁了。两处的讣音报到华刺史和蒋青岩两处来。华刺史和蒋青岩同遣人致吊上祭。张澄江和顾跃仙二人同二位小姐都竭尽孝子之职。回首三年孝服已满,张澄江和顾跃仙两人都将母亲葬了,一同挈家来到山中居住。

蒋青岩和张澄江、顾跃仙三人同侍华刺史夫妇,如同父母一样;华刺史夫妇甚是感激欢喜老景天忧,他联襟三人也就如同胞兄弟一样亲热,内外大小和气蔼然。真可谓:乱世三贤,升平麟凤。

华刺史夫妇直活到八十之外,无疾而终。家当分作三份,与三位小姐承受。

李半仙至年九十五岁,见双鹤下降,端坐而逝。

袁太守夫妇也都寿至七十。其两子后来皆出仕,官至七品。

蒋青岩和张澄江、顾跃仙三人,年过四十便绝欲修真,吩咐家人院子不得称老爷。后来,寿登九十,眼见四世,唐太宗屡征不起。临终时,俱见上帝敕书相召,各聚子孙,吩咐道:"死后止用布衣瓦棺,木主上不得写官衔,恐无面目见先人于地下。"

柔玉、秋蟾、掌珠、步莲四位小姐及碧烟、韩香,皆寿至古稀。临终时,或听空中仙乐,或闻鹤鸣,先后去世。

　　蒋青岩五子俱登进士；张澄江、顾跃仙两人之子后来贵显；张澄江二女，一嫁蒋青岩次子，一嫁顾跃仙长子。三姓世世婚姻不绝。至元时，不知移住何处？后人有诗一首，绍此盛事。诗道：

　　　　史笔多遗事，千秋竟失传。

　　　　孤臣亡国泪，才子异乡缘。

　　　　蝴蝶殊难报，鸳鸯岂羡仙！

　　　　恶风吹未散，明月喜重圆。

　　　　已验僧禅偈，真多淑女贤。

　　　　名花围玉树，上苑跨金鞍。

　　　　至乐人间尽，高名世外传。

　　　　偶然成独赏，不朽待如椽。

中国古典名著百部

绣球缘

清·不题撰人 著

中国古典名著百部

目　　录

卷一

第一回　镇国公回乡祝寿 玉龙子遇舅陈情

诗曰：

　　尚主恩隆位列侯，欺君蠧国弄奸谋；

　　狼心一剑伤未妇，侠气千金赠教头。

　　活命恩翻戕女命，彩球缘作进身球；

　　他朝遭际风云日，削佞昭冤赋好逑。

　　这首诗，为前朝万历年间一事而作，其间忠佞淫正，纷纷不一，到底罪恶贯满，如太阳一出，群阴尽伏，冰消瓦解，闲话休题。

　　且说前明万历神宗皇帝即位三十有二载，是时兵戈尽息，宇内雍熙，君正臣良，民安物阜。时维五月朔旦，群臣贺朔，朝罢，赐醺酒至三爵，武班中有位大臣，离席出班启奏，这位大臣，乃湖广襄阳人氏，姓胡名豹，字蔚南，官封九门提督、驸马都尉、镇国公之职，素有不臣之心。是日，俯伏金阶，口称："臣豹蒙圣恩深重，理应夙夜匪解，以事一人，现臣母九十一岁生辰在迩，欲告假回乡与母祝寿，恳赐天恩得遂私情。"神宗皇帝闻奏，龙颜大喜："卿家如此孝心，朕准告假一年，赐卿母龙头杖，黄金千两，彩缎千端，假满回朝，侍奉寡人，不得有违。九门提督印信，暂令唐坤代署。"胡豹谢恩。退朝回府，命家人打叠行程，与皇姑、儿媳起程，直望湖广进发。

　　一日，已抵襄阳，文武官员迎接入城，胡豹辞谢各官回府，与皇姑、儿媳拜见陈氏太夫人，献上龙头拐杖，钦赐各物，陈氏大喜，望阙谢恩，胡豹有三子：长子云光，二甲进士出身，现任广东布政司。次子云龙，武探花出身，现任广西梧州府总兵。三子云福，十恶俱全，在家助父为虐。胡豹十分容纵，公主屡屡训诲不听，按下不表。

　　预日，两公子俱着家人备办礼物回府，与祖母祝寿。大小文武，与胡豹相厚者，各办礼到贺。是日，陈氏太夫人头戴凤冠，身穿霞佩，拜叩家神祖先。驸马、皇姑、同儿媳家人，一齐拜寿，官员纷纷到贺，摆列寿酒，唱演梨园数日而罢。

　　时有一位英雄，乃是胡豹外甥，姓唐名玉龙，因打伤人命，为官司所逼，反上大雁山，独霸称王。手下有数千喽罗，百余头目，官兵不敢围。是日到来，拜外祖母寿，胡豹引至书房，茶罢，屏退家人，细问贤甥近来何处安身。唐玉龙曰："从打伤人命后，逃走出外，在伍家庄教习拳棒，蒙伍员外十分过爱，母舅大人不必挂心。"胡豹道："胡说！你我舅甥至亲，尚讲谎话。闻得你在大雁山落草为寇，你尚瞒我。"唐玉龙曰："非是愚甥说谎，实恐有玷母舅大人清名。"胡豹当下沉吟不语。玉龙见此光景，便问："母舅大人，有何疑事如此踌躇？"胡豹曰："我有机密大事，欲与你酌量，恐怕你泄漏。"玉龙曰："甥舅至亲，岂有泄漏之理。"胡豹大喜，说："母舅近来见昏君看我不在眼里，屡次想夺我兵权，是以舍忿于心，久欲招兵买马，待时而动，杀却昏君，夺却大明江山，与贤甥作个里应外合，你意下如何？"玉龙曰："母舅既有此心，待愚甥招兵买马，以候指麾，辅母舅大人为一统之主便是。"胡豹大喜曰："贤甥如此英雄，肯来相助，何愁大事不成。倘寨中粮草不敷，切莫打家劫舍，残害良民妇女，欲成大事，当先收买民心。你即可暗暗到为舅处，自有粮草相助于你，你亦不宜久居于此，早回山寨为是。"说罢，携同玉龙入内，辞别外祖母、皇姑。

　　胡豹命三子云福，送表兄一程。云福领命，二人跨马，四名喽兵，两个家人，跟随云福公子，直送到十里而别。玉龙直望大雁山进发，玉龙回山。不知如何？且听下回分解。

中国古典名著百部

第二回　黄员外狭路施恩　铁国良危途遇救

诗曰：

陌路相逢便解纷，铁威当日已蒙恩；

缘何不记援生义，逼杀芳容负世君。

且说唐玉龙带着四名喽罗，水宿风餐，在路上非止一日直程，至到尖峰岭，见峰峦耸翠，左右回环，树木交加，浓荫遍野，停鞭顾盼，正在得意忘怀之际，不觉马头一撞，把一个醉汉几乎撞下来，慌得个醉汉双手把索一抽，两腿把马一夹，大怒："何处瞎眼狂徒！不识回避，家丁与我抓下马来，打死个狗头。"一众家丁正欲动手，唐玉龙大叫："不得无礼！某不过贪看山景，偶然相撞，何得如此辱骂，又叫家丁打我，是何道理？你是何人，如此逞恶？"那醉汉道："杀你狗眼，认不得新捐资政大夫铁威员外，混名铁太岁在此，你既无心撞我，好！下马叩头赔罪，我便饶你，不然，打死你个驴头。"激得玉龙三尸神爆，五内生烟，忙跳下银鬃马，舒开英雄手，将铁太岁抓落马下。随后众家丁上前抢救，被四喽罗打得东逃西跪，玉龙将铁威他剥去衣服，捆绑树上，拔出利刀，想照胸前一划。那铁太岁大叫："救命！"惊动一位过往客商，大叫："壮士不可伤他性命，吾有话说。"

唐玉龙回头把那人一看，见他头戴方巾，身穿蓝袖道袍，银面微须，约有四旬光景，马后跟随四个家丁，一齐前来，即忙住手。那人马上拱手道："请问壮士，他与你何冤，你要杀他？"玉龙道："某因探亲回到此地，贪看山景，误撞他马，他辱骂了，又叫家丁打我，如此狠恶之人，留他必为民害，不如杀了，除去地方大害。客官与他何亲，特来救渠？"那人道："某并非与他有亲，但见人命关天，故出言相救，望好汉恕他鲁莽，待我叫他赔罪，意下如何？倘好汉不肯饶恕，某囊中有白金三百，送交好汉与他赎罪。"说罢，叫家人呈上白金三百。

唐玉龙微笑道："某生平好打不平，无义之财，素性甚鄙，客官请收回罢，既承如此谆谆，某便饶恕，可惜便宜了他。你看他蜂目豺声，久必

噬人。谚云：'狼子野心，不可畜也。'畜必为害，恐他日恩将仇报，辜负慈心。请问客官高姓大名，尊居何处？"那人道："某姓黄，名昌，字世荣，家住在襄阳城二十里水月林，贩卖绫罗为生，因催租过此。动问一声，壮士高姓尊名，探何令亲？"唐玉龙道："以君长者，故不相瞒。某姓唐名玉龙，伯占大雁山，因过襄阳胡豹，拜外祖母寿，遇此凶人，得逢长者，窃慰三生。"黄世荣道："不揣错爱，敢献鄙言，切思千古绿林终须破灭，大王以万人之勇，兼系驸马之甥，何不解甲销兵，投诚天子，做个朝廷柱石。"唐玉龙道："娓娓名言，不啻晨钟三撞。惠教多矣，后会有期。"拱手上马，四名喽罗跟随而去。

黄世荣便叫家人将铁太岁解下，与他穿好衣服。铁太岁上前施礼，叩谢活命之恩，世荣便问："兄台高姓大名？"铁太岁道："某姓铁，名厂，字国良。捐资政大夫，颇有家财。皆因酒醉，误触匪人，蒙兄活命，后当酬报。寒居不远，请至奉茶。"世荣道："贱事羁身，不敢叨扰，改日拜候。"各拱手上马而去。

世荣至家，有张氏、施氏、妾侍、安人，同女儿素娟、儿子贵保迎接坐下，便问员外催租如何。世荣道："收得三百。"丫环过来收入安人卧房去，旁有丫环递茶。茶罢，世荣讲出路上救铁太岁，遇唐玉龙事，细说一番。张氏闻得十分叹惜，便道："员外此举，妾心甚慰，自古救人一命，胜造七级浮屠。种落善根，他日儿孙藉荫。吾儿贵保，你须体贴父亲慈心，日后作事，依他榜样才好。"

却说贵保、素娟二人，素有大才，闻母亲训诲，即说曰："为儿遵教便是。"说话未了，仆妇摆开晚膳，夫妻、姻弟一齐用膳，按下不题。

且说唐玉龙回到山寨，吩咐喽罗："以后孤单客商不许劫杀，山下居民不得掳掠，来往货物、财帛、十取二三，倘敢抗违，一经查出，定杀不宥。"自此寨中人马兴旺，官兵不敢正觑。

却说头目施赛全，只为兵戈撩乱，与妹子失散，不知下落，告假回乡，访寻妹子。大王许允，拜别下山。赛全访寻妹子下落，且听下回分解。

第三回　见美色云福行凶
遇强梁秀霞全节

诗曰：

> 多露常严敢溃防，何来强暴忍相戕；
> 应怜玉碎花飞处，祸血还愁祸北堂。

　　且说胡云福送唐玉龙回山后，跨马入城，经过朱家庄，蓦见一女娘，年才及笄，虽裙布荆饰，自具雅淡风流，那女子见云福目不转睛，即逡巡闭门避去。云福在马上神魂稍定，叫家人暗记门首，驱马回府，回覆父命，即命家人，暗暗查

问前看女娘何姓何名，可有父兄，可曾婚配。

　　家人领命，不一时打探明白，回报公子："此女娘姓朱，名秀霞。父亲朱百容，在城里做猪肉店生理，长兄朱能，素有大志，本年新进黄官，后移文就武，教习拳棒，手下教习徒弟百余，父子日夜俱不在家，只有母冯氏相伴，未曾婚配。"公子闻说大喜，即命心腹家人胡成，带白金二百，往猪肉店与朱百容说亲。

　　胡成领命至店，朱百容在柜面迎，便问："足下高姓大名，光临小店，有何贵事？"胡成道："在下胡成，现在驸马府为亲随，奉三公子之命，有事拜求足下。你就是朱百容叔台否？"百容道："不敢，在下便是。有何钧谕，请道其详。"胡成道："我家公子素仰令媛，德比孟光，貌逾西子，意欲纳为偏宠，特令小人送聘金二百，望乞笑纳。恩赐庚书，待小复命。"

百容当下沉吟,便道:"公子过爱,本当从命,奈小女貌鄙,不堪箕帚。况属许人,不也如命。烦管家善覆公子,幸甚!幸甚!"胡成道:"足下何必饰词,公子稔闻令媛尚未婚配,是以着小人说亲,足下如此推搪,岂驸马少爷不堪匹敌么?"百容道:"不是此说。小女实实已许人家,断难从命。管家请回,在下生意临门,不能久于陪奉,恕罪!恕罪!"说罢,即起身往肉枱去。胡成怒道:"你如此刁难,回去禀知公子,怕你大祸临头,火燃眉睫,那时方知今日之错。"说罢,怒气冲冲,不别而去。百容见此光景,连忙归家,把冯氏母女二人,着实训诲一番,嘱他闭户藏英,不可挨门凭壁,恐招强暴之辱,致贻多露之羞。嘱罢,即回店去。

且说胡成回府,直把百容却亲之事诉明。公子云福即时怒气冲冠,说:"可恶狗才!如此刁难,我看你女日后嫁与谁家,唔弄你家散人亡,不算公子手段。"胡成道:"公子不必动气,明日再过朱家庄,务必抢他女儿回来,看他允亲不允。"云福道:"你说的是,迟日再摆布他。"

不觉过了数天,是日八月初三,乃襄阳县知县生日。这知县姓雷,名象星,乃浙江人氏,与云福乃连襟之亲。是日,云福奉父命带齐礼物,往县衙恭贺。县官摆酒相待,留连至夜,饮到初更告别,大醉上马,数个家人拥扶而去。

云福经过朱家庄,猛然触起,连忙下马,命家人叩门。里面冯氏闻得,忙问:"是谁?"家人道:"是胡三公子,在县衙饮醉,路经过此,酒渴求茶,特来借饮,奉回茶钱。"冯氏在里面应道:"寒舍并无男人,昏夜之间,不便接见,请公子过别家罢!"胡成喝道:"可恶老虔婆,公子不过酒渴求茶,快不开门,如此作难,少时打点主意。"云福见他不开门,双脚一蹬,门已离折,众家人拥公子而入。云福道:"酒渴了,快快取茶来!"冯氏无奈,入内捧茶递进。

饮罢,云福道:"你个妇人过来,公子有场富贵招举你。闻得你令媛十分美貌,今晚陪公子一宵,明日纳为偏宠,赏你黄金三百,意下如何?"冯氏道:"公子贵人,请自珍重。书云'非礼勿言'。小女虽属绿窗贱质,以礼自持,桑濮之行,素所鄙斥。且寒家虽然贫贱,妾胜之事,亦所羞为,公子请勿乱言。夜深矣,请回府罢。"云福怒道:"你个妇人好不识抬举,快快叫女儿出来罢!"冯氏道:"公子明见,女儿亲事自有大夫作主,

妾是女流,安敢擅专。请回府罢。"云福大怒:"家丁,与我抢她出来!"胡成等闯入,冯氏拦阻不住,被他推倒在地,大喊:"清平世界,黑夜强抢妇女。"云福怒入,拔出佩剑一挥,鲜血溅喷,冯氏死倒在地。

秀霞见母亲披杀,抚尸大恸,云福上前搂抱,秀霞把头向石一撞,早已玉碎花飞,血殷阶砌,云福神魂一悚,宿酒顿醒,连忙上马,密嘱两家人,深秘此事,回府安歇。母女被害如何。且听下回分解。

第四回　触赃官张玉毙命
抗县令百容寄监

诗曰：

> 鼓响三冬正坐衙，如狼差役各纷挐；
> 冤门大启罗民入，铜气金光早杀他。

却说朱家右邻张玉，是晚睡不安席。云福叩门时，早已披衣窃听，始闻絮絮，继而嚷骂。斯时忿火填胸，意却开门与云福理论，自忖权势不敌，只得暂行忍耐，听他如何摆布。续后闻嚎哭，一会马蹄疾响，数人嘈杂而去。凝神再听，悄然无声了，不觉心中大疑，忍不住启户查看，见朱家门扉大展，入内两尸横地，鲜血溅阶，心中大骇，疾呼邻里，更保齐集。群问："何事？"张玉把朱家母女被杀，与自己窃听之事，陈说一番，众人大惊，一齐拥入朱家看验，吓得各人面面相觑。张玉曰："我等在此喧嚷无益，急宜报伊父子回来告官，相验为是。"众人曰："张兄说的是。"即命人分头报知父子。

朱百容父子闻报后，回家中一见，大哭，忙问众人，母女因何被杀。张玉便把夜来窃听之事，细说一番。堡正说道："分明胡云福酒后行凶，强奸杀命，你快些入城报官为是。"朱能带泪道："我与胡贼势不两立！父亲一面报官，孩儿直入胡府，把他男女尽行杀却。"百容道："我儿不必卤莽，这狗贼府内家丁数百，儿去枉送性命。况云福父母乃当今姐丈，你纵然杀却仇人，他必然不肯干休。不若报明县官，待官怎样处决，然后再作计较。"众人道："此事报官亦大费手。"自古道："捉贼拿赃，捉奸在床。如此无凭无证，恐报官不准，纵然禀告，亦是枉然。"张玉道："此事不难，待我做个证人，拚死拚生，务必除却这个狗子。"众人道："既然张兄仗义，肯作证人，我等亦须联名，朱翁早早报官，等令郎守尸为是。"百容道："蒙诸君仗义，生死均感，诸君请回，张兄留伴吾儿罢。"朱能咬牙切齿，顿足啼泣，众人劝慰一番，各自散去。

百容拭泪进城，到县衙击鼓鸣冤，知县雷象星闻报，坐堂传讯，值日

差役把百容带入。百容跪下，递上状词，承案胥吏接状呈上，雷象细细披览，只见写着：

具禀朱百容，年五十二岁，住城外朱家庄。堡正郝唐，乡正钱兆，党正倪乎，左邻朱谦，右邻证人张玉，更夫朱进，地保朱福，为恃势强奸连杀二命，邻证确凿乞思检验，拘凶抵偿事。

窃蚁父子素业屠猪，日夜在店，留妻冯氏、女秀霞在家。突于本月初三夜，被权恶胡云福，系镇国公三子，酒后闯门，强奸不遂，刺杀蚁妻女二命。右邻张玉知证，街坊更保炳据。祸因前月十五日，伊遣恶仆胡成到蚁家，说纳小女为偏，蚁辞不允，遂致用强，连毙二命。如此恃势行凶，无法无天，迫得匍匐台阶伏乞，俯赐亲临检验，差拘胡云福到案，依律究办，生死叹经，沾恩切赴。

大爷台前作主，施行。

万历三十三年八月初四日禀

雷象星看罢，见词告襟弟胡云福，沉吟一会儿，开声问道："你是朱百容么？"答道："小民就是朱百容。"县主问道："你妻女被杀，是夜你父子在家否？"百容道："小民父子是夜在店，得街邻奔报方知。"县主道："你既不在家，何以知杀人的是胡云福？"答道："是右邻张玉亲耳听闻，确证可凭。"县主道："两非目见，只信耳闻，胆敢扳陷贵人，好生大胆，且待验伤骸再行讯究。"于是吩咐胥差、仵作俟候往验。雷象星带齐胥差、仵作，摆道直往朱家庄而去。

一到门首，早有朱能及状内有名人等，跪接入内，摆设公案，焚香俟候检验。县主亲眼验毕，验得冯氏系剑伤，秀露系撞死，绘成尸格分毫不错，即打道回衙，吩咐差役带齐案内有名人等，到案审讯。百容临行，吩咐朱能殡殓尸骸，即买衣衿、棺木殡殓二尸，暂停舍后安灵，守孝哭祭一番。泣思母、姐惨遭冤死，何日得报深仇？又凶手不比平民，如此重大案情，这场官讼又怕胜负难料。不表。

且说雷知县回衙升堂审讯，案内有名人等，一齐跪下，只有胡云福未拘到案。各点名毕，百容前经讯过，不用絮问，单向邻保问道："朱家之事，你等果的目确见否？"众人道："事后张玉叫喊方知。"县主道："未起事之前，百容在家否？"众人道："起事之日，朱百容父子在屠店生理，

起事之后，我等着人叫他回来。"县主点头，即唤差役把众人带过，独唤张玉问道："证人张玉是你么？"答道："小民就是张玉。"县主道："冯氏母女被杀，你果目击，抑或耳闻，好实供来，如虚反坐。"张玉道："此事非小民目击。实是耳闻。当胡云福叩门时，小民已窃听了，始初以求饮茶为词，继而逼奸，继而刺杀，一一确听，不敢扳诬，伏望青天勿避权恶，拘拿凶手，免使冯氏母女含冤。"县主道："据你说来，云福逼奸是必吵闹许久，你家内人及邻右，可有人同闻否？"张玉道："小民孤身，家内无人，即邻里亦经小民叫喊方知"。县主拍案道："好大胆刁民，自作之事，反推卸别人，只可瞒骗街邻，怎瞒骗得本县。"即传朱百容等众到案，道："你妻女被杀，凶手即是证人。明明张玉串党入室他劫，被冯氏母女知觉叫喊，遂逞凶杀，扳诬贵人，希图卸罪。你等乡保更邻回去，安分营生，本县即签差拿获余党，与张玉一齐结案。"论罢，众人叩头而去。

县主随叫百容、张玉具遵，吓得百容、张玉置辩不迭。张玉道："小民义忿填胸，拚命作证，情知权势不敌，实望青天诛锄城狐社鼠，为死者伸冤，岂意反令羊代牛死。如谓凶手即是证人，诸申明断，死亦甘心。"县主道："待本县斥破你的弊端，使你心服口哑。"不知县主说出甚么言语来？且听下回分解。

中国古典名著百部

第五回 李抚院受嘱沉冤
何知府论民控部

诗曰：

民瘼奚关痛痒心，忍教三命把冤沉；

中流堪羡何知府，愧杀堂堂李士林。

话说县主把张玉诃问道："你既肯事后作证公堂，何不先事解纷？邻舍救死，岂不好过伸冤。"张玉道："情知众寡不敌，权势不登，初不意其刺杀，姑闭目以待其终止。"县主带笑道："你很口辩。据你说在外窃听，事至刺杀，其中吵闹嚷哭，四邻是必共闻，不止你一人独闻，岂有四邻闻声不救，必待你叫喊，然后齐出。本县见你是个孤贫无赖之徒，串匪入室行劫，被冯氏母女知觉，你恐怕叫喊被获，遂至赶狗入穷，迫为反酿，竟将他母女杀死，希图卸罪，嫁祸权贵是真。不动刑法，你决不肯招。"骂罢，撒签喝打，吓得百容心慌，连忙上前抱住，泣诉道："张玉为人，小民信得过他，太爷幸勿冤枉，还望施恩息怒，另捕真凶。"

县主哪里肯听，拍案喝打。众役喝开百容，把张玉推翻在地，重责四十，打得张玉叫苦连天。百容见如此光景，连连叩头，替张玉分辩。张玉昏过，哭道："小民拚死拚生公堂作证，实望青天拘凶偿命，使白发戏颜伸冤地下，岂料党恶封冤、屠证灭口，小民虽死，誓必阴噬胡贼，杀却奸污，快息冤魂，怨魄！"县主大怒，喝叫左右夹起。众役把张玉夹住，张玉昏迷数次。百容在旁，泪下如雨，叩头雪辩。县主总总不理，拍案喝招。张玉抵死嚷冤，骂不绝口。县主连连拍案，喝众役抽紧夹棍，张玉抵挡不住，双手一松，双眼一闭，昏死在地。县主忙叫松夹，命取水沃喷，喷之不醒。百容见夹死张玉，忍不住大声道："太爷为朝廷命官，不是权门鹰犬，理应锄强扶弱，保护小民。今凶手不追，证人夹死，虽则上民易虐，只怕上司难欺。百容拚此微躯，势必沥情上控，看太爷能作威福否。"县主勃然大怒，道："可恶刁民，利口犯上，本县先把利害与你看。"喝命左右掌嘴，打得百容口血、鼻血交流，忍痛大骂。县主忙命把

他监禁,将张玉死尸拖出,带怒退堂。

雷知县枉断此案,将苦主监禁,以免他上控。究竟心中不安,次日即打道到镇国公胡豹府拜候。胡豹命云福出迎,雷象星进府参谒胡豹,胡豹离座答礼,两相坐下,云福旁坐。胡豹道:"贤令光临何事?"雷象星道:"无事不敢惊扰。只为朱家庄朱百容妻冯氏母女被杀一案,在本县衙门控告,词连三公子,现有状词在此,请公爷过目。"胡豹接转一看,大怒,骂声:"畜生贪图美色,草菅人命,不畏国法么?"云福即时满面通红,起身站立,雷象星便问:"果有此事否?"云福道:"此小弟不得已之为,伏望襟兄设法调停,使朱家寝息其事,弟当厚报。"胡豹道:"贤令开堂讯供若何?"雷象星道:"众口一辞。本县曾为公子出脱,苦主不肯,具尊干证,死口咬紧,无可奈何。"胡豹道:"畜生死不足惜。陶朱公有言:'千金之子,不死于市。'畜生虽然不肖,断难令其抵偿。贤令倘能图转,自有千金相谢。"雷象星道:"公爷与贤襟不须忧虑,卑职已经将证人夹死,又将苦主押监。独怕朱家亲串有人,或列要津,或参名幕,咬他儿子上控,颇足忧虑。卑职到来,正为此故,公爷还须打点,务尽根除为是。"胡豹道:"这个不难,上而五府六部,下而督抚三司,本公只寄一封书,任他有纸千张,包管不准。贤令如此用心,本公从此另眼相看,今先薄赠,后保美阶。"说罢,命云福入内,取出千金相谢。雷象星推让一番,然后领取,即打恭告辞回衙而去。胡豹即修书,命家人分头去京相好各衙门投递,又往本省按三司总督、抚院各处投递。布置已毕,再把云福申饬一番,然后命人打听朱家动静。

且说朱百容在监,幸得这个禁子非比别人,系儿子朱能的徒弟梁玉。一见百容进监,即以师公相称,甚好款待。谈及张玉枉死之事,不胜感叹。正在慰藉间,忽监门有人呼声,梁玉出看,认得系师父朱能,速忙引入,父子相持大哭。朱能道:"贼官附势,屠证沉冤,使父监押。儿昨领张玉尸骸回家殡殓,儿出棺上控,未知父亲之意如何?"百容道:"三命沉冤,势难哑忍,上控固是,但公门规制,动辄雷钱,儿急往店中与潘叔父商酌,将全盘生理让与他,得银归家,先殓三骸,次图上控,务要超冤杀贼,慰死安生。"梁玉近前答言曰:"贤乔梓持论固佳,但合省官员皆与胡贼相好,独府大老爷持正不阿。老师欲雪冤,还须过府,弟恐群邪

交布，终为制肘耳。"百容曰："事不宜迟，早图为上，儿去罢。"朱能泣辞曰："父亲安坐牢中，勿生悲戚，过府准否，儿自报知。"又嘱梁玉曰："家严早晚，全叨看顾，倘有不怿，求代解烦。"梁玉曰："兄去勿忧，兄父犹吾父，但愿恩星拥护，早得伸冤。"说罢，相送出牢而去。

朱能直程到肉店，一见潘成，下礼哭诉前事，兼致父命，愿将生意与叔父承理。潘成扶起，相慰曰："不意贤乔梓遭此大祸，使我心恻，贤侄不说，愚叔早已筹定。"说罢，将全盘数目吐出，所有铺底客账家伙，一一开载明白，请朱能查验。朱能曰："叔父不必如此，但我父亲应得多寡，恳求见惠，以后生意，让叔父全做便是。"潘成闻说，即取白金二百相赠，曰："贤侄持此回家使用，并上覆尊翁，说愚叔生意羁身，不能到监相候。"朱能泣谢，持银回家，浼邻好相助，备买棺衾暂殓三骸，浼人作状上府再控。

且说襄阳府知府，乃岭南人氏，姓何名象峰，有族兄维柏在朝，官民兵部。象峰赋性骨梗，不畏权贵，恭人张氏，四旬只生一子，尚在襁褓。是日升堂，正值朱能击鼓，喝命皂役带入，朱能泣进状词，匍匐在地。知府把状词细看，读到胁奸刺毙，锄证封冤等语，不胜大骇。看毕怒曰："毙证而不拘凶，诉冤而反击泄，在胡家固无国法，即知县何有上官？不加申饬，功令奚在尔。回去殡却伤骸，本府务必超冤释宁便是。"朱能叩头遵谕而去。

知府即行文到县调案。县主见文大惊，即打道到胡府，与胡豹商酌，胡豹即修书，往巡抚李士林，求寝其案。李巡抚接书，即委中军传知府到衙。论曰："朱家命案既经县审实，贵府何复番提。"知府曰："此该县糊涂。命案关天，正宜详慎，何得纵凶毙证，拘留苦主，现伊子在卑职衙门控告，安得不提。"李巡抚："该县折狱素优，料无偏断。况胡家势大，贵府勿作飞蛾。"知府曰："卑职一入仕途，便以民瘼为任，其害于民则治之，初不计其势之大小也。三命沉冤，司牧者宁漠视乎！该县附势锄良，卑职正思弹劾，胡家自有胡家之势，卑职自守卑职之官，察冤释良，府县之责耳！纵有祸福，其谁敢知。"李巡抚怒曰："贵府蹈奇祸以博清名，本部院惜汝廉能，故委曲开喻，岂料本强如是，殊非晓人，本部院受托胡公，岂容滋事。"即执笔判牒辞曰："朱家命案，该县所审甚明，知

府毋庸调案。张玉奸杀卸陷,既经毙杖,姑作抵偿。百容扳害贵人,擅告官吏,暂行监候,牒仰该县照此施行。"判毕,即委中军行县,带怒退堂。知府见此,只得打恭辞去。知县接牒,方始心安。

知府回衙,叹曰:"吾今不得为民伸冤,枉作黄堂四品。"旁有恭人周氏问故,知府曰:"朱家命案,被巡抚大人回护知县,行牒免提,眼见民冤不白免!"恭人曰:"何不叫幼儿夕上京部控,老爷修书兵部伯爷处,求他照料,则民冤可白矣。"知府曰:"汝言亦是。"即命家人,吩咐差役,带朱能入内衙问话。朱能一到下跪。知府论曰:"汝家命案被巡抚大人拦沉。本府官小力微,难与汝办。汝欲雪冤,还须到京部控,不知汝有此胆力否?"朱能曰:"三命沉冤,势难哑忍,微大老爷金论,小民亦欲赴京。但上有父亲,还须禀命。"知府曰:"汝果到京,与汝照料。"朱能叩头曰:"大老爷恩德,死生均感,俟启行时再来叩领金函。"说罢,叩头而去。

直程到县牢,见父说明案被巡抚拦沉,府大老爷吩咐到京部控,但费用浩繁,何从措办。百容思忖片时,曰:"吾有故人住城外水月村,姓黄字世荣,此人富有家财,慷慨仗义,吾儿到彼央求,道达吾意,必有相赠。然后回家,变卖庐房,凑银多少,再作道理。况府大老爷既有书函,则费用或可裁灭。"梁玉在旁相赞曰:"叔父所言甚是。朱足早探黄君,看他所赠多少,再商。"说罢,朱能相辞而去。世荣赠银多少,且听下回分解。

第六回

念世交千金助费
笃师谊众徒解囊

诗曰：

> 势利相沿尽假情，结交强事是虚名；
> 缘何尚有贻金义，直使千秋慕鲍卿。

却说朱能回家思量，此番进京部控，使费浩繁，非一万八千不能了事。但如此多金，何从措办？纵然向黄叔父借贷，亦难得如许之多。思忖一念，不免向各生徒计较。

正在筹划间，忽闻录剥啄声响，倾耳再听，门外似有十余人嘈杂。忙启户看观，原来各门徒到候，接入，一齐坐下，朱能曰："众贤弟光降何事？"众徒曰："闻师傅惨遭大变，徒弟等几次相候，屡遇师傅公出，尊堂与令妹些少遂物，不能备致，徒等十分歉然。今薄具赙仪百金，略作刍奠，伏惟恕纳。"朱能长叹曰："众位贤弟十分有心，愚师清苦，枕于书夜饮恨，岂期大冤未报，复累，张君屈死杖下，与思及此，几不欲生。"众徒曰："闻前日过府，不知府批若何？"朱能曰："府大老爷极是贤明，已经行文调案，可恨巡抚受胡贼贿赂，行牒知县，沉案免提；又将家父发监，令人痛恨。眼见冤沉海底，如此奈何！"众徒愤然曰："满城愤愤，难道束手封冤！不苦纠合众兄弟，分半劫监，救出师公；分半入胡家，杀却奸贼，与令堂、令妹报仇，师傅意下如何？"朱能曰："不可打劫监牢，事同叛逆，祸贻九族，身

作逆民。至若却胡杀恶，更属非宜。奸贼人众府坚，断难攻击，倘势头不利，恐致成擒。"众徒曰："三命沉冤，难道束手？还须另寻昭雪，别出良谋。"朱能曰："雪冤还须部控，但苦无赀，安得一万八千，来供使费。纵变房弃产，不逾数百，亦属枉然。"众徒奋然曰："是不难，待我等各出已囊，纠合数千金，来敷使费。师傅一面打迭行李，我等明日送来。"说罢，一齐告别。朱能相送出门，各自回去。

次早，朱能用过朝膳，在家等候。裁过午牌，众人约齐已到，朱能接入，一齐坐下，呈上白金数千。众人曰："我等受师傅大恩，愧无以报，今凑备白金五千两，伏惟恕纳，并作赆仪，愿师傅早日雪冤，重相欢聚，不胜幸甚。"朱能曰："承蒙厚惠，愚师十分有愧，此行得蒙昭雪，皆众位所赐矣。"众人曰："师傅说话太谦，请问行期，我等好来饱饯别。"朱能曰："行期在迩，饯别之事，不敢烦劳。盖耳目昭张，事宜秘密，恐扬闻胡贼又起风波。今天一席话，也作阳光三叠曲，尔等不劳过送，我亦不去矣行。但吾去后，尔等须守分安业，勿任气生端，不负夙昔相处一场，便是愚师受益多矣。"众人曰："师傅钧谕，我等遵依，既恐张扬，恕我等不送了。"朱能曰："尔请回，愚师有事出城，明日好赴都就道。"说罢，众人告别。朱能叮嘱一回，各别而去。朱能入内收好银两，锁户，直往水村而去。却说黄世荣催齐租项，正却命仆买货进京，忽报朱能求见，世荣命贵保接入此处。朱能拜见世叔，便问："此位是贵保贤弟否？"世荣道："是也。"命子与他见礼，道："他父亲与我十分相厚。"二人见礼毕，世荣道："今贤侄到来相探，必有贵冗。"朱能哭拜在地，世荣慌忙扶起，命坐。曰："侄位如此悲凄，且浑身缟素，莫非尊翁、尊堂仙游否？"朱能哭曰："叔父不消提起，愚侄惨遭家祸，纵铁石人闻也碎心。"便把云福与知县事痛述一番。道："现今满城封冤，欲往京部控，但需费浩繁，措办不足，恃奉严命，拜求叔父，望轸念交好，解囊赠费，为死者伸冤，生者泄忿，不胜感激。"说罢，又哭拜在地，世荣扶起，慰曰："贤侄不必如此，愚叔自有主张，你且宽怀坐下，既欲上京，现在措办盘费多少？"朱能曰："赖各友帮扶，只得白金五千两。"世荣曰："五千之数，仅敷半矣，待愚叔再助你五千，方能济事。但一万白金不便携带，待送你黄金三百，到京找换亦可抵五千有余。"说罢，入内取黄金六锭，交与朱能。朱能叩领，告辞起

行,世荣止而嘱之,曰:"贤侄,你是烈性汉子,不待愚叔絮嘱,但此去京都,繁华地面,路旁花柳,切莫留心。你须体念三命含冤,勿一时错足,至紧!至紧!"朱能曰:"叔父不须挂心,愚侄大仇在身,日夜切齿,百凡可欲,终难乱怀,只是愚侄发后,监有老父,舍有三棺,诸样事宜,拜求料理,倘大冤获雪,言旋再酬。"世荣曰:"贤侄勿忧,你家中百凡未了,总是愚叔成全,明日黄道吉期,你速回整顿,早发为是。"朱能洒泪叩别。

次早,将数千白锂人城找换黄金,一并到监辞父。百容一见便问:"借得盘费若何?"朱能便把各徒仗义,世荣父子成全,一一缕述,并说行装已定,即日发京。父亲百凡开怀,并梁玉照料。百容与梁玉细细切嘱一番,洒泪而别,直程到府衙,浼把衙通传,知府闻报传见,引入内堂跪下。便问到来何事,朱能曰:"小民刻日发京,特来拜大老爷。"知府曰:"你既赴京,待本府修书与你。"即在案头磨墨引纸,早已把书定就封固,交与朱能。论曰:"此书秘藏在身,不可遗失,你到京可向拴部尚书何维柏大人投递,自有照料,你去罢。"朱能叩谢,出衙回家,向三棺哭别,祷求保护,致别亲邻锁户,直挑行李,望京进发不表。

且说黄世荣自朱能去后,心甚不安,次日用过朝膳,携仆带白金在身,到县监与百容相见,两下堕泪。世荣曰:"闲别几时,不意吾兄遭此大变,微令郎到说,弟属在梦中。"百容曰:"承兄仗义,相助盘费,保小儿得达京师,倘获雪冤,皆兄恩德矣。"世荣曰:"些须使费,何足挂齿。寻常周急,弟多不吝,何况事同切齿,倘生吝惜,如友谊何言此。"梁玉递进香茶,一同起接坐下。茶罢,便请问梁玉姓名。梁玉曰:"在下姓梁名玉,贱字伯鸿,滥充本县禁子。"百容曰:"此亦义犬弟,早晚得他周旋,不致受苦。"世荣见说,取白金二封,一封送交梁玉,曰:"吾兄全叨照顾,愧无以报,些须不腆,聊作茶仪,伏惟笑纳。"梁玉逊谢不领。百容曰:"黄兄雅意,贤侄收去为是。"梁玉固让不获,后勉强授受。世荣随递一封与百容曰:"吾兄留此为日夕费用,后倘不足,弟自送来。"百容固让,曰:"弟自有费用,无劳兄助,前惠小儿,十分愧憾,今又惠弟,愈不敢当,请收回罢。"世荣曰:"些须情意,无劳固执,愚意已定,收下为是。"百容见说,只得收下。谈及讼事,不胜握腕;说到三棺未葬,馁魄含冤,不觉潸潸泪下。世荣奋然曰:"吾兄勿戚,待明日将三棺附土,树立坟茔,使怨

魄冤魂得所栖息,了吾兄心愿何如?"百容拭泪致谢,复相与痛说一番,汛澜而别。

世荣到朱家,见门钥重局,忙浼邻右启钥而入,见棺厝尘封,穗帐烟寂,不胜慨叹,即为其营兆卜挂,择吉安葬,哭祭一番,按下不表。却说朱能上京部状,不知如何?且听下回分解。

卷　二

第七回　朱教头病途被劫 铁太岁黄府酬恩

诗曰：

> 踽踽征途苦，风寒透雪肌；
>
> 黄金失旷野，孤客泣离帆。

且说朱能直挑行李，出了襄阳城，一路逶迤，不胜踽踽之苦。历三湘，望九疑，见烟水澄清，白云荡漾，行迈之际，触绪纷来，不禁思乡，撩人倍增。怛悼意起，三冤未雪，馁魄凄其，囹圄风寒，严椿受累，不觉泪溅，虎目永沃。雄心伤感之余，复加劳顿，渐觉雄餐日灭，神思不宁，加以秋飚砭肌，山岗扑面，毒障攻心，目眩头晕，行李沉重，在路上捱一步，抖一步，欲寻歇店，不期四望荒山，并无村舍，日将西坠，只得拣松荫树下铺开被暂憩一宵。身中困倦，不觉睡熟。

却说本处饱民作乱，贼盗太多。忽有贼人数个，看见朱能单身睡熟，将他行李银两尽盗去了。朱能睡醒，不见行李银两，斯时愤火愈煎，呆立片时，忍不住英雄目扑下泪来。想到大冤未雪，盘费一空，欲进不能，欲退不得，愤哭一会，头愈晕，体愈重，想到极处，大哭一场，不觉昏倒在地，旷野人稀，纵有过者，皆疑其为死。

适有山东历城县刘家村刘承恩，开店为业，带了二仆经过，一见忙命家人看视，见他面黄消瘦，两眶泪垂，唤叫不醒，试一抚摸，心头尚暖。承恩见此光景，知他是病虚昏愦，即命两家人掖起，轮送更背，背到居中，叫家人急煮稀粥，一面把蜡丸、姜汤灌救一会，扶置床上，将棉被盖过头足，浑身兜紧，不令透风。俄顷，药气流行，腹中作响，叹气一声，朱能已醒。睁目一看，见身卧床上，四围被褥，心中大疑。纵身外看，见床上坐一老者，旁侍两个家人，心忽豁然，意欲起身，无奈头重体虚，挣扎

不得。忙止之曰："客官,你病体虚劳不宜妄动,还须静卧。"俄报粥熟,即命家人递进稀粥。朱能强起啜许,精神略爽,起立拜谢。承恩扶而止之坐下,各道乡贯名姓。承恩曰："朱足贵襄阳,因何只身带病到此?"朱能见问,不禁潸潸泪下,把从前事粗述一番,复哽咽而言曰:"小子在家,为权恶所害,出外为流贼所欺,气愤荒郊,得蒙救济,再造之德,永镂胸膺。但恨黄金失散,进退维艰,三命沉冤,一人受苦,孤负了仗义的知交,空盼了捐金的父执,雪仇何日,旋舍何年?"说罢,不禁欷嘘。承恩慰曰:"朱兄贵体未痊,不宜过生悲戚,还须调好尊恙,然后再图复仇。"朱能曰:"才及识荆,使叨露腹,病屡旅客,何以克当。"承恩曰:"人生世上,孰无危急,颠沛之时,见而不援,此非人类。老拙生成养胆,养就慈心,胞与久熟于胸中,钱财每置之度外,朱兄务宜安心调剂,此须供养,何足挂怀。臧获辈俱是老拙下人,倘有索需,不妨呼唤,老拙有事欠陪了。"即起身欲行,复细嘱家人曰:"朱相公病卧在此,尔等须小心服侍,倘有所需,不可怠慢。"说罢,往外而去。

朱能在刘家店,得刘承恩延医调治,经十余日,已身体如故,十分叹感。是晚,承恩置酒相贺,朱能避席而谢曰:"救死之恩,方失叹结,复叨盛馔,何以克当。"承恩曰:"朱兄乃当今豪杰之士,吉人天相,遇难辄有匡扶,老拙何功之有。"说罢,举杯相酬。酒至半酣,忽地半空嘹唳一声,一群鸿雁向南飞去。朱能此际似刀搅心肠,拦不住泪滴如甫,承恩在席劝慰一番。朱能带泪而言曰:"恩公感赐,小子不应向隅,但触景生悲正自不能尔尔。因忆临别时,老父在牢谆谆致嘱,只望进京告准,早把冤伸。岂料中途遇贼,失去黄金,遂至进退维谷。今日老父在狴犴中,不知怎样悬盼,因思空身只手,怎样赴京?兴思及此,

能不于邑。"承恩慨然曰："老拙天生热肠,闻兄说出如许悲凄,恨不得举囊相助。但进京部控,使费浩繁,非万缗不能了事。自恨鞭长力薄,一时措办不及耳!愿兄少杀,须臾,在老拙店中盘旋数月,俟图机会,再作计较。"朱能逊谢曰："病余之人,得叨再造,已出非望,安敢复以口腹累公。"承恩曰："朱兄是豪杰人,何作此转世话。大丈夫遇知交,有急便挈囊相赠。岂不闻古人'指困赠麦'之事乎!老拙素具狭肠,恨不得朱兄早早赴部,今日屈留车驾,正不得已之未愿耳。区区供养,何须挂齿。"朱能改容谢曰："恩公侠论,顿开茅塞,虽古之四君不是过,只是受恩奢者,心愈不安耳。"由此二人倍加受爱;朱能从此安身在刘家店,安下不表。

却说襄阳城南有一古寺,寺门临近河边,旧时河岸崩跌,连门前石狮一只,沉落河中,只经十余年。本年重修此寺,寺僧出赏格,招人入水,取此石狮。无数人在水寻摸,竟不寻不着,各人以为经历许久,必被顺水冲去。于是各掉船艇,把铁钯等物往下流寻取,谁知连寻数里,都寻不着,人人共说奇怪。是时铁威在旁,说道："此事并非奇怪,寻之不着,实因你们不晓物理之过。这石狮非木头,竹器轻物可比,水流虽猛,怎冲得去呢?此石狮实在原地,深掘必得。"众人问他何故,铁威道："石性坚重,沙性松浮,石狮跌落水中,以千百斤重物压河底松沙,日积月累,渐沉渐深,就在此地掘取,岂有不得。今沿河求取,岂不可笑。"众人齐声喝彩,道："先生高见,确然不差,大家就在这里掘取罢了。"

适值施赛全在旁,笑道："你们赞这位先生确论无差,在我见他是个不通之论,我劝你们不可信他言语,免至枉用工夫。"众人那里肯听,即时下手齐掘,掘至将近一丈不见,用长钻插探,都无踪迹。于是众人始知铁威之言不验,大服赛全有先见之明。铁威心中好放不下,遂向赛全请教。赛全道："石狮落水多年,从下流寻取固属可笑,即使就在原地掘取,亦不属不能。"众人道："石狮沉水,难道飞去不成?"赛全道："石狮不是精怪,未必能飞,你们试向上流寻之,必得。"众人不信,齐声说道："岂有此理。"铁威向众人说道："你们不妨依他,试从上流寻取,寻之不得,然后笑他妄言,方可服其心,而哑其口。众人嫌枉费用工,仍然不肯。"赛全道："天下事,随俗者易信,特见者招疑。古人所谓'德高谤兴,道高

毁来'是也。今日之一，非有格物穷理之学，必不知其缘故，怪不得你们不信，待我亲掉船艇，向上流寻取，以破其疑案。"寺僧见他说得有理，即命掉船一只，与赛全依法寻取，赛全命舟人掉往上流，一路插控探，向上流最低处寻取。果然寻不过半里即寻着，众人大喜，想设法用力绞取，赛全见水不甚深，即进脱了衣服，跳下水中，双手用力一抽，乘着水势，抽至水面复出，尽生平之力，抽至舟中，掉埋岸，向寺僧领赏。

于是众人齐声问他，在上流头是何缘故？赛全道："石性坚重，沙性松浮，水冲石，石不动，水力撞石，其势反激，必荡崩石脚。松沙变成坎穴，渐崩渐阔，阔过石半，其石必倒跌水中。如是再冲再崩，再崩再跌，跌至十余年，故石狮在上流数十丈。可见天下事，只知其一，不知其二者多矣，怎可执一偏，据一理，以断事呢。我每笑宋儒据理谈天，自谓能穷造化阴阳之本，他讲论日月五星，确确凿凿，了如指掌，犹如铁先生石狮一般，人人信从，岂知依理推算，日月交食，多有不验。宋朝历法屡改屡差，及至元朝郭守敬创造各项器皿，测影观星，考验交食，一毫不差。然后知宋朝大儒，实全然不晓此事，即邵康节精通数学，亦不过把奇偶方圆揣摩想像，实非从推步而知。日月五星有形像可见，如石狮一样，都不能凭理是断，何况太极先天无影无形之论，怎好尽信呢？"众人于是大服。铁威见他识见议论，件件超群，又膂力异常，知他是个文韬武略之人，遂曲意与他相交，想做个心腹手足之友，故赛全常到铁家出入。欲知后事，且听下回分解。

第八回　爱财奴贪财害主
好色子图色忘恩

诗曰：

> 义大知酬主，灵禽尚报恩；
> 笑他黄铁辈，靦面且为人。

且说黄世荣自从朱能赴京之后，日日盼望消息，不觉过了两越月，并无音耗。又见货物齐备，只得打帐进京发售，得来探听朱能消息。正在筹度间，忽家人传帖说道："有客拜候。"世荣接帖一看，见写着："再造弟铁威拜叩。"心中醒悟，即出厅迎接。原来铁威自从世荣救脱之后，受惊回家，染病月余，至是痊好，备了许多礼物，拜谢世荣。接至厅上，铁威家人将椅摆更正中，按扶世荣坐下，备设毯条，铁威纳头便拜。世荣被铁威家人按住，起谢不得，只说得数句。不当铁威早已拜完起立，世荣下来重新见礼，分宾坐下，黄安遇进香茶。

茶罢，铁威曰："小弟前叩活命回舍，理应候谢，无奈染病月余，至今稍可。是以薄具，不腼粗酬厚德，优乞笑纳，不胜幸甚。"命家人呈上礼物，世荣把礼单一看，见礼物厚重，便曰："偶尔解纷，何功之有，既劳大礼，复承厚赐，何以克当。"一面命黄安往书窗，叫儿子贵保回来陪客。贵保才貌双全，聪明伶俐。贵保闻命，随到厅前，见父下礼，复与铁威相见。礼毕，侍坐。铁威便问世荣，曰："此是令公郎么，真英物也。"世荣曰："顽劣小儿，过劳尊誉。"说罢，向铁威拱手，道声："失陪。"起身入内，命家人摆酒，将送来礼物，拣两三种轻和者受下，余命家人捧出，复出厅前与铁威见礼。铁威一见捧回许多礼物，便曰："些须薄礼，略表微意，原不足酬鸿恩于万一，恩公摈斥，若是何见弃之深，务求笑纳为是。"复命家人呈进。世荣固让不获，只得复受下一二种。铁威坚求全受，世荣总总不听。铁威曰："恩公如此见却，莫非嫌礼物轻微么？"世荣曰："非也。铁兄不知小弟赋性，大不犹人，看得财字甚轻，义字当日解纷，虽出偶尔，原是一时义激，非为他日要结之地，铁兄盛赐，在愚本意，原是一

概不领，但见全却，则太不恭，是以略领数种，仰副尊意,已觉伤廉,若再过逼，是教小弟违心而受了,这个如何使得！"铁威曰："恩公乃豪侠之士，看得财帛甚轻，只是小弟受活命大恩,愧无以报,些须微意,岂足云酬。但恩公如此方严，教小弟难以为情了。"

说话未了，黄安车上酒筵已备，请定席何所，世荣命设花园，于是起身邀铁威进园。铁威曰："又来搅扰。"世荣曰："便饭。"褰尊子是带同贵保一齐进园。铁威一进花园，见铺设十分景致，奇花堆砌,玉树盈阶,西雕栏半池绿水，过了碧鸳塘，直进百花亭，亭虽小,而甚轩敞,周围玻窗，对面隐隐朱楼。

俄顷，酒筵齐备，一齐入席。酬酢之际，一阵梅香扑鼻,铁威好梅，闻一阵梅香，忙侧身启窗一看,蓦然见对面楼门半启,露出二八女娘，生得千娇百媚，铁威一见，早已魂销。原来那女子是世荣女儿素娟，是日不意被铁威窥见，急即将栖窗掩闭。铁威此时神情飞越,无心饮酒,累次辞醉。世荣见此，不复强饮，俄而席散，铁威告辞，相送出门而去。按下不表。

却说世荣受了铁威几色礼物，心中甚不过意，次早备回几种礼物，教黄安送到铁家。黄安领命直程到铁家，见了铁威，道："达主人之意，呈上礼物。"铁威曰："贵主人可谓尚礼矣。铁某身受大恩,昨具微仪,造府拜谢，几番推却，才领略数种。今又遣管家送如许多到来，教铁某如何敢受。管家且请坐下。"黄安谦逊不获，只得旁坐，曰："小人临行，亲受主人吩咐，说道：'家主理应亲临拜候，只因事冗，是以著安等具此不腆，务求铁相公笑纳。'恳求受下，等小人好早复命。"铁威见他伶牙俐齿，谈笑生风，有心结识，便命家人治酒。

俄顷筵备，邀黄安同酌。黄安逊谢曰："小人怎敢劳相公盛筵相待？况属对酌，愈发不当。"铁威曰："黄管家一场跋涉，不才脱粟相留，何云盛馔？既将主命，便如贵主亲临一般，古人敬主及使之义，云何则对酌，何须逊让。不才看管家英气逼人，终非人下，故有心结识，望勿客套为是。"黄安见说，只得旁坐，又欲自己行触，铁威不肯。钦次，铁威有心结馔，十分殷勤。

原来铁威自见黄素娟之后，心心念念，并夕不寐，恨无可下手。今见黄安到来，故意备筵款待，探他口气，买嘱行计。当下先以言恬之，曰："贵主尊庚若何，膝下有几位公郎、小姐？"黄安曰："家主年栽不惑，若问儿女，只有小子、小姐二人。"铁威复恬之曰："贵主真好家门，生得一双白璧。昨观公郎器宇，真不愧国器；掌珠我虽未窥其娇英，想姊妹同一超倬矣。"黄安曰："家姑娘素号天姿，水月村中，亦算她翘楚，家主爱女珍宝，是以年方十七，尚未字人。惟素娟好楼居，昨日筵前，对面矗起一带雕襄，就是藏英之所矣。"铁威闻言大喜，曰："不才有心腹之言，管家休得见笑。"黄安曰："铁相公有何钧谕，小人当洗耳恭听。"铁威曰："不才粗事不文，直肠素具，心中所爱，矢口倾陈，雅慕管家，英年亭侠，意欲结为生死，意下如何？"黄安避席而谢曰："铁相公饮酒无多，何作醉语？下人对酌，已为非分，况复订盟骨肉，岂不辱及门楣。"铁威曰："管家差矣。古云：'英雄莫问出处，结交攸贵同心。'昔卫将军先为牧猪之隶，后作汉室元勋，管家今虽身隶黄门，安禁他朝飞腾贵路。愚意已定，休得推辞。趁在今夕残筵，焚香当空一表。"黄安曰："既铁相公不弃下援，小人只得高扳。"铁威大喜，两下各道年岁，铁威齿长为兄，黄安年少为弟，二人当天下拜。礼毕，重新入席，兄弟称呼，相与畅饮。

铁威曰："黄贤弟，愚兄有一秘事拜求，事成千金相谢，求勿疏泄。"黄安曰："铁兄有何秘事见托！弟若能，亦无不尽心。"铁威屏退家人，细语曰："昨到府酒筵，相对无意寻香，看见楼窗有一二八女子，十分标致，回舍十分渴慕，贤弟怎生一计，使愚一傍玉眺，真个千金酬谢。"黄安曰："别事犹可效力，此事甚难，劝贤兄勿作是想。"铁威曰："芳容已牢诸肺

腑,痗寐亦所不忘,贤弟不作周方,恐七尺微躯丧在蛾眉之手。今先薄具微意,事后再复酬劳,望贤弟万勿推辞,亟为吾兄借箸。"说罢,将手中金条脱奉过黄安。黄安踌躇半晌,便曰:"铁兄情重,小弟只得效劳,但此事只可缓图,断难鲁莽。俟家主出门,后用调虎离山计,庶几方成。业已订盟,兄事犹吾事,何须言谢。"即将条脱交回。铁威曰:"些须微意,贤弟不受是见外了,教愚兄心中怎安。"黄安见言,只得收下。俄而席散,告辞起行,铁威将送来礼物分毫不受,回个领谢帖,交黄安带回。黄安回覆世荣,说道:"铁威十分感激,不敢受赐,原礼带回。"世荣只得由他。过了数日,诸货齐备,择吉进京发售,辞了家眷,带齐各仆,把各货发车,先由陆路进发。

却说黄安受了铁威嘱托,在路上已安排一计。行了两日,刚刚将到港口,是日诈病,在路上'咿唔'发抖,作态装乔,假意昏倒地上。世荣不知其诈,是他有病,即打发车夫将他辇回家中。

黄安回家害主母如何?且听下回分解。

第九回　困铁宅冤逢土霸　俏烈女殉节投溪

诗曰：

愤向寒流泪，惊魂亦岂知；

雪途逢侠士，芸馆得栖依。

话说黄世荣打发黄安回家调理，自己督同行仆，运货下船，解缆开舟而去。黄安知世荣去远，此计易行，将近去到家中，辞了车夫，自己步行先到铁威家中与他商量计策，然后回家见了张氏母女，即作慌张之状。张氏一见惊疑，急切问因。黄安垂泪道："老爷一到苏州便染病，病头甚重，危在旦夕，著我飞身回来，带同家眷赶去料理后事。事不宜迟，速速起程为是，倘若迟延，恐不能阳会。"赛西道："老爷为何无家书回归？"黄安道："老爷病重，手不能写。"贵保、素娟、赛西是时方寸已乱，张氏听见，两泪交流，即著黄安雇了四乘轿子，吩咐各婢仆谨守家门，即同黄安一路奔走。

这几名轿夫，已经受黄安点定，搭过了一河，一直抬到铁威家门，黄安便命住轿，早有铁威在门口迎接。张氏便问因何住轿？黄安禀道："日已沉西，前无歇店，不若就在铁威此处借宿，明日起行。"张氏未及答应，铁威早已殷勤拱接。时日已昏暮，张氏只得出轿，与赛西、贵保、素娟一齐步入铁家。黄安即打发轿夫回去，张氏四人跟随丫环，入到书房坐下。

铁威吩咐丫环递茶，茶罢，见众人散去，单剩铁威在坐，素娟、赛西几回遮掩，张氏心中惶惑，便请铁大娘相见，铁威道："他在后堂指点家人办酒，少顷自然出来奉陪。"张氏不见黄安，又见铁威不去，心中甚是惊疑，贵保忍不住上前，叩曰："铁叔父既盛意相留我们姐、母歇宿，因何不进入内堂？若内堂不欲搅扰，叔父请便，我四人在此，不劳奉陪。"铁威嘻嘻笑道："实不相瞒，前日在府上得见令姊芳容，私心渴慕，蒙贵管家妙算，特调你四人到此，可谓天缘凑合。尊嫂倘不嫌弃，愿作东床坦

腹。"四人闻言,惊得泪汗交流,便大骂黄安奴才,害主求荣,恨不天诛地灭。铁威道:"为今之计,骂亦无益,嫁如此人物,如此家势,亦不辱没令媛了。"素娟忍不住大骂道:"丧心狗贼,不顾天良,摆唆恶仆,诱我四人到此,逼勒强奸,天理何在,国法难容!"骂罢,手执桌上银荣壶,照面掷去,铁威回避不及,泼得浑身热茶,身上衣服几乎湿透,勃然大怒,骂声:"小贱婢,如此放肆,看你插翼难飞,待我取你残命。"随将书桌上宝剑拔出一拍,吓得张氏母女魂飞魄散。赛西向前劝道:"铁相公请息怒,待我们从容商议,然后应承,且请出去,少顷回话。"铁威道:"从不从,一言而决,何用商量,我只管暂出去,少刻不从,你四人休得想活。"说罢,将门反锁出去,与黄安谈论此事。

　　家人摆进晚膳,二人正欲举杯,忽闻家人通报,施相公到来,铁威叫他请入。是晚赛全在酒楼饮了数杯,屡屡在铁家歇宿,是以转到铁威家中,铁威一见,便请入席。赛全道:"小弟有偏了。"随问:"此位是谁?"铁威道:"此是我新结识的黄安贤弟。"赛全说声:"欠陪。"即往书房去安歇,看见房门锁闭,里面隐隐闻有数人哭声,心中大疑,倾耳细听,闻声声怨骂铁威,又骂黄安,心下愈疑。从门隙细窥,窥见坐着三个妇女,一个男子对泣,内中一个极似妹子赛西,遂忍不住叩门询问。里面听闻门响,惊慌无措,哭骂顿止。赛全在外窥得亲切,开声道:"你们不必惊慌,我不是铁威,乃施赛全,在此里面坐着的,可是赛西妹子愚兄特来救你。"赛西闻言,又惊又喜,说道:"是。"赛全用力将房门打开入内,果然见妹妹相认,遂把前情诉出。赛全问此事从何而起,张氏道:"铁威窥看我女儿。"尽把前事说知,"骗我丈夫进京贸易,串同恶仆黄安,骗我母女到此,强逼我女为婚,软困在此。"赛西道:"哥哥来得凑巧,恳设法搭救,若铁威入来,我四人性命就难保了。"赛全道:"你四人不用惊慌,有我在此,包管得脱牢笼。"即抽身而出,再锁房门,自己即时上堂去见铁威。

　　话说施赛全心生一计,即时移步出厅,那铁威、黄安一见,停杯起立。赛全问道:"二位尚未埋杯么?今晚酒兴甚浓,忍不住都来撞席。"铁威即命家人添了杯箸,大家同饮。饮次,赛全便问:"书房因何锁闭?且闻妇女声音,却是何故?"铁威道:"实不相瞒,愚兄今晚新纳一妾,不俾家母及贱内知道,故暂留在书房,待过今宵,明日再寻别室安置。"赛

全道："有此喜事，何不早说。今晚定要扰兄喜酒，俱如此残肴，难以尽兴奈何。"铁威即命家人亦过新菜，三人酣饮，赛全有心算计，把他二人灌得大醉，二人酩酊伏在桌上，赛全命把残席撤去。扶黄安别室安寝，然后再开书房，扶铁威入书房，将他伏在书案上。素娟等一见，娇啼，赛全暗暗摇手，教他勿声，复出去吩咐众家人安歇。

少顷，见四下熄灯人静，即走入别室，拔出佩刀，将黄安一刀杀死，再转入书房，欲将铁威杀却。赛全自想道："不可，此人待我不薄，不必伤他性命。"将刀插在桌上，带张氏等四人，开门同走。张氏携着素娟、贵保，赛全携着赛西，不顾高低，慌忙乱走。天昏月黑，弓鞋细小，屡屡倾跌，幸得夜静无人，直望家门而去。

谁知铁威有个守门的家人铁顺，是晚睡尚未熟，忽闻开门声响，如有数人走过，以后肃静无声，心中大疑，忙启房门出看，看见头门大展，悄无一人，急入疾呼同伴，各人惊起，见里面数重门扇未开，遂入书房呼醒铁威。铁威擦醒，见众人齐集，报说家门大开，又不见了素娟等四人，并赛全亦不知去向。心中大惊，宿酒顿醒，即往别室寻，见黄安被杀，血染床褥，大怒道："不好了！是我养虎为患了。"顿时命家人点起火把提笼，带齐器械，飞奔追赶。

是时赛全五人走了一程，无奈妇女行路迟慢，素娟又一阵脚痛难堪，坐在路旁啼哭。赛全十分焦躁，只得站在路旁等候，等了许久，再三催促，只得勉强起行，哭一步，捱一步，行到江边已无去路，四望并无船只。正以彷徨，忽闻后面有人嘈杂，灯笼、火把远远追来。贵保先过水，望见铁威人马到，先走去了。赛全急脱鞋袜上衣，将妹子置于背上，涉水而过，且喜水流虽急，却不甚深，才及过腹。转回背素娟，她不肯，无奈，又将张氏背起过了隔岸，把他二人放下，又翻身转回，想背素娟，素娟不肯，赛全苦劝不从。张氏、赛西亦在隔岸苦劝，总总不依，看看铁威家人追至，赛全正欲徒手拒敌，忽见素娟抽身向波中一跳，赛全正欲急救，却被急流冲去已远。张氏、赛西看见，捶胸大哭，铁威追到，见素娟投水。赛全急回对岸，携着张氏妻妾走去，铁威遂咬牙顿足，同着家人，忿忿而去，张氏望见铁威回转，暂时住脚，不知贵保走往何处，泆赛全沿江找寻死尸，并寻贵保。岂知素娟命不该死，尸到江心，被一只官船搭

救去了。赛全如何寻得着呢？

看看天明，赛全劝他二人住哭，引路回至家中。各丫环、婢仆一见，惊问及闻说出情由，十分叹息，张氏命家人取出衣服，与赛全换过，又置酒邀留款待，大家商议，暂将冤仇忍耐，待丈夫回归，再行理论。张氏浼舅爷找寻贵保并素娟尸首，又烦舅爷上京与我寻着老爷报信，何如？又交银二百两以为使用。赛全领命，复回河边找寻素娟尸首，上下寻过，总总不见；又一路找寻贵保，不知下落，想必上京去了，报知父亲。莫若上京寻着世荣报知，待他回来报仇，二则又访贵保下落。不知访得世荣回来如何？且听下回分解。

第十回　贵保穷途逢侠士
　　　　小子窗下展奇才

诗曰：

　　亨屯方出险,绣幕得牵丝;

　　天遣功名路,金鞍聘帝畿。

　　且说贵保是晚过溪忘命直跑,不顾高低,跑了三四里路,回顾无人追袭,心魂稍宁。筋力困乏,暂憩路旁,思忖不知母、姐怎样? 欲待回家,又恐祸生不测;欲待寻父,又长路漫漫,身无盘费。思忖一会,哭一会,恰已天明,只得望前而进。腹中饥饿,无奈将身上衣服变卖,得银使费,沿途访问进京路径,行了十余日,身上衣服变卖迨尽,犹未到京,询诸途人,犹有十余日路程,心下彷徨无策。

　　一日,来到浙江地面,村市中,有一村名李家村,中有一富户,姓李名建中,身列胶痒,十分饱学,有子英华、英发,为人任侠好施,周人之急,于金不计,有一胞弟李建良,在京开间酒楼,只有李秀才在家教训子侄,不图仕进。

　　是日,用过晚膳,见天色尚早,在庄门散步,恰好贵保至此。李秀才见他小小年纪,虽风尘满面,犹秀气逼人,且又异乡声音,一见便生怜恤,引他回家,命家人将饭与他。食讫,贵保叩谢,正欲出门,李建中止而问曰:"我看你非是下贱之人,何处人氏,因何流落到此?"贵保见问,潸潸泪下,哽咽而言曰:"小子姓黄,名贵保,家住襄州,父世荣,赴京贸

易，留小子与母、姐四人在家，为遭恶仆与铁贼诓诱，逼姐成婚，多得施恩公搭救，逃走出来，母、姐不知存活，小子沿途访父，身无盘费，衣服变尽，落魄到此，今蒙垂问，只得沥诉，伏乞垂慈。"建中闻言，慨然曰："聆君所言，使我心测，见危不救，亦属非人，你小小年纪有此志行，殊属可嘉，但上京师纵然访到，你亦不知尊翁居何在，不若就在芭舍作吾儿伴读，待我缓缓与你访寻，若何？"贵保闻言，即叩谢曰："遭难之人，得蒙收恤，深感再造。"建中命家人引他沐浴，将新鲜衣服、鞋袜与他换过。自此贵保安身李建中处不表。

且说朱百容在监，幸得梁玉朝晚劝解，不致悲愁，但终日盼望儿子告准回来，把冤伸雪，不觉盼了三个多月，并无音耗，时已残年向尽，在狱嗟叹，辗转思量，虑着胡家势大，朝中大僚相护，不准鸣冤；又虑儿子带着多金，中途有失，千忧百虑，忽成痼疾。梁玉延医调理，多方解劝，稍稍痊愈。一日，屠店旧伴潘成到候，两下相见堕泪，潘成把讼事嗟叹一番，复把铺中生意盈缩若何，各人股分应得多少，送与百容费用。百容固让不获，只得受下。坐了一回告辞回店，按下不题。

且说贵保在李家伴读，相安过日，只得镇日思量母、姐，不知生死，又不知何时得逢父面。回顾自己如飞鸟，虽得身安，终觉乡思撩人，终日愁眉不展。是日，李建中寿诞，诸戚友、学父一齐到贺。建中备下早筵相待，觥筹交错，各相酢酊，席散复洁香茗，与众解醒。茶罢，李建中谓各徒曰："尔等日耽风雅，素事篇章，为师欲考较一题，奈恐妨举业。趁今触政之余，戚友齐集，分题击钵，较量高低。试看今日骚坛，阿谁夺帜。"众人都曰："好好。"建中即援笔挥题饰笺，写出相马二具，七言绝句韵限四支。众生徒见题构思，有等彩笔生风，俨若庭筠敏捷；有等眉毛尽落，奚审洗然苦吟，各生徒次第进呈，惟有李英华、英发二人，一句未就。黄贵保在旁着急，曰："诸人俱已完篇，两郎君一句未就，今日挫了吟坛锐气奈何。"二人正在苦思，怒曰："可恼奴才，敢取笑我兄弟，你试握管，你能作得出否？"贵保曰："两郎不嫌潦草，愿代捉刀。"二人正在苦思无策，闻言即推笔砚与贵保，曰："汝试为之。"贵保笔下生风，顷刻挥成二绝，二人一见十分欢喜，即呈上建中。

建中次第取看，章皆平平，看到英华、英发二人所作，不觉改目。英

华诗云：

　　相与久悔世情非，汗血尤来见亦稀；

　　阅尽三千无骏骨，如龙空取雪毛肥。

英发诗云：

　　九方去后无真识，老尽骅骝相赏稀；

　　多少驽马为上驷，世人争解论乘肥。

　　建中看罢，谓英华二人曰："此诗古音流丽，慨当以慷，作此诗者满腹牢骚，纯是借题写照。信是吟坛名宿，断非你二人所构，但诸亲戚在座，二人何处觅捉刀？既非倩人，定必蓝本。"诸戚友闻说，齐起身披看，俱十分叹赏。英华犹欲置辩，英发已供出贵保供作。建中闻言，即呼贵保上前，问曰："此佳章是你倩笔否？"贵保曰："小子初学涂鸦，演成下里，老爷过誉，殊觉赧颜。"建中曰："珠玉在前，有目共赏，何须谦逊。索性拈题再考，吐露你锦绣雄才。"贵保曰："既获垂青，何妨献丑，还请颁题。"建中曰："就以壁间赵文敏所书《青藜照读图》为题，赋七律一章，不拘何韵。"贵保闻命，拈毫拂纸，顷刻挥成，呈上建中，诗云：

　　映雪囊萤未足酬，何来仙仗把光投；

　　惊神学问于秋擅，焕斗文章片轴留。

　　天禄此宵传秘籍，石渠他日着新仇；

　　宣元校理标今古，犹有余辉炳后刘。

　　建中看罢，不禁拍案叫曰："言言金玉，字字珠玑，此翰苑才也。我建中有眼不识，久屈英才。"命家人取英华兄弟衣服与他换过，以侄礼待之，命英毕二人以兄弟相称，贵保拜谢，自此称建中为叔父。众人将诗一看，各各称羡，聚谈一会，告辞散去。自此贵保在建中家下攻书不表。

　　却说贵保忆起家乡，转念母、姐不知怎样，父亲又远在天涯，设今日在家中，父母不知怎样欢喜，谁知今日天各一方，思想起来，能不伤感！莫若告辞建中叔父，早到京城，一则求取功名，二则访寻严父。思量已定，明日将此意告知建中，建中极力赞成，且曰："贤侄此举甚合吾意，一来努力功名，二来乘便打探令尊消息。恰好我有胞弟建良在京，待我修书带去，自有安身之所。况要纳监，他在京贸易多时，各部衙门都有熟识，贤侄托他，亦可省些钱文。后日黄道吉期，起程可也。"贵保曰："叔

父说的是,愚侄遵命。"

次日,英华兄弟与各书友,备亦离筵,与贵保饯别。饮次,建中举觞相属,曰:"此杯薄醑,愿贤侄进京,早会尊君,但得改身青云,无忘今日。"贵得接觞,谢曰:"小侄饿莩余生,得叨再造,倘得侥幸,定必衔杯。"饮毕,复酌递与建中,各相坐下。次及各书友,亦轮杯举属,贵保一一酬还。后及英华、英发二人,握手传觞,不禁哽咽而言曰:"自接芳晖,常叨磋切,观摩已久,不啻同胞。兄倘奋迹云霄,愿无忘此酒。"贵保含涕叹杯,声情激越,复触二人曰:"听二兄言,使我心恻。昔人诗云'桃花潭水深千尺,不及汪伦送我情。'二兄今日之谓矣,勿论晨夕观摩,情难相舍,即此离筵数语,倍觉销魂。倘腐草逢春,得沾雨露,断不为薄情之举。异日不论乘车戴笠,相逢不止为君揖而已也。"建中曰:"尔等叙话在此一宵,正宜畅饮欢呼,少尽昔谊,何复楚囚相对,使一座攒眉。"各人闻言,愁肠尽解,复纵西畅谈,相与尽欢而散。

次日,建中命仆李恩整顿行李,俟候用过早膳,贵保入内辞了苏氏出来,辞别建中,与英华等一众致别。李恩肩挑行李相随,建中向贵保说声:"珍重。"向李恩嘱声:"小心。"英华兄弟与各友直送至数里,洒泪而别。贵保上京如何?且听下回分解。

第十一回 巧相逢中途遇友
传消息旅店叹仇

诗曰：

　　他乡逢旧好，把臂话通宵；
　　恩怨虽劳念，天涯慰寂寥。

　　却说贵保与李恩一路水宿风餐，行迈靡靡，过了几处市镇、村圩，历了一番风尘雨雪。桃红柳绿，不尽异地繁华；燕语莺啼，触起他乡景况。一日，天色向暮，在旅店投憩。李恩方出，独坐无聊，步出房门闲望，忽外边来了两客，后面那人十分面善，但天时昏黑，认辩未真，俄而，店主引两人入隔房安歇，贵保有事在心，潜行探听，聆其声音甚熟，一时想像不出，愈听愈真，忍不住造房拜访。隔房二客起立相接，贵保一见，认是朱能，便叫一声："朱兄。"朱能吃惊，细认是贵保，两下相见坐下。

　　且说朱能在刘承恩店，因何到此？同行那客却是何人？原来刘承恩见朱能病痤住在店，此日此事，带他各处催账，是晚一同入店，不期相遇。两相坐下，先与承恩各通名姓，次问朱能因何此时才到此地，论事若何？朱能见问，不禁潸潸泪下，曰："愚兄命蹇不堪，备述言之痛心。自别尊在，来到山东，中途病剧，复遇流贼窃去黄金，昏愦慌郊，得家刘恩公救恤，扶归调好，因出门催账，相随至此。但贤弟在家习读，因何到此？尊公可有同来？恳请一会，待愚

兄陈明往迹，免使他挂心。"贵保见问，亦下泪曰："小弟遭遇与兄亦同。自兄去后，家君出门贸易，讵被恶仆黄安串同忘恩铁贼，诱母姐四人，胁逼姐姐成婚。幸得施恩公设计救脱，复遇铁贼追迫，孤身远走，母姐不知存亡，拚命访父亲。来到浙省，幸遇李叔父收养，认为义侄，今春闱将近，如今进京，一则求名，二来访父，岂期旅邸，得遇朱兄。但朱兄盘费既空，难道坐视三冤不报？还有朱伯父监牢受苦，亦当设计昭伸。"朱能叹曰："愚兄岂不知雪冤、救父，刻不容迟。但两手拮据，焉能设策，惟有恨摧胸臆，泪流枕簟而已。他人岂能知耶！"贵保曰："不若相陪小弟到京，访着家君，自有资财相助，去部衙控告，若何？"朱能曰："贤弟金玉之论，自当听从，但某受刘恩公大恩，今日随他至此，岂忍半途相弃。不若贤弟逗留寓所，待事后来寻。"

承恩在旁止之曰："朱兄之言差矣。你大仇在身，老拙常恨力薄，不能相助昭雪。今遇黄相公携带，正幸机会可乘，安可为老拙而阻雪仇乎！"朱能曰："报仇雪耻日夜在心，但病惫残躯得君再造，半途相弃，问心难安。是以宁愿先送恩公，后随弟驾。"承恩曰："吾始视兄为豪杰，谁知兄乃是愚夫。古人有'身受千金，恬不为报'，岂区区供养，辄劳悬怀。大丈夫一遇知交，挚家相赠有之，甚至头颅相赠者亦有之。老拙平生周急扶危，如朱兄者何止百十，总是事了心安，不留胸臆遥忆，以来何尝一一有报，亦何尝一一望报，朱兄今日拘拘于老拙，谋者乃一己之私恩，黄相公为朱兄谋者，实不共之大耻。急私恩而忘大耻，有忘者不为，朱兄自顾为何如人，今日所处为何如事乎！"一席话说得朱能降心敬服，贵保击节称扬。三人谈论一番，俄而李恩相请归寝，贵保作别，回房安歇。

次日，用过早膳，贵保邀请朱能同行，朱能只得辞了承恩。承恩解囊以三百金相贻，曰："相聚已久，些须白物，充兄盘费。但大仇雪后，经过敝地，祈一相会，亦慰老夫之望。"朱能逊谢曰："久受隆恩，亦惭未报，复始厚贶，何以克当。从恩公看，倘来者甚轻，小子受之有愧，倘大冤获雪，定必蹿府相酬。"说罢，把白金送回。承恩固辞不受，承恩曰："老拙主意已定，朱能勿作外人，些须白金，他日身荣归里，千万同朱兄屈临。"贵保曰："异日乡旋，务必拜候。"两下道声："珍重。"一齐作别。承恩自去。

　　贵保与朱能、李恩三人就道，一路上赞叹承恩慷慨仗义，有古侠士之风。陆路问津，舟行泊水，同行有伴，不觉透迟。行了数日，已抵京城。一到羊肉胡同，李恩先驱，贵保与朱能在后，入到李家酒楼，见了建良，呈上书函。建良拆看毕，与贵保、朱能相见坐下，各通名姓，旁有家人递茶。茶罢，建良问曰："黄贤侄贵籍荆襄，因何到敝乡与家兄相会？"贵保曰："小侄因逃难寻亲，得蒙令兄同恤，今者到京，又来搅扰，两昆至真，乃贵保天大恩人。"建良逊谢，复曰："此位朱兄，家兄书中不及备列，在何处得遇黄贤侄？"朱能曰："小侄与黄贤弟世交，因欲进京雪仇，半途被病逗留，后随恩人催账，恰好旅邸相会，被邀至此。缅颜叨扰，愚心甚惭。"建良曰："朱兄言重，不嫌喧溷，屈驾无妨。"于是拣个洁净楼房，与贵保二人同住，修书打发李恩回去。贵保亦修书致谢建中。贵保将金银托建良与他援例纳监，数日一一停妥。由此贵保日夕在书房攻书，日日命朱能随店中伙伴周围寻访父亲消息，总无音耗。

　　一日，偶在房门散步，见有一汉子上楼饮酒，神色十分匆忙，贵保一见，不禁大叫："施恩公。"那人闻言，举头把贵保一看，不禁跃然曰："你害我寻得好苦，原来在此处。某沿途寻访，总总不见，闻得尔父世荣在京，是以到京周围查访。"是日，正跑得肚饥，急入酒楼，不期与贵保相会，两家不作别话，贵保惟问那晚踪迹，赛全一一缕述，贵保闻姐姐已死，不禁伤感，咬牙切齿，深恨铁贼。赛全亦问因何到此，得会尊君否？贵保把己身所历，从头细述，絮语一回，引他下楼与建良相见，把姓名踪迹陈说一番。建良敬他义侠，十分厚待，恰好朱能同伙伴回来，一见彼此同里识认，两家见礼，各各陈述，相与同至楼房细谈。

　　赛全在李家酒楼住了两日，即催贵保修书回家安置老母，朱能亦修书浼赛全到县牢安置父亲，二人赠金作费，赛全不受，经辞了酒楼，赛全领了两封书札，直回襄州。先到水月村见了张氏，把遇贵保细说一番。张氏拆书一看，一喜一悲。喜者，贵保功名有靠，悲者，素娟殓殡无亲。触起铁贼凶狠，黄安狡狯，不禁伤感起来。赛西相劝一会，张氏留待酒饭。赛全食讫，辞了张氏，直到县牢访问梁玉，求见百容。梁玉启监，引他与百容相见。百容请教赛全名姓，哽咽言曰："我只望吾儿进京告准，把冤伸雪，得脱牢笼，岂料命蹇如斯，复遭病贼，若非得遇恩人，险作异

乡鬼。今日复劳施兄仗义，千里传书，老朽倘得脱危，定当叹谢。"赛全逊谢，坐了一会，告辞出来，复回贵保家安歇。

自此张氏念赛全恩深，把他长养在家。赛全无事，与他料理门户，买办各物，暂且安身，按下不表。

却说朱能、贵保商议报仇如何？且听下回分解。

第十二回　小书生骹余遇主
　　　　　　圣天子有意怜才

诗曰：

> 巷遇喜怜才，风尘辨骏骀；
> 禹门高跳处，平地一声雷。

话说朱能、贵保在李建良店中，大家商量伸冤雪仇，建良道："黄贤侄令姊之冤伸雪亦易，他日回乡，在本处官员控告便得。惟朱家一案，事情重大，胡贼既为当今国戚，又晋爵为公，实难动摇，此事若不详慎，恐祸不旋踵。况且胡贼结交极广，朝中大臣多与他相厚，待我与二三知己朋友斟酌，务要计出万全，方可行事。"朱能道："事皆确实，况有府尊何公作证，怕他怎的！又府尊有书教我向兵部衙门投递，自有照料。"建良道："近来势利的世界，正系'贫不与富敌，富不与官争。'我劝贤侄不可心急，此时更易为力。"贵保道："叔父其老成深达之见，我们不可造次，待等考过秋闱，等金榜题名，待等考过秋闱之后，再议可也。"朱能听了二人言语，遂安心读书习武，以为进取之计。

时光易过，到了秋闱之期，朱能随众应试。三场已毕，到了开榜之日，高高中了第二名武魁。报到店中，大家欢喜不尽。朱能即修家书，命人回家报喜。过数日，朱能即命家人持了名帖，雇轿直到兵部衙门传见。兵部尚书何维柏见新科武经魁到拜，大开中门

迎接,两下相见,直进大堂坐下。何维柏命家人递茶。茶罢,维柏问道:"殿元公光临敝衙,有何见教!"朱能乞退左右,维柏遂命众家人回避。朱能上前拜道:"晚生在家被权恶所害,欲告御状,又奉令弟府尊之命,带书到来,求大人代为料理。"维柏道:"书在何处?"朱能在怀中取出书函呈上。维柏拆开一看,书中大意不过话胡豹容纵儿子强逼民女,图奸不遂,连毙二命,该县贪贼,夹毙证人,监禁苦主。上下贪污,满城冤塞,自己官小难道昭雪,求兄长轸念民瘼,与他伸冤,末后,又说明贼近来踪迹诡异,蓄有不臣之心,宜早预防云云。维柏看罢说道:"事关国戚,非同小可,殿元公何不考过秋闱,然后酌议。"朱能道:"大人之言有理,晚生从命就是。"说罢,告辞上轿而去。回到店中,对建良、贵保说知,于是安心习武,以待秋闱进取。

过了残冬,又是新岁,是时四方宁静,盗贼不兴,恰好又是正月中旬上元佳节。神宗皇帝预日敕命两位大臣,在承天门外建下天醮,酬答昊天。上帝鸿恩,大放烟花,与民同乐。宰相张居正在府前高搭彩楼,命素娟小姐于十五日午时,在楼上抛掷绣球招婿,不表。

话说神宗皇帝改妆微行,带了一个小宫监,周围游玩。只见士庶辐辏,商买云集,到处不分日夜,箫鼓嗷嘈,笙歌嘹亮,十分热闹。说不尽粉白黛绿,览不尽公子王孙,真所谓一人元良,万民有庆。神宗皇帝游过了几处,行至张居正相府前,只见高搭彩楼,人多挤拥难近,又头门结一座王母宴瑶池,花瓣人物,俱是绉纱结成,十分精致。其次,陈兵部头门的一座郭子仪祝寿图,结构得十分工巧。看过了几处,直行至羊肉街,不觉腹中饥渴,到了李家酒楼。上楼见铺设华美,又见酒客满坐。神宗皇帝见无坐处,意欲回步,又见走得困倦,正在进退两难之际,恰好贵保因酒客喧填,不便读书;又朱能出外,独坐无聊,偶出房外站立。忽见神宗官家打扮,器宇不凡,随着一小仆欲进欲退,知他欲饮无坐,便上前拱手道:"客官饮酒此间无坐处,且到小弟书房,自有洁净坐位。"神宗闻言大喜,即相随入房坐下。贵保传呼伙伴,摆上精洁肴馔美酒,相怀对酌,随行小监在旁执壶。两家坐下,各道姓名。饮次,二人谈今说古,议论风生,十分投机,相见恨晚。神宗见贵保年少英俊,对答如流,有心相试,说道:"某触景生情,有联一比,请足下对之。"贵保道:"请贵客说

出来，倘不能对，休得见笑。"神宗遂把联句说出：

小危楼三杯两盏极好东西。

贵保即时对道：

大明国一统万方不分南北。

神宗皇帝说道："某更有一联句，历来无人对得，今足下有此捷才，必得确对。"

天下之虫蚕第一。

贵保见是拆字，把蚕字拆天虫二字，遂把凤字拆凡鸟二字对之。

凡间之鸟凤无双。

喜得神宗不住口赞道："足下有此仙才，且口气超群，又念念不忘君国。他日得志，定作国家柱石忠良，必能羽仪天下，而为国家详瑞也。"频命小监行酒，尽欢而罢。贵保命伙伴复洁香茶谈心。神宗问道："听黄兄声口，不似本京人氏，有此大才，因何寓此喧嚣之地？"贵保道："小弟原籍襄阳，同一友到京雪恨，与此店主相厚，是以暂寓此楼。一则借此温读，二则便于诉冤。"神宗问："此友何人，所仇何事？"贵宝道："小弟与友雪冤，案情重大，说出来令人发指。今日相识之初，未便吐露，朱先生莫怪。"说罢，攒眉愁叹。神宗道："不用悲伤，我看黄兄印堂气色光润，日间必有喜事临身，何愁冤情不报。但三两日间，不宜外出，恐有贵人相临。"贵保道："朱先生精看相法么？"神宗道："非也。不过据理悬空揣度耳。"说罢，起身作别。袖中取出银一锭，置桌上道："承蒙厚赐，留此作为酒赀。"贵保道："这个可不必，薄酒粗菜亵渎，尊长何劳厚赐。"即纳还小监袖中，相送下楼，珍重而别。

建良问道："此贤侄相识么？"贵保道："非也。他说姓朱，是本京人氏，小侄见他博学，相与谈饮，他留下酒赀，小侄不曾受他。但用了多少酒钱，待小侄算还便是。"建良道："不须不须，叔侄间何用客套，以后贤侄倘有客到，但呼伙伴备馔就是。些须饮食，不必计较，我与贤侄及朱贤侄，情如骨肉，今贤侄如此是见外了。"贵保道："搅扰叔父，不当了。"李建良打听张相府彩楼招赘如何？且听下回分解。

卷　三

第十三回　大恩人报说彩楼
奇女子运筹帷幄

　　话说李建良打听，张相府有一件奇事。朱能便问何事，答道："宰相张居正有一小姐，在彩楼招亲，已经出论，定期明年正月上元午时，抛球择婿。"朱能道："不知这位小姐才貌如何？"答道："闻人传说，貌比鲜花，若论才学，不独世间所无，更属古今少有。因他帮助父亲运筹帷幄，平服倭人，所有奇谋妙策，尽是小姐功劳。"朱能道："既然有此美事，有者不妨去走一遭。"

　　原来这位小姐非他人，就是当日投水的素娟。只因素娟当日投水时，在江中飘荡，耳边似闻有人说道："贵人有难，我们速宜救获。"于是身随浪涌，涌至江心，挂在一只大船舵上。这船系大学士张居正奉旨回京的官船。是时，张居正在船中打坐，闻舟人拾得水中被溺女子，气息奄奄，张居正急命灌救。须臾，救醒。丫环把衣服与她穿换，引她到舱中，叩谢相爷。素娟便问："这位相爷是谁？"家人答道："系当朝宰相张居正太师，快些上前叩谢。"素娟行至跟前下跪。张居正问道："你这女子青春年少，有何冤苦，将身投水？抑或偶然失足被溺？"素娟便把前情逐一诉出，并问："大人因甚至此，得救残生。"张居正道："本宦告假回乡，近因倭寇侵犯中原，奉旨回京策敌。在中途，闻得贼入山东，欲移舟先往济南，商量军机大事，路经至此，舟人把你救醒的。据你说来是受屈含冤的，待我差人带你回家如何？"答道："目下父亲不在家中，我若回家，必再受奸人所害，救大人设处。"张居正道："既如此，待我带你回朝，自然与你伸冤就是了。"素娟叩头谢恩。张居正吩咐丫环好生服侍黄姑娘，随命家人解缆行船，向济南府进发。

　　是时，济南有倭寇之乱，倭人即系日本国。在东南大海中，中有一

岛叫做倭岛。有一王占据附近十八州地方，尽属倭王统管。其国风俗
与中华不同，凡有职位的贵人，俱雕刻身面，用各颜色涂染班痕，妇女牙
齿用药染墨，衣服无缝折，俨然单被开心，将头穿出一般，形状半似雪
衣，半似袈裟。与人行礼，但把手相搏，当作拜跪。自古以来，朝贡中
国，自称大王，常与中国贸易。万历年间，倭王俺达自恃强盛，不来朝
贡，朝廷命饮差赵全为、大行人周元为副使，带领骑尉二十人，到他国中
催贡。谁知赵、周二人是个叛逆之臣，出京之日，早携家眷逃遁。去到
日本国，见倭王十分厚待，遂投降了日本国，并骑尉二十人永不回朝。
赵全反教唆倭王兴兵入寇，残州破县，生民涂炭。倭王俺达统兵十万，
屯扎青州，命王孙哪咭领兵二万，攻打济南，被官兵杀得大败，把哪咭困
在土山之上。参谋阿力哥劝哪咭投顺中国。山东总督王崇古准他归
降。即欲奏闻朝廷，巡抚方金湖谏道："不可。现今倭王大兵未退，此事
恐有变更，万一不善调停，恐获罪不浅。闻得张太师奉旨回京，不日经
过此地，问他如何设处，然后奏闻，方为上策。"王崇古道："大人高见不
差。"即命人打听张太师消息。

　　不数日，闻报张居正到来，于是大小官员出城迎接，张居正遂带素
娟在公馆住下。次日，王崇古请张居正饮下马宴。张居正饮罢回来，坐
下，素娟道："闻众家人说，倭寇攻城，官兵把他王孙拿下，不知官员将他
如何处置？"张居正道："只因朝内奸臣赵全及周元等投降他国，遂引倭
王兴兵入冠。倭王俺达之孙哪咭兵败投降，闻得倭王不日举大兵到来，
索取哪咭，人心惶惑不定，文武官员约明日到抚台衙门，商议处置哪咭
的计策。"素娟道："近来倭寇称强，屡犯中原，今日幸得哪咭在我国中作
为当咸，此事十分关系，若要制伏倭人，尽在这一次了。"张居正道："倘
倭王举兵到来索取哪咭，将若之何？"素娟道："众官怕俺达兵临城下，定
要索取哪咭回国，在我愚见，正要他着急求取。便恐他拚丢孙不顾，任
杀任烹，总不来取，则我国留住哪咭毫无所用。给然将他碎剐，枉与倭
人结下难解的深仇，殊属无益。若得他举兵前来索取中哪咭，这个紧要
当咸是我国有益的。但要教督抚示谕各关将士，紧守城池，水陆营汛
用心防御，以待他来。又令城厢内外及附近居民，早日搬迁，免被他抢
劫。又宜差一个善言语的使者去到俺达营中，将好言那语安住他心，他

若肯称臣入贡，或肯将我国投降的叛臣赵等斩首级来献，当天监督，自后不敢侵犯边疆，然后将此情节奏闻皇上，请旨用优礼送哪咕归国。"

张居正道："倘若倭王亲提大兵逼近城池，又不焚抢百姓，又不明言索取哪咕，只管日日骂战，在你话该与他战不战呢？"素娟道："他若如此行为，官兵与他交战，必然中计。"张居正道："这是什么计？"素娟道："必系我国叛臣赵全等教他设计诱敌，想生擒我国上将做个当厮，得来与哪咕相替换。必须提防他出我不意，攻我无备，千祈紧守营寨，切勿轻易与他交战。纵然他露出可攻可破的破绽出来与我看，不可命将出马，免中他诡计。务要多疑，切勿走入，时时窥探他虚实，或在山林隐秘之地，多插旗帜，作为疑兵，令他心中惶惑不定，然后暗调精兵，从私路绕出，捣他巢穴，烧他粮道，使他粮草不敷，又野无抢掠。不出十日，他军中必然绝食，势穷力尽，自然逃走，何必杀兵斩将，乃为功劳。"张公听他言语，不知心中合与不合？且听下回分解。

第十四回 获王孙众询首相
平倭寇女赛千军

话说张居正闻素娟之言，大惊道："不意你一个闺中幼女，有此等奇谋，揣情度势，言言合理，句句中窍，你有如此绝世聪明，想必是个张良复生，孔明再世。"素娟道："刍荛之论，敢渎尊听，实以大人相度休容，故效铅刀一割之用，何须过誉。吾有一胞弟名贵保，有通彻三教九流之学，有经天纬地之才，武略文韬，识见胜吾十倍。"张居正便问："你弟在家，作何事业？"答道："吾弟在家，得一名师教习韬略，是以奴家亦学得些小。"居正大喜，随吩咐左右，凡遇京中有黄贵保其人，速来报知，众人应命。

明日，众官员请张居正到抚台衙门商议，张居正就把素娟的计策，教众官照式行事。住了数日，即别众官回京，张居正去后，巡抚方金湖就差鲍德往倭俺达大营，把哪咭之事对他说知，并且好言安慰他。过了数日，倭王即带兵到济南帝城十里下寨，攻打各城。督抚依张居正计策，闭门不战，暗在山林隐秘之地数处，暗设旌旗，或三更或午后，一日数次鼓角齐鸣。剿他巢穴，烧他粮道，弄得俺达求战不得，守又不能。被他烧去粮草，劫去巢穴，进退两难，只得卑辞哀恳交回哪咭，自愿来朝入贡，求请天朝封爵，以压服邻邦。作为中国的附庸，照申准两国贸易，又愿把赵全等献出。倘若不肯，定必起了倾国之兵，攻破城池，寸草不留。王崇古即修书一封，差一心腹之将，把此情节入京报知相府，求张居正早设方略。

张居正把来书与素娟同看。看罢，对素娟道："据来书所说，你前言已验，今番宜用何计策？"素娟道："倭王之言，虽未可尽信为实，但爱孙心切，想得他回归国中，似是个真情。"张居正道："俺达既想王孙归国，为何不即把赵全等替换，其中或有奸诈。"素娟道："他不肯即交赵全等叛臣一齐替换，实心中赚将贱换贵，将轻换重，似觉羞辱一般，原不是爱惜这几个叛臣，不忍伤他性命也。哪咭这个番狗，留养他何用，不过想

留下这个当戗。今俺达着急，等他有求于我中国，使中国受益。为今之计，当差人对倭王说：'天朝恩典，极喜悦你王孙，甚是优礼相待。'令俺达心安；又叫哪咭穿戴起赏赐蟒袍玉带登城楼，与俺达相见。俺达见哪咭得中国如此敬重，可以夸压邻邦，人人以为荣幸，想得哪咭回国的心更急，斯时俺达心头之宝，在我掌扼揸拿，任我出甚么难题，不怕他不依了。但如今倭王言辞虽然哀恳，不肯退兵，犹恃强挟制，何曾是个真心输服呢？如果他真心输服，必要责他先把赵全等罪官，尽数送入我境内，把人马退去，然后差官以礼送他王孙归国。若仍旧屯兵逼勒阵前替换，只怕倭人反复难信，临时变局，或只把当日跟随赵全的手下无名小卒缚来兑换，岂不大失天朝体统。至于封爵、贡市二事，都在可不可之间。至若边疆治乱，不重在哪咭的去留，重在倭人求和的真假，他若真心和好，何妨封他官爵，何妨准他贸易呢？战争暂息，我得闲暇，操练军马，修茸城池，烽火不惊，田禾成熟，倭肯依期朝贡，把他当作外臣看待，若他背盟抗逆，我即兴兵问罪，在我能操必胜之权，秘享数世太平之福，他若肯先缚赵全等入境，预将哪咭移往界口，若赵全等一到，然后将哪咭送出，即将赵全等解京正法，把首级传示各处边关，令奸臣畏惧。若移徙哪咭之时，被他伏兵抢夺当戗，就将哪咭斩首示众，紧闭关门，出兵与他大战，是他理偏，人心不服，我理直气壮，定必全胜。"张居正道："阿力哥与哪咭一齐同降的，留他不留呢？"索娟答道："阿力哥原系劝哪咭投降的，若送他回国，必遭俺达毒手。今他兼留周元，则阿力哥亦可羁留，以抵当断，不可无故交出。留住此人，将来亦有用处。"张居正听罢大喜，遂将这段议论对差官说知，叫督抚依计而行，必无败事。

这差官领命去到济南，直情禀上。王崇古即命中军到倭营，檄他先交出赵全等入境，俺达不肯，只把掳掠的男妇八十余人，交与中军带回，便要索取哪咭，王崇古不肯受，俺达大怒，遂提兵攻打名云堡。崇古见事势中变，急与守备范宗儒商议，宗儒无奈何，命长子范国囤、胞弟范宗伟、宗依，亲到倭营作当戗，替换赵全等。俺达大喜，即擒住赵全，锁上囚车，命一员上将赤猛克，押入官军营中。不知赵全性命如何？且听下回分解。

第十五回　哪咭回国换奸臣
素娟让功拜义父

　　话说倭王俺达命上将赤猛克，解赵全到官军营中，周元闻祸事发作，自知性命难保，遂自刎而亡。俺达命割取首级，一齐来献，王崇古大喜，即把哪咭及阿力哥交与赤猛克带回，又命裨将康纶奉送王孙回国。哪咭与阿力哥泣别而去，临行，巡抚方金湖致嘱赤猛克，劝倭王不柯伤害阿力哥性命。

　　却说哪咭回至大营，与俺达相见，祖孙二人抱头大哭，感谢天朝不杀之恩，同向北拜了五拜，俺达差行人哒儿汉等，齐谢表以来，表内言天朝赦我承重嫡孙回国，得他接受国嗣，真是莫大功德，恳天朝大皇帝恩准和好，愿年年贡献土产。作为外臣，并恳遍谕边省军民人等，依旧与我国贸易，誓无反叛，皇天后土，实鉴此心。总督王崇古遂带哒儿汉进京朝见，并将张居正前后策画情节，一一奏闻。

　　神宗皇帝大喜，赞张居正道："张太师真正有王佐之才能，令日本国倭王称臣归服。昔年与日本议和，因开马市两相交易，后来屡被倭人杀伤我中国百姓，两国遂起争端，兵连祸结，致令干戈不息。群臣见前朝南宋懦弱，其祸皆由与大金国和议，是以屡被外国欺凌，因此共劝孤家征剿立威，不与倭和。今张卿独主和议，乃得倭人臣服，太平无事，真莫大之功。"张居正奏道："昔者马市起衅，满朝文武都话祸因中国与敌和好，失威示弱，致启兵端。殊不知今日之和，与前朝之和大不相同。如汉朝把昭君送出塞外，宋朝将金帛献与大金国，都是外国强盛，中国恳求他和好，本非他情愿，故贾谊有倒悬之譬喻，寇准不主和议，今日乃外国恳和，自愿称臣乞封，是制和者权操在中国，不是权操在外夷，比汉宋懦弱求和，万万不同。昔年奏闻马市倭人带兵入境，恃强辖买，把无用的瘦马要求数倍之利，故贸易未久，遂致抢夺相杀，故先帝遂禁马市，不许交易。今日则因他到来进贡，官开墟市，令他与边地百姓贸易，或三日一墟，或两日一市，设兵弹压，毫无争斗，与前时马市不同。至于紧守

边关,讲究武备,乃治国的常规,不因他朝贡不朝贡然后增灭,若话倭人无信,反复不常,试看我中国父子、兄弟,骨肉相约,都不能包管有始有终,何况夷狄之人,怎得万年和好? 只要在我有钳制之法,应如此举行就行。无识之臣,动辄话夷狄之人最无信义,与他和好必有背盟之祸,难道近来数十年,屡被他功劫,都因背盟之故么? 即将来背盟之祸至,甚亦不过如此。朝臣动辄以杀戮贪功,不顾生民涂炭,只图私利,不计公害,外国愿和却不肯和,遂失此机会。此等臣子,不独不忠,兼之不智。"神宗皇帝闻奏大喜,遂册封俺达为顺义王,年年进贡,岁岁来朝,又准他与边民贸易。行人叩谢领旨,欢喜回国。于是神宗皇帝设下太平宴,君臣庆饮,尽欢而退。

张居正蒙皇上赏赐许多金银宝物,大喜回府,对素娟道:"日本息兵归顺,今日宴饮太平,蒙皇上优旨褒赏,这场功劳,实出自你暗中摆布的。待我明日上朝,将此情节奏明,以免屈你之功。"素娟道:"倭人归顺,皆赖天地泰运之兴,君相燮理之德,奴家怎敢冒功。若将此事渎奏天庭,则堂堂宰相计谋,出自闺中,在奴家虽是甚荣,在相爷颇觉为辱。奴家前蒙相爷活命之恩,虽粉骨碎身未足云报,今略施小计以相帮,未足答鸿恩于万一,愿相爷将此事寝搁罢了。"张居正大喜道:"你立此大功,不矜不伐,不独有才,兼且有德,你既肯将这场大功相让,不愿奏明,待我明日上朝,单把铁威害你之事入奏,请旨拿京问罪罢了。"素娟道:"民间之事,自有地方官所理,不经该县先禀,大员依例尚有越诉之罪,况敢惊动君相,所以当日汉相丙吉,路见杀人命案,地而不问,以存宰相体统,况铁威虽陷害奴家,奴家现未曾死,又得与相爷相聚,若非铁威之力,奴家怎得到此,以受相爷知遇之恩,铁威虽有大罪,实有大功,况天网恢恢,小人必无幸免之理,不须出自我手,吾愿相爷不必把民间一件私事,渎奏天廷。"

谁知素娟说出这段议论,不愿收除铁威,不是蒙耻忘仇,实有一段深意,自思婚乃终身一件大事,怎可误配愚夫! 若屈处家乡,必真才难得,父母为我择婚,屡不合意,目中只有一个朱能,京师乃聚才之地,宰相有抢才之权,我幸依附相门,或可借此以择佳配,再得一个如朱能这样才貌者,亦未可知,若把铁威这宗冤仇奏明,例必委一钦差前去,必把

我带回原籍,与铁威对质,虽把仇人定罪,何益自己终身。况他图奸未成,谋杀未遂,不比朱能这个不共戴天之仇,何妨容忍于他,以待天诛,此是素娟的机权作用,张居正那里得知? 只赞他:"有沧海之量,可称得做世间生佛,女中丈夫。我意

欲收你为干女,暂居我膝下,替你择一贤贵佳婿,得以后日衣锦还乡,归谒父母,你意下如何?"素娟道:"若得如此栽培,真是恩深罔极了,干爹请上,受干女八拜。"张居正大喜,笑吟吟端坐,受了素娟八拜,自后父女相称,相府家人改口称素娟做小姐。小姐即写家书对干父说:"却差一个家人,带到家中报喜。"张居正又自己加一封书,书内大约言:"令媛素娟有功于我,我已经收他为干女,替他权作主婚,选择佳婿。"差官去后。

却说张氏接得素娟之书,见他未死,又做了丞相干女,满怀欢喜,即修书回转。张居正得接回书,遂择定正月十五日午时,高搭彩楼抛球招婿。后来不知招得谁人为婿? 且听下回分解。

中国古典名著百部

第十六回　张太师彩楼择婿
李建良劝友招婚

　　话说张居正择定正月十五日午时,命素娟在彩楼抛绣球招婿,此事远近宣传。传到李建良酒店,建良对朱能说道:"闻得相府小姐抛球择婿,贤侄尚未结亲,何不去走一遭。"朱能道:"小侄报仇念切,刻不能忘,今日宰相虽有彩楼招婿之事,但我仇未报,父在监中,固不宜图及婚姻之事,况向富贵中求淑女,犹如后科目中求真才,岂可得么? 又话天下虽大,知心朋友除贵保一人之外,犹难再得一个同心之人,谈何容易。只管从叔父之命,往走一遭,亦不过信步观场,稍散郁滞耳。"出店而去,建良与贵保说道:"据朱能所说之论,知他今日去观抛球,容或有之,想招此婚,恐未必。"正在谈论之间,忽见朱能回到店中。建良、贵保问其许久不回,得毋彩楼招赘不成,朱能见问,遂将彩楼观场之事,从头说出。

　　原来朱能是日从早出门而去,随着众人直到相府门前,只见人山人海,塞遍通衢,真个连衽成帷,举袂成幕。但见彩楼搭得十分华美,楼下坐了数十个相府家人,个个锦帽皂袍,手执长榻藤鞭,在此弹压。到了午时,相国小姐簇拥着十数个丫鬟、仆妇,登上彩楼,摆齐香案,祷告天地。月老站起身来,旁有丫鬟捧过绣球,楼下有个老家人,手执告示牌,高声向众宣道:"太师有示,今日小姐抛球择配,你等少年未定亲者,站立楼下,待小姐抛球掷中,招他为婿,不论贫富仕宦。惟有仆隶优卒、道士僧人,及已婚者,俱不许乱进,倘球掷中此人,不许别人恃强争夺,如违从重究治。"众人闻谕,即跻身楼下,惟有朱能从远处站立,看众人执球,只见众人个个仰面,争着小姐将绣球高抛半空中,有值日功曹送一阵轻风,把绣球远远送到朱能头上,落将下来,跌在朱能膊肩,朱能用手一摸,众人正欲争夺,被张府家人喝住,各人纷纷散去。小姐同丫鬟、仆妇下楼去了。

　　张府家人簇拥朱能入见,早有家人先入报喜。张居正与各官、诸戚

友俱在厅前，闻报大喜，请朱能入见，朱能入厅先谒张居正，后与各官见礼。礼毕，站立，张居正赐坐，问及乡贯、姓名，家世、父母。朱能道："晚生系顺天新科经魁朱能，湖广人氏，家父百容，母杜氏，现寓羊肉街李家酒楼。今闻太师彩楼择婿，晚生偶尔观场，却被彩球误中。"张居正道："殿元公，今日彩球掷中，与小女正是天缘，怎好说个误字。"朱能道："某初进步书生，怎了作相门之婿？一则恐辱没太师，二则无父母之命，无媒妁之言，三则某有大事羁身，婚之事，禀过父母，然后才定。晚生就此告退。"张居正道："少年登科，他日前程定然远大。若谓有事羁身，我想婚姻乃人道之始，事之大者，还更有大得过此么？至谓父母之命，媒妁之言，乃大礼所在。自不言，一面修书禀请父命，一面差媒备行小礼。今秋闱在即，更望大魁天下，然后荣谐花烛。难道绣球一掷，就草草成亲，与戏场一般么？"朱能见相爷谈吐淡定从容，不甚逼迫，遂放下心肠。不好当面峻拒，遂讲几句谦词套话，然后起身告别而去。

去到店中，见建良、贵保相问，遂把这段情由说出。又对贵保道："愚兄随众观场，不意彩球掷中，贤弟平日精通易理，烦与愚兄卜一婚姻之卦何如？"贵保排成一卦，说道："此卦大吉之兆，报仇尽在此举。"朱能接了绣球，欲想报仇，不知如何？且听下回分解。

第十七回　黄贵保金殿对策
　　　　　神宗皇御案考才

　　却说神宗皇帝自见贵保之后，心中喜他少年博学高才，想格外封赏于他。然心已定，是日坐朝，群臣朝罢，皇帝宣谕，纶音道："朕昨日微行，观看景色，到羊肉街李家酒楼，见一幼年书生，十分博学高才，朕意欲宣他上殿，待卿等面试，如果真才实学，将以不次封他，卿等以为何如？"众臣未及裁答，旁有丞相张居正出班奏道："既有高才，既当选用，业经万岁圣鉴，何用臣等面试，但不知此生姓名籍贯，在处可有戚属否？"神宗道："此人姓黄名贵保，本籍湖广，迁居襄阳，现寓李家酒楼，就命兵部尚书何维柏，明日带他上殿，待朕再试，将他选用。"维柏领旨谢恩，退朝回府。

　　用过早膳，即带了家人摆道，直到羊肉街李家酒楼，命家人通报。贵保闻兵部尚书到来，不知何事，忙出迎接。维柏下轿，贵保上前打恭，维柏扶手问道："此位就是黄贵保先生么？"贵保道："不敢，小子就是黄贵保。"维柏见他容貌英俊，大喜，握手登楼，与贵保重新见礼。建良、朱能上前参拜，一齐坐下进茶。茶罢，维柏对贵保道："恭喜先生福运到了。前日曾与谁人饮酒联对？"贵保道："同一朱先生饮酒。"维柏说道："你道他是何等人？"贵保道："实未曾问及。"维柏道："算足下头等福命，前日与饮者，非比别人，乃当今万岁。万岁爱你才学，今早临朝，命我召你明日上殿，不次封赏，岂不可喜。"贵保闻言，喜道："皆赖大人鸿福。"维柏即起身辞道："足下好早些收拾，顷刻进敝衙，明日五更一同上朝陛见。"贵保遵命，相送下楼，候维柏上轿，打恭相送，退入店中。

　　建良、朱能旋与贵保贺喜。贵保回房收拾书籍、琴剑，谓朱能道："兄暂寓此，待我面圣后，再来相聚。"朱能道："贤弟此番面圣，定必身荣，愚兄与你看守行囊，待弟实授何官，然后亲送到贵衙就是。倘得进身，祈为雪冤。"贵保道："这个自然。倘得侥幸，定必效力。"

　　俄顷，何府家人随带一轿到店，相请贵保，贵保辞了建良、朱能，上

轿直到兵部衙门，参谒维柏，维柏下座见礼。茶罢，历问行藏，贵保从头细述，维柏十分嗟叹。相谈未久，晚筵早备，两人入席畅饮高谈，贵保对答风生，言辞博雅，维柏十分爱敬，说道："足下有此高才，明日天廷面圣，务须大展鸿才，包管至尊不次擢用。"贵保谦逊不当。席散，命家人引贵保入书房安歇。

到了五更，维柏命贵保换过新洁衣服，相随上朝，命贵保暂在朝门候旨听覆。净鞭三响，朝臣鹄立，天子登极，群臣俯伏朝参。参毕，各归班剥立，神宗皇帝宣动纶音道："众卿有何本章，当殿启奏。"兵部何维柏出班，奏道："奉旨召黄贵保，现在午门，请旨定夺。"神宗大喜，即命侍臣宣他上殿。贵保闻召，膝行至金阶，舞蹈山呼，俯伏在地。神宗传谕道："朕曩晚微行遇卿，见卿高才，欲破格擢用。今召卿到廷面试，尔其务展经纶。"即御笔亲拟题目，敕他对策三章，贵保领旨，跪在金阶，手不停书，顷刻写就三篇，交与内侍，进呈神宗皇帝御览。

第一题：拟汉王拜大将军后谕将相大臣

定天下之大乱者，必待天下之将才，有天下之将才，必当付之以天下之大任。今项羽背约毒民，诸侯王效尤，天下煽动，寡人欲安之而未能。虽良、平无所施其智，今丞相何言，治粟都尉信，国士无双，足当大任。故择日齐戒，设坛具礼，拜为大将。将责以覆楚下齐，平三秦、燕、赵、魏，而一天下，如反手也。夫骏马逸群，孙阳乃识，国狗之着瘵，见猎乃噬，将相大臣毋少信，当思寡人所以为信，屈者，奉其教令以济乃公事。

第二题：拟汉高帝召故乡父老迁新丰诏

朕经营天下，不得常与父老游久矣。父老其无恙，朕常念

绣球缘

之,而皇上之念父老尤甚。盖桑梓故田,非富贵所能易好,人有同情也。而谓父老能忘我皇上哉!然安土重迁,父老徒有室远之叹,朕甚悉焉。兹遣胡宽作新丰,田园室庐,悉如故里,以休我父老,庶乎肯来以为我皇欢,毋以畴昔恃酒谩骂薄朕而有遐心,俾朕不能养志也。有司其备安车以迎,毋若故乡子弟。

第三题:拟曹孟德下所司修弥衡墓教

处士弥正平,俊才兀尤,非世所识,诚如父举,所谓一鹗也。孤非不能容之第,欲容之诸侯,使天下知有此不羁之才,且自裁其狂耳,黄祖小人,置之大佼,有负孤怀。兹闻其薶葬荒洲,当今所司修治墓田,置守冢数家,毋滋宿莽,异日或过其下,孤将有双鸡豆酒之奠,岂忍弃此冢中枯骨,而俾千金买骏,擅美于前哉。

神宗皇帝览罢,大喜。御笔加上圈批,赐于阁臣同阅道:"卿等试看三篇,方知朕赏鉴不谬。科目中所取八股之士,哪得有此左致笔墨?俨然西汉古文一样,不独才稀,班马兼之,字敌钟王,可称得做天朝人瑞了。"众臣阅过,俱十分叹赏,同奏道:"贵保天廷奇才,光辅陛下,伏乞格外褒封。"不知神宗准奏否?且看下回分解。

第十八回 施厚泽敕赐状元 雪深冤本奏叛逆

诗曰：

喜得身荣显，还思剪势奸；

玉堂频起草，金阙奏天颜。

话说神宗皇帝见群臣请封贵保，遂沉愁许久，对众臣说道："本朝二百年来，俱依洪武旧制，以春秋两科场取士，今朕欲破格褒封贵保，又恐坏祖宗成规，贻天下后世议诮，卿等之意若何？"丞相张居正奏道："科场取士虽是国家旧规，但历考前朝，亦有格外之典加。唐明皇之于李白，特赐翰林学士。臣看贵保之才不逊李白，既为朕心日史臣载笔，应推陛下为圣明之君。"神宗闻奏大喜，敕赐贵保状元及第，授翰林院修撰之职。

旨下，内侍奉过冠带簪花，赐酒游街三日。黄贵保舞蹈谢恩朝退，各朝臣向贵保道喜，贵保谦谢一番。何维柏命家人送贵保到翰林公署，有长班投手本拜迎。贵保入到本衙，各长班一一拜叩，未几，何维柏又命家人送铺盖什物、金银到署，贵保拜受，次早上朝，叩谢圣恩，后即坐轿，向阁臣拜候，次向六部、三司，及同馆前辈一一拜候，即修书差长班到东昌李建中、刘承恩处，问候报喜；又差人带书回家，报知母亲，然后到羊肉街拜谢李建良，又叫朱能收拾行李辎重，到署居住，同享荣华，朱能与贵保日夕谈心。

诸事已毕，明日游街，牌写着："钦赐状元，原籍湖广襄阳府，姓黄名贵保。父亲黄世荣，带绸绫上京贸易，两载未有音信，但有四方君子知其下落，到来报信，花红重赏。"是晚，将头牌之字抄了数张，粘在歇客行之街道。是日，黄世荣无事出街，看见报单，原是我儿子得钦赐状元，明日在行门口等他相会。是日，贵保游到此处，一见父亲，连忙下轿，上前相会。朱能在旁，上前叩见。在路不便细问，即同世荣回公馆，将铁威被害并钦赐状元之事，一一尽说。世荣闻言，一悲一喜，悲的是女儿投

江，喜的是儿子荣贵。又问朱能讼事若何？朱能把己身所历，从头缕述，世荣闻言，十分嗟叹，贵保又问父亲生意如何，因何到此？世荣曰："为父出了山东，在旅店病了月余，才得痊愈，复遇足痛，又逗留十余日，是以迟至春初，才得到京，寓在西城张家店，到了月余，恰好货物脱清。只因候账等事闲行，一来到各衙门，打探朱侄可曾到京，恰好与吾儿相遇。"吩咐朱能可到西城张家店与吾家人将存下之银并行李，一总带来公馆安歇。

光阴似箭，转眼又是秋闱，朱能考取武进士第三名，及至殿试，朱能中了武状元，上朝谢恩，出门拜客，寄书回家，又寄书往刘承恩与李建中报喜。

一日，贵保到朱能署中议事，忽报兵部尚书何维柏回拜。朱能出门接入，贵保上前见礼，三人坐下饮茶，茶罢，朱能便讲伸冤之事，何维柏道："我昨日已经将此事与张太师商量过了。"贵保便问张太师有何主意，维柏道："太师说此事各位大人不宜动本，只宜朱大人先奏自己冤情，倘圣上怒不测，某与太师自有调停，朱大人即宜写本，明早入奏。"朱能称善，正欲留宴，维柏告辞，朱能相送出门而别，转入后堂，再与贵保商议，贵保道："张太师主意甚高，吾兄遵行无碍，纵有不测，可对得天下后世。"朱能遂留贵保过夜，灯下商量章本，到五更一同上朝。

神宗皇帝临朝，各官朝参已毕，朱能俯伏金阶奏道："微臣有冤本一道，上渎圣聪。"神宗道："卿有何奏章，且平身站立。"朱能遵旨，内侍将本章呈上御案，神宗再三披览，道："据卿所奏冤情，如果属实，不独胡豹父子国法难容，即该地方官亦应分别议处；倘诬告国戚，擅奏大臣，卿家亦有不便，此事究竟详细如何，卿宜据实详奏。"朱能遂将此事一一从头直奏，言词剀切，声泪欲进。神宗听罢，拍案叹道："胁奸而致，刺杀毙证，而辱平民，居官者以贪墨为心，恃势者以淫虐自肆，功令奚在，国法奚存！该县固属可诛，该抚尤殊可杀。通省官吏只有一个何象峰，刚正不阿，胡豹如此横行，目中岂有君长，即当召回质讯，按律严办。"

张居正出班奏道："臣闻镇国公不特居卿肆作威福，且素蓄不臣之心，陛下宜早提防，毋使祸延滋蔓。"神宗闻奏，吃惊道："此事卿何处得闻，若果如此，便是国家大患了。卿若有所见闻，不妨直奏，朕断不见罪。"张居正道："此事问兵部何维柏，及钦赐状元黄贵保二人，便知。"神宗便问二臣道："二卿可把胡豹反迹据情直奏，如果得实，朕自有赏。"何维柏奏道："镇国公反迹，臣实未知，但臣弟何象峰现任襄阳府，有书到臣，言及其事。"神宗道："书在何处，呈上朕观。"维

柏即在靴中取出此书呈上，神宗一看，不住摇头。贵保随奏道："镇国公有一外甥唐玉龙，在大雁山为寇，因往胡府祝寿，中途与人打架，臣父见他说出欲与胡豹父子合兵造反。况臣在家稔闻他私造军器，阴养死士，据此数款，反迹显然，请万岁定夺。"神宗听罢，便问群臣道："卿等公论若何？"张居正奏道："以臣愚见，宜命钦差齐旨一道，召他父子回京，交大臣会审，按法治罪，不知圣心若何？"神宗闻奏，点头道："是。"旁有胡豹相好大臣，都察院左都御史宋琼，出班奏道："不可！不可！"君臣大惊，不知他所奏如何？且听下回分解。

第十九回　都察院暗地通书
镇国公襄阳造反

诗曰：

  狐鼠凭陵日，彤廷旰食时；

  殷勤论推毂，各副圣明知。

话说宋琼出班奏道："不可！不可！镇国公平日忠良，必无异志，反迹之说，俱属群下猜疑，且朱家命案据奏，亦是伊子所为，况未经面质，曲直不分，陛下不可轻信众议，恐皇姑见怪。"张居正上前奏道："宋琼所奏甚差，此事迟疑，则机泄祸大，速发则祸小，但旨意只作平常召回供职，不可露出今日之议，并不可提及朱家之事。"神宗点首道："张卿所奏甚合孤意，立即草旨一道，交内臣吴恩带至湖广，召胡豹父子回朝供职。"遂拂袖退朝，群臣各散回衙。宋琼着急，即修书命千里马星夜赶到湖广，道知胡豹。

却说胡豹自从见云福弄出事后，得通省官员替他回护，越发肆行无忌，霸占民田，纵容儿子强奸民间妻女，种种不法，襄阳百姓受他荼毒，无可告诉，真正冤气满城，又日日与心腹官巡抚李士林、淮安总镇莫如龙、襄阳知县雷象星等，饮酒取乐，阴蓄死士，制造军装器械，谋为不轨。

一日，正与各官计议，欲图起议，忽探子回报，皇上差了内官带旨，不日就到湖广。各相疑讶，不知何故，忽家人报说，都察院宋大人差人下书，胡豹传入，打发来使回去，将书拆看一见，大惊。将收递与众看，各官惊道："事机泄了，公爷还要即刻打点，先发制人。"胡豹即修书十数封，分头命家人通知各处心腹、提镇、武弁，着他刻日带兵到省相会，又修书寄二子，嘱他暗运兵粮，一一筹划已定，忽然触起外甥唐玉龙，又即修书往大雁山通知，于是，各路布置已完，俄而，叠报圣旨已到省城，各官俱去迎接，胡豹总总不理。

且说钦差吴恩齐了圣旨，一到省城，各官跪接，请问圣安，后各各与吴恩见礼。吴恩不见胡豹到来接旨，便向各官问道："因何镇国公还不

到来接旨？如此怠慢，岂是臣子所为。"巡抚李士林道："闻得公爷有病，未知真否？"即委雷知县去催，少顷，知县回报，公爷现有病，请钦差大人齐旨到府宣读，吴恩怨道："如此无礼，不畏万岁见罪么！"无奈，即将圣旨直到胡府，各官随后一齐拥入，吴恩一到，见府门大开，并无一人迎接，心中含怒，直进大堂，见胡豹据中而坐，并不起接，昂然不理，吴恩大怒道："圣旨到省，胡大人推病不接到还罢了，今日咱家齐旨到府，仍复昂然不动，悖逆已极，皇上闻知，罪无可逃。"胡豹喝道："圣旨岂压得本公么？今日独据一方，不受朝廷管辖，此道圣旨，只可带回朝罢。"吴恩不理，捧旨站在正中，朗朗宣读。胡豹下座，将圣旨扯碎掷地，对吴恩说道："本该杀你，姑留你回去说知昏君，叫他早早让位，不然本公不日提师到京。"骂罢，命家人将吴恩鞭出去。吴恩带怒星夜回京，把胡豹碎旨逐差之事奉闻。

却说胡豹碎旨逐差，各官在旁俱各嘿嘿无言，当下恼了知府何象峰，离座斥之道："公爷不接圣旨，悖慢之极，况复碎旨逐差，与乱臣贼子何异！他日六师一到，恐祸及生灵。"胡豹怒道："小小官儿，在本公跟前肆言无忌，不怕死么？"何象峰大言道："本府官虽小，晓得尊君亲上，不似公爷位极人臣，且为国戚，反忘君负义，本府头可断，身可杀，而舌不可屈，怕甚么生死！"胡豹大怒道："如此狗官，利口何我。"喝命摘去冠珲，发悬监禁，待事平后，再行杀却。象峰不住口大骂，家丁将他带去寄监，何象峰一到监中，禁子梁玉接入，问因始知胡豹造反，遂对知府说道："胡贼造反，满城百姓定遭涂炭，大老爷是朝廷命官，生死可置之度外，岂可连累家眷，小的爱敬大老爷是个忠臣，倘有用着小的之处，虽赴汤蹈火，万死不辞。"知府闻言大喜，就命梁玉到府衙，带家眷到兵部衙门逃避；并命放出朱百容，与家眷一齐到京。梁玉领命，遂约齐陈升等一班同学兄弟，保住各人家眷，一同进京，以避胡豹之乱。

却说胡豹把知府发监之后，怒犹未息。李士林道："公爷碎旨逐差，钦差回奏，必有六师问罪，公爷还须早为之计。"胡豹道："不妨，本公筹算一定，兵权已在我手，朝上并无能将，纵有师到，管教片甲不回。"雷知县："为今之计，急须正号为先，庶几师出有名，才得四方响应。"莫如龙道："县太爷所见甚高，公爷还须先正王号。"胡豹喜道："若得众位同

心,得了山河,誓当列土分封。"众官称谢,于是胡豹自立为吴王,建大吴旗号,将镇国公府改为王府,招募乡勇,收纳亡命,此是后话不表。

且说何知府家人见家爷被胡贼监候,忙走回衙报知主母恭人周氏,周氏闻报大哭,正欲到监会夫,恰好知府打发梁玉到衙,叮嘱恭人,叫他即速收拾家私,与各家眷星夜回京,到兵部柏爷处,求他上诉。恭人闻命,只得忍泪收拾细软,带了儿子,同着家人逃走。梁玉引路,会齐朱百容及黄世荣家眷,命陈升等一班同学兄弟,前后护着女眷、辎重,不分日夜,赶到京中。百容与世荣家眷俱到儿子住所,两家父子相见,贵保又见赛西产下幼弟,不胜欢喜,次日,引着父母,拜见张太师,与姐姐素娟相见,悲喜交集,各诉前情,不在话下。

却说恭人周氏携眷入到兵部衙中,维柏一见周氏象峰家眷到来大惊,问周氏,哭诉前情,维柏劝慰一番,次日上朝,把此事奏明,不知旨意若何?且听下回分解。

第二十回　闻叛逆教场兴师
逆良言后堂拒谏

诗曰：

> 犁骅本同类，木异见蓬麻；
>
> 泾渭自分流，贤奸出一家。

话说何维柏上朝，正欲将胡豹造反。监禁知府之事奏明，恰好吴恩回朝，直奏胡豹碎旨逐差，反迹显然。神宗皇帝大怒，即与臣计议，维柏奏道："臣弟何象峰，现任襄阳府，苦劝胡贼，被禁县监，昨臣弟妇到臣署中哭诉，恳万岁且发天兵征讨，免成大患。"神宗闻奏道："进征之说，固属宜然，卿等公议，何人堪挂帅。"丞相张居正奏道："臣举唐坤为元帅，新科状元朱能，才兼文武，谋勇俱全，况与胡贼有不共戴天之仇，可当先锋大任，可保无虞。"神宗闻奏，点头道："准卿所奏，还须得一智谋之士，为军中参谋，卿等公议谁人？"朱能奏道："钦赐状元黄贵保，韬略过人，陛下命他为参谋，此人足智多谋，可充参谋之职。"神宗大喜准奏，即谕唐坤道："朕付卿以军机，卿宜忠心戮力，务祈剿灭奸邪，报却国难私仇。有功回朝，重加官爵，即加封卿为靖逆将军、招讨元帅，拨雄兵六万，赐上方宝剑，得便宜行事，卿勿因皇姑在彼，便生疑畏。大军到彼，查实皇姑果不与谋，只将逆贼父子捉解回京，待朕发决。倘皇姑从逆，卿不妨一总擒拿，朕决不以骨肉而废国法，尔其钦哉。"唐坤领旨谢恩，归班站立，又谕朱能道："湖广是卿故里，地形必熟，朕封卿为指挥将军、讨逆先锋之职，同唐坤征讨逆贼，展尔经纶，回朝之日，另行升赏，尔其饮哉。"朱能谢恩，归班站立。又谕贵保道："封卿为兵部侍郎，军中参谋，辅佐元戎，捉拎叛逆，有功回朝，朕当重用，尔其钦哉。"贵保谢恩，归班站立。于是各赐美酒三杯，三人跪钦，谢恩退朝。

朱能、贵保各辞别了家眷，朱能又命梁玉、陈升等一班徒弟，跟随军中效力，唐坤择黄道吉日，在教场上点齐六万雄兵，祭旗兴师，唐坤全身披挂，统了大军，直出京城，浩浩荡荡，往湖广进发，胡豹闻知，即集众商

绣球缘

议,是时,各路心腹之将,多有带兵到来,聚集各处兵马,约三万有余,胡豹对众将说道:"唐坤统兵而来,我兵虽少,用奇谋以御之,定获全胜。"即出示,命城外百姓尽迁入城中,在城边掘下坑堑,城外大河一概置毒,各路兵马有未到者,复发檄文催促,各城门俱发重兵把守,城楼架定大炮,城门出入搜检,提防奸细,但有异言、异服之人,无城内军民保认者,不准入城,自此军容颇盛,准备俱齐,胡贼虽是个叛逆之臣,而才足济奸,果然调度有法,又能瞒过母、妻,毫无知觉,但庭帏密迹,怎能瞒得住呢?殊不知他治家极严,凡有机密,不许下人传扬,是以内外间隔,做出种种悖逆,皇姑母亲如在梦中。

一日,胡豹同云福在教场操兵,阖府家人跟随,外庭无人,只有数十个小僮看守,刚遇皇姑别有差遣,着丫鬟出唤值日当差的,见外庭无人,丫鬟入后室堂回报皇姑,即传小僮问话。小僮禀称:"今日众家人俱跟王爷操兵。"皇姑道:"什么王爷,众家人俱跟随他去。"小僮禀道:"王爷即是公爷。"皇姑惊疑道:"为何王爷即是公爷?你须一一直说。"小僮便把碎旨逐差、调兵徵饷、立国称王之事说出。且言:"闻朝廷大兵不日到了,皇姑犹尚未知么?"皇姑闻言,大惊道:"一向未曾出堂,谁知弄出灭门大祸,哀家如在梦中,这事怎了得?"遂急入佛堂,禀上陈氏太君,道:"婆婆,不好了,公爷造出灭门大祸了。"陈氏正在念佛,闻言大惊,问:

"何出此言?"皇姑便把小僮所述之言,从头说出,说罢,泣道:"公爷造此大逆,教媳妇有何面目见皇兄?待他回来,婆婆还须劝戒他才好。"陈氏惊得声泪俱嘶,手足腾震,泣道:"这畜生不知听谁唆摆,造此恶逆。"叫丫鬟打听他回来否?

婆媳正在相怨,到

未牌时候,报说公爷回府了,丫鬟相请入内,胡豹闻母呼召,即同云福入内拜见陈氏,复与皇姑见礼,云福拜见婆婆、母亲,各相坐下。胡豹见母亲面带泪痕,心中惊骇,欠身问道:"母亲呼唤,有何教谕?"陈氏道:"我胡家世代忠良,勤劳王室,传及你身,贵为国戚,位极人臣,正宜矢忠短慎,报答皇恩,岂期身作叛臣,僭王造反?为娘试问你,那日何故碎旨?何故逐差?不知被谁摆唆,丧心至此?不若早听娘言,束身朝廷,平门请罪,或者天恩轸念,赦罪未知。纵或圣怒不容,这免叛逆恶名,他日贻羞青史,吾儿还须三思。"皇姑说谏道:"婆婆之言有理,公爷听从为是。"不知胡豹依与不依?且听下回分解。

卷　四

第二十一回　兽畜臣弑母囚妻
犁牛子忠君逆们

话说陈氏姑媳劝胡豹改邪归正,胡豹道:"母亲有所不知,那昏君不念旧恩,听信谗言,欲召我父子回京杀害,幸得宋琼大人通知,今又差唐坤提兵,不日将到,孩儿骑虎难下,不得已背城一战,侥幸胜则为君。"陈氏怒道:"不听良言,必有败亡之祸,当日宸濠之事,可为前车之鉴,老身年过九十,死不足惜,独惜皇姑与众孙媳,死得无辜,为可怜悯吾儿,何苦累及满门。"胡豹昂然不听,皇姑与陈氏苦苦劝谏,多方开谕,总总不从,皇姑忍不住大声说道:"古云:'云邻尚知报恩,义犬犹能念主。'公爷身为国戚,受两朝厚恩,不思尽忠报国,这还罢了,反不自度,妄图天位,真禽犬不如,哀家怕你天位未得,必致天诛,你自作自受,毋庸他怨,连累哀家,身边逆妇,得罪先皇,得罪主上,得罪天下万世,且四亲九族,祖宗坟墓,为你一人惨受诛锄,试问心头可过得去否?"胡豹怒道:"可恶逆妇,毒口伤人,孤正初举义旗,便说许多不利,不念结发情仇,宝剑决不容情。"陈氏早已气倒在椅上,不住摇头,皇姑见丈夫昏迷不悟,复细语低言,反复顺谏,胡豹愈听愈怒,掩耳不闻。

云福劝母道:"父亲此举,众心相辅,母亲不必谏阻。得了大位,母亲贵擅椒房,何须如此苦劝。"皇姑怒道:"都是为你畜生行凶,得罪朝廷,激变老父,造出弥天大祸。"命取荆条,即将云福痛打。胡豹重重大怒道:"可恶贱人,屡与孤家作对。"拔出剑,揪胸欲杀,云福连忙跪劝,胡豹只得放手。皇姑大骂不绝,激得胡豹推开云福,持剑追杀,皇姑急走,陈氏忙起身相劝,岂期胡豹措手不及,将母亲杀死,惊得抛剑不迭,跪倒在地,皇姑抚尸大恸,哭毕,大骂道:"好逆贼!背君杀母,天地难容,愿早被天诛,免致祸延九族。"胡豹按捺不住,拾剑刺杀,云福上前拦阻,跪

下哀求，胡豹怒犹未息，众丫环亦一齐跪下哀求，胡豹道："且看吾儿讲情，交他锁禁香房，待孤事平后，再行治罪。"即喝丫环上锁，丫环无奈何，只得将皇姑拘禁房中。胡豹怒气匆匆出堂而立，吩咐家人，置备棺衾，开丧挂孝，各官闻知，齐来吊祭，不在话下。

且说胡豹长子云光，在广东藩署，连日心惊肉跳，心下惊疑，与夫人李氏在后堂谈论此事，忽报父亲差人到来，云光传见，家人参拜，呈上家书，云光吩咐下堂酒饭，将书拆看，大惊，气倒在地。夫人李氏忙上前扶起，众丫环递茶相救，少顷苏醒，把书示夫人，大哭道："父亲造反，有书到来，叫我暗助兵饷，我想，从父则不忠，逆父则不孝，事出两难。"李夫人道："老爷出仕朝廷，此身便非胡家所有，况库银乃国家军饷，丝粟不宜动支莫道取来助逆谋，即取来作朝夕甘旨，亦属不得。妾闻'父有过，子当谏。'老爷还须以书止之。"云光即磨墨，挥毫在案头，写书一封，其大意劝父改转邪心，回朝待罪，免至祸贻赤族，遗臭万年，军饷决不能相助，云云。写毕，传来使谕道："回去上覆父爷，求依书行事便是。"家人拜辞而去。

是晚，云光沐浴更衣，写告死辞帖，辞别上司下属，置在案上，嘱李夫人道："我父天性强悍，必不听谏，我不忍见其败亡，今晚尽忠。夫人各祈不可回乡，就居近地，抚养遗孤，隐姓埋名，以存胡氏一脉，愚夫受赐多了。"李夫人痛哭相劝不从，俄而，夫人睡熟，云光望北拜谢君恩，吞金而死。李夫人醒来，不见丈夫，起身找寻，见他已死，抚尸痛哭。天明，报知上司各官，俱来相验，问他何故，夫人将遗书呈上，各官嗟叹回衙，有巡抚将情节并遗书拜本回京，李夫人尊夫遗嘱，命家人在近地僦居，抚孤守节，胡豹长子之事，已经了局。

再表他次子云龙，在广西梧州总兵官署，见家人胡成到来，把父亲书信呈地上，云龙见书，不胜气恼，对胡成道："父亲听谁唆摆，造此逆谋，难道吾母箴口不言，甘同作逆？"胡成道："公爷作事秘密，下人不敢传说，皇姑在内怎知？"云龙道："吾母不知，难道吾弟在家，知犹不谏。"胡成道："三公子不独不谏，且首作逆谋，据小人看来，这祸端皆因三公子而起。"云龙问其缘故，胡成把前事从头直说一番密，云龙怒道："原来畜生惹起祸根，父亲怎样昏蒙，不绑逆子上朝请罪，还听唆作逆，祸及满门,我是朝廷臣子,军兵是朝廷军兵,我宁作不孝,毋作不忠,我兵亦不发,书亦不修,你只回去待我传说,劝公爷把三公子解上朝廷请罪,为是不然,祸贻九族,果及宗坟,你速回去罢。"胡成领命而去,云龙带怒进入后堂。不知后事如何?且听下回分解。

第二十二回　檄五路兵助胡豹
斩骁将先锋逞能

诗曰：

螳辕知不敌，邹楚漫争锋；

覆辙有震濛，昧鉴笑胡公。

说话胡云龙带怒进入后堂，把情由说与莫夫人知道，莫夫人大惊道："这事如何了得，公公如果造反，老爷与妾身休想得活，莫若先行出首，或者圣上开恩。"云龙道："吾算计已定了，明日云龙自行束缚，带父亲的手书在身，到提督衙门求请摘印。"提督陈鹏不知其故，命家人解缚赐坐，问因，云龙泣诉其事，将书呈上，陈鹏踌躇道："此事我不能作主。"说毕，即刻会齐督抚布按三司，将此事此书拜本，仍命云龙回衙理事，候旨下再行定夺，过了一月，旨下，命该督抚将云龙监候，事后再行议处，妻子家产如故，陈鹏奉上，将云龙软禁，打听胡豹消息。

且说胡豹满望两个儿子帮兵助饷，谁知两处家人回报，俱说不肯相助，心中大怒，骂了逆子一番，又闻朝廷命唐坤为帅，朱能为前部，不日大兵已到，急聚众商议应敌，果然唐坤兵到湖广，离城十里，把人马扎住，同着先锋朱能，参谋贵保，相度地势，结下营寨，命士卒掘地取水，不许汲饮大河，恐妨有毒，又禁止据掠。传令五鼓造饭，天明出战。

到了交日，两军炮响，一齐出马。这边，唐坤头戴金盔，身穿金甲，手执银枪，坐下乌骓马，杀气腾腾，手下战将数十员，个个盔甲鲜明，刀枪林立，把人马布成阵势。那边，胡豹头戴紫金盔，身穿绣龙袍，手执方天画戟，坐下红鬃马，手下一班战将，个个扬威耀武，来到阵前，唐坤在马上一见，更不打话，大声说道："哪位将军与我擒此逆贼。"旁有先锋朱能，应声出马，手持金铜，跑到阵前，大喝："反贼前来受死！"胡豹部下莫如龙，提枪对敌，两个各通姓名，枪铜交还，战了十数回合，莫如龙抵敌住，措手不及，被朱能一铜，打落马下，军士上前取了首级，胡豹见莫如龙已死，心中大怒，指挥众将上前，将朱能围住，唐坤一见，亦催动人马

官兵,阵中个个争威逞勇,杀得胡军大败,胡豹督率败兵走入城中,朱能掌得胜鼓回营,命军政司记朱能头一功。

胡豹回城查点兵将,伤了士卒三千有余,杀死五名官将,心中大怒,与众官计议,再发檄文,催动五处人马。哪五处呢?

巴州镇　　吴威。

绥江协　　王勇。

长少游府　　陈隆。

巫峡都司　　李江。

大雁山　　唐玉龙。

雷象星对胡豹说道:"朝兵不过六万,我军虽少,足以相当。惟彼先锋朱能,年纪虽小,英勇异常,莫将军被他杀死,挫了锐气,是以如此大败,王爷但当宁耐一二日,养过锐气,待各路兵到,然后出战,可保全胜,但遥计五路人马,只有大雁山隔涉颇远,其余四路,卑职计之,不日必到。"说话未了,忽闻城外炮响连天,胡豹惊疑,命云福上城探望,见有两支兵马屯在东北,扯起巴州、绥江两处旗号,即下城回报。胡豹大喜,与各官商议,即点定人马,吩咐各将,但听两军炮响,即出城迎敌,直冲唐坤大营,使他三面受敌,首尾不能相顾,各将得令,安排准备。

是时,唐坤正在大营,与朱能、贵保酌酒贺功,忽探马报到,有两处人马,扯着巴州、绥江两处旗号,将近到营,唐坤闻报,正欲发兵拒敌,贵

保道:"且慢!不知两处兵马,果是助逆,抑或勤王,待他扎营,听过消息,再作计较。"唐坤道:"参谋之言甚善。"到了次早,不见两营到来知会,知他是助逆无疑了。唐坤分兵两支,命梁玉、陈升各带精兵一万,在营前左右埋伏,预防城中人马

冲营;唐坤点齐各将,准备与巴州、绥江两支兵交战。

且说巴州镇吴威,当日得了胡豹催檄,即点精兵一万五千,会同绥江协王勇,一齐带兵到荆州助战,两下合兵二万有余,到了荆州。见大兵屯扎,知朝兵已到,扎下营寨。歇了一日,然后两下点齐人马,与唐坤会战,不知两家胜负如何?且听下回分解。

第二十三回　唐师征南风倒囊　胡兵败北夜劫营

　　话说唐坤闻得炮响，出营迎敌，两军相见，唐坤骂道："朝廷高官重禄相待你等，今日天兵讨逆，不来相助，却从贼反戈，如此残臣，狗屁不若。"吴、王二人见骂，回声喝道："你等谗臣，诬惑主上，加害王爷，本镇见事不平，特来问罪。劝你抛戈弃甲，下马投城，本镇带你赔罪王爷，保你高官重爵。倘逞强不悟，管取死在目前。"唐坤未及答应，朱能在阵前喝道："不必多言，好来受死。"吴威大怒，挺枪喝道："无名小子，如此称强，待本镇取你狗命！"朱能执铜相迎，王勇即催动各将，与朱能各将应敌，两下混战，两路人马，被官兵杀得马仰人翻，抵敌不住，胡豹在城上望见，即点齐众交出城，直冲官营。梁玉、陈升两支伏兵，从左右杀出，两下厮杀，战了许久，无奈胡家人马众多，梁玉、陈升看看抵敌不住，正欲败走，刚遇唐坤大军追杀巴州、绥江两路败兵，见梁玉、陈升与城中有马对敌，势似不支，即纠命大兵，两下两攻，胡豹人马大败，混同吴威、王勇两处残兵，光走入城。唐坤鸣金收兵回营，记了各将功劳。

　　此场大战，伤了吴威上将十员，士卒二千有余，王勇被朱能打伤左臂，王勇对胡豹说道："朝廷兵劲，先锋勇猛，难以取胜。"座中有参谋区通献计道："朝兵诚劲，日间难与交锋，依末将愚见，今晚三更，王爷亲率大军，劫他营寨。彼胜而骄，必不准备，大军掩袭，必能全胜，可雪连日之耻。"胡豹与众将商议已定，即传令各营将士，二鼓在辕门听令。

　　是晚，唐坤与朱能、贵保坐在大营，商议军务，忽有一阵狂风，从东方震字位来，把军中帅旗吹倒，各人心中惊疑，贵保即排八卦，推算道："此是警兆，元帅可传令各营将士，人不离甲，马不离鞍，提防胡贼今夜劫营。"唐坤闻言，即令中军官到各营宣谕，自己同贵保等在中军帐，秉烛谈论兵机，到了三更，果然城中人马，衔枚疾走，到了唐坤大营，喊声杀入，各营官将俱有准备，直出厮杀，唐坤、朱能一闻人马嘶喊，飞身上马，督率将士奋勇争战，是时，天昏月黑，胡豹见有准备，不敢恋战，两下

呐喊,混到天明,各抖精神再战,战了许久,胡兵大败,胡豹心慌,错走落荒,朱能紧紧追赶,唐坤见朱能追赶胡豹,遂挥动各将协力追擒,正在紧急之时,忽闻铃响马嘶,一队人马打着两支旗号,原来长沙陈隆、巫峡李江两路兵来,胡豹一见,心魂稍定,拍马喊救。陈隆、李江急上前接应,朱能与各将见两支人马救了胡豹,遂不敢向前,直回阵中,唐坤见他救兵已到,亦不敢追袭,收兵回营。

陈隆、李江将人马带齐入城,胡豹向二将谢一番,令云福点过将士,杀伤踩踏士卒共计八千余,死了十名千总,两名都司,四名守备,参谋区通亦已阵亡,这场挫衄非小,胡豹十分忿恨。陈隆、李江劝道:“王爷不须愁烦,待末将二人明日出马,务必将他杀得大败,报却王爷心头之恨。”胡豹道:“若得二位将军如此,孤当重赏;但他先锋朱能十分英勇,我营将士多丧在他手,二位明日须罗打点。”李江道:“王爷休长他人之志气,灭自己威风,小将自出道以来,未逢敌手,任他勇如狼虎,小将不杀败他,誓不为人。”陈隆道:“待明日同李都司会过一阵,得胜便罢,倘若不能取胜,待末将摆个阵图,务必将他六万大军困死沙场,若有一个得回,不算得末将手段。”胡豹与各官闻言大喜,设筵款待。

且说唐坤回营,记了诸将功劳,朱能道:“今日真可惜,险些擒了逆贼,若非那两支军列,必然一战成功。”贵保道:“成功只在迟早,谅他乌合之众,何足与我军对敌! 兄其勉之。”唐坤道:“且待明日出战,杀败了新来两支兵,则擒胡贼易如反掌了。”是晚,酌酒贺功,欢谈畅饮,安排明日与陈、李二人交锋。

却说陈隆、李江二人,次日领了部下二万人马,出城来到唐坤营前,胡豹与各官在城楼看敌,李江出阵大喝道:“谁是朱能,好来受死。”朱能大怒,拍马出马喝道:“好逆贼! 既闻先锋大名,还不下马受死。”李江大怒,举起双锤,直打朱能。朱能把双铜一架,两人各带上伎俩,奋勇前驱,战了数十回合,不分胜败,陈隆指挥部下,上前相助,唐坤一见,令各将出马迎敌,两下混战,互有杀伤,李江与朱能足战了二百余合,见不能取胜,虚闪一锤,拍马便走。朱能上前追赶,唐坤恐中计,鸣金收兵。

陈隆、李江入城,胡豹接见,相慰道:“李都司真勇将也,能与朱能力战许久,彼军谅不敢轻觑了。”李江谦谢。陈隆道:“彼军虽勇,待本将略

施小计,包管他六万大军,丧在我手。"胡豹问道:"将军有何妙计,能破彼军。"陈隆道:"末将得异人传授秘术,待明日摆下'落魂阵',诱他大将困在阵中,王爷统率精兵端他大营,必得全胜。"胡豹大喜,于是酌酒相庆,犒赏各将。

且说唐坤回营,谓朱能道:"不意先锋今日得遇劲敌,依将看来,那贼将英勇,不出先锋之下,今日阵前诈败,必有诡计,是以收军。"朱能道:"若擒得此人,逆贼便易平复,但须智取,不可力敌。待明日交战,用一条妙计擒他。"不知朱能用什么计策?且听下回分解。

中国古典名著百部

第二十四回 显神灵飞沙走石
落魂阵折将损兵

诗曰：

　　乌兔谁逢掩，何伤日月明；

　　仙风薄邪积，悠然见太清。

话说朱能在营中，与唐坤谈论，忽有军士呈上胡贼射来一书，唐坤拆看，与众将商议道："贼人约三日再战，必有诡计，且待三日后，看他如何？"贵保道："还须传令各营将士，紧守营盘，不可乱动，恐防贼人乘懈掩击。"唐坤即令中军传谕各营，勤加守御，提防敌人劫营。

斯时陈隆果然设下计谋，仰雷知县办尼姑四十名，妓妇四十名限日解到阵中应用，不一日，知县办齐，带到军前，陈隆又命军士掘取冢棺木、坟坭，又取柳枝、铜铃各四十，诸事停妥，即点八千军士离城五里，向北布阵，阵有四门，俱用坟土、棺木筑成，每门发二千军士把守，俱戴白盔，穿白甲。又每门用妓妇十名，赤身手执柳枝，见人厮打，又用尼姑十名，手执铜铃，见人频摇，那铃名'摄魂铃'。大将一入其中，便手软魂离，困阵内，又用云符四道，安贴四门，布置已毕，准备来日擒敌。

翌日，遂领了军士到唐坤营前搦战，唐坤闻报，即命朱能出马，李江一见朱能，更不打话，持锤直取朱能。两人拍马交战，陈隆对唐坤说道："公为元帅，当识兵机，今日不与你们斗力，

只与你们斗智。现摆阵图,你敢破否?"唐坤道:"本帅熟读兵书,深明韬略,曾经几番大战,何况你是无名小将,摆下无名小阵,本帅破之,如利刀摧枯,迎手立碎,哪有不破之理。"陈隆笑道:"强出大言,亦终何用。"即将令旗一展,布成阵势。唐坤与贵保阵前观看,看见阵上挂着一牌,写"落魂阵"三个大字,阵内排得奇样,不解其意,细细再看,见内中并无埋伏,即命四员副将,带了二十员神将,领了一万雄兵,分四门杀入。四将领命,带兵杀入阵中,谁知一到阵门,被四十个赤身妓妇,将手中柳枝向人乱打,各人正欲举枪相刺,忽一阵摄魂铃响,各兵将手瘫脚软,昏倒在地。可怜一万雄兵,二十四名将官,都被陈隆之军杀绝。

唐坤在阵前见诸将入阵不见动静,心中疑惑,须臾,陈隆军士把各尸抛去,唐坤大惊,即催动人马,直取陈隆,忽炮响一声,城中胡豹引兵杀出,各兵将抵敌不住,纷纷败阵逃走,唐坤与贵保弹压不住,二人见势头不好,跨马急走,胡豹与陈隆驱兵直追,那边朱能与李江正在酣战,各不相下,忽见阵脚摇动,帅字旗已倒,大军溃散,心中大惊,无意恋战,遂抛了江,拍马救获,不意被李江打着马尾,那马负痛颠蹐,把朱能掀翻在地,李江欲下马取朱能首级,却被朱能翻身逃脱,走入乱军中而去。李江把各军士杀得如剖瓜切菜,各军士四散逃生。唐坤与贵保离了战阵中,神魂稍定,四顾数万大兵,早已失散,只有梁玉、陈升领着数员神将、千余军士相护,忽闻胡豹大兵紧紧追来,将近已到,唐坤遂领着众将,亡命直奔。

正在危急之时,忽一阵狂风,飞沙走石,将胡豹大军打得头崩额破,胡豹在马上,被石打伤额头,陈隆、李江亦各有伤,有军大乱,将人马带回城中,风起时,唐坤、朱能等观见秀霞玉貌归衣在半空中,把袍袖乱拂,但见袖拂处,风起石飞,打退胡豹人马。须臾风止,秀霞不见,追兵亦无。唐坤、朱能等知是秀霞贞烈为神,显灵相救,众人一齐望空拜谢。

少顷,见各逃亡将士一一齐集,贵保亦到,唐坤招集残兵点过,连在阵中被杀,共死士卒二万有余,偏裨副将死者十余员,伤者不计其数。就在此处扎下营寨,商量破敌,唐坤道:"敌人摆下这个'落魂阵',十分厉害,是历来兵书所不载的,我们不晓破法,料难取胜了。"贵保道:"此阵摆得离奇鬼怪,恨我姐姐不在此间,阿姐好读奇书,好设奇计,若今日

得她在此，必有一破阵之法。"朱能道："将之用兵，如医之用药，难执古道之方。岳武穆一生用兵，全不依古阵法，尝这运用之妙用。在我愚见，只以理推，测一个阵图，自有一个破法，犹之一病，必有一药。"朱以道："这个'落魂阵'用什么道理推测，可以破得呢？"贵保道："这个不难，愚已有破之的法。"不知贵保说出什么法子来？且听下回分解。

第二十五回　请救兵赛全自荐
破恶阵贵保立功

诗曰：

锥未未伸囊，犀锋久目藏；

一朝争脱颖，英利却难当。

说话朱能问贵保，有什么法，可以破得他这个"落魂阵"。贵保答道："'落魂阵'用尼妓、柳铃、坟柩、白盔、白甲，乃一片纯阴之气，若论破法，须用一片纯阳之气以胜之，他用孤阴的尼姑，我用独阳的和尚；他用少阴的妓女，我用少阳的童男；他用阴柔的小铃、柳枝，我用阳刚的铁鞭、铜镜、桑枝、饶钺；他用属金的白色盔甲，我用属火的红色盔甲。用红胜白，用火克金，用男敌女，用阳胜阴。他用一片纯阴之气，我用一片纯阳之气，岂有不能破他的？"朱能大喜道："此言确有至理。即黄贤弟上日所论，天下万事万物，不离阴阳二字，又即用兵胜败，全赖人谋，一齐术数，俱无所用之谓也。"贵保道："事不且迟，元帅可速速依法行事。"

唐坤即命禅将下乡，选童男三十六名，男僧三十六名，铜镜、铁鞭各三十六。选亦数日，命副将四员，带二千军士，红盔红甲，分四门杀入，每门男僧九名，左手执铜镜，右手执饶钺；童男九名，左手执桑枝，右手铁鞭，随副将杀入"落魂阵"内，朱能带三千军士，务要生擒李江；唐坤自带一万雄兵，梁玉、陈升等十名禅将，预防胡豹冲营，单留二千军士，镇守大营，点拨已定，响炮出营。

那边陈隆、李江亦点齐部下军兵，出城迎敌，来到阵前，朱能一见李江道："今日务要擒你，报昨日之辱。"李江大怒，拍马相迎，二人逞勇交锋，陈隆见朱能在阵前，即出马喝道："敌人有勇者，请来会阵。"贵保把红旗一招，这四员副将带了红装军士、僧童杀入"落魂阵"中，陈隆见将士入阵，把白旗一展，那八千白衣军士，与那红衣军士对敌，被那红衣军士杀得大败；那四十名妓妇，被三十六个童男，将铁鞭打得东奔西走；把三十六个阳镜齐照阵内，阳光忽现，四门阴惨之气尽消。那四十个尼姑

正摇紧摄魂铃，被三十六个僧人响动饶钹，吓得众尼姑抛铃乱走，四名副将砍倒阵门，杀出阵外，陈隆见阵已破，心中大惊，正欲逃走，被四名副将围住，乱刀斩死，割了首级，胡豹闻知，即驱兵相救，被唐坤催动大军，杀他一个大败，胡豹走入城中，紧闭城门。

贵保见胡豹败走，朱能战李江不下，随把大旗一麾，众将合兵相助，朱能把李江围住，李江看见自己部下人马俱无，四面俱被唐坤兵将围住，心中大惊，却被朱能双铜打着金盔，倒撞马下。朱能下马，割了首级，与诸将掌得胜鼓回营。唐元帅把各将功劳记簿，赏了众僧童，另打发回去，遂议兵围城。

城内胡豹查点败军，陈隆、李江全军覆没，城中人马伤了三万有余，只剩军士五千、裨将十员，另王、吴二将部下共计兵不满万，心中大忧，又虑唐坤攻城，屡望唐玉龙救兵不到，聚集大小将官商议，各人束手无策。雷知县献计道："此去大雁山，十日可到，若有人去催取救兵，往返不过廿日，荆州城池固，任他善于攻击，一月决不能破，王爷可命三公子带书催请唐玉龙，他必驰兵来救，但须得一勇敢之士，保着公子冲出重围便得。"胡豹道："贤令所言亦善，但查城中兵将俱非朱能敌手，倘冲围不出，反为不美。"雷象星道："事势危急，重赏之下，必有勇夫。凶可传令大小三军，有能保得三公子往大雁山取救者，加以重爵，愿往者上帐报名。"胡豹果依其言。

此令一下，果有一位英雄上帐报名，原来就系施赛全。前在大雁山做头目时，屡劝唐玉龙投顺朝廷，唐玉龙迟疑不决，后因告假下山寻妹子，进京寻黄贵保，从京回归之后，在世荣家中安歇，未曾回山，料知胡豹必然造反，一来想保护世荣家小，二来想做个官兵内应，他有此一片忠义之心，故不肯归山，竟投淮安镇莫如龙部下，莫如龙爱他英勇，命他做个千总，今见官兵围城，正欲到官军营中通个消息，恰好闻胡豹传下此令，正中心怀，遂急上帐报名，胡豹见他器宇不凡，心中喜悦，又得雷象星保荐道："施总爷肯去，必能保得三公子去取救，王爷可以放心。"胡豹即升他做行军游击，就命他明日保护云福出城，是晚，施赛全写书一封，绑在箭头射去，官兵巡营军士拾得，呈上唐元帅，唐坤拆看，心中大喜，即传朱能上帐报知，命朱能带三千人马，离城十里埋伏，待胡云福到

此，将他拿下，同施赛全回营。

是时，施赛全同着云福，领三千人马，望前而去。胡豹在城上看见，十分欢喜，同众将下城，吩咐守城军士严加防护，回到王府，心中稍安，谁知施赛全同云福出了唐坤营盘约有数里，远望一支人马屯扎路旁，心中暗喜。刚刚来到，忽一声炮响，人马摆开挡路，不知后事如何？且听下回分解。

第二十六回　阵前把云福擒缚
说大义玉龙投降

　　话说施赛全带胡云福来到此地，忽见一支人马摆开挡路，赛全认得是朱能，挺枪拍马上前会战，朱能一见赛全，两家合意假战数合，赛全诈败而走，朱能不追，回马来捉云福，云福大惊，正欲逃走，被朱能赶到，揪住后心，擒过马来，交与军士绑住。那三千军卒正欲脱逃，朱能把双铜摆开，喝道："降者免死。"众军齐声："愿降。"朱能命手下军士，押了云福先驱，自己带住降兵，恰好赛全回马相遇，一路上，两人各叙情节，少顷，到了大营，朱能同赛全入见唐坤，唐坤道："多得将军用计擒贼，回朝奏闻天子，定赐高官。"赛全致谢，吩咐将云福押在后，待捉了胡豹一齐解京，遂与诸将计议攻城。

　　赛全道："城中守御甚严，急切难破，况粮草足用，彼深沟高垒，以老我师，怎奈得他何依，未将愚见，不若假扮大雁山救兵，骗开城门，长驱直入，擒拿胡贼，易如反掌。"唐坤拍掌称善。贵保道："此计虽妙，万一胡豹不见儿子回，心中起疑，要亲见玉龙，然后开城，岂不露出破绽，在我愚见，不若命人往大雁山，说降唐玉龙，况他玉龙乃系元帅之侄，可修书前去，说他来降，教他假作救兵，赚开城门。一则免胡豹起疑，二则得玉龙相助，岂不一举两得。"朱能道："此计固高，但未知玉龙为人若何？"赛全道："吾事玉龙许久，素知他为人十分义侠，我往时曾劝他归顺朝廷，他迟疑不决，实未得一个

中国古典名著百部

善言之人相劝,今元帅修书,责他叔侄之情,必来降矣,但他与胡豹虽属戚谊,到如今若有善言之人,料必劝他归顺。"贵保道:"他于胡豹虽属戚谊,看来志气未必相投,不然我兵到此,已非一日,他若肯从逆,何以至今按兵不举,其为人可知,况我父亲当日在尖峰岭,与他有半面之识,我与施将军同往,大事可成。"唐坤大喜,即修书交与贵保,命与赛全同往,于是二人扮作客商,十名军士扮作家人,一路望大雁山进发。唐坤见二人既去,即命中军副将带一支人马,在半路屯扎,打听唐玉龙消息。

却说玉龙自从在尖峰岭,得闻黄世荣一段议论和劝,改邪归正。后来屡听上日施赛全劝降,便有意归顺朝廷,日日望朝廷招安。一日,忽接得胡豹书信,见他富贵已极,尚且贪心不足,妄图天位,心中十分著恼。是以连接他数次催兵之书,都置之案头不理。

一日,正在后山打坐,忽见施赛全回山拜见,禀称与黄世荣之子黄贵保同来拜候,现在门外,玉龙闻言,忙出山门迎接。进入寨中,分宾主坐下,各叙寒暄毕,玉龙对赛全道:"将军为何许久不见回山?"施赛全道:"现奉令亲胡豹之命,有书拜候大王。"袖中取出书函呈上,玉龙接过一看,皱了双眉,随纳入袖中,便问赛全道:"将军弃我不回,一向在舍亲帐下么?"赛全道:"小将家令亲提拔,现充游击之职。但小将来时,朝兵攻城甚急,恳大王火速发兵相救。"玉龙心中不悦,便不与赛全答话,转问贵保道:"足下尊翁纳福。"又问因何与施将军同来,贵保道:"外出回家,中途与施将军相遇,询知他来谒大王,不才忆起当日家君用情,并蒙施兄救护家眷,又属亲戚,故便道同来拜谢。"玉龙道:"忆昔日在尖峰岭,得闻令君高论,不啻清夜闻钟,唤醒十年尘梦。"遂命头目治酒款待,二人称谢,施赛全以言激之道:"令亲被困省城,命小将持书求救,大王且慢理筋政,还宜速备征鞍。"玉龙不答,贵保复激之道:"既如此,不才不敢叨扰,恐逗挠军机。"遂起身告退。

玉龙离座挽之,道:"足下初到荒山,不知本山号令,慎勿多言。"即解佩剑付头目道:"敢有言救兵者,斩之。"赛全故作惊愕之状,默坐贵保道:"不才有句不识进退之言,请大王勿怪。"玉龙道:"足下乃仁人君子,吐词足以为经,某正敬服,又何敢怪?有何指教,当洗耳恭听。"贵保道:"不才前时,家君相劝的言语,大王可复记忆否?"玉龙道:"金石之论,铭

记不忘,归顺之事甚协,吾怀但恨无机会耳。"贵保道:"不才看来,现有绝好机会,但恐大王迟疑不决。"玉龙道:"有何机会,请道其详。"贵保道:"现在天兵围困荆州,唐元帅久攻不下,元帅说大王系他住儿,故特修书,浼他帮助。如果有意归顺,先与元帅知会,假作救兵,赚开城门,先擒胡贼,以为进见之功,唐元帅必然喜悦,回朝奏闻天子,大王必得高官,此是绝好机会了,但恐大王不肯。"不知唐玉龙如何回答? 且听下回分解。

第二十七回　赚城门胡豹被捉　敲金镫将士凯还

诗曰：

　　获丑庆归来，惮惮壮士回；

　　彤廷欢饮至，解甲赐香醅。

　　话说贵保劝唐玉龙投降，玉龙见施赛全在坐，频以目止之，从容说道："施将军在坐，足下勿乱道。"贵保道："施将军亦是忠义之士，言之无妨，全恐大王主意未定耳。"玉龙沉思半晌道："足下所言甚是。但外祖母现在，某安能出此忍心。"赛全道："大王不闻令外祖母之事么？"玉龙道："不闻。"赛全道："不闻不足怪，大王一闻，只怕不容令舅父了。"一遂把胡豹拒谏杀母之事，粗述一番。玉龙闻言，不觉怒发冲冠，跳出座外，大骂悖逆胡贼，某拿住你，务必碎尸万段，即回座对贵保说道："足下高论，某即举行，但恨无人往见唐元帅，此事亦费踌躇。"

　　贵保察其心意真诚，便以实情告道："大王知我两人来意否？"玉龙道："足下来意，某实未知。"贵保道："不才忝在唐元帅帐下作参谋，我二人实奉元帅之命，来请大王归顺。不才亦颇知大王素怀忠顺，但恐大王念着甥舅之亲，故未敢据下说辞耳。"说罢，即怀中取出唐元帅手书奉上，玉龙看罢大喜。玉龙复问赛全外祖母被杀之事，赛全道："此事的真，皇姑现被胡贼拘禁，大王他日入城，一问便知。但胡杀甚秘，此事他的门公与末将相好，悄悄对我出的。"玉龙叹道："这等人不早诛戮，有坏世教。"说话未完，头目摆上酒筵，玉龙挽二人入席，互相劝酬，尽饮而罢。二人在山寨中安歇一宵，次日，贵保催速玉龙起兵，玉龙即留下两员头目，一千喽罗看守山寨，其余办作官军，直往荆州府城进发。

　　一路登程，将到荆州，忽见前途有一支人马屯扎，赛全忙上前看视，原来是中军副将，即此他与玉龙相会，玉龙即托贵保知会元帅，叫他准备大军，候赚开城门一齐杀入，自同赛全带了喽兵，扯起大雁山旗号，贵保即同中军副将见了唐坤，把情节细说一番，唐坤大喜，即传令下去，攻

城军士得令，各将士入城不许骚扰百姓，但捉住逆党，重重有赏。

且说胡豹在城中，满望唐玉龙救兵到来，望至廿日，尚未见到，心中焦躁，正与各官谈及，忽守城将士回报，唐坤人马攻城。胡豹惊疑，同着各官上城观看。看见前途尘头大起，一支人马，渐渐来到，扯着大雁山旗号，为首一将跃马飞奔，将近到城，认得是赛全，心中大喜，俄顷，赛全已到。大叫道："王爷快开城门迎接，唐大王救兵到了。"胡豹传令开城，同各官下城迎接。胡豹匹马当先，见了赛全，便问云福因何未到？赛全答以"在后。"俄而众军纷纷入城，胡豹在城门见唐玉龙银甲金枪，威风凛凛，不胜之喜，叫道："贤外甥有劳了。"玉龙在马上拱手答道："不敢。"玉龙一入城来，到胡豹身边，大喝道："逆贼休走。"即将胡豹擒过马来，命军士绑了，即挥动金枪，把城中各将乱杀，杀散守城兵将，吴威拔刀不及，被赛全双鞭打死；王勇奋力与赛全相斗，被玉龙枪郴刺死，城中大乱，各官纷纷奔逃，后面唐坤、朱能驱兵杀入，所有奸党，一概擒拿，朱能直入县衙，把雷象星擒下，打开监牢，救出何象峰，即同何象峰去见唐坤，唐坤优礼相待。

这边朱能招集残兵，出示安民；那边唐玉龙杀入胡府，府内家人俱已走尽，剩下几个丫鬟、仆妇，一见玉龙，即跪下讨饶。玉龙喝起，命引见皇姑，一见，连忙下礼，命仆妇开了枷锁，相请出堂，唐坤率众上堂拜见，吩咐丫鬟小心服侍，即与众将退出，吩咐把所获各犯，暂禁县监，拨两员裨将、一千军士把守，是时，城内大小官员皆为从逆，收禁县牢，唐坤恐各官有被胡贼威逼，勉强相从，不忍一概治罪，遂与知府商酌，审明真伪，谁为首从，谁为胁从，谁为伪从，一一分别重轻，将此情节入奏，省内官员怎样办，亦抑或解京定罪，抑或在该处发放、处决，并请旨恩调官署理各缺。

却说贵保母子被铁威陷害，禀知元帅，唐坤命贵保将铁威全家捉获，暂禁县监，候旨发落，朱能带本上京奏达，唐坤将人马屯扎城内，候旨下再夺，过了月余，旨下说："从逆诸员解京，其伪从者，免死革职留任，俟有新员到，再行交代。其首从与胁从，俱拿获解京，分别议处，该巡抚印录，暂令何象峰署理。"旨下之日，尔朱能、黄贵保、唐坤三人，即刻护送皇姑回朝，并押各犯到京，其有功将士，与新降将卒，一齐到京受

赏。唐坤命唐玉龙着人焚了山寨,散了众喽罗,请皇姑上辇,点起大军,离了襄阳城,何象峰等送至城外,将士齐敲金镫,吹唱凯歌,直程到京。不知后事如何?且听下回分解。

第二十八回

论军功众将封赠
诛奸佞皇姑回朝

　　话说唐坤等带得胜兵，解贼回京，神宗皇帝命各文武迎接，又命宫监、侍女迎接皇姑入宫，与娘娘相见，唐坤兵马一到京城，扎下营寨，与众将入朝面圣，戎装献捷，神宗御承天门受俘，慰劳诸将一番，命众将在承天门候旨，龙驾回宫，御大殿，受群臣朝贺。命内官齐金帛给赏，得胜兵将其新降者，编入京营，其偏裨各将升赏，有等差；陈亡将官，旌赠荫子；阵亡士卒，给赠金帛安家，令唐坤、朱能、贵保、玉龙、赛全五人，上殿受封。

　　唐坤一一分拨已定，同着四人随内官上殿朝参，俯伏金阶，听候皇恩。神宗皇帝道："尔唐坤节制有方，削平叛逆，朕甚嘉焉，封卿为太子太保、护国公，兼九门提督、赐黄金千两，采缎千端。"唐坤谢恩，归班站立。又

谕朱能道："尔朱能武勇高军功第一，封卿为太子少傅，兵部尚书、两广总督，荣封三代，给假一年，然后赴任。"朱能谢恩，归班站立。又谕黄贵保道："尔黄贵保少年负略，妙策平胡，朕甚赖焉，封卿为兵部侍郎、陕西巡抚，荣封三代，给假一年，然后赴任。"贵保谢恩，归班站立。又谕唐玉龙道："尔唐玉龙少聚绿林，识时归命，计擒胡逆，厥功甚懋，朕封卿为河南提督，荣封三代。"玉龙谢恩，归班站立。又谕施赛全道："尔施赛全少年义侠，讨逆有功，封卿为阳州总兵，荣封三代，即行上任。"赛全谢恩，归班站立。其各逆犯暂禁天牢，明日御殿再行处决。唐坤又奏湖广官

员多缺,恳天恩简命各员到理,免使城内空虚。神宗皇帝谕吏部杨德芳,命他将候补各员择廉能者,即分发去湖广各缺。德芳领旨,命内官齐旨,将原日襄阳知府何象峰,实授湖广巡抚;又发各候补,分发湖广各缺。黄贵保又奏朱秀霞贞烈显灵,狂风飞石打败胡贼,恳天恩封赠,神宗皇帝准奏,即封赠朱秀霞为贞烈仙姑,钦赐该府建庙,命大员往祭,朱能出班代姐谢恩。诸事已毕,退朝。

各官回衙,神宗入宫与皇姑相会,皇姑上前请罪,神宗劝慰一番,皇姑因问:"云光、云龙两个儿子怎样处决,曾经拿获否?"神宗道:"造逆之初,云光已先在官衙自尽;云龙自缚,在该省提督请罪,该省大员曾经上奏,朕命监候,未曾处决。若论国法,一人造反,九簇当诛,朕看皇姑面上,又念二人忠烈,将死者级回原官,命该处官员,送他妻子上京,与皇姑相会,云龙赦免,着他回京,赐第供养皇姑便是。"皇姑含泪谢恩。

次早,神宗御偏殿,将各逆犯带上,一见胡豹,拍案骂道:"朕待你可谓恩礼兼尽,且身受两朝恩典,不思报效,反图叛逆,母妻劝谏,杀母囚妻,天伦奚在,死有余辜。"又骂云福道:"恃势逼奸,刺杀二命,肆恶已极。"又骂从逆各员道:"朕赐尔等高官重禄,不思报效,贪生畏死,反助逆贼,抗拒天兵,朕问尔等,今日贪生果得生,畏死果免死否?"骂罢,将各犯押出,把胡豹父子凌迟,李巡抚、雷知县腰斩,其余各犯官发往极边充军。

处置已毕,齐旨两道,一命往广东,著该巡抚送原任布政云光妻子进京;一命往广西,著该提督押胡云龙连家属一并进京,两道旨意一到,该抚遵旨寻着云光妻子,该督押着云龙连家属前后进京,神宗恩宽赦免,令与皇姑相会;又给赐府第,令他母子、姑媳团聚,将籍没的家财,给回安享。此番从逆,各犯俱被诛戮。

却说唐坤在胡豹家中,搜出宋琼走漏书信,上殿奏明,连书呈上,神宗一见大怒,遂骂宋琼:"孤有何亏负于你,因何走书通息?留来何用,革职发配极边充军。"又说:"襄阳铁威陷害贵保母子,下旨命何象峰将他斩首,以正国法。"欲知朱能得接绣球成亲。且听下回分解。

中国古典名著百部

第二十九回　赐荣归恩仇两尽 封诰赠义烈满门

　　神宗皇帝见国患尽除,赐宴君臣,君臣畅饮,是时,神宗皇帝对张居正道:"闻卿上元佳搭彩楼抛球招婿,不知择得何人为婿?"张居正奏道:"臣女不是亲生,原系黄世荣之女,贵保之姐,前在家中,被铁威逼奸,尽贞投水,臣在舟中拾得的。臣前日所设平定倭寇计策,尽是此女暗中指点,至得成功。又将此功劳让与微臣,不肯表奏天听,臣见她才德兼优,遂收她为义女,替她择婿,彩球掷中朱能,朱能见无父命,极力辞婚。后闻朱能之父百容,与世荣原有婚姻之约,但世荣有一女一子,长女其许配朱能的,名素娟,即臣江中拾得之义女也。其次子名贵保,即钦赐状元,加封兵部尚书之黄贵保也。"神宗闻奏,即召百容问他,百容奏道:"臣当日只道世荣有一女,已经投水,寻尸未见,犹望士还,故臣寄民儿子,叫他在京不可别婚负约,臣儿又不知太师之女即是世荣之女,故遵父命,误向相府辞婚,致有此欲合反离之奇事。"神宗笑道:"这个不妨,朕今与尔子为媒,令他这段良缘,离而复合。"遂宣谕道:"世荣长女素娟,献策平倭,实有大功于国家,又能让功于义父,可谓才德兼备,忠孝两全。钦赐女中状元,荣封三代。移赠张居正,以报抚育之恩。"仍命张居正主婚,敕赐配合朱能。张居正、朱百容、黄世荣一齐跪下谢恩,退朝回府,各对儿女说知。

　　过数日,钦天监择定吉期,皇上命内监赐彩缎、宫袍、明珠、玉带等物,与素娟作奁仪。朱能先到张居正相府拜见岳丈,翁婿相见,十分欢喜。朝中众文武,亦各到相府拜贺。次日,又去拜见世荣、贵保。神宗命内监送花烛到朱府,朱能望阙谢恩。花烛摆列正中,穿起大红吉服,随摆新科元、兵部尚书、两广总督执事,先到丞相府中新迎。一边是公爷娶妇,一边是宰相嫁女,一边是越国夫人嫁夫。是日京城中鼓乐喧天,十分热闹,大小官员、王亲国戚,多到朱府恭贺,大排筵席庆饮。席散,众客辞去,朱能先入素娟房中成亲,此夕欢娱,曲尽人间乐事,怎见

得呢？有赋为证：

烛影摇红金屋，告成于吉日，彤云耀彩，玉梔下降自苍穹。刘阮到天台，芳心飘泊；明皇游月府，醉眼朦胧。掀绣裙金莲小小，弹花盖芍药浓浓。乍卸霓裳，直拥子春之榻；潜开宝库，虚张阳货之弓。翡翠衿中，现出挂山明月；鸳鸯被底，飞来饮润长虹。雪拥高山，玉女双峰，真白滑；花随流水，尾闾一派，甚红溶，独眼将军攻打玉门关外，无牙寨主把守水帘洞中。鸿沟乍割，鸟道初通；莺声频唤，春兴无穷。弱柳春来摇绿，娇花鸟宿落残红。半响睡宫帘不蜷，一时香汗湿酥。

次日，夫妇二人同拜祖宗、父母，到晚复排筵庆饮。饮罢，众人散去，明早上朝谢恩不表。

却说神宗旨召杨聪回京，杨聪接旨，即同女儿进京，在儿子衙门安歇，杨聪见张丞相女嫁朱能，十分热闹，看见贵保年少显达，十分精俊，吾有一女，欲将许配，明日上朝，在圣上面前奏知，待他为主。次早上朝，面圣神宗，忧劳一番，赐坐与他。谈论一番朝政，却被胡贼作反，幸得唐坤、朱能、贵保平服。杨聪奏道："吾有一女，年已及笄，未曾许配，今见贵保年少英俊，欲将此女配他，恳主上作主。"神宗见奏，宣世荣上殿，将杨太师之言说知。世荣奏上："既杨太师过爱，微臣允从。"神宗即命钦天监择定吉日良辰成亲："朕作冰人，御赐花烛，即赐绸缎、宫袍、明珠、玉带等物与杨聪，作为嫁饰。"杨聪、世荣谢恩。是日迎亲，朝中文武各官，到两府恭贺。神宗皇这命内监送花烛到黄府，贵保望阙谢恩，将花烛摆列正中，随摆兵部侍郎，陕西巡抚执事，到吏部衙门迎亲，鼓乐喧天，杨府摆列执事两道："一道柱国太师中极殿大学士，一道太子太傅、吏部尚书官衔，亲迎妹子到黄府成亲，直是热闹，是夜夫妇和谐，极尽人间之乐，到了次日，贵保上朝谢恩。"

过数日，朱能、贵保即会同玉龙、赛全，及梁玉、陈升等一班徒弟，上疏告假回乡。御笔赐朱能状元，配合匾额，众人同日，一齐告假。朱能夫妻又辞了宰相及兵部，带齐家小，贵保辞别宰相官，带齐家小，与各人出京。朱能、贵保到羊肉街，把千金酬谢建良，然后与各人一齐起程，陆路宿村，行舟泊水，到处各官员迎接，朱能俱令家人传见，到了东昌府住

扎，朱能、贵保传帖到拜李建中，预约同学，各生徒在村口迎接。朱能入到建中家下叩谢，随把千金酬谢。大家叙谈一回，然后拜别，同众登程，去到历城拜访刘承恩，照式一样酬谢，在承恩家盘旋半日，然后同众一齐向湖广进发。

不数日，到了襄阳府城，各官出城迎接，一齐入城时，巡抚何象峰已经替朱能等建造府第，各人回府，将家眷安顿，然后接见各官，拜候亲戚朋友，戚友齐来拜贺，酒筵相待，忙了十余日，然后拜谢各官，登山省墓。赛全、玉龙辞别赴任。

朱能父子，计当日曾经受过恩惠者，无不报答。又寻着张玉坟墓，培植树表，哭祭一番；又捐赀建祠奉祀香火，请旨封赠七品官衔。是时，钦赐贞烈仙姑庙宇建造已成，各官俱来致祭，朱能一一拜谢。朱、黄两家所有恩仇尽报，富贵荣华，历代子孙往来不绝。那状元配合的御赐匾额，至今古迹尚存。

诗曰：

英年欢书锦，恩怨了公私；
义侠曼千古，高谈百世师。

中国古典名著百部

中国古典名著百部总目

1.《诗经》、《楚辞》
2.《论语》、《孟子》
3.《尚书》、《老子》、《庄子》、《大学》、《中庸》
4.《春秋左传》(上)
5.《春秋左传》(下)
6.《吕氏春秋》
7.《六韬》、《三略》、《鬼谷子》、《孙子兵法》、《三十六计》
8.《经世奇谋》
9.《周易》、《黄帝宅经》、《冰鉴》、《摄养枕中书》
10.《黄帝内经》(上)
11.《黄帝内经》(下)
12.《战国策》
13.《史记》
14.《山海经》
15.《说文解字》(上)
16.《说文解字》(下)
17.《渊海子平》
18.《诗品》、《花间集》、《人间词话》
19.《帝鉴图说》、《臣轨》、《三事忠告》、《资政要览》
20.《唐宋八大家文钞》
21.《资治通鉴》
22.《容斋随笔》(上)
23.《容斋随笔》(下)
24.《增广贤文》、《呻吟语》
25.《菜根谭》、《小窗幽记》、《围炉夜话》、《三字经》、《百家姓》、《千字文》
26.《焚书》
27.《阅微草堂笔记》(上)
28.《阅微草堂笔记》(下)
29.《古文观止》
30.《西厢记》、《牡丹亭》、《桃花扇》
31.《唐诗三百首》、《宋词三百首》、《元曲三百首》
32.《三国演义》(上)
33.《三国演义》(下)
34.《西游记》(上)
35.《西游记》(下)
36.《水浒传》(上)

37.《水浒传》(下)
38.《封神演义》(上)
39.《封神演义》(下)
40.《东周列国志》(上)
41.《东周列国志》(下)
42.《喻世明言》
43.《警世通言》
44.《醒世恒言》
45.《初刻拍案惊奇》
46.《二刻拍案惊奇》
47.《聊斋志异》
48.《红楼梦》(上)
49.《红楼梦》(下)
50.《儒林外史》
51.《官场现形记》(上)
52.《官场现形记》(下)
53.《二十年目睹之怪现状》(上)
54.《二十年目睹之怪现状》(下)
55.《孽海花》、《老残游记》
56.《包龙图判百家公案》、《狄公案》、《于公案》
57.《荡寇志》(上)
58.《荡寇志》(下)、《说唐》
59.《梼杌闲评》
60.《三侠五义》、《五鼠闹东京》
61.《七剑十三侠》
62.《型世言》
63.《情史》(上)
64.《情史》(下)、《剪灯余话》
65.《乾隆游江南》
66.《儿女英雄传》(上)
67.《儿女英雄传》(下)
68.《五美缘》、《好逑传》
69.《玉娇梨》、《林兰香》
70.《禅真逸史》
71.《花月痕》、《蝴蝶缘》、《绣球缘》
72.《锦香亭》、《雪月梅》
73.《十二楼》、《金石缘》、《双和欢》
74.《剪灯新话》、《子不语》
75.《绿野仙踪》(上)
76.《绿野仙踪》(下)